# Salud

## POR LOS

# ALIMENTOS

# SALUD
## POR LOS
# ALIMENTOS

**Jorge D. Pamplona Roger**

Doctor en Medicina y Cirugía (Universidad de Granada, España).
Médico especialista en Cirugía General y del Aparato Digestivo.
Especialista Universitario en Educación para la Salud
(Universidad Nacional de Educación a Distancia, España).
Máster en Salud Pública (Universidad de Loma Linda, California, Estados Unidos)

editorial safeliz

## Advertencia

Es el deseo del autor y de los editores que el contenido de esta obra sirva para orientar e informar a nuestros lectores acerca del valor nutritivo, preventivo, curativo (dietoterápico) y culinario de los alimentos; sin pretender en ningún caso sustituir la asistencia médica en cualesquiera de sus aspectos preventivos, diagnósticos o terapéuticos.

Las recomendaciones y consejos que se dan en esta obra son de tipo general, y por tanto no pueden tener en cuenta las circunstancias específicas de cada persona. Es necesario que el diagnóstico de una enfermedad sea hecho por un especialista o profesional de la medicina debidamente cualificado; por lo que ante síntomas patológicos no conviene autotratarse.

Existen productos alimentarios que cuando se ingieren pueden causar una reacción alérgica en personas sensibles. Los editores y los distribuidores de esta obra no se hacen responsables de cualquier problema derivado de un empleo inapropiado de los productos alimentarios, recetas y menús por parte de los lectores.

Colección: **Nuevo Estilo de Vida**
Título: **Salud por los alimentos**

Autor: Jorge D. Pamplona Roger
Procedencia de las ilustraciones: Ver página 375
Diseño y desarrollo del proyecto: Equipo de Editorial Safeliz

*Copyright by* © **Editorial Safeliz, S. L.**
Pradillo, 6 · Pol. Ind. La Mina
E-28770 · Colmenar Viejo, Madrid (España)
Tel.: [+34] 91 845 98 77 · Fax: [+34] 91 845 98 65
admin@safeliz.com · www.safeliz.com

Promueve: **Asociación Educación y Salud**

Distribuida en EE.UU. y Canadá por
**Review and Herald® Publishing Association**
55 W. Oak Ridge Drive, Hagerstown, Maryland 21740, USA
tel. [+1] 301-393-3000
correo electrónico: hhes@rhpa.org

ISBN: 978-84-7208-149-9
Depósito legal: M-4447-2007

IMPRESO EN LOS ESTADOS UNIDOS DE AMÉRICA
PRINTED IN THE UNITED STATES OF AMERICA

S ea por creencia o ciencia, a ciertos alimentos se les ha concedido un valor curativo. Hace más de dos mil años, Hipócrates, precursor de la medicina, acuñó el aforismo *"Que tu alimento sea tu medicina, y tu medicina tu alimento"*. Este juego de palabras del sabio griego pone de manifiesto que nuestra alimentación diaria, además de proveer el sustento, puede tener propiedades curativas. Aunque a través de la historia de la medicina siempre se ha postulado este tipo de propiedades en los alimentos, tan solo recientemente se ha establecido la evidencia científica que relaciona ciertos nutrientes de nuestra dieta como agentes causantes o preventivos de ciertas enfermedades.

Primero se demostró en estudios, con animales de laboratorio y también en los humanos, que la ausencia de ciertos alimentos en la dieta causaba enfermedades carenciales, y la inclusión de otros sanaba a los pacientes afligidos por estas enfermedades. Afortunadamente, para amplios sectores de la población, las enfermedades deficitarias no representan un problema importante. Sin embargo, sí lo son otras dolencias y enfermedades denominadas "de la civilización".

En los países industrializados se han producido en las últimas décadas profundos cambios en el estilo de vida con respecto a los hábitos, usos y gustos alimentarios. Muchas personas siguen una dieta caracterizada por el consumo excesivo de calorías, y por frecuentes desequilibrios entre nutrientes. El consumo de alimentos de origen animal sigue aumentando, con el consiguiente incremento de grasas saturadas y colesterol en la dieta. La tendencia a consumir productos refinados y muy procesados disminuye la ingestión de vitaminas, ciertos minerales y otras sustancias beneficiosas, como la fibra contenida en los alimentos en su estado más natural.

En años recientes, la investigación nutricional se ha centrado en los efectos de los alimentos de la dieta en la prevención y tratamiento de enfermedades circulatorias, diabetes, cáncer y obesidad, que son las enfermedades más frecuentes hoy en día. Estudios poblacionales y clínicos han mostrado, por ejemplo, que el consumo abundante de frutas y verduras previene la aparición de ciertos cánceres. La ingesta de cereales integrales y frutos secos oleaginosos reduce el riesgo de infarto de miocardio y el exceso de colesterol en la sangre. Por otra parte, consumir mucha carne incrementa el riesgo de enfermedades cardiovasculares y algunos tipos de cáncer. Así, dependiendo de que alimentos tomemos y, especialmente, con que frecuencia y cantidad los ingerimos, nuestra salud puede verse afectada de un modo muy directo.

Además de ser ricos en fibras, minerales y vitaminas, los alimentos de origen vegetal aportan a la dieta sustancias aún no bien conocidas, ni clasificadas como nutrientes, pero con potentes efectos anticancerígenos y curativos de múltiples enfermedades y dolencias. Estas sustancias, llamadas elementos fitoquímicos, son actualmente objeto de intenso estudio y representan la nueva frontera de investigación nutricional. Los elementos fitoquímicos están contenidos únicamente en los alimentos de origen vegetal y poseen importantes propiedades salutíferas y curativas.

# PRÓLOGO

En SALUD POR LOS ALIMENTOS se presenta información de una manera clara y asequible sobre la composición, poder nutritivo y terapéutico de los alimentos. De este modo guiará al lector a hacer una buena selección de los productos que deben formar parte de su dieta. Con esta obra del doctor Jorge D. Pamplona Roger, Editorial Safeliz continúa con su loable trayectoria de publicar libros para un público inteligente e interesado en preservar y aumentar su salud, usando con preferencia elementos naturales.

**DR. JOAN SABATÉ**
Catedrático y director del
Departamento de Nutrición,
Escuela de Salud Pública
Universidad de Loma Linda
(California, EE. UU.)

# ESTRUCTURA

# DE LA OBRA

# Índice de enfermedades

# Índice de alimentos

*Ver también el Índice general alfabético, pág. 376.*

# Explicación de las páginas

**Icono del efecto acidicante o alcalinizante del alimento**
(ver pág. 14).

**Icono de la parte botánica utilizada como alimento**
(ver pág. 14).

**Número y título del capítulo**

**Iconos de otras indicaciones médicas del alimento**
(ver pág. 15).

**Nombre científico**
Denominación científica de la especie vegetal que produce el alimento. Dentro de cada capítulo, las diferentes especies vegetales están ordenadas alfabéticamente según su nombre científico (en latín).

**Icono de la indicación médica más destacada del alimento**
(ver pág. 15).

**Nombre común**
El más extendido del alimento que se describe.

**Fotografía del alimento descrito**

**Subtítulo**
Enuncia las características más destacadas del alimento.

**Sinonimia y descripción**
Sinónimos científicos y comunes, y descripción botánica de la especie que produce el alimento.

**Gráfico de composición del alimento**
(ver pág. 13).

**Texto principal**

---

### (Página de ejemplo)

Lactuca sativa L. · pH↑

**3 - ALIMENTOS PARA EL SISTEMA NERVIOSO**

## Lechuga

**Seda los nervios y sacia el estómago**

**Sinonimia científica:**
Lactuca virosa L.
(la silvestre).

**Sinonimia hispánica:**
lechuga romana, cerraja.

**Descripción:** Hojas de la planta de la lechuga ('Lactuca sativa' L.), de la familia de las Compuestas. Hay variedades con hojas lisas y rizadas, y su color varía desde el verde hasta el rojo violáceo.

**LECHUGA**
**composición**
por cada 100 g de parte comestible cruda

| | |
|---|---|
| Energía | 16,0 kcal = 67,0 kJ |
| Proteínas | 1,62 g |
| H. de c. | 0,670 g |
| Fibra | 1,70 g |
| Vitamina A | 260 µg ER |
| Vitamina B₁ | 0,100 mg |
| Vitamina B₂ | 0,100 mg |
| Niacina | 0,700 mg EN |
| Vitamina B₆ | 0,047 mg |
| Folatos | 136 µg |
| Vitamina B₁₂ | — |
| Vitamina C | 24,0 mg |
| Vitamina E | 0,440 mg EₐT |
| Calcio | 36,0 mg |
| Fósforo | 45,0 mg |
| Magnesio | 6,00 mg |
| Hierro | 1,10 mg |
| Potasio | 290 mg |
| Cinc | 0,250 mg |
| Grasa total | 0,200 g |
| Grasa saturada | 0,026 g |
| Colesterol | — |
| Sodio | 8,00 mg |

**% de la CDR (cantidad diaria recomendada)**
cubierta por 100 g de este alimento

54

LOS ANTIGUOS romanos tenían la costumbre de comer lechuga por la noche, para favorecer el sueño después de una copiosa cena. Actualmente también recomendamos tomar lechuga por la noche a los estresados habitantes de las ciudades modernas; pero *no después*, sino *en vez de* una copiosa cena.

**PROPIEDADES E INDICACIONES:** La lechuga es uno de los alimentos *más ricos en agua* (94,9%). Sin embargo, sorprende por aportar una cantidad relativamente alta de *proteínas* (1,62%), un poco menos que las papas o patatas (2,07%).

La lechuga es muy pobre en hidratos de carbono (0,67%) y en grasas (0,2%), lo cual explica su bajo aporte energético (16 kcal/100 g). El valor nutritivo y dietoterápico de la lechuga depende de los siguientes componentes:

---

**Preparación y empleo**
Este cuadro incluye tanto consejos dietéticos como culinarios para un mejor aprovechamiento de las propiedades curativas del alimento.

**Preparación y empleo**

❶ **Crudas:** Después de haberlas secado durante unos días extendidas sobre una superficie lisa, es la mejor forma de consumir las semillas de girasol.

❷ **Tostadas:** Son más sabrosas, aunque si el tiempo de tostado es largo, se pierden parte de sus propiedades.

❸ **Trituradas y en puré:** Una vez quitada la cáscara, se trituran las semillas hasta formar una pasta homogénea. Es la forma ideal para niños, ancianos y personas con dentadura deteriorada.

**Piñón araucano**

La araucaria [de Chile] (*Pinus araucana* L. = *Araucaria araucana* K. Koch), llamada también pino de Chile o del Neuquén alcanza hasta 60 m de altura. Se cría en el sur de Chile. Da excelentes piñones, alimento básico del pueblo araucano, de legendaria fortaleza.

**Cuadro de especies afines**
En este tipo de cuadros se describen especies botánicas de alimentos similares a la que se describe como principal.

**Número de página**

# Explicación de los gráficos

Las **cifras** indican
la **cantidad absoluta**
de **energía** y de masa
de cada **nutriente,**
que se hallan presentes
en 100 gramos
del alimento.
Son las que proporciona
el Departamento
(Ministerio)
de Agricultura
de los Estados Unidos:[1]

**Criterio seguido para
establecer la precisión
de las medidas:**

- Valores menores que 1:
  **3 decimales.**

- Valores iguales
  o mayores que 1
  y menores que 10:
  **2 decimales.**

- Valores iguales
  o mayores que 10
  y menores que 100:
  **1 decimal.**

- Valores superiores a
  100: **ningún decimal.**

**Gráfico
de composición
de un alimento.**

Indica la **cantidad
absoluta** y **relativa**
de **energía**
y de **nutrientes**
que contiene.
Cada uno de ellos
está representado
por un color.

La escala que mide
la longitud de las **barras**
es de tipo **logarítmico.**
Esto significa
que la longitud
de las barras
no es directamente
proporcional
al contenido
en nutrientes.

**Alimento**

**NUECES
composición**

por cada 100 g de parte comestible cruda

| | |
|---|---|
| Energía | 642 kcal = 2686 kj |
| Proteínas | 14,3 g |
| H. de c. | 13,5 g |
| Fibra | 4,80 g |
| Vitamina A | 12,0 µg ER |
| Vitamina B$_1$ | 0,382 mg |
| Vitamina B$_2$ | 0,148 mg |
| Niacina | 4,19 mg EN |
| Vitamina B$_6$ | 0,558 mg |
| Folatos | 66,0 µg |
| Vitamina B$_{12}$ | — |
| Vitamina C | 3,20 mg |
| Vitamina E | 2,62 mg E$\alpha$T |
| Calcio | 94,0 mg |
| Fósforo | 317 mg |
| Magnesio | 169 mg |
| Hierro | 2,44 mg |
| Potasio | 502 mg |
| Cinc | 2,73 mg |
| *Grasa total* | *61,9 g* |
| *Grasa saturada* | *5,59 g* |
| *Colesterol* | *—* |
| *Sodio* | *10,0 mg* |

1%   2%   4%   10%   20%   40%   100%

**% de la CDR (cantidad diaria recomendada)**
cubierta por 100 g de este alimento

La **CDR** (cantidad diaria
recomendada) de cada **nutriente**
para un **hombre adulto,**
que sirve de base para calcular
la longitud de cada **barra,**
es la proporcionada
por la Academia Nacional de Ciencias
de los Estados Unidos
(ver pág. 16).
De **grasa total, grasa saturada, colesterol**
y **sodio,** en realidad
lo que se indica no es la CDR,
sino la **IDA** (ingesta diaria admisible),
es decir, la cantidad máxima
que se recomienda no sobrepasar diariamente
(ver pág. 16).
Para diferenciar estos nutrientes,
se muestran en letra cursiva.

La **longitud** de las **barras** indica el tanto
por ciento de la **CDR** (cantidad diaria
recomendada) o de la **IDA** (ingesta
diaria admisible) de cada **nutriente,**
para un hombre adulto, que se halla presente
en 100 gramos del alimento.

En algunos alimentos, la **escala logarítmica**
llega hasta el **500%,** debido a que presentan
una concentración muy elevada
de algunos nutrientes.

1. U.S. Department of Agriculture, Agricultural
Research Service. USDA Nutrient Database for
Standard Reference, Release 11,
Nutrient Data Laboratory.
Internet: http://www.nal.usda.gov/fnic/foodcomp

# Explicación de los iconos

## Efecto acidificante o alcalizante

 **Alimento acidificante:** Es aquel que, al ser metabolizado por el organismo, produce una acidificación (es decir, una **disminución del pH**) de la **sangre** y de los **líquidos corporales** (ver pág. 272). El **queso** curado, la **carne,** el **pescado** y los **huevos** son los alimentos más acidificantes. La acidificación de la sangre es causa de numerosos trastornos y enfermedades.

 **Alimento alcalinizante:** Es aquel que al ser metabolizado por el organismo, produce una alcalinización (es decir, un **aumento del pH**) de la sangre y de los líquidos corporales (ver pág. 272). Las **frutas,** junto con las **verduras y hortalizas** son los alimentos más alcalinizantes, por lo que **protegen** contra la acidificación producida de forma natural por el propio organismo y agravada por el consumo abundante de alimentos de origen animal (ver pág. 273).

## Parte comestible de la planta

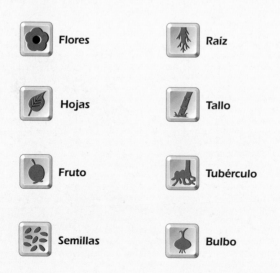

Flores

Raíz

Hojas

Tallo

Fruto

Tubérculo

Semillas

Bulbo

# Explicación de los iconos

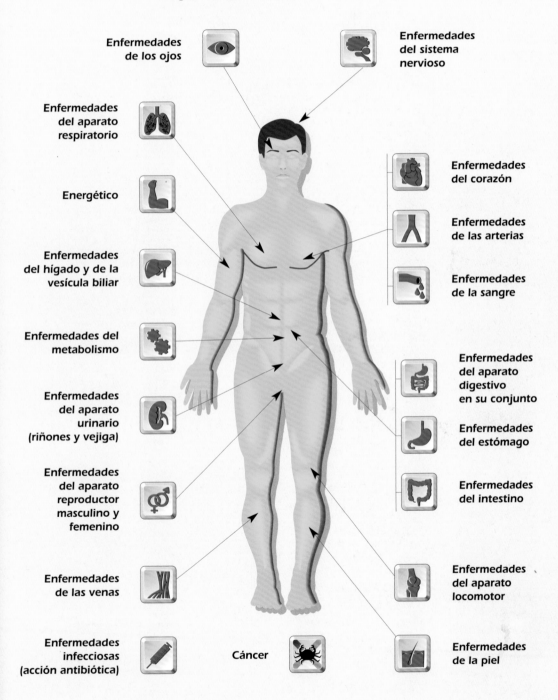

Enfermedades de los ojos

Enfermedades del sistema nervioso

Enfermedades del aparato respiratorio

Energético

Enfermedades del hígado y de la vesícula biliar

Enfermedades del metabolismo

Enfermedades del aparato urinario (riñones y vejiga)

Enfermedades del aparato reproductor masculino y femenino

Enfermedades de las venas

Enfermedades infecciosas (acción antibiótica)

Cáncer

Enfermedades del corazón

Enfermedades de las arterias

Enfermedades de la sangre

Enfermedades del aparato digestivo en su conjunto

Enfermedades del estómago

Enfermedades del intestino

Enfermedades del aparato locomotor

Enfermedades de la piel

# Cantidad diaria recomendada (CDR)
## según la Academia Nacional de Ciencias

| Edad | | Proteínas[1] | Vitamina A | Vitamina D[8] | Vitamina E | Vitamina K[8] | Vitamina C | Vitamina B₁ | Vitamina B₂ | Niacina | Vitamina B₆ |
|---|---|---|---|---|---|---|---|---|---|---|---|
| | | g v/m² | µg ER[3] v/m | µg[4] v/m | mg EαT[5] v/m | µg v/m | mg v/m | mg v/m | mg v/m | mg EN[6] v/m | mg v/m |
| 0,0 - 0,5 | años | 13 | 375 | 7,5 | 3 | 5 | 30 | 0,3 | 0,4 | 5 | 0,3 |
| 0,5 - 1,0 | años | 14 | 375 | 10 | 4 | 10 | 35 | 0,4 | 0,5 | 6 | 0,6 |
| 1 - 3 | años | 16 | 400 | 10 | 6 | 15 | 40 | 0,7 | 0,8 | 9 | 1,0 |
| 4 - 6 | años | 24 | 500 | 10 | 7 | 20 | 45 | 0,9 | 1,1 | 12 | 1,1 |
| 7 - 10 | años | 28 | 700 | 10 | 7 | 30 | 45 | 1,0 | 1,2 | 13 | 1,4 |
| 11 - 14 | años | 45/46 | 1.000/800 | 10/10 | 10/8 | 45/45 | 50/50 | 1,3/1,1 | 1,5/1,3 | 17/15 | 1,7/1,4 |
| 15 - 18 | años | 59/44 | 1.000/800 | 10/10 | 10/8 | 65/55 | 60/60 | 1,5/1,1 | 1,8/1,3 | 20/15 | 2,0/1,5 |
| 20 - 24 | años | 58/46 | 1.000/800 | 10/10 | 10/8 | 70/60 | 60/60 | 1,5/1,1 | 1,7/1,3 | 19/15 | 2,0/1,6 |
| 25 - 50 | años[7] | 63/50 | 1.000/800 | 5/5 | 10/8 | 80/65 | 60/60 | 1,5/1,1 | 1,7/1,3 | 19/15 | 2,0/1,6 |
| 51+ | años | 63/50 | 1.000/800 | 5/5 | 10/8 | 80/65 | 60/60 | 1,2/1,0 | 1,4/1,2 | 15/13 | 2,0/1,6 |
| Embarazadas | | 60 | 800 | 10 | 10 | 65 | 70 | 1,5 | 1,6 | 17 | 2,2 |
| Madres lactantes | | | | | | | | | | | |
| 1ᵒˢ 6 meses | | 65 | 1.300 | 10 | 12 | 65 | 95 | 1,6 | 1,8 | 20 | 2,1 |
| 2ᵒˢ 6 meses | | 62 | 1.200 | 10 | 11 | 65 | 90 | 1,6 | 1,7 | 20 | 2,1 |

## Necesidades diarias de fibra y de potasio

| | Niños | Adultos |
|---|---|---|
| **Fibra** | La cantidad de gramos que resulta al sumarle entre 5 y 10 a los años de edad | Entre 20 y 35 gramos (25 como promedio) |
| **Potasio** | De 500 a 2.000 mg | 2.000 mg |

## IDA (ingesta diaria admisible)
### de ciertos componentes de los alimentos

*Ciertos componentes de los alimentos resultan perjudiciales para la salud cuando se ingieren en exceso, de modo que se ha establecido una IDA (ingesta diaria admisible) de cada uno de ellos, la cual no deben sobrepasarse en una alimentación saludable.*

*En los gráficos de composición de cada alimento, estos componentes de los alimentos aparecen en cursiva (ver pág. 13).*

| | IDA |
|---|---|
| **Grasa total** | Una cantidad que proporcione menos del 30% de las calorías totales ingeridas (aproximadamente 65 g para una dieta de 2.000 kcal) |
| **Grasa saturada** | Una cantidad que proporcione menos del 10% de las calorías totales ingeridas (aproximadamente 20 g para una dieta de 2.000 kcal) |
| **Colesterol** | Máximo: 300 mg |
| **Sodio** | Máximo: 2.400 mg, lo que equivale a 6 g de sal común de mesa |

# de nutrientes
## de los Estados Unidos*

| Edad | Folatos[9] | Vitamina B12 | Calcio | Fósforo | Magnesio | Hierro | Cinc | Yodo[8] | Selenio[8] |
|---|---|---|---|---|---|---|---|---|---|
| | µg v/m | µg v/m | mg v/m | mg v/m | mg v/m | mg v/m | mg v/m | µg v/m | µg v/m |
| 0,0 - 0,5 años | 25 | 0,3 | 400 | 300 | 40 | 6 | 5 | 40 | 10 |
| 0,5 - 1,0 años | 35 | 0,5 | 600 | 500 | 60 | 10 | 5 | 50 | 15 |
| 1 - 3 años | 50 | 0,7 | 800 | 800 | 80 | 10 | 10 | 70 | 20 |
| 4 - 6 años | 75 | 1,0 | 800 | 800 | 120 | 10 | 10 | 90 | 20 |
| 7 - 10 años | 100 | 1,4 | 800 | 800 | 170 | 10 | 10 | 120 | 30 |
| 11 - 14 años | 150/150 | 2,0/2,0 | 1.200/1.200 | 1.200/1.200 | 270/280 | 12/15 | 15/12 | 150/150 | 40/45 |
| 14 - 18 años | 200/180 | 2,0/2,0 | 1.200/1.200 | 1.200/1.200 | 400/300 | 12/15 | 15/12 | 150/150 | 50/50 |
| 19 - 24 años | 200/180 | 2,0/2,0 | 1.200/1.200 | 1.200/1.200 | 350/280 | 10/15 | 15/12 | 150/150 | 70/55 |
| 25 - 50 años | 200/180 | 2,0/2,0 | 800/800 | 800/800 | 350/280 | 10/15 | 15/12 | 150/150 | 70/55 |
| 51+ años | 200/180 | 2,0/2,0 | 800/800 | 800/800 | 350/280 | 10/10 | 15/12 | 150/150 | 70/55 |
| Embarazadas | 400 | 2,2 | 1.200 | 1.200 | 320 | 30 | 15 | 175 | 65 |
| Madres lactantes | | | | | | | | | |
| 1os 6 meses | 280 | 2,6 | 1.200 | 1.200 | 355 | 15 | 19 | 200 | 75 |
| 2os 6 meses | 260 | 2,6 | 1.200 | 1.200 | 340 | 15 | 16 | 200 | 75 |

* NATIONAL ACADEMY OF SCIENCES. *Recommended Dietary Allowances*. 10ª ed., Washington, National Academy Press, 1989.

1. Estas cantidades de proteínas están calculadas a partir del peso promedio de los ciudadanos de Estados Unidos de cada edad.

2. v/m = varón / mujer.

3. 1 µg ER (1 microgramo de equivalente retinol) = 3,33 U.I. de vitamina A.

4. 1 µg de vitamina D = 40 U.I.

5. 1 mg EαT (1 miligramo de equivalente de alfa-tocoferol) = 1,5 U.I. de vitamina E.

6. Los mg EN (miligramos de equivalente de niacina) miden la niacina preformada que se encuentra en los alimentos, más la que se forma en el organismo a partir del aminoácido triptófano que se encuentra en las proteínas de los alimentos (60 mg de triptófano se transforman en 1 mg de niacina).

7. Las CDR (cantiad diaria recomendada) para los hombres de 25 a 50 años, son las que se toman en esta obra como base de cálculo para determinar el porcentaje de la CDR de cada nutriente que proporcionan 100 g de un alimento. Ese porcentaje se representa de forma gráfica mediante una barra horizontal en los gráficos de composición de cada alimento.

8. Las vitaminas D y K, el yodo y el selenio figuran en esta tabla. Sin embargo, no se incluyen en los gráficos y tablas de composición de alimentos, por dos razones:
   • No existen datos fiables acerca de su contenido en muchos de los alimentos.
   • Su contenido en los alimentos varía mucho en función de la composición del suelo donde se cultivan.

9. En 1998, la Academia Nacional de Ciencias de los Estados Unidos de Norteamérica propuso aumentar significativamente la CDR de folatos:
   • Adultos: 400 µg (en vez de 200 µg).
   • Mujeres embarazadas: 600 µg (en vez de 400 µg).
   • Madres lactantes: 500 µg (en vez de 280 µg).

# Los alimentos para el ser humano

EL SER HUMANO puede ingerir a modo de alimento casi cualquier cosa, desde secreciones mamarias (leche) hasta cristales minerales (sal común), pasando por frutos, flores, semillas, tallos, hojas, raíces, algas, hongos, huevos de peces o de aves, y cuerpos muertos de diversos animales.

Todos estos productos más o menos procesados, dan lugar a los miles de alimentos diferentes que se expenden en el comercio.

El hecho de que podamos comer toda esta variedad de alimentos, ¿significa que son *todos* ellos igualmente **aptos** para el consumo humano? ¿**Existe** acaso **una alimentación idónea** para los humanos, que además de **nutrir conserve** la salud y **evite** las enfermedades?

## Casualidad o proyecto inteligente

El ingeniero ha terminado su trabajo. El reluciente motor acabado de construir se halla

Excepto la leche materna durante la época de lactancia, ningún otro alimento aporta por sí solo todos los nutrientes que precisa el ser humano.

De ahí la importancia de saber elegir los alimentos y combinarlos adecuadamente.

sobre el banco de pruebas, a punto de funcionar por primera vez.

–Aquí está el tipo de combustible que se debe emplear para este motor –dice el ingeniero a sus colaboradores–. Ningún otro dará un resultado óptimo. ¡Ah, y no os olvidéis del aceite: tiene que ser precisamente de esta clase!

Solamente quien haya proyectado y construido un motor podrá recomendar con pleno conocimiento de causa el tipo de combustible y de aceite que su mecanismo necesita.

## Alimentos especialmente recomendados

¿Y qué ocurre con el ser humano? Si su aparición en el planeta Tierra es una consecuencia casual e imprevista del azar evolutivo, entonces no debería existir para él una alimentación idónea; simplemente, se habría ido adaptando a los alimentos disponibles, y con cualesquiera que estos fueran, acabaría funcionando bien y gozando de buena salud.

Sin embargo, si el ser humano ha sido creado por una Inteligencia superior, de acuerdo a un plan y con un propósito, debería haber también unos alimentos especialmente creados para su buen funcionamiento fisiológico. Muchos

creyentes encuentran la respuesta a estos interrogantes en los primeros capítulos del Génesis, donde se dice que las hierbas que dan semillas, es decir, los **cereales** y en sentido amplio también las **legumbres,** los **frutos** de los árboles,[1] y las **verduras y hortalizas** que se añadieron después,[2] constituyen la **dieta idónea** para la especie humana.

## Adaptación sí, pero sin prescindir de los alimentos necesarios

El ser humano posee una gran capacidad de adaptación fisiológica a diversos tipos de alimentación. A pesar de ello, la ciencia de la nutrición nos muestra que existen ciertos alimentos de los cuales *no se puede prescindir,* como son las **frutas** y las **verduras y hortalizas frescas.** Cualquier dieta no puede proporcionar buena salud. Por mucho que nos adaptemos a ciertos alimentos que no son los ideales, como ocurre con los de origen animal, seguimos necesitando los vegetales, que son precisamente los más saludables e idóneos. Así, por ejemplo, los esquimales de Alaska, que se han adaptado a una dieta rica en pescado, su-

## Alimentos que curan

Los alimentos **vegetales,** al igual que las plantas medicinales, contienen sustancias que producen acciones farmacológicas similares a los de cualquier medicamento, con las siguientes **ventajas:**

- Además de curar, **previenen** y **corrigen la tendencia** a enfermar.
- *En general, carecen* de **efectos secundarios**.

fren de numerosas enfermedades crónicas debido a su escasa ingesta de fruta y hortalizas.[3]

## Los alimentos vegetales, fuente de salud y de poder curativo

En los últimos años se está produciendo un número rápidamente creciente de descubrimientos científicos en relación con los alimentos de origen vegetal. A medida que se han perfeccionado los métodos de análisis químico, se ha ido comprobando que en las frutas, cereales, legumbres y hortalizas existen, además de nutrientes como en cualquier otro alimento, dos tipos de compuestos que *no se hallan* en los alimentos de origen **animal:**

- *antioxidantes* (ciertos minerales y vitaminas).
- *elementos fitoquímicos* de acción curativa.

Muchos científicos se preguntan por el origen y el significado de estas sustancias beneficiosas en los vegetales. *¿Por qué las necesita el ser humano para su salud? ¿Por qué continúa necesitándolas incluso después de haberse adaptado durante siglos o milenios a una alimentación carnívora, como es el caso de los esquimales? ¿A qué se debe que exista una **dieta ideal** para la salud de los humanos?*

## Dos opciones...

Hay quien piensa que la humanidad se encontró, como fruto de la mera casualidad, con plantas y alimentos vegetales dotados de poder curativo. De forma espontánea, mucho antes de que existiéramos, estos vegetales habrían evolucionado hasta ser capaces de sintetizar precisamente aquellas sustancias que nutrirían y curarían a los seres humanos que iban a aparecer después.[4]

Pero también podemos pensar, con no menos nivel de racionalidad, que existe un plan inteligente trazado por un Ser superior, que creó al hombre y a la mujer, y les proveyó el "combustible" idóneo: los alimentos vegetales.[5]

Sin duda que muchas cosas han pasado desde entonces. Así que, en el estado actual de la naturaleza y de la humanidad, los **alimentos de origen animal** pueden llegar a ser **necesarios** *en algunos casos;* aunque **nunca imprescindibles.** Sin embargo, la base de la alimentación humana, así como la mayor fuente de productos salutíferos, continúan siendo la fruta, los cereales, las semillas, y las verduras y

Mango

Brécol

Maíz

Las frutas, los cereales, las legumbres, así como las verduras y hortalizas son especialmente ricos en antioxidantes y en sustancias acompañantes llamadas elementos fitoquímicos, que actúan como verdaderos fármacos naturales.

hortalizas; excepto, claro está, en la primera fase de la vida (lactancia materna).

## ...Y una misma conclusión

En cualquiera de los dos casos, independientemente de lo que se piense acerca de los orígenes, numerosas investigaciones científicas nos muestran que los alimentos de origen vegetal preparados de una forma sencilla, constituyen *el mejor* "combustible" para nuestro "motor": Además de aportarle la energía necesaria para hacerlo funcionar, le proporcionan sustancias que frenan el desgaste que se produce con el tiempo y que hacen que se "estropee" menos.

¡Ah, y no hay que olvidarse de suministrar también el *mejor* **aceite** al "motor"!

## Los alimentos y la salud

La salud depende *principalmente* de la suma de las numerosas **"pequeñas" decisiones** que cada día tomamos, es decir, de nuestro **'estilo de vida'.**

Por lo general, las decisiones que *más afectan* a la salud son las que tienen que ver con los **alimentos** que se van a ingerir. Son tantas las opciones a disposición del consumidor, que continuamente tenemos que estar decidiendo qué alimento elegir y de qué forma prepararlo.

## Amplia información + elección correcta = salud

Cuanto más completa haya sido la información que se tenga acerca de los alimentos disponibles, tanto más fácil va a ser escoger los más adecuados para la salud.[6]

## Alimentos dañinos, alimentos beneficiosos

Durante toda su vida, el ser humano necesitará alimentos. Todos le proporcionarán nutrientes y energía. Pero algunos podrán causarle trastornos y enfermedades; mientras que otros, los más idóneos, le aportarán salud y poder curativo. Existen, pues, alimentos potencialmente dañinos; y, por supuesto, alimentos beneficiosos.

A lo largo de las páginas que siguen, el lector comprobará que todos los alimentos no resultan igualmente recomendables.

## Conocer bien los alimentos

Para saber elegir qué alimentos usar con el fin de conservar la salud, tan amenazada en nuestros días, y cuáles emplear para tratar las diversas enfermedades, es preciso conocerlos bien. Y precisamente esta obra, pretende ofrecer la información necesaria para conseguirlo.

# Procedencia de los alimentos

*El ser humano puede adaptarse a comer casi cualquier cosa, ya sea mineral, vegetal o animal. Sin embargo, eso no significa que le convenga hacerlo sin afectar negativamente a su salud.*

## Del reino mineral

El **agua** y la **sal** son dos alimentos (en el sentido amplio de la palabra), de origen mineral. A diferencia de todos los demás productos alimentarios, el agua y la sal que ingerimos no forman parte de ningún ser vivo.

## Del reino animal

Se pueden usar como alimento ciertas secreciones, los huevos y la carne de diversos animales acuáticos o terrestres, aunque *no todos* ellos resultan **convenientes.**

## Del reino vegetal

Los alimentos *más* **saludables** y con *mayor* **poder curativo,** proceden del reino vegetal. Varios tipos de vegetales pueden servir de alimento:

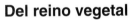

- **Algas:** Se consume el vegetal entero, ya sea que esté formado por una sola célula microscópica (como la espirulina) o por muchas (como la mayor parte de las algas).

- **Plantas superiores:** Habitualmente el alimento lo constituye una parte de la planta: fruto, semilla, bulbo, raíz, etcétera.

- **Hongos:** Aunque los agrupamos entre los alimentos de origen vegetal, en realidad los hongos pertenecen a un reino independiente con características propias.

### Diuréticos

**Apio:** Aumenta la producción de orina, favorece las funciones de los riñones y reduce los edemas.

**Otros alimentos diuréticos:** berenjena, melón, sandía, puerros, espárragos.

*Apio*

*Alcachofa*

### Protectores hepáticos

**Alcachofa:** Aumenta la producción de bilis y descongestiona el hígado.

**Otros alimentos protectores hepáticos:** nísperos, cardos.

*Caquis*

### Astringentes

**Caqui:** Aporta taninos que secan la mucosa intestinal, y mucílagos que la suavizan.

**Otros alimentos astringentes:** membrillo, manzana, caimito, granada, nísperos.

*Coco*

*Arándano trepador*

### Antisépticos urinarios

**Arándano:** Combate las cistitis y otras infecciones urinarias sin provocar resistencia en las bacterias.

### Remineralizantes

**Coco:** Muy rico en magnesio, calcio y fósforo.

**Otros alimentos remineralizantes:** almendras, alfalfa, col, naranjas, nabo (hojas).

# de los vegetales

*Aguacate*

## Hipolipemiantes

**Aguacate:** Además de hacer que descienda el nivel de colesterol y triglicéridos de la sangre, es antianémico, protector de la mucosa digestiva y tonificante.

**Otros alimentos hipolipemiantes:** judías (frijoles), nueces, pipas (semillas) de girasol, ñame.

*Naranjas*

## Antioxidantes

**Naranjas:** Aportan cuatro potentes antioxidantes: vitamina C, beta-caroteno (provitamina A), flavonoides y ácido fólico. Evitan la arteriosclerosis y la tendencia a la trombosis.

**Otros alimentos antioxidantes:** fresas (frutillas), cítricos, frutos secos.

*Ananás*

## Digestivos

**Ananás** (piña tropical): Facilita la digestión gástrica.

**Otros alimentos digestivos:** papaya, calabacín, patatas (papas), okra.

## Preventivos del cáncer

*Brécol*

**Brécol** (bróculi): Sus elementos fitoquímicos detienen el crecimiento de las células cancerosas.

**Otros alimentos preventivos del cáncer:** coliflor, col, naranjas, limones, ciruelas, uvas, tomates.

## Antianémicos

**Pistachos:** Contienen tanto o más hierro que las lentejas, además de cobre y otros oligoelementos que favorecen la producción de sangre.

**Otros alimentos antianémicos:** remolacha roja, albaricoques, fruta de la pasión, espinacas, hierba de los canónigos).

## Laxantes

**Ciruelas:** Estimulan el funcionamiento del intestino.

**Otros alimentos laxantes:** berenjena, acelgas, cereales integrales.

*Ciruelas*

*Pistachos*

# Frutas exóticas:

*Las frutas llamadas exóticas en los países donde no se producen, son tan saludables y nutritivas como cualquier otra fruta. No tienen ninguna propiedad especial de la que carezcan las frutas comunes, como antiguamente se pensó. Sin embargo, paladearlas produce un placer especial que enriquece nuestra experiencia con los alimentos.*
*En este cuadro presentamos algunas de las más atractivas.*

## Litchi

Fruto de un árbol procedente de China. Destaca por su *elevado* **contenido** en *vitamina C,* superior al de la naranja y el limón. *Aumenta* las **defensas** contra las infecciones (ver pág. 352).

## Tamarillo

Se le llama **tomate de árbol,** por su parecido con el tomate. Procede de Sudamérica. Se come crudo y tiene un sabor suavemente amargo.

## Tamarindo

Es un fruto en legumbre, del cual se consume su pulpa ligeramente ácida. **Laxante** efectivo.

## Mangostán

Procede de Tailandia, donde se lo considera un auténtico manjar. Su sabor agridulce recuerda al de las ciruelas.

# delicias del paraíso

### Rambután
Oriundo de Malasia. Su pulpa es similar a la del litchi, con un sabor que recuerda al de la almendra.

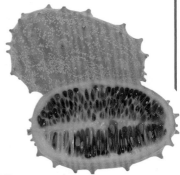

### Kiwano
Es en realidad un pepino silvestre procedente de África, pero muy aromático y sabroso. Las espinas de su cáscara son carnosas, y su pulpa, gelatinosa. Es **digestivo** y **laxante.**

### Alquequenje
Procede del Asia oriental y de China, aunque ahora se cultiva en Colombia. Es como una cereza con un grato sabor ácido.

### Pitahaya
Como fruto de un cacto que es, está rodeada de espinas; pero encierra una pulpa muy dulce y aromática.

# Alimentos para los ojos

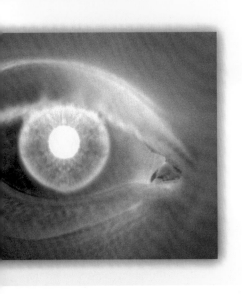

## Un órgano sorprendente...

El ojo es uno de los órganos más sorprendentes por su admirable **precisión** y su *elevado* **rendimiento.**

Todos los músculos del ojo se hallan en continuo movimiento para realizar tres funciones simultáneas necesarias para la visión:

• exploración del **campo visual;**
• apertura y cierre de la **pupila** según la cantidad de luz (diafragmado);
• modificación de la curvatura del **cristalino** según la distancia del objeto, de forma que este se vea nítido.

Simultáneamente a todo ello, el ojo está enviando de continuo información al cerebro a través del **nervio óptico.** Se calcula que mientras nos encontramos despiertos, el millón de células nerviosas que forman la retina está enviando de modo permanente al cerebro una cantidad de información equivalente a 100 Mb cada segundo.[1] En la actualidad únicamente las redes informáticas más rápidas pueden alcanzar semejante velocidad para transmitir información.

## ... Y que necesita muy poco

Para llevar a cabo todas esas funciones tan complejas, el ojo solo necesita una *pequeña cantidad* de **oxígeno** y de algunas otras sustancias que se encuentran en los alimentos, como estas:

• **Vitamina A:** Necesaria para la formación de la **rodopsina,** el pigmento sensible a la luz que se encuentra en las células de la retina. También lo es para mantener la **conjuntiva** (membrana que recubre el polo anterior del ojo) húmeda y en buen estado.

• **Carotenoides:** Son colorantes naturales que se encuentran en los vegetales. Actúan como **antioxidantes** y evitan la degeneración macular de la **retina.**

• **Vitaminas C y E:** Son también **antioxidantes** que se encuentran casi exclusivamente en las frutas, hortalizas, frutos secos y germen de los cereales. Su **carencia** *favorece* las **cataratas** y la *pérdida* de **visión.**

Los alimentos vegetales, especialmente los que se mencionan en este capítulo, proporcionan los nutrientes que precisan los ojos para su buen funcionamiento.

*Naranja*

La naranja es rica en carotenoides, vitamina C y otros antioxidantes que protegen la retina. Además, aporta flavonoides de acción protectora sobre los capilares, lo cual mejora la circulación sanguínea en la retina.

## CONJUNTIVITIS

### Causas
Puede ser debida a muchas causas, como la infección por diversos gérmenes o la irritación por humos.

### Alimentación
Una alimentación *deficitaria* en *vitaminas A y B* predispone a la sequedad de la conjuntiva y *favorece* o *agrava* la conjuntivitis.

 **Aumentar**

ALBARICOQUE
VITAMINA A
VITAMINAS B

*Albaricoque*

## DEGENERACIÓN MACULAR DE LA RETINA

### Definición
Es la causa más importante de ceguera después de los 65 años. La mácula, que solo mide unos 2 mm de diámetro, es la zona más sensible de la retina, en la que se concentra la mayor parte de la agudeza visual.

### Causas
Favorecen el deterioro de la mácula de la retina:

• La **exposición** *prolongada* a la **luz** *intensa.*

• Los **radicales libres,** producidos por nuestro propio organismo, o procedentes del humo del tabaco y de otros contaminantes.

• La *falta* de **antioxidantes** capaces de *neutralizar* a los **radicales libres.**

### Alimentación
Las sustancias que se han mostrado *más* efectivas en al prevención de la degeneración macular son los *carotenoides* (pigmentos vegetales), especialmente la *zeaxantina* y la *luteína* que se encuentran en las espinacas y las coles.[2] El beta-caroteno de la zanahoria no es tan eficaz.

 **Aumentar**

ESPINACA
COL
NARANJA
CINC
ANTIOXIDANTES

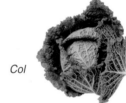

*Col*

La col, al igual que la espinaca, es rica en carotenoides que protegen la retina.

## AGUDEZA VISUAL, PÉRDIDA

### Definición

Puede ser debida a muchas causas, entre otras, a cataratas y a lesiones o tumores cerebrales. Pero la causa más común son las alteraciones de la retina causados por la diabetes o la arteriosclerosis (estrechamiento de las arterias, ver pág. 95).

### Alimentación

El déficit de antioxidantes debido a una alimentación pobre en frutas, hortalizas, frutos secos oleaginosos y semillas puede contribuir al deterioro de la retina y favorecer la pérdida de agudeza visual.

### Aumentar

ZANAHORIA
ESPINACA
ALBARICOQUE
CALABAZA
ARÁNDANO
ZARZAMORA

*Zanahoria*

La zanahoria es el alimento vegetal más rico en beta-caroteno (provitamina A).

## GLAUCOMA

### Definición

Se debe a un aumento de la presión del líquido que hay dentro del ojo, que causa una atrofia de la retina y del nervio óptico con graves alteraciones de la visión.

### Consejos de salud

Aunque el glaucoma de ángulo cerrado, que es la forma *más común* de esta enfermedad, se debe a una *alteración anatómica* en el ojo, el tipo de alimentación *puede influir* sobre la presión intraocular, y *mejorar* o *agravar* el glaucoma.

### Aumentar

VITAMINA B₁
VITAMINA A
NARANJA

### Reducir o eliminar

ÁCIDOS GRASOS 'TRANS'
CAFÉ
PROTEÍNAS

*Café*

La cafeína aumenta la presión intraocular.

## CATARATAS

### Definición

La catarata es una opacificación del cristalino, la lente más importante del ojo. Hasta hace unos años, se pensaba que era una consecuencia del proceso de envejecimiento, y que poco o nada se podía hacer para prevenirla.

### Alimentación

Actualmente se sabe que existe una relación bastante estrecha entre la alimentación y la formación de cataratas. El consumo abundante de alimentos que contengan provitamina A y vitaminas C y E de acción antioxidante, como las hortalizas, frutas y semillas, puede prevenir la formación de cataratas en la vejez.

### Consejos de salud

La diabetes, el uso de ciertos medicamentos y la exposición a las radiaciones ultravioletas y a los rayos X, también pueden favorecer la formación de cataratas.

### Aumentar

CALABAZA
ANTIOXIDANTES
VITAMINA C
VITAMINA E

### Reducir o eliminar

LÁCTEOS
GRASA TOTAL
MANTEQUILLA
SAL

*Mantequilla*

Según un estudio, la mantequilla es el alimento que más aumenta el riesgo de padecer cataratas, cuando se consume regularmente.[3]

## CEGUERA NOCTURNA

Es el retraso o la falta total de adaptación para poder ver en la oscuridad. Constituye uno de los primeros *síntomas* de carencia de *vitamina A*.

### Aumentar

ZANAHORIA
ALBARICOQUE
MANGO

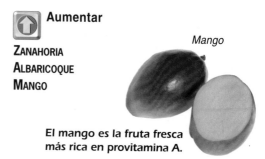

*Mango*

El mango es la fruta fresca más rica en provitamina A.

# Zanahoria

## Un auténtico alimento-medicina

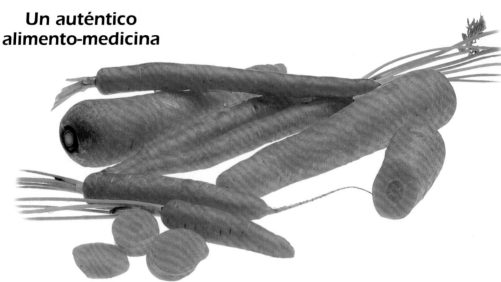

*Sinonimia hispánica:* azanoria, chuleta de huerta, bufanaga, sinoria, forrajera.

*Descripción:* Raíz de la planta de la zanahoria ('Daucus carota' L.), herbácea de la familia de las Umbelíferas que alcanza hasta un metro de altura. Suele ser de color anaranjado, aunque también hay variedades de color amoratado o amarillo.

**ZANAHORIA**
**composición**
por cada 100 g de parte comestible cruda

| | |
|---|---|
| Energía | 43,0 kcal = 181 kj |
| Proteínas | 1,03 g |
| H. de c. | 7,14 g |
| Fibra | 3,00 g |
| Vitamina A | 2813 µg ER |
| Vitamina B₁ | 0,097 mg |
| Vitamina B₂ | 0,059 mg |
| Niacina | 1,11 mg EN |
| Vitamina B₆ | 0,147 mg |
| Folatos | 14,0 µg |
| Vitamina B₁₂ | — |
| Vitamina C | 9,30 mg |
| Vitamina E | 0,460 mg EαT |
| Calcio | 27,0 mg |
| Fósforo | 44,0 mg |
| Magnesio | 15,0 mg |
| Hierro | 0,500 mg |
| Potasio | 323 mg |
| Cinc | 0,200 mg |
| *Grasa total* | *0,190 g* |
| *Grasa saturada* | *0,030 g* |
| *Colesterol* | *—* |
| *Sodio* | *35,0 mg* |

1% 2% 4% 10% 20% 40% 100% 200% 500%
**% de la CDR (cantidad diaria recomendada)**
cubierta por 100 g de este alimento

L A ZANAHORIA es con diferencia (junto con las hojas de alfalfa), el alimento *más rico* en **provitamina A,** lo que la convierte en un auténtico alimento-medicina. En la *Enciclopedia de las plantas medicinales* (ver pág. 133), se expone con más detalle su acción medicinal.

**PROPIEDADES E INDICACIONES:** La zanahoria contiene una pequeña pero significativa proporción de proteínas (1,03%), la mitad aproximadamente que la papa o patata. Las grasas están prácticamente ausentes (0,19%), y los hidratos de carbono suponen el 7,14% de su peso. Es una fuente bastante buena de vitaminas del grupo B, así como de vitaminas C y E. Los minerales y los oligoelementos están todos presentes, incluyendo el hierro (0,5 mg/100 g).

Tres sustancias destacan en la composición de la zanahoria:

✓ **Carotenoides,** entre los que *destaca* el **beta-caroteno,** que nuestro organismo *transforma* en **vitamina A.** Los carotenoides son *imprescindibles* para el buen funcionamiento de la **retina,** y especialmente para la **visión nocturna** o con poca luz. También favorecen el buen estado de la **piel** y las **mucosas.**

✓ **Fibra vegetal:** Contiene un 3%, la mayor parte de la cual está en forma de pectina. Normaliza el tránsito y suaviza la mucosa intestinal.

✓ **Aceite esencial:** Es activo contra los parásitos intestinales.

La zanahoria es *muy útil* en las **afecciones de la retina** y **de los ojos** en general; en los trastornos de la **piel;** en las **gastritis** y exceso de **acidez;** en las **colitis;** y como *preventiva* del **cáncer** (ver pág. 361).

Con 100 g de zanahoria (una pieza mediana) se obtiene el beta-caroteno suficiente como para que nuestro organismo produzca casi el triple de la vitamina A que necesita un adulto cada día.

## Preparación y empleo

❶ **Cruda:** Se presenta en ensalada, entera o rallada y aliñada con limón. Conviene a los niños para fortalecer su dentadura.

❷ **Cocinada:** La zanahoria combina muy bien con las papas (patatas) y con otras hortalizas. Al someterla a cocción adquiere un sabor más dulce. Su riqueza en *beta-caroteno se mantiene* después de la cocción.

❸ **Jugo:** Muy apropiado como refresco sabroso y nutritivo. Combina muy bien con el jugo de manzana y de limón.

# Albaricoque
# (damasco)

## Da brillo y belleza a la mirada

**ALBARICOQUE**
**composición**
por cada 100 g de parte comestible cruda

| Energía | 48,0 kcal = 201 kj |
|---|---|
| Proteínas | 1,40 g |
| H. de c. | 8,72 g |
| Fibra | 2,40 g |
| Vitamina A | 261 µg ER |
| Vitamina B$_1$ | 0,030 mg |
| Vitamina B$_2$ | 0,040 mg |
| Niacina | 0,850 mg EN |
| Vitamina B$_6$ | 0,054 mg |
| Folatos | 8,60 µg |
| Vitamina B$_{12}$ | — |
| Vitamina C | 10,0 mg |
| Vitamina E | 0,890 mg E$\alpha$T |
| Calcio | 14,0 mg |
| Fósforo | 19,0 mg |
| Magnesio | 8,00 mg |
| Hierro | 0,540 mg |
| Potasio | 296 mg |
| Cinc | 0,260 mg |
| Grasa total | 0,390 g |
| Grasa saturada | 0,027 g |
| Colesterol | — |
| Sodio | 1,00 mg |

1%   2%   4%   10%   20%   40%   100%

**% de la CDR** (cantidad diaria recomendada)
cubierta por 100 g de este alimento

**Sinonimia hispánica:** *damasco, damasquillo, chabacano, albarillo, albérchigo, alberge, prisco.*

**Descripción:** *Fruto del albaricoquero ('Prunus armeniaca' L.), árbol de la familia de las Rosáceas que alcanza hasta 10 m de altura.*

EL ALBARICOQUERO tiene fama de ser uno de los árboles más viajeros que se conoce. Su origen se sitúa en el norte de China, donde todavía se encuentra en estado silvestre como flora espontánea.

Fue llevado a Grecia por Alejandro Magno a la vuelta de sus conquistas en la India. De Grecia pasó a Roma, desde donde su cultivo se extendió por toda la región mediterránea. En el siglo XVIII fue llevado a Norteamérica, donde se aclimató en California y en los estados ribereños del Misisipí. Y su largo viaje no acaba aquí, pues los astronautas estadounidenses lo llevaron a la luna en uno de sus viajes espaciales.

PROPIEDADES E INDICACIONES: El albaricoque tiene un poder energético bajo (unas 48 kcal /100 g), por lo que resulta muy recomendable en las dietas de **adelgazamiento.** Es **alcalinizante,** por su riqueza en sales minerales alcalinas, destacando su bajo contenido en *sodio* y su riqueza en *potasio.* Contiene varios *oligoelementos* minerales de gran importancia fisiológica, como el manganeso, el flúor, el cobalto y el boro. Es rico en azúcares (*fructosa* y *glucosa*).

En los albaricoques desecados (**orejones**) las *proteínas* alcanzan un valor importante (hasta un 5%); igualmente ocurre con el *hierro*, que es uno de sus principales minerales.

Sin embargo, el componente más notable de los albaricoques, tanto frescos como secos, es el beta-caroteno o *provitamina A.* A este componente se deben la mayor parte de sus indicaciones dietoterápicas, que son las siguientes:

• **Enfermedades de los ojos:** El consumo de albaricoque mantiene la vista en buen estado y da a la mirada el brillo y la belleza característicos de una buena salud. Esto se debe no solo a la acción de la provitamina A del albaricoque, sino también a la acción conjunta de las otras vitaminas y minerales que la acompañan.

El albaricoque se recomienda en caso de **sequedad conjuntival, picor** o **irritación crónica** de la conjuntiva, **pérdida de la agudeza** visual debido a atrofia de la retina y **ceguera nocturna.**

Los mejores resultados se obtienen siguiendo una cura de albaricoques [❹].

• **Anemia ferropénica** (por falta de hierro): El contenido en *hierro* de los albaricoques frescos no es muy importante, aunque si el de los secos [❷].

Las cantidades de provitamina A y de hierro que contiene el albaricoque son realmente pequeñas en relación con las grandes dosis que pueden contener los preparados farmacéuticos. A pesar de ello, los resultados que se obtienen con el consumo habitual de esta fruta son superiores a lo que cabría esperar por su contenido en *hierro* o en *provitamina A.*

• **Afecciones de la piel y mucosas**, debido a su contenido en provitamina A. Aumenta la *resistencia* a las **infecciones.** Recomendado en caso de **faringitis** crónica, **sinusitis y eccemas.**

• **Afecciones nerviosas:** El doctor *Valnet* destaca la propiedad equilibrante del albaricoque sobre el sistema nervioso, y lo recomienda en caso de **astenia, depresión, nerviosismo e inapetencia.** Se atribuye esta acción a su riqueza en **oligoelementos.**

## Preparación y empleo

❶ **Fresco** y bien maduro.

❷ **Desecado:** A los albaricoques desecados se los llama **orejones.**

❸ **Conserva:** compotas y mermeladas.

❹ **Cura de albaricoques:** Se realiza tomando durante 15 días, medio kilo de albaricoques bien maduros cada día, preferiblemente en la cena como plato único. Se pueden acompañar de unas tostadas de pan.

*Orejones*

**Los sabrosos orejones (albaricoques desecados) también constituyen una buena fuente de provitamina A por su riqueza en beta-caroteno.**

# Espinaca

## Además de dar fuerza a los músculos, protege la retina

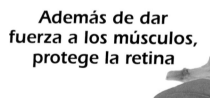

**Descripción:** *Hojas de la espinaca ('Spinacia oleracea' L.), planta herbácea de la familia de las Quenopodiáceas.*

## ESPINACA
### composición
por cada 100 g de parte comestible cruda

| | |
|---|---|
| Energía | 22,0 kcal = 94,0 kj |
| Proteínas | 2,86 g |
| H. de c. | 0,800 g |
| Fibra | 2,70 g |
| Vitamina A | 672 µg ER |
| Vitamina B₁ | 0,078 mg |
| Vitamina B₂ | 0,189 mg |
| Niacina | 1,37 mg EN |
| Vitamina B₆ | 0,195 mg |
| Folatos | 194 µg |
| Vitamina B₁₂ | — |
| Vitamina C | 28,1 mg |
| Vitamina E | 1,89 mg EαT |
| Calcio | 99,0 mg |
| Fósforo | 49,0 mg |
| Magnesio | 79,0 mg |
| Hierro | 2,71 mg |
| Potasio | 558 mg |
| Cinc | 0,530 mg |
| *Grasa total* | *0,350 g* |
| *Grasa saturada* | *0,056 g* |
| *Colesterol* | *—* |
| *Sodio* | *79,0 mg* |

1%  2%  4%  10%  20%  40%  100%

**% de la CDR (cantidad diaria recomendada)**
cubierta por 100 g de este alimento

E N NUESTROS DÍAS, las investigaciones tanto clínicas como de laboratorio, han confirmado que Popeye, el famoso marino de los dibujos animados, tenía razón al comer tantas espinacas para obtener fuerza física. Además, se han descubierto nuevas aplicaciones dietoterápicas de esta excelente verdura, como su acción protectora sobre la retina y la visión.

**PROPIEDADES E INDICACIONES:** La espinaca es posiblemente la **verdura** *más nutritiva* de cuantas se conocen, aun a pesar de que tan solo aporta 22 calorías por cada 100 g. Su contenido en **proteínas** es bastante elevado para una verdura (2,86%), pero apenas contienen hidratos de carbono (0,8%) y grasas (0,35%).

El poder nutritivo de las espinacas radica en su *gran riqueza* **vitamínica y mineral,** ya que 100 g de espinacas aportan:

✓ *dos tercios* (672 µg ER) de las necesidades diarias de **vitamina A** (1.000 µg ER),
✓ la práctica *totalidad* (194 µg) del **ácido fólico** o folato necesario diariamente (200 µg),

✓ la *mitad* de la **vitamina C** (28,1 mg) que necesitamos cada día (60 mg),

✓ casi la *cuarta parte* (79 mg) del **magnesio** que necesitamos cada día (350 mg),

✓ más de la *cuarta parte* (2,71 mg) de las necesidades diarias de **hierro** (10 mg).

Estas son sus aplicaciones más importantes:

• **Afecciones de la retina:** Una investigación muy minuciosa llevada a cabo en el Massachusetts Eye and Ear Infirmary (Hospital para los ojos y los oídos de Massachusetts) y en la Universidad de Harvard (Estados Unidos),[4] ha puesto de manifiesto que las personas de 55 a 80 años de edad que consumen espinacas de forma habitual, presentan un riesgo mucho menor de padecer pérdida de agudeza visual debida a **degeneración macular.**

Recomendamos pues el consumo habitual de espinacas a todos aquellos que deseen conservar su agudeza visual, especialmente por encima de los 50 años.

• **Anemia:** La espinaca contiene 2,71 mg de hierro/100 g, proporción que supera a la de la carne. Aunque el hierro de origen vegetal se absorbe con mayor dificultad que el de procedencia animal, la presencia de vitamina C procedente tanto de la propia espinaca[5] como de otros alimentos, favorece notablemente la asimilación de este mineral.

El jugo fresco de espinaca **[❹]** es una forma *eficaz* de tomarla en caso de **anemia.**

La espinaca es muy rica en luteína y zeaxantina, dos carotenoides que previenen la pérdida de agudeza visual debida a degeneración de la mácula, el punto más sensible de la retina. Este trastorno es la causa más importante de ceguera en la tercera edad.
La espinaca es más efectiva incluso que la zanahoria en la prevención de la degeneración senil de la mácula de la retina.

## Preparación y empleo

❶ **Crudas:** Cuando las espinacas están tiernas, se pueden comer en ensalada.

❷ **Congeladas:** Pierden una pequeña parte de vitamina C, pero tienen la ventaja de hallarse disponibles todo el año.

❸ **Cocinadas:** La forma ideal es al vapor, pues así conservan la mayor parte de sus vitaminas y minerales.

❹ **Jugo fresco:** Medio vaso al día antes de la comida o la cena, tomado a sorbos, es una dosis recomendable.

• **Aumento del colesterol:** Se ha comprobado en animales de experimentación,[6] que las proteínas de la espinaca impiden la absorción del colesterol y de los ácidos biliares. Su consumo ayuda a reducir el nivel de colesterol en la sangre.

• **Embarazo:** Por la riqueza en *ácido fólico* o folato (194 µg/100 g) que previene ciertas malformaciones nerviosas en el feto, así como por su poder antianémico, la espinaca es una verdura *ideal* para las **embarazadas.**

• **Deporte y crecimiento:** Por su riqueza vitamínica y mineral, las espinacas constituyen una verdura *muy recomendable* para todos los **deportistas y adolescentes** en fase de crecimiento.

# Alimentos para el sistema nervioso

EL CEREBRO requiere para su funcionamiento básico tan solo dos sustancias: oxígeno y glucosa. Sin embargo, otros muchos nutrientes son también necesarios para que el desarrollo del pensamiento, de la memoria, del autocontrol y de otras funciones superiores de la mente que tienen su sede en el cerebro.

Las **vitaminas** del **grupo B** son las que **más influyen** en el buen funcionamiento del cerebro y del sistema nervioso en su conjunto. La carencia de vitamina $B_1$, por ejemplo, produce irritabilidad nerviosa y depresión, y la de $B_6$, nerviosismo y fatiga.

Los **minerales** también intervienen *directamente* en la actividad de las **neuronas.** Así, por ejemplo, la carencia de magnesio produce nerviosismo y ansiedad.

Los **ácidos grasos insaturados,** como el linoleico que predomina en los frutos secos, son necesarios para el desarrollo del sistema nervioso y del cerebro en los **niños.**

Por el contrario, el **consumo** *excesivo* de **azúcar** y de ciertos **aditivos** como los colorantes, afecta al sistema nervioso y *altera* el **comportamiento.**

# NERVIOSISMO

## Definición

Es un estado de excitación en el que el sistema nervioso responde de forma exagerada o desproporcionada a estímulos considerados normales.

## Causas

*Todas* las **drogas** actúan sobre el sistema nervioso y *producen* nerviosismo o lo *agravan*. Sin embargo, en algunos casos puede dar la *impresión* de que *momentáneamente* lo calman, aunque pasado el efecto **reaparece** con *mayor fuerza*. El consumo de tabaco, o de alcohol y café u otras bebidas estimulantes, son la causa más común de nerviosismo y falta de equilibrio en el sistema nervioso.

## Tratamiento

Además de los alimentos cuyo consumo recomendamos en caso de nerviosismo, existen **hábitos** saludables que pueden *ayudar* a **combatirlo:**

- Tomar un **buen** desayuno, para *evitar* la **hipoglucemia** (falta de azúcar en la sangre) que suele producirse a media mañana, lo cual provoca nerviosismo e irritabilidad.

- **Comer a horas regulares,** para *evitar* **bruscos** descensos en el nivel de **glucosa** en la sangre.

- **Dormir** *suficiente* y de forma *regular.*

- Practicar algún **deporte,** especialmente la marcha o caminata.

 **Aumentar**

AVENA
GERMEN DE TRIGO
GIRASOL, SEMILLAS
NUEZ DEL BRASIL
NUEZ
LECHUGA
AGUACATE
ANACARDO
GUISANTE
FRUTA DE LA PASIÓN
ALBARICOQUE
POLEN

**Reducir o eliminar**

BEBIDAS ESTIMULANTES (CAFÉ, TÉ, MATE, ETC.)
BEBIDAS ALCOHÓLICAS
AZUCAR BLANCO

*Fruta de la pasión*

*Aunque la acción sedante del fruto de la pasión es mucho más suave que la de las flores y hojas de las plantas de su familia, también puede resultar efectivo.*

# HIPERACTIVIDAD Y AGRESIVIDAD

## Definición

La **hiperactividad infantil** es uno de los problemas cada vez más frecuentes en los países desarrollados. Lamentablemente, la **agresividad** y la **violencia** también lo son entre **jóvenes y adultos.**

## Causas alimentarias y otras

El tipo de **alimentación** desempeña un papel que *cada vez se considera* **más importante** en estos trastornos de la conducta.[1] Además de los productos que se aconseja reducir o eliminar, estas son otras **causas** de hiperactividad y agresividad:

- **Desayuno pobre:** Los niños que no empiezan el día con un desayuno completo y saludable sufren con *mayor frecuencia* de **nerviosismo, fatiga, irritabilidad nerviosa** e incluso **conductas agresivas.**[2] Otro tanto puede decirse de los adultos.

- **Contaminación por plomo**: Un estudio realizado en la Universidad de Pittsburgh (EE. UU.) mostró que los niños que han sufrido más contaminación por plomo presentan un *mayor* **riesgo** de conducta **antisocial, delincuencia** y **agresividad.** La **carne** y el **pescado** de animales criados en lugares contaminados, cerca de las zonas industriales, suelen ser los alimentos más contaminados por plomo.[3]

 **Aumentar**

CEREALES INTEGRALES
GERMEN DE TRIGO
VITAMINA B$_1$

 **Reducir o eliminar**

ADITIVOS
AZÚCAR BLANCO
BEBIDAS ESTIMULANTES (CAFÉ, TÉ, MATE, ETC.)
BEBIDAS ALCOHÓLICAS
CARNE
BOLLERÍA REFINADA

*Golosinas*

*Algunos colorantes artificiales como la tartracina, pueden desencadenar hiperactividad e incluso conductas agresivas, especialmente en los niños.*[4, 5]

# INSOMNIO

## Alimentación

El *tipo* de **alimentos** que se ingiere, influye en la capacidad para conciliar bien el sueño. Pero además, es *muy importante* el **momento** en el que se toman.

Las **cenas copiosas,** aun siendo a base de alimentos sanos, pueden alterar el sueño. Lo ideal, tanto para facilitar el sueño como la digestión, es no tomar alimentos en las *dos* o *tres horas* anteriores al momento de irse a la cama.

*Lo único* que deberían tomar antes de acostarse los que padecen insomnio, es una taza de **malta** o de **plantas sedantes** con miel.

 **Aumentar**

 **Reducir o eliminar**

| Aumentar | Reducir o eliminar |
|---|---|
| AVENA | BEBIDAS ESTIMULANTES |
| MALTA | CHOCOLATE |
| MIEL | ESPECIAS |
| HIDRATOS DE CARBONO | CARNE |
| LECHUGA | QUESOS MADURADOS |
| | PROTEÍNAS |
| | REFRESCOS |

*Miel*

# ANOREXIA NERVIOSA

## Definición

Es un trastorno psicológico que afecta sobre todo a los y las adolescentes, en el que se rechazan los alimentos con el objetivo de perder peso de forma desmedida. Suele ir precedido de una baja autoestima, y se acompaña de desnutrición o malnutrición más o menos grave.

## Alimentación

Contribuye a su *prevención:*

• Seguir una **dieta equilibrada** *desde* la **niñez.**

• Consumir **más** platos de comida **tradicional,** como ensaladas, cereales, legumbres, patatas, etcétera, y **menos** comidas rápidas, bocadillos, chocolates, dulces y helados.

Ver *"Bulimia"* (ver pág. 43).

 **Aumentar**

 **Reducir o eliminar**

| Aumentar | Reducir o eliminar |
|---|---|
| HIDRATOS DE CARBONO | AZÚCAR BLANCO |
| LEGUMBRES | GRASA |
| CINC | SALVADO DE TRIGO |

# DEPRESIÓN

## Alimentación

En general, los deprimidos tienen *tendencia* al **consumo** de productos **dulces refinados** (pasteles, caramelos, chocolate, etc.) de *escaso* **valor nutritivo.** También existe a veces un apetito por productos ricos en **grasa saturada,** como los embutidos y otros derivados cárnicos.

Todos estos alimentos pueden **agravar** la depresión, por lo que el enfermo puede entrar en un círculo vicioso. Se requiere un esfuerzo especial por parte del enfermo y de las personas que lo rodean, para presentarle alimentos saludables y atractivos.

Si el deseo por lo dulce es muy intenso, las **frutas dulces desecadas,** la **miel** y la **melaza** son opciones más saludables, pues además de azúcar, aportan diversas vitaminas y minerales que el organismo necesita para metabolizar precisamente los azúcares.

Los cereales integrales, las legumbres, los frutos secos y las frutas y hortalizas, preparados de una forma sencilla, proporcionan una vitalidad y energía que no se puede obtener con otros alimentos más sofisticados.

## Estilo de vida

Los **psicofármacos** antidepresivos *no reemplazan* la necesidad de seguir una dieta sana y de abstenerse de cualquier tipo de droga, incluidas claro está las llamadas legales, pues todas ellas atacan al sistema nervioso.

 **Aumentar**

**Reducir o eliminar**

| Aumentar | Reducir o eliminar |
|---|---|
| AVENA | AZÚCAR BLANCO |
| GERMEN DE TRIGO | GRASA SATURADA |
| GARBANZO | BEBIDAS ESTIMUILANTES (CAFÉ, TÉ, MATE, ETC.) |
| ALMENDRA | BEBIDAS ALCOHÓLICAS |
| NUEZ | |
| NUEZ DEL BRASIL | |
| ANACARDO | |
| PIÑÓN | |
| AGUACATE | |
| LEVADURA DE CERVEZA | |
| JALEA REAL | |
| VITAMINAS B$_1$, B$_6$ Y C | |
| FOLATOS | |
| HIERRO | |

La nuez del Brasil es muy rica en vitamina B$_1$, necesaria para la estabilidad del sistema nervioso.

*Nueces del Brasil*

# ESTRÉS

## Causas

Se produce cuando los sucesos de la vida, ya sean de orden físico o psíquico, superan nuestra capacidad para afrontarlos.

El **estrés psíquico** puede ser debido a una causa buena (como un nuevo empleo) o mala (como la pérdida del trabajo). En todos los casos de estrés, su repercusión sobre el organismo es muy similar.

## Efectos

Aunque el estrés puede afectar a todos los órganos y funciones del cuerpo, sus *efectos* se concentran sobre:

- El **corazón** y **sistema cardiovascular,** que se ve obligado a trabajar de forma forzada.

- El **sistema inmunitario,** que reduce su efectividad en favor de otras funciones orgánicas. Esto produce una baja en las defensas contra las **infecciones,** y probablemente también contra el **cáncer** y otras enfermedades.

## Alimentación

Ciertos **alimentos** pueden *mejorar* la **adaptación** del organismo al estrés, mientras que *otros lo empeoran.*

 **Aumentar**

 **Reducir o eliminar**

| | |
|---|---|
| PROTEÍNAS | BEBIDAS ESTIMULANTES |
| HIDRATOS DE CARBONO | (CAFÉ, TÉ, MATE, ETC.) |
| NUEZ | BEBIDAS ALCOHÓLICAS |
| ALMENDRA | AZÚCAR BLANCO |
| PIÑÓN | |
| GARBANZO | |
| GERMEN DE TRIGO | |
| VITAMINAS B | |
| VITAMINA C | |

*Nueces*

# FATIGA INTELECTUAL

## Alimentación

Quienes realizan un trabajo intelectual intenso presentan mayor necesidad de ciertos nutrientes. Los alimentos que mejor satisfacen esas necesidades son los **cereales integrales** (especialmente la avena) y los **frutos secos oleaginososos** (especialmente las almendras y las nueces).

 **Aumentar**

AVENA

ALMENDRA

NUEZ

GERMEN DE TRIGO

*Almendras*

# CEFALEAS Y JAQUECAS

## Definición

La **cefalea** es el dolor de cabeza en general. La **jaqueca** es un tipo especial de dolor de cabeza, agudo y palpitante, que aparece de forma súbita acompañado en ocasiones de náuseas, vómitos y trastornos de la visión.

## Causas

Las posibles causas de cefalea son muy numerosas. El dolor de cabeza puede ser desde un síntoma intrascendente, hasta la primera manifestación de un tumor o de una lesión cerebral grave.

Además de los alimentos citados, otros factores pueden **desencadenar** o **agravar** las cefaleas y migrañas:

- las **alergias,**

- la **tensión nerviosa** y el **estrés,**

- la **menstruación,** especialmente en los días previos.

## Alimentación

No se conocen alimentos que puedan prevenir o curar las cefaleas o las migrañas. Pero sí que se sabe que ciertos alimentos *pueden* **desencadenarlas.** *Evitarlos* puede ser la forma más eficaz de **prevención,**[6] una vez que han sido descartadas las causas orgánicas como los aneurismas arteriales o los tumores.

 **Reducir o eliminar**

BEBIDAS ALCOHÓLICAS

CERVEZA

VINO

QUESOS MADURADOS

CHOCOLATE

MARISCO

CARNES CURADAS

PROTEÍNAS

ADITIVOS

BEBIDAS ESTIMULANTES (CAFÉ, TÉ, MATE, ETC.)

AZÚCAR BLANCO

LÁCTEOS

HELADOS

FRUTOS CÍTRICOS

*Queso curado*

**Los quesos madurados contienen tiramina, una sustancia de probado efecto vasoconstrictor que puede desencadenar la migraña.**

# ANSIEDAD

## Definición

Es un estado emocional indeseable e injustificado. Se trata de un trastorno psicosomático, que empieza afectando a la mente pero acaba repercutiendo sobre diversos órganos del cuerpo y produciendo **taquicardia, dolor de estómago, colon irritable** (alternancias estreñimiento-diarrea), etcétera.

## Factores agravantes

La ansiedad *se agrava* en las siguientes situaciones:

- **Dietas de adelgazamiento** *desequilibradas,* en las que se produce inevitablemente una *menor* ingesta de **hidratos de carbono, vitaminas** y **minerales,** nutrientes todos ellos necesarios para el buen funcionamiento del sistema nervioso.

- Consumo de bebidas **alcohólicas** o estimulantes (con **cafeína**) y de **tabaco.** Aunque pueden aliviar la ansiedad momentáneamente, esta suele reaparecer con mayor intensidad una vez pasado su efecto. Por tratarse de **drogas** *adictivas,* todas ellas deterioran el sistema nervioso.

 **Aumentar**

GERMEN DE TRIGO
CEREALES INTEGRALES
PLÁTANO
FRUTOS SECOS
YOGUR
VITAMINA B6
MAGNESIO

 **Reducir o eliminar**

BEBIDAS ESTIMULANTES (CAFÉ, TÉ, MATE, ETC.)
CARNE
BEBIDAS ALCOHÓLICAS

*Centeno*

Los cereales integrales aportan hidratos de carbono complejos y vitaminas B necesarios para el equilibrio del sistema nervioso.

# BULIMIA

## Definición

Es justamente lo *contrario* a la **anorexia** (ver pág. 41): un **apetito** *voraz e incontrolado.* La bulimia suele presentarse de forma alternante con la anorexia, y es uno de los trastornos más comunes del comportamiento alimentario en los países desarrollados.

## Alimentación

- *Eliminar* todos los **dulces** y alimentos **grasos** del alcance del que padece bulimia

- Poner a su disposición **cereales integrales, ensaladas** y otros **alimentos saludables** con los que pueda *saciar* su apetito.

 **Aumentar**

CEREALES INTEGRALES
ENSALADAS
FRUTA
FIBRA

 **Reducir o eliminar**

AZÚCAR BLANCO
GRASA

La fruta es el único alimento dulce que conviene a quien padece de bulimia. Además de azúcares, la fruta aporta vitaminas, minerales, fibra y elementos fitoquímicos que contribuyen a controlar el apetito y a equilibrar el sistema nervioso.

*Uva*

# NEURALGIA

## Definición

Es una enfermedad de los nervios sensitivos que produce dolores punzantes o ardientes a lo largo de su trayecto. En algunos casos existe una causa conocida que irrita al nervio, pero en otros no.

## Alimentación

Los alimentos ricos en vitaminas B *pueden contribuir* a *aliviar* los dolores neurálgicos.

 **Aumentar**

GERMEN DE TRIGO
LEVADURA DE CERVEZA
VITAMINAS B1 Y B12

 **Reducir o eliminar**

BEBIDAS ALCOHÓLICAS

# EPILEPSIA

## Definición

Enfermedad del sistema nervioso central que se manifiesta con ataques de diversa intensidad, que van desde las pérdidas de memoria o ausencias *(petit mal)*, hasta las convulsiones graves con pérdida de conciencia.

## Alimentación

La *carencia* de **vitaminas** del grupo **B** y de ciertos **minerales,** el estrés, el **cansancio,** la **fiebre** y el consumo de **bebidas alcohólicas,** son los factores que con mayor frecuencia *desencadenan* los ataques.

 **Aumentar**

VITAMINAS **B**
VITAMINA B₆
FOLATOS
MAGNESIO
MANGANESO

 **Reducir o eliminar**

BEBIDAS ALCOHÓLICAS
EDULCORANTES
ONAGRA, ACEITE

*Edulcorante*

Ciertos edulcorantes como el aspartame pueden favorecer las crisis epilépticas en personas sensibles.

# ESCLEROSIS MÚLTIPLE

## Definición

Esta enfermedad suele empezar entre los 25 y 40 años de edad, y afecta más a las mujeres que a los hombres. Se debe a una alteración de las vainas de mielina que recubren los nervios. Se manifiesta con diversos síntomas, dependiendo de los nervios afectados: alteraciones de la visión o del habla, pérdida de la sensibilidad en la piel y alteraciones motoras.

## Factores que influyen

Su curso suele ser oscilante, con periodos de empeoramiento y mejoría. Aunque no se conoce bien la causa que la origina, sí se sabe que existen *ciertos* **alimentos** que la **empeoran,** y *otros* que pueden producir *leves* **mejorías.** El consumo de **tabaco** y **alcohol** la *agravan* notablemente.

 **Aumentar**

ACEITES
SELENIO
CEREALES INTEGRALES
LEGUMBRES
ENSALADAS
FRUTA

 **Reducir o eliminar**

GRASA SATURADA
BEBIDAS ALCOHÓLICAS
CARNE
LÁCTEOS
AZÚCAR BLANCO

# ENFERMEDAD DE PARKINSON

## Definición

Suele aparecer a partir de los 50 años, y se caracteriza por tres síntomas principales: rigidez muscular, acinesia (falta de movimiento) y temblor. Se debe a que una parte del cerebro no produce *suficiente* **dopamina,** una sustancia que interviene en la transmisión de impulsos nerviosos entre las neuronas.

## Alimentación

No se conoce ningún alimento que la empeore o la mejore significativamente. Sin embargo, el consumo de alimentos de origen vegetal ricos en vitaminas B, C y E *puede contribuir* **a frenar** la progresión de la enfermedad.

 **Aumentar**

CEREALES INTEGRALES
FRUTA
HORTALIZAS
ACEITES
VITAMINA B₁
VITAMINA E
FOLATOS
NIACINA

 **Reducir o eliminar**

GRASA SATURADA
AZÚCAR BLANCO
BEBIDAS ESTIMULANTES (CAFÉ, TÉ, MATE, ETC.)

Los cacahuetes son una buena fuente de niacina, por lo que convienen a los enfermos de Parkinson.

*Cacahuete*

# DEMENCIA

Es una pérdida progresiva, y generalmente irreversible, de las facultades mentales.

Aunque son diversas las causas que la producen, existen investigaciones en las que se muestra como el **consumo habitual** de ciertos alimentos durante *toda la vida*, principalmente la **grasa animal** y la **carne,** aumenta el **riesgo** de padecerla.

*Alcohol*

El alcohol deteriora la neuronas de forma irreversible y su consumo predispone a la demencia.

 **Reducir o eliminar**

BEBIDAS ALCOHÓLICAS
GRASA SATURADA
COLESTEROL
CARNE
PESCADO

## ENFERMEDAD DE ALZHEIMER

### Definición
Es un tipo de **demencia progresiva** causada por una degeneración en las células del cerebro. Comienza con pérdida de memoria, seguida de confusión mental, apatía y depresión.

### Causas
Su causa se desconoce, aunque se ha comprobado que una **ingesta** *elevada* de **aluminio** *favorece* su aparición. El aluminio es un mineral tóxico para las células nerviosas, y en el cerebro de los enfermos de Alzheimer se encuentra más cantidad de aluminio que en el de los sanos. El mercurio podría estar también relacionado con el Alzheimer, aunque no se ha demostrado.

### Prevención
Para **prevenir** el Alzheimer, además de los consejos alimentarios citados más abajo, conviene evitar:

- El uso de **utensilios** de cocina de **aluminio,** especialmente cuando se cocinan alimentos ácidos como el tomate, que puede liberar más aluminio.
- El uso de medicamentos **antiácidos** a base de aluminio.
- El consumo de **refrescos** envasados **en latas** de aluminio.
- El **agua del grifo,** en el caso de que contenga mucho aluminio.

 **Aumentar**

VERDURAS
LEVADURA DE CERVEZA
ANTIOXIDANTES
VITAMINA E
COLINA

 **Reducir o eliminar**

BEBIDAS ALCOHÓLICAS
QUESOS MADURADOS

## ESQUIZOFRENIA

### Definición
Es una enfermedad mental hereditaria caracterizada por los cambios de personalidad y las alucinaciones. Aunque tiene un componente hereditario, no se conoce su causa. Posiblemente se deba a una sutil **alteración** en la **química** de las **neuronas** cerebrales.

### Alimentación
La alimentación puede contribuir a la evolución de la enfermedad, tanto *positiva* como *negativamente.* A falta de datos más concretos se recomienda:

- Consumir **abundantes** alimentos **vegetales** preparados de una forma sencilla: frutas y hortalizas frescas, legumbres, frutos secos.
- *Evitar* todos los alimentos o productos que puedan causar **alergias.**
- *Evitar* las situaciones de **hipoglucemia** (falta de azúcar en la sangre), en las que el cerebro sufre por falta de glucosa. La falta de **horarios regulares** para las comidas, los **desayunos pobres** o una dieta *escasa* en **hidratos de carbono complejos** son las causas alimentarias más frecuentes.

 **Aumentar**

GERMEN DE TRIGO
FRUTA
HORTALIZAS
LEGUMBRES
FRUTOS SECOS

 **Reducir o eliminar**

BEBIDAS ALCOHÓLICAS
BEBIDAS ESTIMULANTES (CAFÉ, TÉ, MATE, ETC.)
ADITIVOS
LÁCTEOS
GLUTEN

*Germen de trigo*

*Berros*

**Las verduras (hortalizas de hoja verde) son una buena fuente de silicio. Este oligoelemento dificulta la absorción de aluminio en el intestino, mineral que se considera relacionado con el origen de esta enfermedad.**

**El germen de trigo es una de las mejores fuentes de vitaminas B, E y minerales que aportan equilibrio al sistema nervioso.**

# Anacardo (cajú)

## Muy rico en magnesio

**ANACARDO**
**composición**
por cada 100 g de parte comestible cruda

| Energía | 574 kcal = 2402 kj |
|---|---|
| Proteínas | 15,3 g |
| H. de c. | 29,7 g |
| Fibra | 3,00 g |
| Vitamina A | — |
| Vitamina B$_1$ | 0,200 mg |
| Vitamina B$_2$ | 0,200 mg |
| Niacina | 5,35 mg EN |
| Vitamina B$_6$ | 0,256 mg |
| Folatos | 69,2 µg |
| Vitamina B$_{12}$ | — |
| Vitamina C | — |
| Vitamina E | 0,570 mg E$\alpha$T |
| Calcio | 45,0 mg |
| Fósforo | 490 mg |
| Magnesio | 260 mg |
| Hierro | 6,00 mg |
| Potasio | 565 mg |
| Cinc | 5,60 mg |
| Grasa total | 46,4 g |
| Grasa saturada | 9,16 g |
| Colesterol | — |
| Sodio | 16,0 mg |

1%    2%    4%    10%    20%    40%    100%
**% de la CDR (cantidad diaria recomendada)**
cubierta por 100 g de este alimento

*Sinonimia hispánica: marañón, cajú, merey, jocote, acayoba, pajuil.*

*Descripción: Semilla del fruto del anacardo ('Anacardium occidentale' L.), árbol de la familia de las Anacardiáceas que mide de 9 a 12 m de altura.*

LA SEMILLA o nuez del anacardo es uno de los frutos secos más cotizados. El hecho de que solo se produzca en los países de clima tropical, aumenta todavía más si cabe su valor y atractivo.

**PROPIEDADES E INDICACIONES:** La **SEMILLA** del anacardo es un fruto seco oleaginoso, de sabor dulce y agradable. Es muy rica en *ácidos grasos insaturados,* como el oleico y el linoleico; en *vitaminas,* como la *B₁, B₂* y *ácido pantoténico;* y en *minerales,* como el magnesio (260 mg/100 g), potasio, hierro y fósforo.

Destaca sobre todo su contenido en *magnesio,* uno de los *más altos* del reino vegetal, superado únicamente por la semilla del girasol

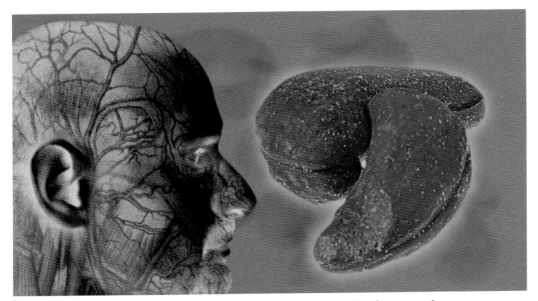

El anacardo es muy rico en vitaminas del grupo B así como en los minerales magnesio, fósforo y cinc. Todos estos nutrientes resultan imprescindibles para el buen funcionamiento del sistema nervioso.

(354 mg/100 g, ver pág. 110). La carne, la leche y los huevos son pobres en magnesio, no superando ninguno de estos productos los 24 mg/100 g.

El *MAGNESIO* interviene en numerosas funciones metabólicas, pero especialmente en la transmisión de los impulsos nerviosos. Su *carencia* produce **nerviosismo e irritabilidad,** e incluso **calambres y espasmos.** Por ser la semilla o fruto seco del anacardo muy rico en magnesio, y además en *vitamina $B_1$ y $B_2$* (supera a la almendra y a la nuez, ver págs. 58, 74), también esenciales para la estabilidad nerviosa, su uso se recomienda especialmente en caso de:

• **Nerviosismo, irritabilidad** nerviosa, **depresión, debilidad y cansancio** anormales.

• **Espasmos** en los órganos huecos: en el colon (colon irritable), en el útero (dismenorrea) o en las arterias coronarias (angina de pecho).

## Preparación y empleo

❶ **Semilla tostada:** Se toma con o sin sal, tal como los cacahuetes (maní) u otro fruto seco.

❷ **Porción carnosa del fruto** (pedúnculo o rabo del que crece la nuez del anacardo): Es de consistencia pulposa y algo áspera. Se consume **fresco,** en **compota, mermelada** o **jugo.** Este último se debe tomar recién exprimido, pues se conserva con dificultad.

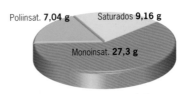

Poliinsat. **7,04 g**      Saturados **9,16 g**

Monoinsat. **27,3 g**

distribución porcentual de sus **ácidos grasos**

# Avena

## Equilibra los nervios y baja el colesterol

**Sinonimia hispánica:** *avena común, avena blanca.*

**Descripción:** *Fruto de la planta de la avena ('Avena sativa' L.), herbácea anual de la familia de las Gramíneas. El fruto es un grano que incluye el pericarpio o salvado y la semilla o grano propiamente dicho.*

### AVENA
### composición
por cada 100 g de parte comestible cruda

| | |
|---|---|
| **Energía** | **389 kcal = 1629 kj** |
| **Proteínas** | **16,9 g** |
| **H. de c.** | **55,7 g** |
| **Fibra** | **10,6 g** |
| Vitamina A | — |
| Vitamina B$_1$ | 0,763 mg |
| Vitamina B$_2$ | 0,139 mg |
| Niacina | 4,86 mg EN |
| Vitamina B$_6$ | 0,119 mg |
| Folatos | 56,0 µg |
| Vitamina B$_{12}$ | — |
| Vitamina C | — |
| Vitamina E | 0,700 mg E$\alpha$T |
| Calcio | 54,0 mg |
| Fósforo | 523 mg |
| Magnesio | 177 mg |
| Hierro | 4,72 mg |
| Potasio | 429 mg |
| Cinc | 3,97 mg |
| *Grasa total* | *6,90 g* |
| *Grasa saturada* | *1,22 g* |
| Colesterol | — |
| Sodio | 2,00 mg |

1%    2%    4%         10%    20%    40%    100%

**% de la CDR** (cantidad diaria recomendada)
cubierta por 100 g de este alimento

ES PRÁCTICA tradicional en algunos países centroeuropeos, hacer dormir sobre un colchón de paja de avena a quienes padecen de nerviosismo o de insomnio. Es muy posible que esta costumbre no carezca fundamento, ya que la avena contiene un alcaloide de efectos sedantes sobre el sistema nervioso.

**PROPIEDADES E INDICACIONES:** La avena es el cereal *más rico* en **nutrientes.** Contiene más del doble de grasas que el trigo (ver pág. 292), más proteínas y más hidratos de carbono. Es *muy rica* en **fósforo,** en **hierro** (con sus 4,72 mg/100 g, supera a la carne que no sobrepasa los 3 mg/100 g) y en vitamina B$_1$.

Los **HIDRATOS DE CARBONO** constituyen el nutriente *más abundante* de la avena.

Debido a la peculiar estructura del grano de avena, sus hidratos de carbono se asimilan fácilmente y se absorben con lentitud, por lo que proporcionan energía durante varias horas después de haber sido ingeridos. Destacan los siguientes:

✓ **Almidón** y los productos de su descomposición: **dextrina, maltosa** y **glucosa.** Estas son sustancias muy asimilables que el organismo convierte fácilmente en energía.

✓ **Fructosa:** Se encuentra en cierta proporción, junto con otros hidratos de carbono. Tiene la peculiaridad de no precisar de la insulina para penetrar en las células y ser aprovechada por ellas. Esto hace que la avena sea *muy recomendable* para los **diabéticos.**

✓ **Mucílagos:** Son un tipo de hidratos de carbono de consistencia gelatinosa, que tienen la propiedad de retener agua. Constituyen un tipo especial de **fibra soluble.** Lubrifican y suavizan el interior del conducto digestivo. Esto hace que la avena resulte conveniente en caso de **gastritis** y de **colitis.**

✓ **Fibra vegetal:** Se encuentra sobre todo en la capa que recubre al grano, y que persiste en los copos integrales. Puede también consumirse por separado en forma de **salvado** de avena. Su principal componente es el **beta-glucano,** un derivado soluble de la celulosa. Tiene un efecto **laxante** suave, pero sobre todo, disminuye el nivel de **colesterol** gracias a que absorbe y arrastra los ácidos biliares del intestino, materia prima para la fabricación del colesterol en el organismo.[7]

Las **PROTEÍNAS** de la avena son abundantes (16,9%) y muy digestibles. Contienen todos los **aminoácidos esenciales,** aunque no en la proporción óptima. La avena es relativamente *pobre* en **lisina** y en **treonina,** mientras que tiene un *exceso* de **metionina.** Por el contrario, las **leguminosas** (garbanzos, lentejas o judías) son *ricas* en **lisina** y **treonina,** pero carecen de **metionina.** Por eso la *combinación* de **cereales** como la avena y de **leguminosas** es muy provechosa, pues las proteínas de ambos tipos de alimentos *se complementan* para formar una **proteína completa.**

Las **GRASAS** de la avena también son de gran valor nutritivo. Están formadas por:

✓ **Ácidos grasos** insaturados (80%) entre los que *destaca* el **linoleico,** y saturados (20%). El predominio de los insaturados tiene un efecto regulador sobre la síntesis de **colesterol.**

## Preparación y empleo

❶ **Copos:** Es la mejor forma de consumir la avena, aprovechando todas sus propiedades nutritivas. Se preparan hervidos en leche o caldo de verduras.

❷ **'Porridge':** Se puede preparar de la siguiente manera: Poner cuatro cucharadas de copos de avena en remojo. A la mañana siguiente se hace hervir medio litro de agua, y se le echan entonces los copos, dejándolos que hiervan quince minutos a fuego lento. Se sirve con miel. Se le puede añadir también leche.

❸ **Harina o crema:** Se usa en sopas y papillas.

❹ **'Muesli':** Los copos de avena son uno de los ingredientes fundamentales del *muesli* para el desayuno, junto con otros cereales, almendras, avellanas, pasas, etc. El **'Bircher-muesli'** se prepara con estos ingredientes, y además, fruta fresca, leche y un poquito de miel.

❺ **Agua de avena:** Se obtiene tras una decocción de dos cucharadas soperas de granos de avena en un litro de agua. Hervir durante 5 minutos y después filtrar. Se puede endulzar con miel. El agua de avena se toma como bebida a lo largo del día.

Los copos de avena hervidos con leche, a los que se puede añadir miel y unos trozos de manzana o de plátano, constituyen un desayuno excelente para niños, jóvenes, deportistas y mujeres embarazadas o que lactan. Después de un desayuno así no se sentirá la necesidad de tomar un tentempié a media mañana.

✓ **Avenasterol,** un fitosterol, sustancia vegetal similar al **colesterol,** que ejerce la interesante acción de impedir la absorción de este último en el intestino, reduciendo así su nivel en sangre.

✓ **Lecitina:** Contiene también una pequeña cantidad de este fosfolípido, de gran importancia para el funcionamiento del **sistema nervioso.** La lecitina también contribuye al descenso del **colesterol** en la sangre.

Así que, aunque la avena es el cereal más rico en grasas, no por ello deben evitarlo los que desean reducir su nivel de colesterol en la sangre, sino todo lo contrario.

Debido a las grandes virtudes nutritivas de, así como a su buena digestibilidad, la avena constituye un *alimento fundamental* en la dieta humana. Al igual que el pan, puede ser consumida a diario, pues sabido es que los cereales tienen que ser la base de la nutrición humana.

El consumo de avena resulta especialmente indicado en determinadas situaciones como las que describimos a continuación, debido a las propiedades dietoterápicas que posee.

• **Afecciones del sistema nervioso:** La avena aporta los nutrientes más importantes para el buen funcionamiento de las neuronas: *glu-*

*cosa* (se libera a partir del almidón), *ácidos grasos, fósforo, lecitina* y *vitamina B1.* Todo ello ejerce un efecto tonificante y equilibrador sobre el sistema nervioso, y favorece la actividad intelectual. Además, la avena contiene pequeñas cantidades de un alcaloide no tóxico, la *avenina,* que tiene un efecto **sedante** suave sobre el sistema nervioso.

El consumo habitual de avena en la dieta en cualesquiera de sus formas de preparación, incluida el agua de avena **(❺)**, está indicado en los siguientes casos: **nerviosismo, fatiga o agotamiento mental, insomnio** y **depresión.** Es un alimento que no debería faltar en la dieta de los **estudiantes,** especialmente en época de exámenes.

• **Afecciones digestivas:** Debido al *mucílago* que contienen y a lo bien que se digieren, los copos de avena **(❶)** tienen acción emoliente (suavizante). Cocinados con leche o caldo de verduras son muy recomendables en caso de **gastritis, úlcera** gastroduodenal o de afecciones intestinales como la **diverticulosis** (presencia de divertículos en el intestino), o la **colitis** causada por microorganismos, tóxicos, medicamentos o intolerancia a ciertos alimentos. En cualesquiera de estos casos, la avena puede constituir el plato principal, y hasta único, durante tres a cinco días, mientras que pa-

sa la fase aguda y se produce la regeneración de las células de la mucosa digestiva.

• **Celiaquía:** Esta enfermedad se debe a una **intolerancia a la gliadina,** la *proteína* del **gluten** que se encuentra en el trigo y en otros cereales. Se manifiesta con diarreas y desnutrición graves. La avena apenas contiene gliadina, y resulta muy bien tolerada por los celíacos, tal como ha sido demostrado en varios estudios científicos.[8]

• **Diabetes:** A pesar de su gran contenido en hidratos de carbono, la avena resulta *muy bien* **tolerada** por los diabéticos, especialmente si se toma en forma de copos integrales que incluyen el salvado (**0**). Esto se debe a su contenido en *fructosa,* y sobre todo, a los **BETA-GLUCANOS** que se encuentran especialmente en el salvado de la avena. Los beta-glucanos son un tipo de *fibra* vegetal soluble que, tal como ha sido demostrado en un estudio llevado a cabo por el Departamento (Ministerio) de Agricultura de los Estados Unidos,[9] hace que los diabéticos toleren mucho mejor la glucosa que se libera del almidón de la avena durante la digestión.

• **Aumento del colesterol:** La composición de grasas de la avena favorece el descenso del colesterol. Este efecto se ve potenciado por la acción del **beta-glucano,** sustancia que se encuentra sobre todo en el salvado de la avena. El beta-glucano retiene y elimina las sales biliares en el intestino, disminuyendo además la absorción de grasas.[10, 11] Los ácidos biliares son la materia prima a partir de la cual nuestro organismo sintetiza el colesterol, por lo que al favorecer su eliminación con las heces, disminuye la producción endógena de colesterol.

Esta propiedad de la avena ha sido probada en diversos estudios,[12, 13] por lo que resulta muy recomendable el consumo de avena incluyendo el salvado (como en los copos integrales (**0**)), por parte de quienes tienen el colesterol elevado.

• **Arteriosclerosis e hipertensión:** Para el tratamiento y la prevención de estas afecciones da muy buenos resultados el consumo habitual de avena, al menos una vez al día en cualesquiera de sus formas de preparación.

**El agua de avena tiene un efecto equilibrador y tonificante sobre el sistema nervioso. Muy recomendable en caso de nerviosismo y de hipertensión arterial. Ver su elaboración en el cuadro de preparación y empleo (pág. 49).**

# Nuez del Brasil

## Rica en vitamina B₁

**Sinonimia hispánica:** *coquito de Brasil, almendra del Amazonas, castaña de Pará, nuez de Pará, jubia, almendra del Beni, almendrón, nuez del Marañón.*

**Descripción:** *Semilla del fruto del árbol 'Bertholletia excelsa' Humb., de la familia de las Lecitidáceas, que alcanza hasta 40 m de altura.*

### NUEZ DEL BRASIL
### composición
por cada 100 g de parte comestible cruda

| | |
|---|---|
| Energía | 656 kcal = 2745 kj |
| Proteínas | 14,3 g |
| H. de c. | 7,40 g |
| Fibra | 5,40 g |
| Vitamina A | — |
| Vitamina B₁ | 1,00 mg |
| Vitamina B₂ | 0,122 mg |
| Niacina | 5,96 mg EN |
| Vitamina B₆ | 0,251 mg |
| Folatos | 4,00 µg |
| Vitamina B₁₂ | — |
| Vitamina C | 0,700 mg |
| Vitamina E | 7,60 mg EαT |
| Calcio | 176 mg |
| Fósforo | 600 mg |
| Magnesio | 225 mg |
| Hierro | 3,40 mg |
| Potasio | 600 mg |
| Cinc | 4,59 mg |
| Grasa total | 66,2 g |
| Grasa saturada | 16,2 g |
| Colesterol | — |
| Sodio | 2,00 mg |

1% 2% 4% 10% 20% 40% 100% 200% 500%
**% de la CDR (cantidad diaria recomendada)**
cubierta por 100 g de este alimento

EL ÁRBOL que produce las nueces del Brasil llama la atención entre todos los tropicales por su majestuosidad y belleza. Sin embargo, los intentos por cultivarlo han dado muy malos resultados, hasta el punto de que la mayor parte de las nueces de Brasil que se comercializan, proceden de árboles silvestres amazónicos.

**PROPIEDADES E INDICACIONES:** La nuez del Brasil contiene más de un 66,2% de *grasas* que se enrancian con cierta facilidad, constituidas en una proporción de hasta el 25% por *ácidos grasos saturados.* Junto con la de la palma y la del coco (ver pág. 310), es una de las *grasas* vegetales más ricas en este tipo de ácidos grasos, y por lo tanto, *menos recomenda-*

*ble* desde el punto de vista dietético. No conviene pues abusar de ellas, especialmente quienes tengan elevado el **colesterol.**

Las nueces del Brasil son ricas en **proteínas** (14,3%), **vitamina E** y en **minerales** (fósforo, magnesio, calcio y hierro).

Pero su propiedad dietética más importante es su *elevado contenido* en **vitamina B₁,** superando a la carne, la leche y los huevos. Solo el germen de trigo, la levadura de cerveza, las semillas de girasol y los piñones, contienen más vitamina B₁ que las nueces del Brasil.

Esto las hace muy recomendables en caso de **trastornos nerviosos,** como irritabilidad, depresión, pérdida de memoria y falta de concentración o rendimiento intelectual.

Los que siguen un tratamiento para **dejar de fumar** pueden incluir las nueces de Brasil en su dieta, por el efecto favorable de la **vitamina B₁** sobre el sistema nervioso.

El fruto del árbol está formado por una cáscara similar a la del coco, de unos 16 cm de diámetro, que al madurar se abre y deja ver en su interior de 20 a 24 semillas de forma arriñonada. Estas semillas, que miden 3-4 cm, están constituidas por una capa leñosa, que encierra una gruesa almendra conocida como nuez del Brasil.

## Preparación y empleo

**❶ Crudas:** Es la forma habitual de consumir los coquitos o nueces del Brasil. Hay que masticarlas bien, como ocurre con todos los frutos secos oleaginosos.

**❷ Tostadas:** Suele ser suficiente con 5 a 10 minutos en el horno, para que adquieran un color dorado y un grato sabor.

# Lechuga

## Seda los nervios y sacia el estómago

**Sinonimia científica:**
*Lactuca virosa* L.
(la silvestre).

**Sinonimia hispánica:**
*lechuga romana,*
*cerraja.*

**Descripción:** *Hojas de la planta de la lechuga ('Lactuca sativa' L.), de la familia de las Compuestas. Hay variedades con hojas lisas y rizadas, y su color varía desde el verde hasta el rojo violáceo.*

### LECHUGA
### composición
por cada 100 g de parte comestible cruda

| | |
|---|---|
| **Energía** | **16,0 kcal = 67,0 kj** |
| **Proteínas** | **1,62 g** |
| **H. de c.** | **0,670 g** |
| **Fibra** | **1,70 g** |
| **Vitamina A** | **260 µg ER** |
| **Vitamina B₁** | **0,100 mg** |
| **Vitamina B₂** | **0,100 mg** |
| **Niacina** | **0,700 mg EN** |
| **Vitamina B₆** | **0,047 mg** |
| **Folatos** | **136 µg** |
| **Vitamina B₁₂** | **—** |
| **Vitamina C** | **24,0 mg** |
| **Vitamina E** | **0,440 mg EαT** |
| **Calcio** | **36,0 mg** |
| **Fósforo** | **45,0 mg** |
| **Magnesio** | **6,00 mg** |
| **Hierro** | **1,10 mg** |
| **Potasio** | **290 mg** |
| **Cinc** | **0,250 mg** |
| **Grasa total** | **0,200 g** |
| **Grasa saturada** | **0,026 g** |
| **Colesterol** | **—** |
| **Sodio** | **8,00 mg** |

1%  2%  4%  10%  20%  40%  100%

**% de la CDR** (cantidad diaria recomendada)
cubierta por 100 g de este alimento

L OS ANTIGUOS romanos tenían la costumbre de comer lechuga por la noche, para favorecer el sueño después de una copiosa cena. Actualmente también recomendamos tomar lechuga por la noche a los estresados habitantes de las ciudades modernas; pero **no** **después**, sino **en vez de** una copiosa cena.

**PROPIEDADES E INDICACIONES:** La lechuga es uno de los alimentos *más ricos* en **agua** (94,9%). Sin embargo, sorprende por aportar una cantidad relativamente alta de **proteínas** (1,62%), un poco menos que las papas o patatas (2,07%).

La lechuga es muy pobre en hidratos de carbono (0,67%) y en grasas (0,2%), lo cual explica su bajo aporte energético (16 kcal/100 g). El valor nutritivo y dietoterápico de la lechuga depende de los siguientes componentes:

✓ **Provitamina A:** 100 g de lechuga aportan 260 µg ER (microgramos equivalentes retinol), lo cual supone la cuarta parte de las necesidades diarias de esta provitamina.

✓ **Vitaminas del grupo B:** Es bastante rica en vitamina $B_1$ (0,1 mg/100 g) y $B_2$ (0,1 mg /100 g), y sobre todo en **folatos** (135,7 µg /100 g).

✓ **Vitamina C:** La concentración de esta vitamina en la lechuga es de 24 mg/100 g, un poco menos de la mitad que la de la naranja o el limón.

✓ **Minerales:** Destaca por su contenido en potasio (290 mg/100 g) y en hierro (1,1 mg /100 g). Presenta también cantidades significativas de calcio, fósforo y magnesio, así como de los oligoelementos cinc, cobre y manganeso.

✓ **Fibra vegetal** (1,7%) que contribuye a su suave efecto laxante.

✓ **Sustancias de acción sedante y somnífera,** las mismas que se encuentran en el **látex** de la lechuga silvestre[14] (lactucario), pero en mucha menor proporción. Estas sustancias son similares químicamente a las que forman el opio, aunque carecen por completo de toxicidad y de efecto adictivo.

Gracias a esta composición la lechuga tiene las siguientes propiedades: sedante, somnífera, aperitiva, laxante, alcalinizante y remineralizante. Estas son sus indicaciones:

• **Trastornos funcionales del sistema nervioso,** como nerviosismo, estrés o tensión psíquica y ansiedad. El consumo habitual de lechu-ga produce una suave y a veces imperceptible sedación, a la vez que aporta vitaminas del grupo B necesarias para el buen equilibrio nervioso.

• **Insomnio:** Para ello se recomienda tomar *por la noche,* tal como ya se ha dicho, un buen plato de lechuga como *plato único.*

• **Trastornos digestivos:** Tomada *antes* de la *comida,* la lechuga tonifica el estómago y facilita la digestión.

• **Estreñimiento:** Facilita el tránsito intestinal por su contenido en **fibra** y su buena digestibilidad.

• **Obesidad:** La lechuga produce una gran sensación de saciedad después de haberla comido, aportando muy pocas calorías. A la vez contribuye a reducir el nerviosismo o ansiedad por la comida que con frecuencia acompaña a la obesidad.

• **Diabetes:** La lechuga es uno de los alimentos *más pobres* en **hidratos de carbono,** de modo que los diabéticos pueden consumirla sin más límite que su apetito.

Tomar un buen plato de lechuga convenientemente aliñada con aceite y limón, facilita la digestión y ayuda a conciliar el sueño, además de producir una notable sensación de saciedad.

## Preparación y empleo

❶ **Cruda:** Es la mejor forma de disfrutar de su frescura y su agradable sabor. Se aliña con un poco de aceite (preferiblemente de oliva) y unas gotas de limón. Las hojas verdes son mucho más nutritivas que las blancas del interior.

❷ **Cocinada:** Las hojas más duras se pueden someter a cocción como cualquier otra verdura.

# Piñón

## Un buen alimento
## para el cerebro

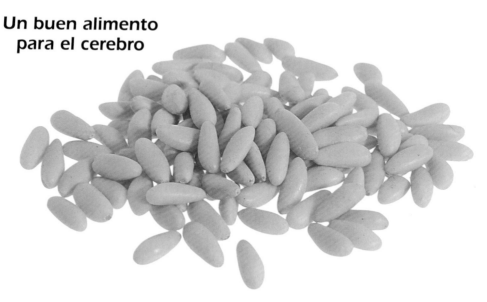

**Sinonimia hispánica:** *árbol del pino albar, pino blanquillo, pino mollar, pino real, pino rubial.*

**Descripción:** *Semilla del pino piñonero ('Pinus pinea' L.), árbol de la familia de las Pináceas que alcanza hasta 30 m de altura, y cuyas hojas o agujas tienen la característica de ser más largas que las de otros pinos.*

### PIÑÓN
### composición
por cada 100 g de parte comestible cruda

| | |
|---|---|
| **Energía** | **629 kcal = 2632 kj** |
| **Proteínas** | **11,6 g** |
| **H. de c.** | **8,60 g** |
| **Fibra** | **10,7 g** |
| **Vitamina A** | **3,00 µg ER** |
| **Vitamina B₁** | **1,24 mg** |
| **Vitamina B₂** | **0,223 mg** |
| **Niacina** | **6,80 mg EN** |
| **Vitamina B₆** | **0,111 mg** |
| **Folatos** | **57,8 µg** |
| **Vitamina B₁₂** | **—** |
| **Vitamina C** | **2,00 mg** |
| **Vitamina E** | **—** |
| **Calcio** | **8,00 mg** |
| **Fósforo** | **35,0 mg** |
| **Magnesio** | **234 mg** |
| **Hierro** | **3,06 mg** |
| **Potasio** | **628 mg** |
| **Cinc** | **4,28 mg** |
| **Grasa total** | **61,0 g** |
| **Grasa saturada** | **9,38 g** |
| **Colesterol** | **—** |
| **Sodio** | **72,0 mg** |

1%  2%  4%  10%  20%  40%  100%

**% de la CDR** (cantidad diaria recomendada)
cubierta por 100 g de este alimento

L
OS PINOS son plantas gimnospermas, es decir, con la semilla desnuda y no recubierta de fruto. Las piñas, por lo tanto, no son los frutos del pino, sino sus inflorescencias femeninas, entre cuyas escamas leñosas se encuentran las semillas o piñones.

**PROPIEDADES E INDICACIONES:** Los piñones son un bocado muy exquisito, que, debido a su escasez y elevado precio, se suelen usar tan solo como elemento decorativo en la industria pastelera o condimento exquisito en la buena cocina.

Sin embargo, los piñones están dotados de un *gran poder **nutritivo,*** que muchos no valoran. Contienen un 61% de ***grasas*** formadas mayormente por ***ácidos grasos poliinsa-***

Las araucarias que crecen en el sur de Chile proporcionan excelentes piñones.

*turados* como el **linoleico** y el **pinoléni-co,**[15] muy importantes en la *formación* del **tejido nervioso** y en la *reducción* del nivel de **colesterol** sanguíneo.

Son también ricos en **proteínas** (11,6%) de alta calidad biológica *(completas),* así como en **vitamina B1** y en **hierro** (3 mg/100 g). Destaca el contenido en vitamina B1 de los piñones, solo superado entre todos los alimentos, por las semillas de girasol, el germen de trigo y la levadura de cerveza. Estas son las aplicaciones más importantes de los piñones:

• **Afecciones del sistema nervioso,** por su contenido en **vitamina B1** y en **ácidos grasos esenciales.** Su consumo conviene a los **estresados y deprimidos,** así como a los **estudiantes.**

• **Anemias** y estados de debilidad orgánica, por su gran aporte nutritivo y mineral.

• **Afecciones cardíacas y arteriosclerosis,** por la acción beneficiosa de sus ácidos grasos sobre las arterias.

## Preparación y empleo

❶ **Crudos:** Los piñones crudos tienen un sabor muy agradable. Se come un puñado bien masticado. Hay que conservarlos en un recipiente bien cerrado, porque se enrancian fácilmente.

❷ En **diversas preparaciones** culinarias, como **complemento** por su grato sabor y su gran aporte nutritivo.

## Piñón araucano

La araucaria [de Chile] (*Pinus araucana* L. = *Araucaria araucana* K. Koch), llamada también pino de Chile o del Neuquén alcanza hasta 60 m de altura. Se cría en el sur de Chile. Da excelentes piñones, alimento básico del pueblo araucano, de legendaria fortaleza.

# Almendra

## Tonifica el sistema nervioso y disminuye el colesterol

### ALMENDRAS composición
por cada 100 g de parte comestible cruda

| | |
|---|---|
| **Energía** | **589 kcal = 2465 kj** |
| **Proteínas** | **20,0 g** |
| **H. de c.** | **9,50 g** |
| **Fibra** | **10,9 g** |
| Vitamina A | — |
| Vitamina B$_1$ | 0,211 mg |
| Vitamina B$_2$ | 0,779 mg |
| Niacina | 9,33 mg EN |
| Vitamina B$_6$ | 0,113 mg |
| Folatos | 58,7 µg |
| Vitamina B$_{12}$ | — |
| Vitamina C | 0,600 mg |
| Vitamina E | 24,0 mg EαT |
| Calcio | 266 mg |
| Fósforo | 520 mg |
| Magnesio | 296 mg |
| Hierro | 3,66 mg |
| Potasio | 732 mg |
| Cinc | 2,92 mg |
| *Grasa total* | *52,2 g* |
| *Grasa saturada* | *4,95 g* |
| Colesterol | |
| Sodio | 11,0 mg |

1%　2%　4%　10%　20% 40%　100% 200% 500%

**% de la CDR (cantidad diaria recomendada)**
cubierta por 100 g de este alimento

**Sinonimia científica:** *Amygdalus communis* L.

**Sinonimia hispánica:** *arzollo (el árbol), allozo (el silvestre).*

**Descripción:** *Semilla dicotiledónea (formada por dos cotiledones y el germen) del fruto del almendro ('Prunus amygdalus' Batsch.), árbol de la familia de las Rosáceas, que alcanza de 3 a 6 m de altura.*

ENTRADO ya el invierno, cuando todos los árboles de hoja caduca muestran sus ramas desnudas, el almendro se cubre de hermosas flores blancas o rosadas para anunciar que la primavera se acerca.

Aunque se llama fruto seco a la almendra, en realidad la parte comestible es la semilla del fruto, y no su mesocarpo o pulpa carnosa. Esta está formada por la cáscara verdosa que recubre a la almendra.

La almendra forma parte de la alimentación humana desde tiempos inmemoriales. Sus propiedades culinarias y nutritivas hacen de las almendras un alimento especial, al igual que el árbol que las da.

**PROPIEDADES E INDICACIONES:** Las almendras son ricas en todos los principios nutritivos:

✓ *Proteínas:* Las proteínas de la almendra son de fácil asimilación y *completas* en cuanto a **aminoácidos** esenciales; superadas entre las vegetales, en calidad biológica, únicamente por las de la soja (ver pág. 254). El *porcentaje* de proteínas que poseen es *muy alto* (13,3%) teniendo en cuenta que se trata de un producto vegetal (la carne y el pescado tienen entre 15 y 20 g de proteínas por cada 100 g).

✓ *Grasas:* Más de la *mitad del peso* de la almendra, está formado por grasas. Predominan los ácidos grasos monoinsaturados (34,1%) y los poliinsaturados (11%), entre los que destaca el **linoleico,** que desempeña importantes funciones en el sistema nervioso.

✓ *Hidratos de carbono:* Las almendras contienen una cantidad menor de este nutriente, que de proteínas y de grasas, por lo que conviene combinar las almendras con el pan o con las frutas dulces desecadas (uvas pasas, higos, etc.).

✓ *Vitaminas:* Son relativamente ricas en vitaminas $B_1$, $B_6$ y *sobre todo,* en **vitamina E.** Su contenido en vitamina C es muy bajo (0,6 mg/100 g).

**Las almendras secas se mastican y digieren mejor si se ponen a remojo durante una noche. A la mañana siguiente se habrán vuelto tiernas, y tras quitales la piel que las recubre, se comen con la sensación de estar recién cogidas del árbol.**
**También se pueden pelar fácilmente las almendras secas, vertiendo sobre ellas agua caliente (escaldado). Las almendras peladas se digieren mejor.**

✓ *Minerales:* Las almendras son uno de los alimentos vegetales *más ricos* en **calcio** y en **fósforo.** Contienen también cantidades importantes de magnesio, potasio y hierro.

El contenido en **calcio** de la almendra (266 mg/100 g) supera con mucho al de la le-

---

## Preparación y empleo

❶ **Crudas:** Las almendras, recién cogidas del árbol. Se consumen crudas, tras partir el hueso o cáscara. Son de más fácil digestión que las secas.

❷ **Secas:** Pasado un tiempo desde su recolección, las almendras reducen su porcentaje de agua y se endurecen. Pueden tomarse **crudas,** muy bien masticadas, o ligeramente tostadas. En este último caso, pierden parte de sus vitaminas, pero se mastican y digieren con más facilidad.

❸ **Leche de almendra:** Habitualmente se obtiene añadiendo agua a la crema de almen-

dras, una pasta de color marrón claro elaborada industrialmente a partir de almendras y de azúcar (preferiblemente fructosa). También se puede elaborar artesanalmente en casa. Se toma como la leche de vaca.

❹ **Mazapán:** Es una mezcla homogénea de almendra molida y de azúcar. En Toledo, España, se elabora un acreditadísimo mazapán.

❺ **Turrón:** Se elabora a partir de almendra y miel. Puede ser duro o blando, dependiendo de que las almendras estén enteras o molidas. Son famosos los turrones elaborados en Alicante (España).

La leche de almendra es una bebida nutritiva y refrescante, muy recomendable para los niños en época de crecimiento. Se prepara fácilmente disolviendo un par de cucharadas de crema de almendras en un vaso de agua.

che (119 mg/100 g); aunque, claro está, las cantidades de almendras que se toman habitualmente son menores que las de leche o derivados lácteos.

Pero lo que más llama la atención no es solo la cantidad de **minerales** que contiene la almendra, sino lo *equilibrado* de su composición. Tanto el calcio, como el fósforo y el magnesio deben guardar una proporción determinada en la sangre, por lo que, cuanto más se acerque un alimento a esa proporción óptima, tanto más beneficioso será para el organismo.

Se ha demostrado que una *dieta alta* en **fósforo,** como es la la dieta **cárnica,** produce una *disminución* de la *absorción* intestinal de *calcio.*[16] Además, las grandes cantidades de proteínas hacen que se pierda calcio por la orina.[17]

✓ ***Oligoelementos:*** Al igual que otros frutos secos, las almendras son muy ricas en cinc, co-

bre y manganeso, oligoelementos que desempeñan importantes funciones en el organismo.

Por su composición privilegiada, y por su fácil digestibilidad siempre que haya sido *bien masticada,* la almendra es la semilla oleaginosa *más apreciada y recomendable,* especialmente en los siguientes casos:

• **Afecciones del sistema nervioso,** estrés, depresión, fatiga intelectual o física: El equilibrio adecuado en la sangre entre los iones de calcio, magnesio y potasio, conserva el tono muscular y evita la irritabilidad nerviosa. La *falta* de *calcio* en la sangre produce **nerviosismo.**

La proporción de estos minerales en la almendra es la más adecuada para lograr un funcionamiento estable del sistema nervioso. Además, su riqueza en fósforo y en ácidos grasos poliinsaturados (como el linoleico) favorece la producción de *fosfolípidos,* ingredientes esenciales de las membranas celulares de las neuronas.

El **consumo *habitual*** de almendras fortalece los nervios y tonifica los músculos, contribuyendo así a superar el **estrés,** la **depresión** y la **fatiga.** Los **deportistas** y aquellas personas sometidas a fuertes **trabajos físicos,** hallarán en la almendra un alimento muy energético, tonificante y saludable.

• **Colesterol elevado:** En contra de lo que muchos podrían pensar, un alimento tan rico en grasa como la almendra, no solo no aumenta el nivel de colesterol en la sangre, sino que lo hace descender. Igualmente ocurre con las nueces (ver pág. 74). Esto es debido a la equilibrada composición en ácidos grasos de la almendra, y posiblemente también, a su riqueza en vitamina E, de *intensa acción* **antioxidante.**

• **Afecciones cardíacas y arteriosclerosis:** El *calcio* interviene de forma muy directa en la

## Leche de almendras

*Se trata de una bebida **muy nutritiva** y de **fino sabor,** cuya riqueza en proteínas y minerales es comparable a la de la **leche de vaca.***

*La leche de almendra está especialmente recomendada en los siguientes casos:*

- ***Intolerancia** alimentaria a la **leche de vaca,** generalmente causada por intolerancia a la lactosa (azúcar de la leche).*

- ***Eccemas y diarreas infantiles:** La leche de vaca es la responsable de un buen número de casos de alergia infantil, manifestada en forma de eccemas y erupciones de la piel. El doctor Bircher-Benner, un clásico de la escuela de medicina natural alemana, popularizó el tratamiento a base de leche de almendra en los lactantes y niños con alergia cutánea o atopia, obteniendo muy buenos resultados.*

*Igualmente, en caso de **diarrea aguda del lactante, descomposición intestinal, flatulencias** u otros trastornos digestivos, la leche de almendra sustituye ventajosamente a la leche de vaca.*

- ***Exceso de colesterol en la sangre:** La leche de almendra no contiene nada de colesterol, y además, es muy rica en ácidos grasos insaturados.*

- ***Infancia y etapas de crecimiento:** la leche de almendras es una bebida refrescante, rica en calorías y nutrientes, mucho más apropiada para los niños que la mayor parte de los refrescos que habitualmente se consumen. Especialmente recomendada a los **niños nerviosos** o con **problemas de concentración,** ya que su riqueza en **ácido linoleico** y en **fósforo** favorece el **rendimiento intelectual.***

- ***Tercera edad:** los ancianos que tengan dificultades para masticar adecuadamente las almendras, pueden consumir su leche en abundancia.*

- ***Lactancia:** Por el efecto galactógeno (aumenta la producción de leche) de la almendra, se recomienda su leche a todas las madres que amamantan.*

regulación de los latidos cardíacos, y controlando la tensión arterial. La gran riqueza cálcica de la almendra, unido a su gran contenido en vitamina E y a su acción sobre el colesterol, ejercen un efecto muy favorable sobre las afecciones cardíacas. La *vitamina E* es un *potente* **antioxidante** que evita la formación de placas de arteriosclerosis en las arterias.

• **Afecciones óseas:** La almendra contiene una proporción muy adecuada de los minerales que forman el esqueleto (calcio, fósforo y magnesio). Además, la almendra es de reacción **alcalina,** lo cual favorece la retención del calcio. Por el contrario, los alimentos de reacción ácida como la carne, aumentan la pérdida de calcio por la orina.[17] Todo esto hace de la almendra un alimento ideal para ser consumido por los que padecen de **osteoporosis** o de **desmineralización** ósea.

• **Diabetes:** Por su discreto contenido en hidratos de carbono y por la calidad de sus proteínas y grasas, la almendra es un alimento muy bien tolerado por los diabéticos.

• **Embarazo y lactancia:** Por su riqueza nutritiva, y especialmente en minerales de los que el feto necesita en abundancia, la almendra es un alimento ideal para las mujeres embarazadas.

En las mujeres que lactan, la almendra tiene un probado efecto **galactógeno** (aumenta la secreción de leche).

# Alimentos para el corazón

**I**NTENTE CERRAR y abrir la mano con fuerza de forma rítmica, una vez cada segundo. A los pocos minutos posiblemente ya sentirá alguna incomodidad, y no tardará mucho en cansarse y abandonar el ejercicio.

Pues bien, el músculo del corazón realiza un ejercicio muy similar al que se puede hacer abriendo y cerrando la mano. Pero lo hace de forma *incesante,* sin detenerse, desde que nacemos hasta que morimos, y sin cansarse nunca; al menos mientras se conserva sano.

Esta capacidad del miocardio, el músculo que forma el corazón, para trabajar incesantemente y sin descanso, es uno de los hechos más sorprendentes tanto de la fisiología animal como de la humana.

Sin embargo, en realidad el corazón sí que **descansa.** Lo hace en el breve periodo de tiempo que hay entre latido y latido. Durante unas décimas de segundo, el miocardio se relaja y recibe sangre y nutrientes a través de las arterias coronarias.

# Alimentación y estilo de vida
## cardiosaludable

Comer al menos cinco
piezas o raciones
de **fruta** fresca al día.

Comer dos
o tres platos
de **legumbres**
por semana,
como mínimo.

Tomar al menos
un plato de **ensalada** de
hortalizas frescas al día,
aliñado con aceite de oliva
o de semillas.

*Reducir* el consumo de **sal,**
y de **azúcar.**

Consumir **pan y pasta
integral,** en vez de pan
blanco y pasta
refinada.

Hacer **ejercicio físico,**
al menos durante 40
minutos tres veces
por semana.

*Evitar* el **tabaco**
y el **café.**

Una alimentación a base de frutas, frutos secos oleaginosos, hortalizas, legumbres y cereales integrales, preparados de una forma simple, es la que mejores resultados da en la prevención del infarto. Las **frutas y hortalizas** deben constituir la *base* de una dieta cardiosaludable, tal como se desprende de numerosas investigaciones llevadas a cabo en todo el mundo, y especialmente por la Universidad Forvie Site de Cambridge (Reino Unido).[1]

# El vino y el corazón

**Acción favorable sobre el corazón:** Varios estudios estadísticos muestran que el consumo de *100 a 200 ml* de vino tinto diarios disminuye el riego de muerte a causa de infarto de miocardio.[2, 3, 4] Este efecto protector *únicamente* se produce en **varones** mayores de *50 años.*

Las mismas estadísticas reflejan que en cuanto se sobrepasa esta dosis de vino (*200 ml* de vino o 20 g diarios de alcohol puro) *aumenta* la **mortalidad** por enfermedades **cardiovasculares,** y se *favorece* la aparición de otras *muchas.*[5]

La posible acción beneficiosa del vino tinto (y no del blanco) se ha atribuido a los *flavonoides de tipo fenólico:* Estas sustancias proceden de la uva y de su piel, y le otorgan el típico color rojizo al vino tinto.[3] Su acción consiste en *impedir* la oxidación de las lipoproteínas, y con ello, el depósito de colesterol en las arterias conocido como **arteriosclerosis.**[6] Las **frutas** en general, y la **uva** *en particular,* son las *mejores* fuentes de **flavonoides.**

Es decir, que lo poco de bueno que pueda haber en el vino, procede de la uva. Resulta pues *mucho más* **saludable** para el corazón y para todo el organismo, el comer *directamente* las **uvas** o beber su **jugo.**

# Qué comer después del infarto

Después de sufrir un infarto se recomienda seguir también una dieta rica en frutas y hortalizas. Su acción **antioxidante** hace que se reduzca la necrosis (muerte celular) del músculo cardíaco.[7]

La **arteriosclerosis** causante del infarto, también puede reducirse. Un estudio realizado en California (EE. UU.), muestra que después de un año de seguir una alimentación y estilo de vida cardiosaludables, como el indicado en la página anterior, se puede lograr una reducción del 10% en el grado de estenosis (estrechez) de las arterias coronarias.[8]

## ANGINA DE PECHO

### Definición

Consiste en un espasmo o estrechamiento reversible de las **arterias coronarias.** Estas arterias son las encargadas de proporcionar riego sanguíneo al propio músculo del corazón para que este pueda latir.

La angina de pecho o *angor pectoris* se manifiesta con un dolor intenso y opresivo en el lado izquierdo del tórax, que puede irradiarse al brazo del mismo lado. Generalmente se presenta después de un esfuerzo físico, emoción intensa o situación de estrés.

A diferencia del infarto, la angina es **reversible** y suele pasar sin dejar daños permanentes en el corazón.

### Alimentación y factores de riesgo

El tipo de **alimentación** *influye* mucho en el buen estado y funcionamiento de las **arterias coronarias.**

Factores que *favorecen* la angina de pecho:

- La **arteriosclerosis** (estrechez y endurecimiento) de las arterias coronarias. La alimentación *pobre* en **vegetales** y **rica** en **grasas saturadas** es una de las causas más importantes, junto con el **tabaco** y la **falta de ejercicio** físico.
- La **tendencia a los espasmos** o contracturas de los músculos lisos (involuntarios), como los que forman la pared de las arterias. La *deficiencia* de **magnesio** y otros nutrientes favorecen estos espasmos.

 **Aumentar**

 **Reducir o eliminar**

| Aumentar | Reducir o eliminar |
|---|---|
| UVA | GRASA SATURADA |
| NUEZ | SODIO |
| CEBOLLA | |
| CEREALES INTEGRALES | |
| CEBADA | |
| CENTENO | |
| PATATA (PAPA) | |
| MELOCOTÓN (DURAZNO) | |
| FRESA (FRUTILLA) | |
| CALABAZA | |
| CALABACÍN | |
| ANACARDO | |
| MANGO | |
| VINO SIN ALCOHOL | |

*Cebollas*

La cebolla evita la arteriosclerosis, hace que la sangre sea más fluida, y mejora la circulación sanguínea en las arterias coronarias.

## INFARTO DE MIOCARDIO

### Definición

Se produce como consecuencia de la **obstrucción completa** de una **arteria coronaria** o de sus ramas. Produce daños *irreversibles* en el músculo cardíaco, consistentes en la necrosis o muerte de una zona.

### Causas

La obstrucción de la arterias coronarias se produce por la combinación de estos dos **mecanismos:**

- **Arteriosclerosis** (estrechez y endurecimiento) progresiva en esa arteria.
- **Trombosis,** es decir, formación de un coágulo de sangre en el interior de la arteria estrechada, que cierra completamente el paso de sangre.

### Alimentación

El tipo de **alimentación** es **muy importante** en relación al infarto, por dos motivos:

- Ciertos alimentos ejercen una acción claramente **preventiva,** mientras que otros lo **favorecen.**
- Un régimen alimentario correcto **después** del infarto puede **contribuir** decisivamente a la **rehabilitación** y a la **prevención** de nuevas crisis.

 **Aumentar** — **Reducir o eliminar**

| Aumentar | Reducir o eliminar |
|---|---|
| FRUTA | CARNE |
| LEGUMBRES | HIERRO |
| VERDURAS | GRASA SATURADA |
| UVA | COLESTEROL |
| NUEZ | EMBUTIDOS |
| SOJA | JAMÓN DE CERDO |
| GARBANZO | ACIDOS GRASOS 'TRANS' |
| GUISANTE (CHÍCHARO) | MARGARINA |
| ALCACHOFA (ALCAUCIL) | MANTEQUILLA |
| FRESA (FRUTILLA) | FRITOS |
| CALABAZA | LECHE |
| MELOCOTÓN (DURAZNO) | LÁCTEOS |
| MANGO | BEBIDAS ALCOHÓLICAS |
| MACADAMIA | AZÚCAR BLANCO |
| PATATA (PAPA) | SODIO |
| SALVADO DE TRIGO | |
| ACEITE DE OLIVA | |
| PESCADO | |
| ANTIOXICANTES | |
| VITAMINA A | |
| FLAVONOIDES | |
| COENZIMA $Q_{10}$ | |
| FIBRA | |

*Calabaza*

## ARRITMIA

### Definición

Es una alteración en el ritmo de los latidos cardíacos, que suele percibirse como una **palpitación**. Si la alteración es **grave**, puede reducir la eficacia del corazón para bombear sangre a los tejidos del cuerpo, y producir una **insuficiencia cardíaca**. El algunos casos puede incluso pararse el corazón.

### Causas

Las causas de las arritmias son muy variadas, y a veces, desconocidas. Sin embargo, existen varios factores que las *favorecen:*

- **Alimentación:** ciertos nutrientes las evitan, y otros las favorecen.
- **Alergias alimentarias:** Pueden ser causa de arritmias debido a las sustancias tóxicas que se liberan como consecuencia de la reacción alérgica.
- **Tóxicos:** El alcohol, el café y el tabaco pueden causar arritmias más o menos graves.
- **Factores hormonales:** La hiperfunción de la glándula tiroides.

 **Aumentar**

 **Reducir o eliminar**

CALCIO
MAGNESIO
POTASIO
ACEITES
COENZIMA Q10

BEBIDAS ESTIMULANTES (CAFÉ, TÉ, MATE, ETC.)
BEBIDAS ALCOHÓLICAS
GRASA SATURADA

## INSUFICIENCIA CARDÍACA

### Definición

Es la enfermedad que se produce como consecuencia de la incapacidad del corazón para bombear el volumen de sangre necesario.

### Causas

Entre las **causas** que la pueden producir, varias tienen relación con la alimentación:

- **Debilidad del corazón** por *falta* de los **nutrientes** que precisa para desarrollar su trabajo, como la **vitamina B1** o ciertos minerales *(calcio, magnesio y potasio* especialmente).
- **Exceso de líquidos** en el organismo provocado generalmente por un consumo elevado de **sodio** o sal, o por un mal funcionamiento del **riñón**. Esto supone un mayor volumen de sangre y consiguientemente, requiere un mayor esfuerzo por parte del corazón, lo que puede llegar a fatigarlo.

### Tratamiento

Para el **tratamiento** de la insuficiencia cardíaca se requiere una alimentación nutritiva y tonificante para el corazón, así como una reducción en el consumo de sodio y/o sal. Los alimentos diuréticos recomendados para la orina escasa, también resultan útiles.

 **Aumentar**

 **Reducir o eliminar**

NUEZ
CHIRIMOYA
GUISANTE (CHÍCHARO)
BRÉCOL
CEREZA
POMELO
COENZIMA Q10

SODIO
BEBIDAS ALCOHÓLICAS (INCLUIDA LA CERVEZA)

*Pomelo*

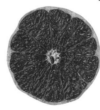

**Todas las frutas y hortalizas frescas ejercen una acción preventiva de las enfermedades del corazón. Los frutos secos oleaginosos, las legumbres y los cereales integrales, también son cardiosaludables.**
**Entre todos ellos, destacan por su poder preventivo y curativo, la chirimoya, la uva, el plátano y la nuez, tal como se expone en este capítulo.**

# Chirimoya

## Fortalece el corazón

**Sinonimia hispánica:** *anón, anona [chirimoya], cachimán, catuche, momona, chirimorriñón.*

**Descripción:** *Fruto del chirimoyo ('Annona cherimola' Mill.), árbol de la familia de las Anonáceas que alcanza hasta 8 m de altura. El fruto tiene forma de corazón y puede pesar desde 100 g hasta más de un kilo. Se halla recubierto de una piel de color verde, en la que se dibujan unas escamas que recuerdan a las de un reptil. La pulpa alberga numerosas semillas negras que se desprenden con facilidad.*

### CHIRIMOYA
### composición
por cada 100 g de parte comestible cruda

| | |
|---|---|
| Energía | 94,0 kcal = 394 kj |
| Proteínas | 1,30 g |
| H. de c. | 21,6 g |
| Fibra | 2,40 g |
| Vitamina A | 1,00 µg ER |
| Vitamina B₁ | 0,100 mg |
| Vitamina B₂ | 0,110 mg |
| Niacina | 1,30 mg EN |
| Vitamina B₆ | 0,200 mg |
| Folatos | 14,0 µg |
| Vitamina B₁₂ | — |
| Vitamina C | 9,00 mg |
| Vitamina E | — |
| Calcio | 23,0 mg |
| Fósforo | 40,0 mg |
| Magnesio | — |
| Hierro | 0,500 mg |
| Potasio | 264 mg |
| Cinc | — |
| Grasa total | 0,400 g |
| Grasa saturada | — |
| Colesterol | — |
| Sodio | 5,00 mg |

1%    2%    4%        10%    20%    40%    100%

**% de la CDR** (cantidad diaria recomendada)
cubierta por 100 g de este alimento

L A CHIRIMOYA es un producto típicamente andino. Su mismo nombre es un derivado de la palabra quechua *chirimuya*. Aunque es un fruto tropical, se cría en lugares elevados. Por eso los indígenas del altiplano andino dicen que aunque la chirimoya no soporta la nieve, le gusta verla de lejos.

**PROPIEDADES E INDICACIONES:** La chirimoya destaca sobre todo por su riqueza en *azúcares* (más del 21,6%). Entre ellos predominan los azúcares la fructosa y la sacarosa. Su contenido en *proteínas* y en *grasas* es *muy bajo*.

Entre las *vitaminas* presentes en la chirimoya, *destacan las del grupo B:* B₁ o tiamina, la B₂ o riboflavina, la B₆ o piridoxina y la niacina. *Ninguna* **fruta fresca** aporta *tantas vitaminas del grupo B* como la chirimoya, a igualdad de peso.

En cuanto a **minerales,** *destaca* por su riqueza en **calcio, fósforo, hierro y potasio.** Solo la naranja, el níspero, el dátil y la frambuesa, entre las frutas frescas, contienen más **calcio** que la chirimoya.

Su **aporte energético** de 94 calorías por cada 100 g (94 kcal/100 g) es *considerable,* teniendo en cuenta que se trata de una fruta fresca. Su consumo se recomienda en todas las edades, pero *especialmente* en la **adolescencia.** Los **deportistas** y los **estudiantes** obtendrán la energía, así como las vitaminas y minerales apropiados para su actividad.

Sus aplicaciones dietoterápicas son las siguientes:

• **Insuficiencia cardíaca:** La chirimoya aporta una cantidad considerable de energía en forma de azúcares, junto con las vitaminas del grupo B necesarias para que nuestro organismo aproveche eficazmente esa energía. Las *vitaminas del grupo B* presentes en la chirimoya actúan como *catalizadores* o facilitadores de la combustión de los **hidratos de carbono,** y también de los **ácidos grasos,** que constituyen las dos fuentes más importantes de energía para las células del corazón.

Todos los músculos del organismo, incluido el músculo cardíaco, aprovechan eficazmente la energía aportada por la chirimoya. En caso de **insuficiencia cardíaca,** cuando el corazón late con menos fuerza de la necesaria, el consumo de chirimoya aporta vigor y energía a este noble órgano.

Desde que se cosecha el fruto, hasta que alcanza su punto óptimo de maduración, suelen pasar entre 5 o 6 días. Lo ideal es hacerlas madurar en un lugar protegido de la luz, para evitar que su piel se ennegrezca.

Además, la chirimoya contiene **fibra** vegetal, es **diurética,** rica en **potasio** y *muy baja* en **sodio** y en **grasa,** con lo que cumple todos los requisitos para ser un **alimento cardiosaludable.** Por si fuera poco, la chirimoya aporta una cierta cantidad de **calcio,** mineral necesario para la regulación de los latidos cardíacos.

• **Afecciones del estómago:** La pulpa cremosa y suave de la chirimoya, unido a su efecto antiácido, ejerce un efecto beneficioso sobre el estómago. Muy recomendable en caso de **gastritis** y de **úlcera** gastroduodenal.

• **Obesidad:** A pesar de su contenido relativamente alto en hidratos de carbono, la chirimoya da buenos resultados en las curas de adelgazamiento. Ello se debe a su efecto saciante. Una chirimoya de 300 g aporta menos de 30 kcal (calorías), pero sacia tanto o más que un plato de comida o que un bocadillo, más ricos en calorías y en grasa. Y además de **saciar,** la chirimoya ejerce un efecto **tonificante y vigorizante,** por su contenido nutritivo. Por ello, permite reducir la ingesta de calorías sin sensación de desfallecimiento.

## Preparación y empleo

❶ **Fresca:** Es la forma habitual de consumir la chirimoya. Así se disfruta plenamente de su exquisito sabor y se aprovechan todas sus propiedades dietoterápicas.

❷ **Batidos:** Combina muy bien con zumo de naranja o leche. Para eliminar las semillas y obtener el puré, se pasa la pulpa por un colador adecuado con la ayuda de una paleta (ver pág. 71).

# La familia de las Anonáceas

*El género 'Annona', con sus más de 120 especies, es el más importante de esta familia de plantas tropicales de Centroamérica. De esas 120 especies, unas 20 se cultivan por sus frutos, pero tan solo cuatro tienen importancia alimentaria. Los términos 'anón' o 'anona' se usa popularmente para referirse a cualesquiera de los frutos de esta familia. La composición y las propiedades de estos frutos son muy similares a los de la chirimoya. Las variaciones entre ellos se deben principalmente a su forma y sabor.*

*Chirimoyas*

## Chirimoya (ver pág. 68)
*Annona cherimola* Mill.

Es la anona de mayor importancia económica y la de **efectos medicinales** *más comprobados,* y de ahí que sea la que analizamos en estas páginas. La suavidad y cremosidad de su pulpa, han hecho que la chirimoya conquiste mercados y paladares de todo el mundo.

## Guanábana
*Annona muricata* L.

*Guanábana*

Es la **mayor** de todas las anonas, pudiendo alcanzar hasta dos kilos de peso. Tiene la forma de riñón, y se halla recubierta de suaves púas. Su pulpa tiene un sabor bastante ácido, por lo que no suele consumirse fresca, sino en jugos, helados y confituras.

La guanábana es **astringente, colagoga y digestiva.** Se recomienda en caso de **estreñimiento, obesidad, hipertensión, enfermedades cardíacas** y **diabetes.**

## Anona blanca
*Annona squamosa* L.

*Anona blanca*

Se cultiva sobre todo en el Lejano Oriente. Tiene forma de corazón, con unas escamas muy prominentes en la piel. Su pulpa es cremosa como la de la chirimoya, pero algo más dulce y con un sabor que recuerda al de la canela. Se utiliza en postres, helados y bebidas.

# Preparación de las chirimoyas

## y otras anonas

1. Eliminar el **peciolo** (rabito) con un suave tirón. En las frutas maduras sale con facilidad.

2. Con un cuchillo **cortar el fruto** por la mitad.

3. La pulpa se saca con la ayuda de una cuchara. Se come tal cual, o se pasa por un colador (paso 4).

4. Para obtener el **puré de la pulpa** con el que preparar bebidas, helados o batidos, se pasa por un colador con la ayuda de una paleta de goma.

Se sabe que una chirimoya está madura y lista para el consumo, cuando al apretarla con los dedos cede ligeramente a la presión.

Todas las anonas combinan muy bien con la naranja y la lima. Las bebidas a base de pulpa de anona triturada y jugo de naranja o de lima son muy refrescantes y sabrosas. Constituyen una bebida saludable y deliciosa para quienes padecen del corazón.

# Brécol

## Ideal para los cardíacos

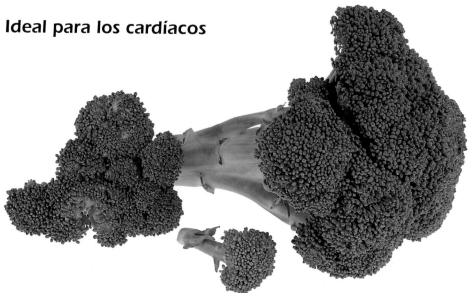

**BRÉCOL**
**composición**
por cada 100 g de parte comestible cruda

| | |
|---|---|
| Energía | 28,0 kcal = 116 kj |
| Proteínas | 2,98 g |
| H. de c. | 2,24 g |
| Fibra | 3,00 g |
| Vitamina A | 154 µg ER |
| Vitamina B₁ | 0,065 mg |
| Vitamina B₂ | 0,119 mg |
| Niacina | 1,12 mg EN |
| Vitamina B₆ | 0,159 mg |
| Folatos | 71,0 µg |
| Vitamina B₁₂ | — |
| Vitamina C | 93,2 mg |
| Vitamina E | 1,66 mg EαT |
| Calcio | 48,0 mg |
| Fósforo | 66,0 mg |
| Magnesio | 25,0 mg |
| Hierro | 0,880 mg |
| Potasio | 325 mg |
| Cinc | 0,400 mg |
| Grasa total | 0,350 g |
| Grasa saturada | 0,054 g |
| Colesterol | — |
| Sodio | 27,0 mg |

1%  2%  4%  10%  20% 40%  100% 200% 500%
**% de la CDR (cantidad diaria recomendada)**
cubierta por 100 g de este alimento

**Sinonimia hispánica:** *bróculi, brócul, bróquil, brócoli, coliflor, albenga, grumo, pava, brocolate.*

**Descripción:** *Inflorescencias y tallos del brécol ('Brassica oleracea' L. var. 'italica'), planta herbácea de la familia de las Crucíferas que constituye una variedad de la coliflor.*

*A diferencia de esta última, las inflorescencias del brécol están formadas por flores más grandes y menos apretadas. Su color varía del verde al violeta.*

EL CULTIVO del brécol ha experimentado una notable expansión en los últimos años, tanto en Europa como en América. Cada vez se consume más brécol y menos coliflor (ver pág. 154), posiblemente debido a que el brécol es menos flatulento que la coliflor y tiene un sabor que a muchos les resulta más agradable.

**PROPIEDADES E INDICACIONES:** Entre todas las coles pertenecientes a la familia botánica de las Crucíferas, el brécol destaca por ser una de las *más ricas* en **proteínas,** en calcio y en **provitamina A** (beta-caroteno) y **vitamina C.** Es también *rico en* **potasio** *y bajo*

Todas las hortalizas y verduras, especialmente las de la familia de las Crucíferas, aportan elementos fitoquímicos que protegen contra las enfermedades cardiovasculares y el cáncer.

en *sodio.* Contiene, al igual que otras Crucíferas, *elementos fitoquímicos* sulfurados de acción **anticancerígena**. He aquí sus aplicaciones dietoterápicas más destacables:

## Preparación y empleo

❶ **Cocinado** de diversas formas, al igual que la coliflor. Debe hervir lo menos posible, con el fin de evitar la pérdida de sus propiedades durante la cocción.

❷ Los **tallos tiernos** se pueden comer crudos o ligeramente hervidos, **en ensalada.** Son muy sabrosos, recordando un poco a los espárragos.

• **Afecciones cardíacas:** Por el escaso aporte calórico, por carecer prácticamente de grasas y sobre todo, por su *óptima relación* entre los minerales **sodio y potasio,** el brécol es un alimento que resulta muy adecuado para quienes padecen **insuficiencia cardíaca** en cualquiera de sus grados. Favorece la eliminación del exceso de líquidos retenidos en los tejidos (edemas), descongestionando así el sistema circulatorio y el corazón.

• **Obesidad y diabetes:** Por ser muy bajo en calorías y azúcares, y por producir cierta sensación de saciedad, no debería faltar en la mesa de los obesos y diabéticos.

• **Afecciones cancerosas:** Su *gran contenido* en **beta-caroteno** (provitamina A) y en **elementos fitoquímicos,** hacen del brécol, al igual que de otras coles, un *poderoso* alimento **anticancerígeno,** cuya eficacia ha sido probada en numerosas investigaciones científicas.[9, 10, 11, 12]

**73**

# Nuez

## Proporciona energía al corazón

Las nueces constituyen un alimento muy concentrado en nutrientes, especialmente en ácidos grasos esenciales, vitamina B₆ y oligoelementos como el cinc, el cobre y el manganeso.

**Sinonimia hispánica:** *nuez común, nuez de Castilla, nuez europea.*

**Descripción:** *Semilla del fruto del nogal ('Juglans regia' L.), árbol de la familia de las Juglandáceas que alcanza hasta 20 m de altura. El fruto es una drupa, cuya parte carnosa (pericarpio y esocarpio) es de color verdoso; el hueso o endocarpio es leñoso y duro, pero alberga una semilla dicotiledónea muy nutritiva: la nuez.*

### NUECES
### composición
por cada 100 g de parte comestible cruda

| | |
|---|---|
| **Energía** | **642 kcal = 2686 kj** |
| **Proteínas** | **14,3 g** |
| **H. de c.** | **13,5 g** |
| **Fibra** | **4,80 g** |
| **Vitamina A** | **12,0 µg ER** |
| **Vitamina B₁** | **0,382 mg** |
| **Vitamina B₂** | **0,148 mg** |
| **Niacina** | **4,19 mg EN** |
| **Vitamina B₆** | **0,558 mg** |
| **Folatos** | **66,0 µg** |
| **Vitamina B₁₂** | **—** |
| **Vitamina C** | **3,20 mg** |
| **Vitamina E** | **2,62 mg EαT** |
| **Calcio** | **94,0 mg** |
| **Fósforo** | **317 mg** |
| **Magnesio** | **169 mg** |
| **Hierro** | **2,44 mg** |
| **Potasio** | **502 mg** |
| **Cinc** | **2,73 mg** |
| *Grasa total* | *61,9 g* |
| *Grasa saturada* | *5,59 g* |
| *Colesterol* | *—* |
| *Sodio* | *10,0 mg* |

1%  2%  4%  10%  20%  40%  100%

**% de la CDR** (cantidad diaria recomendada)
cubierta por 100 g de este alimento

AUNQUE SE cree que el nogal procede del centro de Asia, se ha adaptado muy bien a los países ribereños del Mediterráneo. Puede decirse que desde hace varios milenios, la nuez forma parte de la típica **dieta mediterránea,** tan alabada por sus efectos beneficiosos sobre la salud en general y la del corazón en particular.

**PROPIEDADES E INDICACIONES:** La nuez es, al igual que otros frutos secos oleaginosos, uno de los alimentos *más concentrados* en sustancias nutritivas de cuantos nos ofrece la naturaleza. Junto con la nuez o coquito del Brasil (ver pág. 52), es el fruto seco que *más calorías* aporta (642 kcal/100 g), debido a su gran contenido en grasas (aceite). Estas son las características de los nutrientes de las nueces:

✓ **Grasas:** Constituyen más de las tres quintas partes del peso de la nuez (61,9%), superando así a las almendras, avellanas y cacahuetes (ver págs. 58, 238, 320). Las grasas de la nuez están formadas en su *mayoría* por **ácidos grasos insaturados,** con *abundantes* **poliinsaturados,** además de **lecitina.** Entre los dos ácidos grasos de la nuez, destacan estos dos:

– **Linoleico** (31,8%), de 18 átomos de carbono y dos dobles enlaces. Es un ácido graso esencial, del que nuestro organismo no puede prescindir, especialmente durante la infancia. *Reduce* el nivel de **colesterol** e interviene en la formación del tejido **nervioso** y en la producción de **anticuerpos.**

– **Linolénico** (6,8%), de 18 átomos de carbono y tres dobles enlaces. Este ácido graso pertenece a la serie **omega-3,** al igual que los que se encuentran en el pescado. Reduce el nivel de colesterol y de triglicéridos en la sangre, evita la formación de trombos dentro de los vasos sanguíneos y frena los procesos inflamatorios.

La nuez es una de las mejores fuentes vegetales de ácido linolénico, junto con el germen de trigo y los aceites de onagra y de colza.

✓ **Hidratos de carbono:** La nuez es el fruto seco oleaginoso *más pobre* en este nutriente, con un 13,5%. Desde el punto de vista químico se trata de **oligosacáridos (dextrinas)** y una pequeña cantidad de azúcares **(sacarosa** y **dextrosa).** Esto hace que las nueces sean muy bien toleradas por los **diabéticos.**

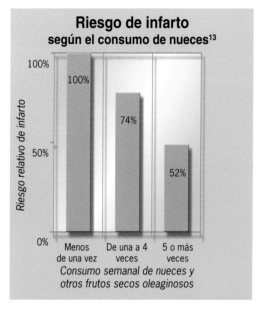

**Riesgo de infarto**
según el consumo de nueces[13]

A medida que aumenta el consumo de nueces y otros frutos secos, disminuye el riesgo de sufrir infarto de miocardio. El consumo de pan integral en lugar del blanco también protege el corazón y reduce el riesgo de infarto.

✓ **Proteínas:** Las nueces contienen hasta un 14,3% de proteínas de buena calidad biológica, superior a las de los cacahuetes o maní, y muy similares a las de las almendras. Son algo deficitarias en el aminoácido esencial metionina, lo cual se soluciona fácilmente *combinándolas* con **cereales** (trigo, avena, arroz, etc.) que son muy ricos en **metionina.**

## Preparación y empleo

❶ **Crudas y enteras:** Las nueces crudas deben masticarse muy bien. Si resultan indigestas, se puede probar a eliminar la fina cutícula amarillenta que las recubre.

❷ **Trituradas:** Resultan más fácilmente asimilables por aquellos que no pueden masticar bien.

❸ **Cocinadas:** Con las nueces se elaboran multitud de platos vegetarianos, desde la llamada carne vegetal, hasta croquetas, o albóndigas muy sabrosas con copos de avena.

❹ **Aceite de nueces:** Es muy sabroso y nutritivo, aunque apenas se comercializa debido a que se enrancia con mucha facilidad.

## Nueces contra el infarto

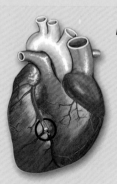

*En una investigación llevada a cabo en el estado de California, conocida como 'Adventist Health Study', se analizaron los hábitos dietéticos y de salud de más de 25.000 adventistas del séptimo día, cristianos mundialmente célebres por su estilo de vida saludable.*

*Los resultados mostraron que el riesgo de infarto de los adventistas es bastante inferior al del resto de la población.*

*Pero además, aquellos que consumen nueces cinco o más veces por semana, tienen un riesgo todavía mucho menor de sufrir un ataque cardíaco: aproximadamente la mitad del que presentan los adventistas que comen nueces menos de una vez por semana.[13]*

La mezcla de nueces y cereales es doblemente beneficiosa, pues estos últimos son deficitarios en **lisina** y en **treonina**, otros dos aminoácidos esenciales de los que la nuez contiene en abundancia. Por ello, la mezcla de **nueces y cereales** (pan, por ejemplo), proporciona **proteínas** *completas* de una calidad igual o superior a las que pueda aportar la carne.

✓ **Vitaminas:** La nuez es una buena fuente de vitaminas $B_1$, $B_2$, $B_3$ (niacina) y $B_6$, especialmente de esta última. Es relativamente pobre en vitaminas A y C. La vitamina $B_1$ o **tiamina**, es necesaria para el trabajo del corazón y también para la estabilidad del sistema nervioso.

La nuez es uno de los alimentos *más ricos* que existen en **vitamina $B_6$**, llamada también piridoxina.

La **vitamina $B_6$** interviene en el buen funcionamiento del **cerebro**, así como en la producción de **glóbulos rojos** de la sangre.

✓ **Minerales:** La nuez es *rica* en **fósforo** y **potasio**, mientras que es *baja* en **sodio**, lo cual favorece el buen estado del sistema cardiovascular. Contiene además una buena cantidad de **hierro** (2,44 mg/100 g), de **magnesio** y de **calcio**, aunque de este último son más ricas la almendra y la avellana.

Las nueces, al igual que otros frutos secos, son una de las *mejores fuentes* de **OLIGOELEMENTOS:**

– **Cinc:** Poseen 2.730 µg (=2,73 mg) de cinc por cada 100 g, cantidad esta superior a la de todas las carnes y pescados, con excepción del hígado. La *deficiencia* de cinc origina un *descenso* en las **defensas inmunitarias** y *retraso* en la curación de las **heridas**.

– **Cobre:** En las nueces se encuentran 1.390 µg (1,39 mg) de cobre por cada 100 g, cantidad superior a la de la mayor parte de los alimentos vegetales y animales. Este oligoelemento *facilita la absorción* de **hierro** en el intestino, y contribuye a *evitar* la **anemia**.

– **Manganeso:** De este oligoelemento la nuez posee 2.900 µg (=2,9 mg) por cada 100 g, cantidad solo superada por las avellanas, la soja, las alubias y los cereales integrales. La carne, el pescado, los huevos y la leche son pobres en manganeso. El manganeso es necesario para las funciones reproductoras, y su *deficiencia* produce **esterilidad** en ambos sexos.

Con esta composición tan rica y variada en principios nutritivos, la nuez tiene las siguientes aplicaciones dietoterápicas:

• **Afecciones cardíacas:** Las nueces constituyen un alimento muy recomendable para los que padecen cardiopatías (enfermedades del corazón), por tres motivos fundamentales:

1º Por su riqueza en ácidos grasos: estos constituyen la fuente primaria de energía para las células del corazón, a diferencia de otras células, entre ellas las neuronas, que utilizan como combustible principal la glucosa. Podemos pues decir que el corazón funciona a base de ácidos grasos, y por ello, las nueces aportan abundante energía para el funcionamiento del corazón.

2º Por su contenido en *vitamina B₁,* que, a pesar de ser moderado, resulta suficiente para contribuir a que todos los músculos, incluido el cardíaco, funcionen adecuadamente.

3º Por *reducir* el nivel de **colesterol** sanguíneo, contribuyendo así a que no se deposite en las paredes de las arterias, y las obstruye. Cuanto menos colesterol hay en la sangre, *menor* es el *riesgo* de **arteriosclerosis** (obstrucción de las arterias), y *mejor* **circula la sangre** por su interior.

Por estas tres razones, las nueces son buenas amigas del corazón, y su *consumo regular* conviene a todos aquellos que padecen de **insuficiencia cardíaca** por cualquier causa, de **angina de pecho,** o de *riesgo* de **infarto.** Se recomienda su uso especialmente a quienes han sufrido un infarto de miocardio y se encuentran en fase de rehabilitación.

• **Exceso de colesterol:** Hasta no hace muchos años, los frutos secos oleaginosos, y las nueces especialmente, se desaconsejaban a aquellos que padecían de exceso de colesterol en la sangre. Sin embargo, las investigaciones llevadas a cabo por el doctor Joan Sabaté, de la Universidad de Loma Linda (California), han de-

mostrado[13] que el consumo de 80 g diarios de nueces durante dos meses, reduce el nivel de colesterol LDL ("colesterol malo") en un 16%.

• **Afecciones del sistema nervioso:** Debido a la *riqueza* de las nueces en **ácidos grasos esenciales,** que intervienen directamente en el metabolismo de las neuronas, así como en *lecitina,* en *fósforo* y en *vitamina B₆,* las nueces son muy recomendables en la dieta de las todas las afecciones neurológicas en general.

Mejoran el rendimiento intelectual y el buen tono y equilibrio del sistema nervioso. No deberían faltar en la mesa de los **estudiantes e intelectuales.** Los que sufren de **irritabilidad** nerviosa, **depresión, estrés** o **agotamiento nervioso,** deberían tomar *cada día* al menos un buen puñado de nueces, preferiblemente en el desayuno.

• **Trastornos sexuales y esterilidad:** El consumo de nueces tiene una acción favorecedora sobre la actividad sexual: *aumenta* la **potencia** del *varón* y mejora la **respuesta sexual** en la *mujer.*

No se puede decir que las nueces sean afrodisíacas en el sentido estricto de la palabra, pues realmente no aumentan el deseo sexual; pero sí que facilitan las complejas reacciones fisiológicas que se producen durante la actividad sexual, tanto en el varón como en la mujer.

• **Diabetes:** Por su escaso contenido en hidratos de carbono y su elevado poder nutritivo, las nueces son uno de los alimentos mejor tolerados por los diabéticos.

**Para que las nueces reduzcan el colesterol y no provoquen obesidad, su consumo debe reemplazar al de otros alimentos ricos en calorías (margarinas, mantequilla, embutidos), y no añadirse como un suplemento.**

4 - ALIMENTOS
PARA EL CORAZÓN

# Macadamia

### Una nuez amiga
### del corazón

**Sinonimia científica:** *Macadamia ternifolia* F. v. Muell.

**Sinonimia hispánica:** *nuez australiana, nuez de macadamia.*

**Descripción:** *Semilla del fruto de la macadamia, árbol de hoja perenne de la familia de las Protáceas que alcanza hasta 9 m de altura.*

### MACADAMIA
### composición
por cada 100 g de parte comestible cruda

| | |
|---|---|
| Energía | 702 kcal = 2936 kj |
| Proteínas | 8,30 g |
| H. de c. | 4,43 g |
| Fibra | 9,30 g |
| Vitamina A | — |
| Vitamina $B_1$ | 0,350 mg |
| Vitamina $B_2$ | 0,110 mg |
| Niacina | 5,69 mg EN |
| Vitamina $B_6$ | 0,196 mg |
| Folatos | 15,7 µg |
| Vitamina $B_{12}$ | — |
| Vitamina C | — |
| Vitamina E | 0,410 mg E$\alpha$T |
| Calcio | 70,0 mg |
| Fósforo | 136 mg |
| Magnesio | 116 mg |
| Hierro | 2,41 mg |
| Potasio | 368 mg |
| Cinc | 1,71 mg |
| *Grasa total* | *73,7 g* |
| *Grasa saturada* | *11,0 g* |
| Colesterol | — |
| Sodio | 5,00 mg |

1%  2%  4%  10%  20% 40%  100% 200% 500%

**% de la CDR (cantidad diaria recomendada)**
cubierta por 100 g de este alimento

E L ÁRBOL de la macadamia fue descubierto e identificado en Australia a mediados del siglo XIX. Entre las diez especies de macadamia que se conocen, solo esta tiene importancia alimentaria, por la calidad y propiedades de las semillas de sus frutos en nuez.

La dura y gruesa corteza de la macadamia encierra una semilla blanquecina muy rica en aceite, algo más grande que la avellana.

**PROPIEDADES E INDICACIONES:** Las semillas de los frutos de la macadamia, llamadas también nueces de macadamia, contienen hasta un 73,7% de **grasa.** Sus **proteínas** (8,3%) son bastante completas, aunque *pobres* en

# El colesterol por sí solo no es suficiente para dañar las arterias

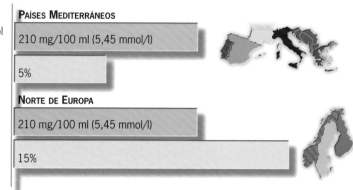

**PAÍSES MEDITERRÁNEOS**

| Nivel de colesterol | 210 mg/100 ml (5,45 mmol/l) |
| Mortalidad por infarto de miocardio | 5% |

**NORTE DE EUROPA**

| Nivel de colesterol | 210 mg/100 ml (5,45 mmol/l) |
| Mortalidad por infarto de miocardio | 15% |

En el llamado "Estudio de los siete países" se hizo un seguimiento de 12.467 varones de 40 a 59 años de edad en siete países, con el fin de determinar la relación entre el nivel de colesterol y la mortalidad por infarto de miocardio.[15]

Este amplio estudio internacional puso de manifiesto que:

* Cuanto **más elevado** sea el **nivel** de **colesterol** total en la sangre, tanto **mayor** resulta el **riesgo** de **arte**riosclerosis coronarias así como de **infarto** de miocardio.

* Con el **mismo nivel** de colesterol, el **riesgo** de **infarto** es **mucho mayor** en los habitantes de los países en los que se consumen **menos frutas y hortalizas**, como los escandinavos; y **menor**, en los individuos que siguen la **dieta mediterránea**, como ocurre en los países del sur de Europa.

## Preparación y empleo

❶ **Crudas:** Las macadamias para su consumo en crudo, es preciso que estén bien maduras, y hay que masticarlas concienzudamente. Algunas tienen sabor amargo, debido a la presencia de glucósidos cianogenéticos similares a los de las almendras amargas.

❷ **Tostadas:** Son más sabrosas y más fácilmente digeribles. Se les suele añadir sal, lo cual no conviene para los que padecen del corazón.

❸ **Aceite de macadamia:** Muy apreciado para freír y en repostería.

metionina[14] (esto se compensa fácilmente combinándolas con cereales). Son uno de los frutos secos oleaginosos *más ricos* en **grasa.**

Las nueces de macadamia son también una *buena fuente* de calcio, fósforo, hierro, vitaminas $B_1$ y $B_2$ y niacina.[14] Además, proporcionan flavonoides polifenólicos de acción antioxidante, que evitan la arteriosclerosis.[15]

El **ACEITE** que se extrae de la nuez de macadamia es similar en su composición al de oliva. Está formado por un 58,2% de ácidos grasos monoinsaturados,[16] y se halla *libre de **ácidos grasos 'trans'***, que según recientes investigaciones, tienen un efecto negativo sobre el corazón. Este aceite resulta *muy apropiado* para **freír** por su gran estabilidad al calor y por su elevado punto de evaporación (198°C).

Las características de las grasas que forman la nuez de macadamia, hacen de ella, tanto como de su aceite, un alimento amigo del corazón, que *disminuye* el **colesterol** y *facilita* la **circulación** de la sangre por las arterias **coronarias.**

# Plátano (banana)

## Muy rico en potasio

**Sinonimia hispánica:** *banana, guineo.*

**Descripción:** *Fruto en baya del platanero ('Musa x paradisiaca' L. var. 'sapientum'), especie formada por la hibridación de otras dos. Es un arbusto de la familia de las Musáceas que alcanza de 3 a 5 m de altura. Los plátanos crecen en racimos que pueden pesar más de 50 kg y contener hasta 300 unidades.*

### PLÁTANO
### composición
por cada 100 g de parte comestible cruda

| | |
|---|---|
| **Energía** | **92,0 kcal = 384 kj** |
| **Proteínas** | **1,03 g** |
| **H. de c.** | **21,0 g** |
| **Fibra** | **2,40 g** |
| **Vitamina A** | **8,00 µg ER** |
| **Vitamina B$_1$** | **0,045 mg** |
| **Vitamina B$_2$** | **0,100 mg** |
| **Niacina** | **0,740 mg EN** |
| **Vitamina B$_6$** | **0,578 mg** |
| **Folatos** | **19,1 µg** |
| *Vitamina B$_{12}$* | **—** |
| **Vitamina C** | **9,10 mg** |
| **Vitamina E** | **0,270 mg E$\alpha$T** |
| *Calcio* | **6,00 mg** |
| **Fósforo** | **20,0 mg** |
| **Magnesio** | **29,0 mg** |
| **Hierro** | **0,310 mg** |
| **Potasio** | **396 mg** |
| *Cinc* | **0,160 mg** |
| *Grasa total* | **0,480 g** |
| *Grasa saturada* | **0,185 g** |
| *Colesterol* | **—** |
| *Sodio* | **1,00 mg** |

1%   2%   4%   10%   20%   40%   100%
## % de la CDR (cantidad diaria recomendada)
cubierta por 100 g de este alimento

**D**ESPUÉS de la manzana, el plátano o banana es la fruta *más consumida* en todo el mundo. Posiblemente, la principal razón por la que esta fruta ha conquistado las mesas de los cinco continentes, es precisamente su sencillez de uso: un plátano se puede comer en cualquier lugar, sin necesidad de servilleta ni de cuchillo. Además, viene envuelto en un higiénico "estuche" natural –su piel– que lo preserva de la contaminación.

Pero sobre todo, el plátano es una de las frutas *más* **nutritivas y medicinales** que existen.

**PROPIEDADES E INDICACIONES:** En la composición del plátano destaca su riqueza en **hi-**

**dratos de carbono,** (hasta un 21%). En el plátano *inmaduro* están formados mayormente por **almidón.** A medida que madura, *ese* almidón se va convirtiendo en azúcares como la **sacarosa, glucosa** y **fructosa.** En el plátano maduro queda alrededor de un 1% de almidón, que no suele causar problemas digestivos si se mastica y ensaliva bien.

Sin embargo, los plátanos poco maduros o verdes contienen cantidades importantes de almidón de difícil digestión, lo cual puede dar lugar a flatulencias (gases intestinales) y dispepsia (mala digestión).[17]

El plátano contiene una pequeña cantidad de **proteínas** (1%) y muy pocas grasas (menos del 0,5%).

*Destaca* por su contenido en **vitamina B6.** Unos tres plátanos de tamaño medio aportan la dosis diaria recomendada de esta vitamina para un hombre adulto. Contiene también cantidades significativas de **vitaminas C, B1, B2 y E,** así como de **folatos.**

El plátano es también bastante rico en **minerales,** entre los que *destacan* el **potasio,** el **magnesio** y el **hierro.** Su riqueza en potasio hace que sea una de las frutas frescas *más*

La digestión del plátano empieza en la boca. Su contenido en almidón de difícil digestión, especialmente cuando está verde, hace que pueda provocar flatulencias.
Una masticación y ensalivación cuidadosa facilita su buena digestión.

## Preparación y empleo

❶ **Crudo:** Es la forma *ideal* de consumirlo. Hay que tener en cuenta que todos los plátanos que se consumen en los países no productores son recolectados verdes y madurados artificialmente en cámaras. Este proceso hace que tengan menos azúcares y vitaminas que los madurados en la planta.

❷ **Cocinado** de diversas formas: Con ello se *pierden* la *mayor parte* de sus **vitaminas,** aunque persisten los hidratos de carbono, minerales y demás nutrientes. Se cocinan sobre todo el **plátano macho,** muy rico en fécula (almidón).

*abundantes* en este mineral: solamente el aguacate y el dátil (ver págs. 112, 148) superan al plátano en **potasio.**

Los dos tipos de **fibra vegetal,** soluble e insoluble, se hallan presentes en el plátano en una cantidad bastante importante, tratándose de una fruta: 2,4 g/100 g. Esta fibra contribuye a la acción hipocolesterolemiante (que hace descender el nivel de colesterol)[18] y suavizante intestinal del plátano.

El plátano contiene pequeñas cantidades de **SEROTONINA.** Esta sustancia derivada del aminoácido triptófano, realiza diversas funciones en el sistema nervioso, como vasodilatación arterial, inhibición de las sensaciones dolorosas en la médula espinal y sedación nerviosa. Está todavía en estudio el efecto que pueda ejercer sobre el organismo las pequeñas cantidades de serotonina presentes en el plátano.

Sus aplicaciones medicinales son las siguientes:

• **Afecciones cardíacas:** El plátano es una fruta *ideal* para todos aquellos que padezcan del corazón (angina de pecho, infarto, arritmias, insuficiencia cardíaca) o del sistema circulatorio (hipertensión arterial, arteriosclerosis), debido a su excepcional composición:

– *Gran contenido en potasio y ausencia de sodio:* Con sus 396 mg de potasio y 1 g de sodio por cada 100 g de parte comestible, el plátano presenta el *cociente potasio/sodio más alto* de todas las frutas y hortalizas (la carne, el pescado y los lácteos contienen mucho menos potasio y más sodio). Una alimentación rica en potasio y baja en sodio previene la hipertensión[19] arterial, las arritmias, la trombosis arterial[20] e incluso el cáncer.[21]

– Presencia significativa de *vitaminas* del grupo *B* necesarias para que el músculo del corazón produzca energía, así como de *magnesio,* que *frena* el progreso de la **arteriosclerosis** y *previene* el **infarto.**

– Abundante *fibra vegetal* que hace *descender* el nivel de **colesterol.**

– Pequeñas cantidades de *serotonina* de acción **vasodilatadora.**

• **Afecciones intestinales:** El plátano solo o combinado con la **manzana** (ver pág. 216) da muy buen resultado para aliviar las **diarreas,** tanto en niños como en adultos. Igualmente se aconseja su uso abundante, incluso como alimento único durante unos días, en caso de **celiaquía** (mala absorción intestinal acompañada

**Los que toman medicamentos para el corazón o la hipertensión arterial (diuréticos no ahorradores de potasio y cardiotónicos de tipo digitálico), necesitan un mayor aporte de potasio que puede ser saludablemente obtenido a partir de los plátanos.**
**Dos plátanos grandes (de 125 g de peso) aportan un gramo de potasio (1.000 mg), cantidad diaria que cubre sobradamente las necesidades de este mineral para quienes siguen un tratamiento medicamentoso. Además, contribuyen a evitar la hipertensión y a mantener el corazón sano.**

# Variedades de plátano

### Plátano macho

También llamado **plátano de guisar** o **plátano hartón**. Se cultiva en muchas regiones de Centro y Sudamérica, así como en África. Es más grande y mucho menos dulce, pero posee *abundante* fécula (**almidón**). Su contenido en **potasio** es también *muy alto.*

*No* resulta apto para su consumo en **crudo.** Con él se realizan todo tipo de guisos, de forma similar a como se cocinan las papas (patatas). También se obtiene una **harina** con la que se puede hacer incluso pan. Este tipo de plátano constituye la base de la alimentación en muchas regiones tropicales.

### Plátano enano

Es más pequeño y también más dulce y sabroso que el plátano común. Se cría en las Islas Canarias y en el sudeste asiático.

### Plátano rojo

Variedad del plátano común que procede de Malasia. Su piel es de color rojo oscuro y su sabor es muy similar al del plátano común. Se consume crudo.

---

de diarrea y desnutrición producida por alergia al gluten). Al igual que el maíz y el arroz, el plátano es un alimento ideal para los celíacos (ver pág. 198).

• **Artritis úrica y gota:** El plátano provoca una **alcalinización** de la sangre, que contribuye a neutralizar y eliminar el exceso de ácido úrico causante de la artritis y la gota.

• **Régimen bajo en sodio:** Siempre que se requiera seguir una alimentación baja en sodio, el plátano es la *fruta ideal,* pues aporta a la vez calorías, vitaminas y otros minerales. Su uso se

recomienda pues en caso de cirrosis hepática, ascitis (líquido en el vientre), edemas (retención de agua en los tejidos) de causa cardíaca o renal, nefritis, nefrosis e insuficiencia renal.

• **Diabetes:** El plátano no está contraindicado en la diabetes, aunque se debe usar *controlando* los hidratos de carbono en forma de azúcares que aporta. A diferencia de los azúcares refinados (azúcar blanco), los del plátano se absorben más lentamente y por lo tanto no producen una subida brusca del nivel de glucosa (azúcar) en la sangre.

Pisum sativum L. | pH↓

# Guisante
# (arveja)

## Amigo del corazón

*Sinonimia hispánica: arveja, chícharo, gálbana, tito, pitipuá, tacón, pésol.*

## GUISANTE
### composición
por cada 100 g de parte comestible cruda

| | |
|---|---|
| **Energía** | **81,0 kcal = 339 kj** |
| **Proteínas** | **5,42 g** |
| **H. de c.** | **9,36 g** |
| **Fibra** | **5,10 g** |
| **Vitamina A** | **64,0 µg ER** |
| **Vitamina B$_1$** | **0,266 mg** |
| **Vitamina B$_2$** | **0,132 mg** |
| **Niacina** | **2,71 mg EN** |
| **Vitamina B$_6$** | **0,169 mg** |
| **Folatos** | **65,0 µg** |
| **Vitamina B$_{12}$** | **—** |
| **Vitamina C** | **40,0 mg** |
| **Vitamina E** | **0,390 mg E$\alpha$T** |
| **Calcio** | **25,0 mg** |
| **Fósforo** | **108 mg** |
| **Magnesio** | **33,0 mg** |
| **Hierro** | **1,47 mg** |
| **Potasio** | **244 mg** |
| **Cinc** | **1,24 mg** |
| *Grasa total* | **0,400 g** |
| *Grasa saturada* | **0,071 g** |
| *Colesterol* | **—** |
| *Sodio* | **5,00 mg** |

1%    2%    4%        10%    20%   40%  100%
## % de la CDR (cantidad diaria recomendada)
cubierta por 100 g de este alimento

*Descripción: Semillas del guisante ('Pisum sativum' L.), planta herbácea trepadora de la familia de las Leguminosas. Las semillas se encuentran encerradas en vainas de color verde de unos 10 cm de longitud. Cada vaina contiene generalmente entre 7 y 9 semillas.*

Q UIZÁS era usted uno de esos niños que apartaba meticulosamente los guisantes que acompañaban al plato de arroz o al guisado de patatas (papas). En ese caso, aún está a tiempo para darles otra oportunidad a esas pequeñas semillas, especialmente si usted padece del corazón.

**PROPIEDADES E INDICACIONES:** Los guisantes crudos contienen un 78,9% de agua. Varios son los nutrientes que destacan en el guisante:

✓ *Hidratos de carbono:* Contiene un 9,36%, cantidad significativa, aunque inferior a la de la papa o patata (16,4%). Están constituidos en su mayor parte por almidón, con una pequeña proporción del azúcar sacarosa.

✓ **Proteínas:** Con su 5,42% supera a la patata o papa (2,07%), y se acerca a los cereales como el arroz (6,61%), aunque está lejos todavía de otras leguminosas como la alubia (23,4%). Las proteínas del guisante son bastante completas, aunque tienen una carencia relativa del aminoácido esencial metionina, y un exceso de lisina. Por el contrario, los cereales tienen metionina de sobra, pero les falta lisina. Por ello, la *combinación* de **guisantes y cereales** proporciona al organismo *todos* los **aminoácidos** necesarios para producir sus propias proteínas.

✓ **Vitaminas del complejo B:** 100 gramos de guisantes aportan 0,266 mg de **vitamina B₁**, lo que supone el 18% de las necesidades diarias para un varón adulto. Además el guisante es una buena fuente de vitaminas B₂, B₆, niacina y folatos, todas ellas necesarias para el buen funcionamiento del corazón y del sistema nervioso.

✓ **Vitamina C:** Los guisantes aportan 40 mg por cada 100 g, casi tanto como el limón (53 mg).

✓ **Potasio:** Contienen 244 mg por 100 g de potasio, mineral imprescindible para el buen funcionamiento del corazón.

## Preparación y empleo

❶ **Crudos:** Cuando son tiernos, los guisantes pueden consumirse crudos, y resultan muy sabrosos y saludables.

❷ **Congelados:** Después de descongelarlos se consumen después de una breve cocción.

❸ **Cocinados:** *No* conviene *superar* los **5-10 minutos** de cocción (un tiempo superior provoca la pérdida de casi todas sus vitaminas). Un escaldado rápido o una cocción al vapor son lo ideal.

❹ **Secos:** Se conservan durante mucho tiempo, pero contienen muy poca provitamina A y vitamina C. Unos minutos de cocción son suficientes.

❺ **Conservas:** Se pueden comer directamente. La pérdida de vitaminas oscila entre el 15% y el 30%.

Además, los guisantes son una *buena fuente* de **hierro** (1,47 mg/100 g), **magnesio, cinc** y **fibra,** y aportan cantidades significativas de **provitamina A** (beta-caroteno), **vitamina E** y **magnesio.**

Por todo ello se recomiendan especialmente en los siguientes casos:

• **Afecciones cardíacas:** Los guisantes tienen todo lo necesario para ser un **alimento cardiosaludable,** tal como hemos visto. Además, *carecen* prácticamente de **grasa** y de **sodio,** dos sustancias que en exceso son enemigas del corazón. Convienen en la dieta de los que sufren de insuficiencia cardíaca, lesiones de las válvulas, miocardiopatías (degeneración del músculo cardíaco) y por supuesto, de angina de pecho o de infarto.

• **Trastornos del sistema nervioso:** Los guisantes son un alimento muy nutritivo, que además es rico en vitaminas del grupo B y en minerales necesarios para el buen funcionamiento del sistema nervioso. Conviene en caso de debilidad nerviosa, neurastenia, irritabilidad, depresión, insomnio y otros trastornos funcionales.

• **Embarazo y lactancia:** Por su riqueza en proteínas (especialmente si se combinan con cereales), vitaminas y minerales, los guisantes son un alimento muy apropiado para las mujeres embarazadas y que lactan. Además, son *muy ricos* en **folatos,** que evitan las malformaciones del sistema nervioso en el feto.

• **Diabetes:** El almidón del guisante se transforma lentamente en glucosa durante la digestión, lo cual hace que sea muy bien tolerado por los diabéticos.

Los guisantes, complementados opcionalmente con maíz u otro cereal, son un alimento ideal para los que padecen del corazón.

# Melocotón (durazno)

## Ideal para el corazón

**Sinonimia hispánica:** *durazno, fresquilla, paraguaya, nectarina, griñón, pavía, guaytamba.*

**Descripción:** *Fruto del melocotonero ('Prunus persica' [L.] Batsch.), árbol de la familia de las Rosáceas. El fruto es una drupa típica: pulpa carnosa con un hueso duro en el centro.*

## MELOCOTÓN
### composición
por cada 100 g de parte comestible cruda

| | |
|---|---|
| **Energía** | **43,0 kcal = 180 kj** |
| **Proteínas** | **0,700 g** |
| **H. de c.** | **9,10 g** |
| **Fibra** | **2,00 g** |
| **Vitamina A** | **54,0 µg ER** |
| **Vitamina B₁** | **0,017 mg** |
| **Vitamina B₂** | **0,041 mg** |
| **Niacina** | **1,02 mg EN** |
| **Vitamina B₆** | **0,018 mg** |
| **Folatos** | **3,40 µg** |
| **Vitamina B₁₂** | **—** |
| **Vitamina C** | **6,60 mg** |
| **Vitamina E** | **0,700 mg EαT** |
| **Calcio** | **5,00 mg** |
| **Fósforo** | **12,0 mg** |
| **Magnesio** | **7,00 mg** |
| **Hierro** | **0,110 mg** |
| **Potasio** | **197 mg** |
| **Cinc** | **0,140 mg** |
| *Grasa total* | *0,090 g* |
| *Grasa saturada* | *0,010 g* |
| *Colesterol* | **—** |
| *Sodio* | **1,00 mg** |

1%    2%    4%    10%    20%   40%   100%

**% de la CDR (cantidad diaria recomendada)**
cubierta por 100 g de este alimento

EL MELOCOTONERO es un árbol viajero. Los cultivos más antiguos proceden de China, desde donde fue llevado a Persia (el actual Irán) varios siglos antes de Cristo. Después de extenderse por los países mediterráneos desde hace más de dos milenios, fue introducido en América por los españoles. El melocotonero se ha adaptado bien a los sucesivas regiones donde se ha cultivado, y en la actualidad, más de la mitad de la producción mundial de duraznos (nombre hispanoamericano del melocotón) procede de las Américas.

**PROPIEDADES E INDICACIONES:** La composición del melocotón es una *equilibrada combinación* de **provitamina A** (beta-caroteno), **vitaminas** del grupo B, vitamina C, vitamina E, **potasio, magnesio** y **fibra** vegetal. Todo ello en cantidades moderadas, pero con prácticamente *nada* de **sodio** y de **grasa.** Contiene además un 9% de **fructosa** y otros **azúcares,** y menos del 1% de proteínas.

Puede decirse que la **composición** del melocotón es una fórmula *casi perfecta* para la buena salud del **corazón.** Las **vitaminas A, C y E** son los *mejores* **antioxidantes** de la naturaleza, y son pocos los alimentos que contienen las tres en una proporción tan equilibrada. El efecto antioxidante de estas vitaminas favorece el buen estado de las arterias en general, y de las coronarias que alimentan el propio corazón en particular.

Las **vitaminas** del grupo **B** (B$_1$, B$_2$, niacina y B$_6$) presentes en el melocotón en dosis significativas, son necesarias para que las células musculares del corazón se contraigan, utilizando la energía de los ácidos grasos y azúcares.

El **potasio,** *muy abundante* en el melocotón, y el **magnesio,** son minerales *imprescindibles* para que los **latidos** cardíacos se produzcan de forma rítmica y enérgica.

Además de apenas contener grasa, el melocotón es también uno de los alimentos *más bajos* en **sodio,** con un solo miligramo (mg) por cada 100 g de parte comestible. Un régimen bajo en sodio contribuye a evitar la hipertensión arterial y facilita el trabajo del corazón.

El consumo de melocotón resulta indicado en los siguientes casos:

- **Afecciones del corazón:** El consumo de melocotón resulta beneficioso siempre que exista algún grado de insuficiencia cardíaca, es decir, de incapacidad del corazón para cumplir satisfactoriamente su función propulsora de la sangre. Aunque no es un estimulante directo del corazón, el melocotón facilita el trabajo de este noble órgano.

- **Afecciones digestivas:** El melocotón se digiere muy bien, a condición de estar bien maduro. Contiene fibra vegetal soluble que actúa como suavizante del aparato digestivo. Es un laxante suave.

- **Afecciones renales:** Ejerce una suave acción diurética, lo cual unido a su falta de sodio y su pobreza proteínica, lo hace muy recomendable en la dieta de los insuficientes renales.

- **Obesidad:** El melocotón es una de las frutas con mayor capacidad de crear sensación de saciedad, por lo que se puede decir que reduce el apetito. Su aporte calórico es bastante bajo: 43 kcal /100 g. Además, por su acción depurativa facilita la eliminación de residuos metabólicos de tipo ácido, frecuentes en caso de obesidad.

## Preparación y empleo

❶ **Fresco:** Su piel aterciopelada puede provocar alergias cutáneas en personas sensibles. Esta es una buena razón para mondarlo. Además, puede contener restos de plaguicidas. Es cierto que la piel contiene vitaminas, pero la pérdida se compensa fácilmente comiendo una cantidad un poco mayor de melocotón pelado.

❷ **En conserva:** Su contenido en vitaminas y minerales es algo inferior que el del melocotón fresco, pero tiene la ventaja de poderse consumir en cualquier época del año. Son preferibles las conservas con almíbar de bajo contenido en azúcar.

❸ **Mermelada** y **jugo.**

**La forma del melocotón o durazno nos recuerda a la del corazón, quizá para que no olvidemos los muchos beneficios que proporciona a este órgano.**

# Uva

## Tonifica el corazón
## y fluidifica la sangre

### UVA
### composición
por cada 100 g de parte comestible cruda

| | |
|---|---|
| Energía | 71,0 kcal = 297 kj |
| Proteínas | 0,660 g |
| H. de c. | 16,8 g |
| Fibra | 1,00 g |
| Vitamina A | 7,00 µg ER |
| Vitamina B$_1$ | 0,092 mg |
| Vitamina B$_2$ | 0,057 mg |
| Niacina | 0,350 mg EN |
| Vitamina B$_6$ | 0,110 mg |
| Folatos | 3,90 µg |
| Vitamina B$_{12}$ | — |
| Vitamina C | 10,8 mg |
| Vitamina E | 0,700 mg EαT |
| Calcio | 11,0 mg |
| Fósforo | 13,0 mg |
| Magnesio | 6,00 mg |
| Hierro | 0,260 mg |
| Potasio | 185 mg |
| Cinc | 0,050 mg |
| Grasa total | 0,580 g |
| Grasa saturada | 0,189 g |
| Colesterol | — |
| Sodio | 2,00 mg |

1%  2%  4%  10%  20%  40%  100%

**% de la CDR** (cantidad diaria recomendada)
cubierta por 100 g de este alimento

*Sinonimia hispánica de la planta: viñedo, parra, vidueño, viduño.*

*Descripción: Fruto de la vid ('Vitis vinifera' L.), arbusto trepador de la familia de las Vitáceas. Se trata de un fruto en baya, que crece formando racimos de unos pocos hasta más de cien frutos agrupados.*

L A UVA es, después de la naranja, la fruta más cultivada en todo el mundo. Pero desgraciadamente solo una pequeña parte de la uva producida se consume como fruta; la mayor parte se destina a la fabricación de bebidas alcohólicas, especialmente vino.

La uva constituye un componente esencial de la dieta mediterránea, y hasta de su cultura. No en vano se ha venido cultivando durante milenios en las cálidas tierras que rodean a este mar.

Recientes descubrimientos científicos atribuyen la buena salud cardíaca de los habitantes del Mediterráneo, precisamente a algunas de las sustancias presentes en la uva.

**PROPIEDADES E INDICACIONES:** Dos tipos de nutrientes *destacan* en la composición de la uva: los **azúcares** y las **vitaminas** del complejo **B;** por el contrario, la uva aporta pocas proteínas y grasas. Las proteínas, aunque en pequeña cantidad (0,67%) contienen todos los aminoácidos esenciales. Los minerales están presentes en una cantidad moderada. Estos son los componentes de la uva que merecen una mención especial:

✓ **Azúcares,** en una proporción que oscila entre el 15% y el 30%. Las uvas que se crían en las regiones frías suelen tener menos azúcares, mientras que las cultivadas en terrenos cálidos y secos son mucho más dulces.

Los dos azúcares más abundantes en la uva son la **GLUCOSA** y la **FRUCTOSA.** Desde el punto de vista químico, se trata de **MONOSACÁRIDOS** o azúcares simples, que tienen la propiedad de pasar directamente a la sangre sin necesidad de ser digeridos.

✓ **Vitaminas:** Con sus 0,11 mg/100 g de **vitamina B6,** la uva es una de las frutas frescas más ricas en esta vitamina, superada tan solo por las frutas tropicales como el aguacate, el plátano, la chirimoya, la guayaba o el mango. Las **vitaminas B1, B2 y B3** o **niacina** también están presentes en cantidades superiores a la mayoría de las frutas frescas.

Todas estas **vitaminas** cumplen entre otras, la función de **metabolizar** los **azúcares,** facilitando que las células puedan "quemarlos" químicamente y aprovechar así su energía. La naturaleza da así una muestra más de designio inteligente, al proporcionar una gran cantidad de azúcares en la uva, pero junto con las vitaminas necesarias para su aprovechamiento energético.

La uva contiene también cantidades bastante significativas de provitamina A (7 µg ER/100 g), de vitamina C (10,8 mg/100 g) y de vitamina E (0,7 mg/100 g).

✓ **Minerales:** El potasio, el cobre y el hierro son los minerales más abundantes en la uva, aunque contiene también calcio, fósforo, magnesio y cobre.

✓ **Fibra:** La uva contiene alrededor del 1% de fibra vegetal de tipo soluble (pectina), cantidad relativamente importante tratándose de una fruta fresca.

✓ **Sustancias no nutritivas:** La uva contiene numerosas sustancias químicas, que no pertenecen a ninguno de los clásicos grupos de nutrientes, pero que ejercen numerosas funciones en el organismo, muchas de ellas todavía desconocidas. A estas sustancias se las conoce también como **ELEMENTOS FITOQUÍMICOS:**

– **Ácidos orgánicos** (tartárico, málico, cítrico y otros): Son los responsables del sabor ligeramente ácido de la uva. Estos ácidos ejercen una acción paradójica en la sangre, produciendo **ALCALINIZACIÓN.** La alcalinización de la sangre y de la orina facilita la eliminación de los residuos metabólicos, que en su mayor parte son de tipo ácido, como por ejemplo el **ácido úrico.**

– **Flavonoides:** Recientemente se ha puesto de manifiesto que actúan como *potentes* **antioxidantes,** impidiendo la oxidación del **colesterol** causante de la arteriosclerosis, y evitando la formación de trombos o coágulos en las arterias.

– **Resveratrol:** Detiene la progresión de la **arteriosclerosis.**[22] Recientemente se ha comprobado que es además un *poderoso* **anticancerígeno.**

– **Antocianinas:** Son pigmentos vegetales, presentes en la uva blanca y sobre todo en la negra. Actúan como *potentes* **antioxidantes** *preventivos* de las afecciones **cardiovasculares.**

En esencia puede decirse que la uva es un alimento que aporta energía a nuestras células y que favorece el buen estado de las arterias, especialmente de las coronarias que irrigan el músculo cardíaco. Además es laxante, antitóxica, diurética, antianémica, y antitumoral.

Estas son sus principales indicaciones:

• **Afecciones cardíacas en general:** La uva es *muy recomendable* en todas las afecciones cardíacas por los siguientes motivos:

– Aporta **energía** en forma de azúcares simples, que el músculo cardíaco utiliza para contraerse. Aunque la principal fuente de ener-

# Cómo hacer un delicioso jugo de uva natural

1. Con la **licuadora,** triturando los granos enteros con la piel. Aunque resulta laborioso, las semillas pueden eliminarse para mejorar el sabor. Este método está indicado:

   - cuando se deseen *aprovechar al máximo* las propiedades medicinales de la piel de la uva sobre el **corazón** y las **arterias;** y

   - cuando se busque un efecto **anticancerígeno** (el *resveratrol* se encuentra *sobre todo* en la **piel** de la uva).

   En estos dos casos es preferible la uva negra o roja.

2. Con el **pasapuré**, de forma que se eliminen las pieles y las semillas. Se obtiene así un delicioso jugo de textura muy fina, apropiado para las restantes indicaciones de la uva.

El jugo (zumo) de uva sin fermentar, llamado 'mosto' en diversos lugares, contiene las mismas sustancias cardioprotectoras que se encuentran en el vino, pero en mayor concentración y sin el inconveniente del alcohol etílico. Además, la uva y su jugo aportan azúcares y vitaminas muy energéticos, de los que el vino carece.

gía para el corazón son los ácidos grasos, también utiliza la glucosa.

- La uva es *rica* en **potasio** y contiene también **calcio** y **magnesio,** minerales que intervienen en las contracciones cardíacas.

- Y además, la uva *no contiene* apenas **sodio** ni **grasa** saturada, los dos principales enemigos del sistema cardiovascular.

• **Afecciones de las arterias coronarias:**

Las investigaciones realizadas con la uva y su jugo muestran que ambos son capaces de: dilatar las arterias, hacer que la sangre circule más fluida sin que se formen coágulos, e impedir que el colesterol se deposite en las paredes de las arterias. De un alimento protector del corazón y del sistema circulatorio, no se puede esperar más.

El **VINO TINTO** (no el blanco), también ejerce estas mismas acciones debido a que conserva parte de las sustancias activas presentes en la uva. Sin embargo, presenta *inconvenientes* respecto a la uva o su jugo: apenas contiene azúcares y vitaminas; y contiene una sustancia tóxica, el **alcohol etílico,** que el organismo necesita forzosamente eliminar de la sangre "quemándolo" en el hígado.

Por ello la **uva** o su **jugo** son *superiores* al **vino** en cuanto a capacidad cardioprotectora, y además, *carecen* de *efectos indeseables.*

El enfermo coronario que consume uvas de forma habitual durante el verano y el otoño, y pasas o jugo de uva durante el resto del año, percibe como su corazón responde cada vez mejor a los pequeños esfuerzos. Los que han sufrido un infarto y están en fase de rehabilitación, deben incluir la uva en su dieta, con el fin de frenar la progresión de la arteriosclerosis coronaria.

• **Trombosis:** La tendencia de la sangre a formar coágulos dentro de las arterias o venas, puede reducirse con el consumo de uva, jugo o pasas. Esto es especialmente importante para quienes hayan sufrido un accidente vascular cerebral, o que tengan riesgo de padecerlo.

• **Anemia por falta de hierro:** La uva es una de las **frutas frescas** *más ricas* en hierro (0,26 mg/100 g). La uva pasa, al estar más concentrada, es mucho más rica en hierro (2,59 mg/100 g), superando incluso a la carne de cordero (2-2,5 mg/100 g).

El **hierro** de la uva es de tipo **no hem,** y por sí solo se absorbería con más dificultad que el hierro de la carne. Sin embargo, su absorción mejora mucho por la acción potenciadora de la vitamina C presente en la misma uva o en otros alimentos vegetales.

Todos aquellos que tengan tendencia a la anemia por falta de hierro, mejorarán con el consumo habitual de uva durante los meses de verano y otoño, y con el de pasas el resto del año.

• **Afecciones hepáticas:** *Activa* la función **desintoxicadora** del hígado, aumentando la producción de bilis (acción colerética). Además, la uva facilita la circulación de la sangre en el sistema portal, por lo que conviene en caso de **cirrosis** y **ascitis** (líquido en el vientre) debida a hipertensión portal.

• **Afecciones intestinales:** La uva es un laxante suave, que *combate* el **estreñimiento** crónico debido a pereza intestinal. Además, *equilibra* la **flora intestinal** y *evita* las **putrefacciones** debidas a una alimentación rica en proteínas animales.

• **Afecciones renales:** Por su acción diurética y descongestiva, así como por su composición mineral y su pobreza en proteínas, la uva es *muy recomendable* en caso de **insuficiencia renal** debida a nefritis, nefrosis u otras causas.

• **Gota y exceso de ácido úrico:** La uva es un buen eliminador de ácido úrico en los riñones, por sus acciones **alcalinizante** y **diurética.** La cura de uvas y su consumo habitual son muy recomendables a los artríticos, a los obesos y a todos aquellos que siguen una alimentación recargada o rica en alimentos cárnicos.

• **Procesos cancerosos:** El *RESVERATROL* contenido en la uva, y especialmente en su piel, ha mostrado experimentalmente ejercer una acción antitumoral. Aunque el uso de esta sustancia en caso de cáncer se halla todavía en proceso de investigación, se recomienda el consumo abundante de uva como medida complementaria a todos aquellos que hayan sido diagnosticados de cáncer, o a los que presenten un riesgo elevado de padecerlo.

## Uvas pasas

*Aportan poco menos de 300 kcal/100 g. Son **muy ricas** en **hierro**: 100 g cubren la cuarta parte de las necesidades diarias de este mineral. También son ricas en **potasio** (825 mg/100 g) y en **fibra** vegetal (6,8%). Su contenido en grasa es casi el mismo que el de las uvas frescas (0,54%). Las **vitaminas** del complejo B se hallan más concentradas, pero en cambio la C disminuye y la A prácticamente desaparece.*

# Alimentos para las arterias

L A SALUD de las arterias se halla íntimamente relacionada con la alimentación. Existen algunos componentes de los alimentos que resultan nocivos para las arterias, mientras que otros favorecen su buen estado:

• Componentes *nocivos:* El **sodio** (procede sobre todo de la sal de mesa); la **grasa saturada;** y el **colesterol,** que se encuentra únicamente en los alimentos de origen animal.

• Componentes *favorables:* Los **antioxidantes** (se encuentran especialmente en las frutas y hortalizas); la **fibra** soluble (en las frutas, hortalizas, legumbres); y los **ácidos grasos insaturados** (en los frutos secos, semillas y aceites vegetales).

## El colesterol, principal enemigo de las arterias

• El colesterol resulta *necesario* para el organismo, y no debe considerarse como una sustancia tóxica en sí misma.

El organismo es capaz de producir la cantidad suficiente de colesterol como para satisfacer sus propias necesidades, sin que sea preciso ingerirlo con los alimentos.

• El colesterol resulta nocivo únicamente porque *se deposita* en las paredes de las **arterias,** dando lugar a la **arteriosclerosis.** A partir de cierto nivel de colesterol en la sangre, aumenta el riesgo de arteriosclerosis y de infarto.

• El colesterol es necesario, pero no suficiente para que se produzca la **arteriosclerosis.** Esta es el resultado de la combinación de los siguientes factores:

– Nivel *elevado* de **colesterol** en la sangre.

– *Carencia* de sustancias **antioxidantes**, como la provitamina A, las vitaminas C y E, los flavonoides y otros elementos fitoquímicos, debido a una alimentación pobre en frutas, hortalizas, cereales integrales y frutos secos.

– *Exceso* de **grasas saturadas** debido a una alimentación rica en leche, huevos, mariscos, carnes y derivados.

– Falta de ejercicio físico, tabaco, estrés, hormonas y herencia.

• Por lo tanto, preocuparse únicamente por lograr un nivel normal de colesterol mediante ciertos fármacos o dietas, tal como suelen hacer algunos médicos y pacientes, no es suficiente para evitar la arteriosclerosis y sus complicaciones. De hecho, en muchos casos de infarto, el colesterol presenta un nivel normal.

• Existen **dos tipos** de colesterol en la sangre, dependiendo de las lipoproteínas que lo transportan:

– **Colesterol LDL** o *nocivo:* Está unido a las lipoproteínas de baja densidad, y favorece la arteriosclerosis.

– **Colesterol HDL** o *beneficioso:* Está unido a las lipoproteínas de alta densidad, y protege contra la arteriosclerosis. El aceite de oliva y el ejercicio físico aumentan su nivel.

La expresión "nivel de colesterol en la sangre" hace referencia al **colesterol *total,*** *su*ma de ambas fracciones.

• Para tener unas **arterias sanas** y reducir el riesgo de arteriosclerosis y de sus complicaciones (infarto de miocardio, trombosis arterial, falta de riego sanguíneo), es preciso:

– *reducir* el nivel de **colesterol** total,

– *aumentar* el nivel de **antioxidantes** en la sangre.

• Los dos requisitos anteriores se logran fácilmente siguiendo una **alimentación *abundante*** en **frutas, hortalizas** frescas y otros **vegetales.**

---

## Nivel normal de colesterol en la sangre

**Colesterol total:**
5-6 mmol/l (193-231 mg/dl)

**Colesterol HDL:**
1 mmol/l (38 mg/dl)

**Colesterol LDL:**
la diferencia entre el total
y el LDL (4-5 mmol/l =
155-193 mg/dl)[3]

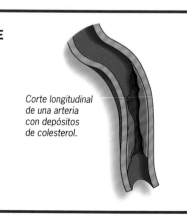

*Corte longitudinal de una arteria con depósitos de colesterol.*

# ARTERIOSCLEROSIS

## Definición
También llamada **aterosclerosis**. Es un proceso degenerativo que puede afectar a las arterias de todo el cuerpo. Se inicia con el depósito de **colesterol** en su capa más interna, llamada íntima.

El engrosamiento y endurecimiento de la pared de las arterias, unido a la disminución de su luz o diámetro interior, trae como consecuencia una disminución en el flujo de sangre que circula por ellas. Menos aporte de sangre significa menos vida.

## Alimentación
La **alimentación** es posiblemente el factor que *más influye* en la arteriosclerosis, a la que se considera uno de los grandes males de la civilización. En los pueblos primitivos o poco desarrollados que siguen una alimentación natural no refinada, apenas se dan casos de arteriosclerosis. En cambio, es cada vez más frecuente en los países occidentales, a medida que la alimentación se hace más refinada y artificial.

## Causas
El **tabaco** es, junto con una alimentación inadecuada, una de las principales causas de arteriosclerosis.

 **Aumentar**

FRUTA
CEREALES INTEGRALES
LEGUMBRES
HORTALIZAS
FRUTOS SECOS
FIBRA
AJO
ACEITES
ANTIOXIDANTES
FOLATOS

 **Reducir o eliminar**

COLESTEROL
GRASA SATURADA
ACIDOS GRASOS 'TRANS'
CARNE
QUESOS CURADOS
HUEVOS
LÁCTEOS
PROTEÍNAS
BEBIDAS ALCOHÓLICAS
CAFÉ
AZÚCAR BLANCO
SAL

*Queso Parmesano*

**Los quesos curados, como este Parmesano, son ricos en sal, en grasa saturada y en colesterol: tres enemigos de la salud de las arterias.**

# APOPLEJÍA

## Definición
A esta enfermedad se le llama también **ictus** o **accidente vascular cerebral**.

Se produce cuando una zona del cerebro es privada bruscamente de riego sanguíneo, debido a:

- La **rotura** de una **arteria**, lo que produce una hemorragia cerebral.

- La **obstrucción** de una **arteria** por un trombo (coágulo de sangre que se forma en el mismo lugar de la obstrucción) o por una embolia (obstrucción causada por un coágulo que se forma en otro lugar y que se desplaza dentro de los vasos sanguíneos).

## Causas
La arteriosclerosis es la principal causa de apoplejía, pues favorece la rotura de las arterias y la formación de trombos en su interior. Otros factores como la **hipertensión** arterial, el **tabaco** y la **diabetes** aumentan el riesgo de padecerla.

 **Aumentar**

FRUTA
HORTALIZAS
AJO
OLIVA, ACEITE
PESCADO, ACEITE
SELENIO

 **Reducir o eliminar**

LOS MISMOS QUE EN LA ARTERIOSCLEROSIS

*Olivas*

**El aceite de oliva reduce la tendencia a la trombosis.**

# FRAGILIDAD VASCULAR

## Definición y síntomas
Debilidad de los pequeños vasos sanguíneos, por la que se producen pequeñas **hemorragias** y **hematomas** ante traumatismos poco importantes.

## Causas
Se debe a una debilidad generalmente hereditaria del tejido conjuntivo que forma las paredes de las arterias y venas. La deficiencia de ciertas vitaminas como la C, pueden producirla o agravarla.

 **Aumentar**

LIMÓN
FRUTOS CÍTRICOS
VITAMINA C
FLAVONOIDES

**Los flavonoides protegen y fortalecen las paredes de los capilares y pequeños vasos sanguíneos. El flavonoide más efectivo es la hesperidina que se encuentra en el limón.**

## HIPERTENSIÓN ARTERIAL

### Definición

La sangre debe tener una cierta presión en las arterias para poder irrigar todos los tejidos. Se considera que existe hipertensión cuando se cumple alguna de estas condiciones:

- La presión sistólica (máxima) supera los 140 mm Hg.
- La presión diastólica (mínima) supera los 90 mm Hg.

La hipertensión arterial **no produce síntomas**, pero deteriora lentamente las arterias y diversos órganos.

### Alimentación

La **alimentación** puede hacer *mucho por* mantener las cifras tensionales dentro de unos límites correctos. Cuantos más frutas y verduras se consuman, preparadas de la forma más sencilla posible, tanto menor es el riesgo de padecer hipertensión arterial.

### Consejos de salud

La **nicotina** tiene un efecto vasoconstrictor (contrae las arterias), por lo que fumar causa un aumento de la presión arterial que puede detectarse tras fumar un solo cigarrillo.

 **Aumentar**

ALIMENTOS DIURÉTICOS
FRUTAS
VERDURAS
CALDO DEPURATIVO
LEGUMBRES
APIO
CALABAZA
AJO
GUAYABA
PERA
POMELO
FIBRA
POTASIO
CALCIO
MAGNESIO
PESCADO, ACEITE

**Reducir o eliminar**

SAL
SODIO
JAMÓN DE CERDO
EMBUTIDOS
CARNE
PROTEÍNAS
BEBIDAS ALCOHÓLICAS
GRASA SATURADA
CAFÉ
BEBIDAS ESTIMULANTES
PIMIENTA
QUESOS MADURADOS
HUEVO

 **Caldo depurativo de verduras**

Se elabora haciendo hervir en abundante agua hortalizas alcalinizantes y diuréticas, principalmente la cebolla y el apio. Se le puede añadir un chorrito de aceite.

Este caldo es muy saludable, y constituye uno de los ingredientes *fundamentales* de una **dieta depurativa.** Se puede tomar de medio a un litro diario como bebida, en lugar de agua. Estas son algunas de sus acciones beneficiosas:

- **Depurativo: Alcaliniza** la sangre y la orina, con lo que *favorece* la *eliminación* de sustancias de desecho, especialmente **ácido úrico.**
- **Diurético:** *Favorece* la **función** de los **riñones** y aumenta al producción de orina.
- **Mineralizante:** Aporta una buena cantidad de *minerales y oligoelementos,* especialmente potasio, calcio, magnesio y hierro. El potasio contribuye a evitar la hipertensión arterial.

*Caldo depurativo*

*Ajos*

**El ajo es vasodilatador (dilata las arterias) e hipotensor, aunque se precisa tomar una cierta cantidad de ajo (varios dientes) para que se produzca este efecto.**

## SÍNDROME DE RAYNAUD

### Definición y síntomas

Se debe a un espasmo brusco de las arterias distales, generalmente de las manos. Estas se ponen primero blancas, luego moradas y finalmente rojas cuando pasa el espasmo.

### Causas

Suele ocurrir más a menudo a mujeres después de la menopausia. Se sabe que lo pueden desencadenar o agravar:

- el hábito de fumar,
- la tensión emocional,
- el frío,
- el manejo de aparatos que vibren, como secadores de pelo o batidoras de cocina.

### Consejos de salud

Aunque en ocasiones puede requerir tratamiento médico o quirúrgico, hay ciertos alimentos que pueden contribuir a evitar que se produzca.

 **Aumentar**

AJO
FRUTOS SECOS
VITAMINA E
FLAVONOIDES
PESCADO, ACEITE

 **Reducir o eliminar**

BEBIDAS ALCOHÓLICAS
BEBIDAS ESTIMULANTES
(CAFÉ, TÉ, MATE, ETC.)

## SABAÑONES

### Definición

Los sabañones o **eritema pernio** se deben a una falta de circulación en los pequeños capilares que irrigan la piel. El frío y la presión del calzado en los pies pueden producirlos o agravarlos.

### Síntomas

Se manifiestan como una tumoración rojiza, generalmente en los pies o en las manos, que pica y duele. Suelen desaparecer espontáneamente, aunque también pueden ulcerarse e infectarse.

### Consejos de salud

Además del tratamiento local con compresas de plantas medicinales apropiadas (ver *EPM* [*Enciclopedia de las plantas medicinales*] pág. 229), ciertos **alimentos** pueden mejorar el estado de los vasos capilares y de la circulación sanguínea.

El **tabaco** favorece la aparición de sabañones al estrechar las arterias y reducir el flujo sanguíneo.

 **Aumentar**

FRUTOS CÍTRICOS
AJO
VITAMINA C
VITAMINA E
FLAVONOIDES

 **Reducir o eliminar**

BEBIDAS ALCOHÓLICAS
BEBIDAS ESTIMULANTES
(CAFÉ, TÉ, MATE, ETC.)

*Embutido*

Los embutidos son muy ricos en sodio, tanto por el que contiene la carne de forma natural, como por el que se le añade con la sal y los aditivos (los nitritos y nitratos utilizados para el curado son sales sódicas). Además son ricos en grasa saturada, que favorece el endurecimiento de las arterias y la hipertensión.

El consumo abundante de frutas y verduras en su estado natural o mínimamente procesadas, es una forma eficaz de evitar la hipertensión arterial.

# reducir

*La sustitución de cada uno de estos alimentos por el que se encuentra*
*a su derecha, produce una reducción en el nivel de colesterol.*

*Cuantas más sustituciones se realicen,*
*tanto más se logrará reducir el nivel de colesterol.*

*Además, conviene seguir las recomendaciones dadas*
*para la arteriosclerosis.*

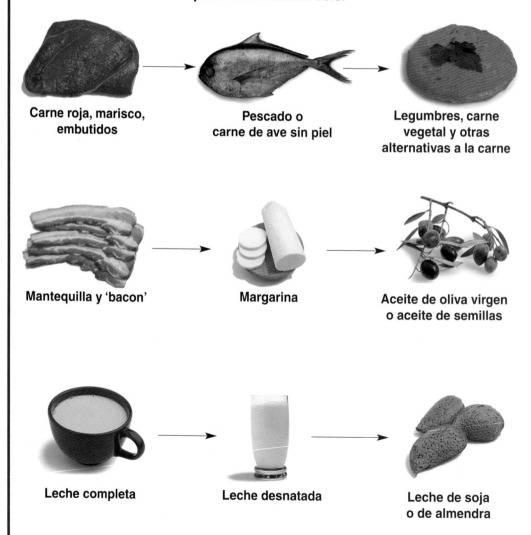

**Carne roja, marisco,**
**embutidos**

**Pescado o**
**carne de ave sin piel**

**Legumbres, carne**
**vegetal y otras**
**alternativas a la carne**

**Mantequilla y 'bacon'**

**Margarina**

**Aceite de oliva virgen**
**o aceite de semillas**

**Leche completa**

**Leche desnatada**

**Leche de soja**
**o de almendra**

# el colesterol

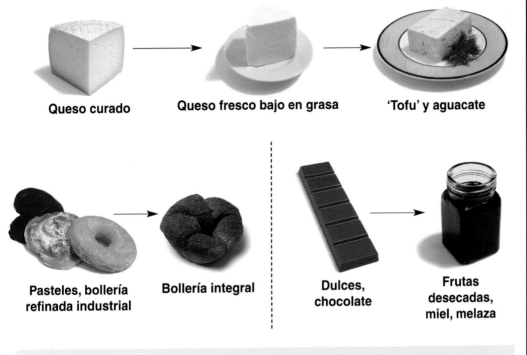

**Queso curado** → **Queso fresco bajo en grasa** → **'Tofu' y aguacate**

**Pasteles, bollería refinada industrial** → **Bollería integral**

**Dulces, chocolate** → **Frutas desecadas, miel, melaza**

## Tipos de ácidos grasos

- **Ácidos grasos saturados:** Se encuentran en la leche, en la yema del huevo, en la carne y en sus derivados. Aumentan la producción de colesterol en el organismo.

- **Ácidos grasos insaturados:**

  - *Monoinsaturados* como el *oleico* del aceite de oliva: *Reducen* el **colesterol LDL** o nocivo y *aumentan* el **HDL,** lo cual *protege* contra la **arteriosclerosis** (ver pág. 95).

  - *Poliinsaturados:* Se encuentran *sobre todo* en los **aceites de semillas.** *Reducen* el **colesterol LDL** o nocivo. Los ácidos grasos *omega-3* son un tipo especial de ácidos grasos poliinsaturados, presentes sobre todo en el pescado graso.

- **Ácidos grasos 'trans':** Son ácidos grasos insaturados que han sido *alterados por* la acción del **calor** o de procedimientos industriales. Se forman al **freír** los aceites vegetales, o al someterlos industrialmente a **hidrogenación** y calor para convertirlos en **grasas semisólidas** como la **margarina.**

  - **Efectos** sobre la salud: Los ácidos grasos 'trans' *aumentan* el **colesterol LDL** (*nocivo*), *reducen* el **colesterol HDL** (*beneficioso*), favorecen la **arteriosclerosis** y *aumentan* el riesgo de padecer **enfermedades coronarias.**[1, 2] Sin embargo, su efecto *no* es *tan nocivo* como el de la **grasa saturada** presente en la **leche,** el **queso,** la **yema** del **huevo,** la **carne** y los **embutidos.**[3]

Cicer arietinum L.

# Garbanzo (chícharo)

## Ideal para el hombre y la mujer modernos

**Sinonimia hispánica:** *chícharo.*

**Descripción:** *Semilla de la planta del garbanzo ('Cicer arietinum' L.), herbácea de la familia de las Leguminosas. El fruto es una legumbre de forma ovoide, en cuyo interior se encuentran dos semillas, los garbanzos.*

## GARBANZOS
### composición
por cada 100 g de parte comestible cruda

| | |
|---|---|
| Energía | 364 kcal = 1525 kj |
| Proteínas | 19,3 g |
| H. de c. | 43,3 g |
| Fibra | 17,4 g |
| Vitamina A | 7,00 µg ER |
| Vitamina B$_1$ | 0,477 mg |
| Vitamina B$_2$ | 0,212 mg |
| Niacina | 4,62 mg EN |
| Vitamina B$_6$ | 0,535 mg |
| Folatos | 557 µg |
| Vitamina B$_{12}$ | — |
| Vitamina C | 4,00 mg |
| Vitamina E | 0,820 mg EαT |
| Calcio | 105 mg |
| Fósforo | 366 mg |
| Magnesio | 115 mg |
| Hierro | 6,24 mg |
| Potasio | 875 mg |
| Cinc | 3,43 mg |
| Grasa total | 6,04 g |
| Grasa saturada | 0,626 g |
| Colesterol | — |
| Sodio | 24,0 mg |

1%  2%  4%    10%  20% 40%   100% 200% 500%
**% de la CDR (cantidad diaria recomendada)**
cubierta por 100 g de este alimento

**PROPIEDADES E INDICACIONES:** Las notables propiedades dietoterápicas del garbanzo hacen de esta humilde legumbre un alimento idóneo para el hombre y la mujer modernos: *reduce* el **colesterol,** *evita* el **estreñimiento** y *fortalece* el **sistema nervioso.**

El garbanzo es, además, un alimento muy energético (364 kcal/100 g), nutritivo y equilibrado. Es una buena fuente de los nutrientes más importantes, excepto de vitamina B$_{12}$ (como ocurre con todos los alimentos de origen vegetal), así como de provitamina A y de vitaminas C y E, que las contiene en pequeña cantidad. El resto de nutrientes se halla bien representado en el garbanzo:

✓ **Proteínas:** Aporta una cantidad importante (19,3%), *superior* a la de la **carne** y el **huevo,** aunque inferior a la que proporcionan otras legumbres más ricas en proteínas, como la soja, las lentejas o las judías (ver págs. 130, 254, 330).

La combinación de legumbre y cereal proporciona una proteína de excelente calidad biológica.[4]

✓ **Hidratos de carbono:** Los garbanzos son *muy ricos* en hidratos de carbono (43,3%), siendo el **almidón** el más abundante. El almidón se transforma lentamente en glucosa durante la digestión, pero para ello se precisa una buena masticación y ensalivación.

✓ **Grasas:** El garbanzo contiene un 6,04% de grasas; bastante más que las lentejas y las alubias, aunque menos que la soja. La mayor parte de ellas son **poliinsaturadas.**

✓ **Vitaminas:** Los garbanzos son una buena fuente de vitaminas $B_2$ y $B_6$. Los **folatos,** que también intervienen en el buen funcionamiento del sistema nervioso y reducen el riesgo de infarto, son *muy abundantes:* 100 g de garbanzos aportan casi el *triple* de la CDR (cantidad diaria recomendada) de este nutriente.

✓ **Minerales:** Destacan el **hierro** (6,24 mg /100 g, casi el *triple* que la **carne**), el fósforo (366 mg/100 g), el potasio (875 mg /100 g), el magnesio (115 mg/100 g), el calcio (105 mg /100 g) y el **cinc** (3,43 mg/100 g).

Los garbanzos son un **alimento casi completo,** cuya proporción de nutrientes es bastante equilibrada; por lo cual pueden perfecta-

mente constituir el plato principal de una comida, como es tradicional en la dieta mediterránea. Su uso habitual se recomienda en los siguientes casos:

• **Aumento del colesterol:** Los garbanzos contienen una moderada cantidad de grasas (6,04%) de alto valor biológico (mono y poliinsaturadas), que contribuyen a reducir el nivel del colesterol en la sangre. Además, su **fibra** impide la absorción del colesterol procedente de otros alimentos en el intestino (los garbanzos no contienen nada de colesterol). Por lo tanto, comer más garbanzos y menos alimentos cárnicos reduce el nivel de colesterol y mejora la salud de las arterias.

Por todo ello, el consumo de garbanzos *previene* la **arteriosclerosis** en todas sus manifestaciones, incluido el infarto de miocardio.

• **Estreñimiento:** La fibra del garbanzo actúa como un estimulante natural de los movimientos peristálticos intestinales (los que hacen progresar el bolo fecal).

• **Trastornos funcionales del sistema nervioso** debidos a carencia de vitaminas del grupo B, como la irritabilidad, el nerviosismo y la falta de concentración. Los garbanzos son *muy recomendables* para quienes padezcan de **estrés** o **depresión** nerviosa.

• **Embarazo:** Por su *riqueza* en **folatos,** que evitan las malformaciones del sistema nervioso en el feto, así como por su *gran riqueza* en **proteínas, hierro** y otros **minerales,** esta legumbre resulta un alimento *ideal* para las mujeres embarazadas.

## Preparación y empleo

❶ **Cocinados:** Es la forma más común de consumir los garbanzos en Occidente. Se pueden añadir a sopas y guisos. Combinan muy bien con los platos de arroz.

❷ **Tostados al horno o fritos:** Resultan un poco indigestos, pues una parte de su almidón se hace resistente a los jugos digestivos.[5]

❸ **Harina de garbanzos:** Muy utilizada en la India, con la que se elaboran numerosas preparaciones culinarias como el **falafel.**

## Déficit de cinc

*Algunos especialistas en nutrición enfatizan el hecho de que la alimentación a base de **vegetales** puede ser deficitaria en cinc. Sin embargo, 100 g de garbanzos contienen más cinc (3,43 mg) que la misma cantidad de **carne** (2,97 mg). Los garbanzos, al igual que las lentejas y la soja, son una excelente fuente de **cinc.***

# Pomelo

## Desobstruye las arterias y limpia la sangre

Hay pomelos de pulpa amarilla, anaranjada e incluso roja. Estos dos últimos tienen la ventaja adicional de ser especialmente ricos en carotenoides de acción preventiva contra el cáncer.

**Sinonimia científica:** *Citrus maxima* (Burm.) Merr.

**Sinonimia hispánica:** *toronja, pamplemusa.*

### POMELO
### composición
por cada 100 g de parte comestible cruda

| | |
|---|---|
| Energía | 32,0 kcal = 134 kj |
| Proteínas | 0,630 g |
| H. de c. | 6,98 g |
| Fibra | 1,10 g |
| Vitamina A | 12,0 µg ER |
| Vitamina B₁ | 0,036 mg |
| Vitamina B₂ | 0,020 mg |
| Niacina | 0,283 mg EN |
| Vitamina B₆ | 0,042 mg |
| Folatos | 10,2 µg |
| Vitamina B₁₂ | — |
| Vitamina C | 34,4 mg |
| Vitamina E | 0,250 mg EαT |
| Calcio | 12,0 mg |
| Fósforo | 8,00 mg |
| Magnesio | 8,00 mg |
| Hierro | 0,090 mg |
| Potasio | 139 mg |
| Cinc | 0,070 mg |
| Grasa total | 0,100 g |
| Grasa saturada | 0,014 g |
| Colesterol | — |
| Sodio | — |

1%  2%  4%  10%  20%  40%  100%

**% de la CDR (cantidad diaria recomendada)**
cubierta por 100 g de este alimento

**Descripción:** *Fruto en baya del árbol 'Citrus paradisi' MacFad., de la familia de las Rutáceas. Tiene la forma de una naranja, aunque algo mayor, con el color de un limón. También hay variedades de color verde.*

**PROPIEDADES E INDICACIONES:** La pulpa del pomelo contiene una cantidad moderada de hidratos de carbono y muy pocas proteínas y lípidos; entre sus *vitaminas* destaca la **C** (34,4 mg/100), aunque con una cantidad *menor* que la de la **naranja** (53,2 mg/100 g) o el **limón** (46 mg/100 g); en cuanto a sales minerales, lo más llamativo es su contenido *muy escaso* en **sodio** y *bastante elevado* en **potasio,** además de una cierta cantidad de calcio y magnesio.

Puesto que, el contenido en **nutrientes** del pomelo es *reducido,* la mayor parte de sus propiedades dietoterápicas son atribuibles a los componentes no nutritivos del fruto.

✓ **PECTINA:** Es un tipo de *fibra* vegetal soluble que se encuentra en muchas frutas como los cítricos y las manzanas (ver pág. 216). La fibra vegetal fue el primer componente no nutritivo de los alimentos en ser investigado por sus efectos medicinales. La pectina del pomelo se encuentra en la fibra que forma su pulpa y en la capa blanquecina que se encuentra debajo de la corteza y entre los gajos. *Destaca* por sus efectos **anticolesterol** y *protectores* de las **arterias,** tal como se ha *demostrado* en numerosos experimentos científicos.

✓ *Flavonoides* de propiedades **fluidificantes de la sangre, antioxidantes** y **anti-cancerígenas.**

✓ *Carotenoides:* Los **POMELOS DE PULPA ROJA** constituyen una buena fuente de *be-ta-caroteno,* el precursor de la vitamina A.

✓ *Limonoides:* Son terpenoides que constituyen la *esencia* de los cítricos. El pomelo es *especialmente rico* en uno de ellos, el **limoneno,** al que debe su sabor amargo y una buena parte de su *probada* **acción anticancerígena.**

## Preparación y empleo

❶ **Fresco:** Es conveniente consumir el pomelo con su fibra rica en *pectina,* que se encuentra sobre todo en la capa blanca que hay debajo de la piel y entre los gajos.

❷ **Zumo (jugo):** Es una buena alternativa al de naranja o limón, o bien mezclándolo con cualesquiera de ellos. Se puede endulzar con miel.

❸ **Cura de pomelos:** Se puede llevar a cabo tanto con el fruto como con su zumo (jugo). Se empieza tomando un pomelo por la mañana en ayunas (fruto fresco o zumo), al día siguiente dos, y así hasta llegar a cinco. Cuando se han alcanzado los cinco diarios, se va rebajando la dosis consumiendo uno menos cada día, hasta llegar a uno. A partir de entonces, se siguen otros cinco días tomando un pomelo cada mañana, hasta completar las *dos semanas* de cura.

Tanto los nutrientes como los componentes no nutritivos del pomelo explican sus aplicaciones medicinales:

• **Arteriosclerosis:** El pomelo ejerce una acción *protectora* sobre las paredes de las arterias. Evita que esas paredes se engruesen y endurezcan debido al depósito de **colesterol** y a su posterior **calcificación,** proceso conocido como arteriosclerosis.

• **Otras afecciones cardiocirculatorias:** El *bajísimo contenido* del pomelo en **sodio** y en **grasa,** así como su *elevada proporción* de **potasio,** lo hace recomendable a todos aquellos que padecen del corazón, especialmente cuando existe **insuficiencia cardíaca**. Los **hipertensos** también deben consumir pomelo abundantemente. El pomelo ejerce un *suave efecto* **diurético,** que contribuye a descongestionar el sistema circulatorio. En estos casos puede tomarse solamente el jugo ❷, aunque si se mastica el fruto con su pulpa ❶ se aprovechan mejor sus propiedades sobre el aparato circulatorio.

• **Exceso de ácido úrico,** en cualesquiera de sus manifestaciones: **gota, artritis úrica, cálculos** o arenillas en la orina, etcétera.

• **Curas depurativas:** siempre que se desee "limpiar la sangre", *favoreciendo* todas las funciones de **desintoxicación** del organismo (especialmente la hepática), se puede tomar un vaso de jugo de pomelo por la mañana en ayunas.

• **Infecciones:** Por su contenido en *vitamina C* y en *flavonoides, estimula* las funciones del **sistema inmunitario** de forma similar a como lo hace la naranja (ver pág. 346).

• **Obesidad:** Por su acción **depurativa y desintoxicante,** es un *buen complemento* en la dieta de cualquiera que desee adelgazar.

• **Protección contra el cáncer:** La acertada *combinación* de **vitamina C, pectina** y *limonoides* en el pomelo, ejerce una *acción preventiva* del cáncer, al impedir la acción de muchas sustancias cancerígenas. El *consumo habitual* del pomelo o de otros cítricos, es una buena forma de prevenir al cáncer (ver pág. 345).

# Calabaza (zapallo)

## Una gran amiga de las arterias

**Especie afín:** *Cucurbita maxima* L. (calabaza confitera).

**Sinonimia hispánica:** *zapallo, chayote, auyama.*

**Descripción:** *Fruto en baya de la calabacera ('Cucurbita pepo' L.), planta herbácea perteneciente a la familia de las Cucurbitáceas.*

## CALABAZA
### composición
por cada 100 g de parte comestible cruda

| | |
|---|---|
| Energía | 26,0 kcal = 109 kj |
| Proteínas | 1,00 g |
| H. de c. | 6,00 g |
| Fibra | 0,500 g |
| Vitamina A | 160 µg ER |
| Vitamina B₁ | 0,050 mg |
| Vitamina B₂ | 0,110 mg |
| Niacina | 0,800 mg EN |
| Vitamina B₆ | 0,061 mg |
| Folatos | 16,2 µg |
| Vitamina B₁₂ | — |
| Vitamina C | 9,00 mg |
| Vitamina E | 1,06 mg EαT |
| Calcio | 21,0 mg |
| Fósforo | 44,0 mg |
| Magnesio | 12,0 mg |
| Hierro | 0,800 mg |
| Potasio | 340 mg |
| Cinc | 0,320 mg |
| Grasa total | 0,100 g |
| Grasa saturada | 0,052 g |
| Colesterol | — |
| Sodio | 1,00 mg |

1%  2%  4%  10%  20%  40%  100%

**% de la CDR (cantidad diaria recomendada)**
cubierta por 100 g de este alimento

**PROPIEDADES E INDICACIONES:** Podría decirse que el notable valor nutritivo de la rojiza pulpa de la calabaza se debe en parte a su composición, pero también a lo que no contiene: Se trata de uno de los alimentos *más bajos* en **grasa** y en **sodio,** dos declarados enemigos de la salud de las arterias y del corazón.

El contenido en nutrientes de la pulpa de la calabaza es muy reducido: 6% de hidratos de carbono, 1% de proteínas y prácticamente nada de grasa. En cambio, destaca por su *riqueza* en **beta-caroteno** (provitamina A) y en minerales como el **potasio** y el **calcio.** Su contenido en **fibra** soluble también es destacable, a lo que se debe su efecto saciante sobre el apetito.

Todas las variedades de calabaza presentan las mismas propiedades hipotensoras, diuréticas, laxantes y preventivas del cáncer; de modo que estas son sus principales indicaciones:

• **Hipertensión arterial:** La calabaza destaca por contener *muy poco* **sodio** *y mucho* **potasio.** Las dietas ricas en sodio favorecen la hipertensión arterial, mientras que una alimentación abundante en potasio actúa como preventiva de la hipertensión y de sus consecuencias negativas (trombosis arterial o apoplejía).[6, 7]

Los hipertensos pueden comer calabaza a diario, en cualesquiera de sus formas, pero teniendo en cuenta de no añadirle sal para no desaprovechar las propiedades de este alimento. Las curas de un día a base de puré de calabaza también son muy recomendables **[❸]**.

## Preparación de la calabaza para ser cocinada

1. Después de **partirla en sectores** o gajos mediante un cuchillo grande, **se eliminan las pepitas** y el interior fibroso con una cuchara.

2. Eliminar la corteza.

3. **Trocearla** según los requerimientos culinarios.

• **Afecciones coronarias y arteriosclerosis:** Los que sufran de **angina de pecho** o los que hayan sufrido un **infarto,** no deberían dejar de tomar calabaza al menos tres veces por semana.

• **Afecciones renales:** La calabaza actúa sobre el riñón como un **diurético** *suave,* aumentando la producción de orina y favoreciendo la eliminación de líquidos del organismo.

• **Afecciones del estómago:** La pulpa de calabaza es capaz de *neutralizar* el exceso de **acidez** en el estómago, debido a su riqueza en sales minerales alcalinas. Además, ejerce una acción **emoliente** (suavizante) y **protectora** sobre la mucosa (capa interna) del estómago. Su consumo, especialmente en forma de puré de calabaza con leche o bebida de soja **[❸]**, se halla especialmente indicado en caso de **acidez** de estómago, **dispepsia** (mala digestión), **pirosis** (acidez de estómago), gastritis, y por supuesto, en la **úlcera** gastroduodenal.

• **Estreñimiento:** La fibra de la calabaza es de tipo soluble y actúa como **laxante** *suave* y *no irritante* sobre el intestino.

• **Prevención del cáncer:** La calabaza contiene tres de las sustancias vegetales de *mayor* acción **anticancerígena** *comprobada:* betacaroteno, vitamina C y fibra vegetal. Por ello, la familia de las **calabazas,** junto con la de las **coles** (ver pág. 186), constituyen los alimentos de *mayor acción* **anticancerígena.**

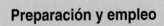

## Preparación y empleo

**❶ Asada al horno:** Se parte por la mitad o en varios rodajas, y se hornea hasta que adquiere un bello color dorado. Se toma con miel o combinada con fruta.

**❷ Cocinada:** Se usa en sopas y guisos.

**❸ Puré:** Después de someterla a cocción, se tritura y se mezcla con leche o bebida de soja. Se puede endulzar al gusto, aunque preferiblemente con miel.

Dioscorea alata L. pH↑

# Ñame

## Nutritivo e hipolipemiante

*Sinonimia hispánica: papa, batata de China, ñame blanco, ñame boniato, tongo, yame.*

### ÑAME
### composición
por cada 100 g de parte comestible cruda

| | |
|---|---|
| Energía | 118 kcal = 494 kj |
| Proteínas | 1,53 g |
| H. de c. | 23,8 g |
| Fibra | 4,10 g |
| Vitamina A | — |
| Vitamina B₁ | 0,112 mg |
| Vitamina B₂ | 0,032 mg |
| Niacina | 0,752 mg EN |
| Vitamina B₆ | 0,293 mg |
| Folatos | 23,0 µg |
| Vitamina B₁₂ | — |
| Vitamina C | 17,1 mg |
| Vitamina E | 0,160 mg EαT |
| Calcio | 17,0 mg |
| Fósforo | 55,0 mg |
| Magnesio | 21,0 mg |
| Hierro | 0,540 mg |
| Potasio | 816 mg |
| Cinc | 0,240 mg |
| Grasa total | 0,170 g |
| Grasa saturada | 0,037 g |
| Colesterol | — |
| Sodio | 9,00 mg |

1%  2%  4%  10%  20%  40%  100%

**% de la CDR** (cantidad diaria recomendada)
cubierta por 100 g de este alimento

*Descripción: Tubérculos de diversas plantas trepadoras del género Dioscorea, especialmente de la 'Dioscorea alata' L., pertenecientes todas ellas a la familia de las Dioscoreáceas. Los diversos tipos de ñame varían en cuanto a su forma, color y tamaño, pero lo habitual es que pesen de 2 a 5 kilos y tengan la carne blanquecina.*

AUNQUE AQUÍ nos vamos a referir al **ñame común** o **blanco,** existen otros muchos tubérculos comestibles a los cuales se les da, asimismo, el nombre de 'ñame':

– Otras especies del género *Dioscorea.*

– La **jícama,** un tubérculo similar al ñame, de la familia de las Convolvuláceas.

– El **taro** y la **tania,** de la familia de las Aráceas, propios del sudeste asiático.

**PROPIEDADES E INDICACIONES:** Tanto el **ñame blanco** o **común,** como los otros tubérculos similares a los que también se denomina ñame, son un alimento habitual en diversas zonas tropicales, debido a su riqueza en **hi-**

# Yuca

### Otro tubérculo nutritivo y saludable

**Nombres científicos:** *Manihot esculenta, Manihot utilissima.*
***Sin.:*** *Mandioca.*

La yuca es el tubérculo de un arbusto que se cultiva en los países tropicales de América, África y Asia. Se consume cocinada como las papas (patatas), y constituye el **alimento básico** para muchos de sus habitantes.

Es **muy rica** en **hidratos de carbono** (25,3%) y en **vitaminas** del grupo **B, vitamina C** (48,2 mg /100 g), **magnesio, potasio, hierro** y **calcio.** No contiene provitamina A ni vitamina $B_{12}$, ni apenas grasa. Tiene efecto **antitiroideo** (frena el tiroides)[8].

*Precaución:* Tanto el **tubérculo** como las **hojas crudas** resultan **tóxicos** por liberar ácido cianhídrico. **Deben ser** lavados en agua y **hervidos,** o bien **desecados,** para hacerlos comestibles.[9]

La **tapioca** es la **harina** que se obtiene de esta y otras especies de yuca o mandioca. Se puede cocinar con leche o con caldo de verduras. Está formada por un 88% de **hidratos de carbono** (fécula o **almidón**), y **muy pocas proteínas** y **grasas.** Es muy fácilmente **digerible** y *rica* en *calorías.* Se recomienda especialmente en caso de:

*Tapioca*

- **Afecciones digestivas:** La harina de tapioca retiene mucha agua debido a su contenido en **mucílagos** (fibra soluble), y es un **gran emoliente** (suavizante) y protector de las mucosas digestivas. Se recomienda en caso de acidez de estómago, gastritis, úlcera gastroduodenal y colitis de todo tipo.

- **Celiaquía:** No contiene nada de gluten.

- **Enfermedades hepáticas:** La tapioca proporciona hidratos de carbono fácilmente asimilables y apenas nada de grasas y proteínas, lo cual contribuye a facilitar la función del hígado.

- **Convalecencia** de enfermedades graves o de intervenciones quirúrgicas y reiniciación de alimentación sólida después de un periodo de ayuno.

## Preparación y empleo

❶ **Crudo:** Aunque el ñame se puede consumir crudo, cuando está tierno *no* es **recomendable,** ya que puede contener pequeñas cantidades de un tipo de toxina que desaparece con el calor. Esta sustancia tóxica se encuentra sobre todo en los ñames silvestres, y provoca trastornos digestivos.

❷ **Cocinado:** Es la forma habitual de consumirlo. Se puede asar al horno, hervir o freír, al igual que la papa o patata. En África occidental se cuecen los ñames para elaborar con ellos una especie de puré muy apreciado.

**dratos de carbono** en forma de **almidón** (23,8%). Sin embargo, a causa de lo laborioso de su cultivo y a ser relativamente *pobre* en **proteínas** (1,53%), el ñame está siendo desplazado progresivamente por la **mandioca dulce** o yuca (ver cuadro superior) y la **batata** o boniato (ver pág. 288).

El ñame es bastante energético (118 kcal /100 g), y contiene una moderada cantidad de vitaminas del grupo B, vitamina C y minerales, entre los que destaca el **potasio** (816 mg /100 g). Sin embargo, carece de provitamina A.

Se ha comprobado[10] que el ñame contiene un esteroide que frena la peroxidación de los lípidos de la sangre (la principal causa de la arteriosclerosis) y tiene una acción **hipolipemiante** (*disminuye* el nivel de **triglicéridos,** un tipo de grasa de la sangre). Todo ello, unido a su escaso aporte de grasas y su riqueza en potasio, lo hace *muy recomendable* en las **afecciones cardiovasculares,** especialmente en la **arteriosclerosis.**

**Fragaria vesca L.** | pH↑ |

# Fresa (frutilla)

## La fruta más antioxidante

**Especies afines:** *Fragaria virginiana* Duch., *Fragaria chiloensis* Duch. (fresones americanos).

***Sinonimia hispánica:*** *frutilla, fraga.*

***Descripción:*** *Falso fruto del fresal ('Fragaria vesca' L. o afines), planta de la familia de las Rosáceas; ya que botánicamente, los frutos son los granitos adheridos a la superficie de la fresa, en cuyo interior se encuentran las semillas.*
*La fresa es en realidad un tipo carnoso de tálamo, órgano que se forma en las flores por la unión entre su parte femenina (gineceo) y la masculina (androceo).*

### FRESAS
### composición
por cada 100 g de parte comestible cruda

| | |
|---|---|
| **Energía** | **30,0 kcal = 127 kj** |
| **Proteínas** | 0,610 g |
| **H. de c.** | 4,72 g |
| **Fibra** | 2,30 g |
| **Vitamina A** | 3,00 µg ER |
| **Vitamina B₁** | 0,020 mg |
| **Vitamina B₂** | 0,066 mg |
| **Niacina** | 0,347 mg EN |
| **Vitamina B₆** | 0,059 mg |
| **Folatos** | 17,7 µg |
| **Vitamina B₁₂** | — |
| **Vitamina C** | **56,7 mg** |
| **Vitamina E** | 0,140 mg EαT |
| **Calcio** | 14,0 mg |
| **Fósforo** | 19,0 mg |
| **Magnesio** | 10,0 mg |
| **Hierro** | 0,380 mg |
| **Potasio** | **166 mg** |
| **Cinc** | 0,130 mg |
| **Grasa total** | 0,370 g |
| **Grasa saturada** | 0,020 g |
| **Colesterol** | — |
| **Sodio** | 1,00 mg |

1%  2%  4%  10%  20%  40%  100%

**% de la CDR (cantidad diaria recomendada)**
cubierta por 100 g de este alimento

LAS FRESAS que hoy se cultivan en todo el mundo son un buen ejemplo de acertada simbiosis entre los dos mundos de uno y otro lado del Atlántico. Los exploradores europeos introdujeron en su continente variedades de fresal americano, y lo hibridaron con las variedades del viejo mundo.

La fresa europea es más pequeña y delicada, pero también más aromática; por el contrario, la fresa americana, conocida también como **FRESÓN,** es más grande y resistente, aunque menos dulce y sabrosa.

**PROPIEDADES E INDICACIONES:** La fresa es una de las frutas *más bajas* en **calorías** (30 kcal /100 g), por debajo incluso del melón (35 kcal) o la sandía (32 kcal). Su contenido en *proteínas, grasas* y *sodio* es también *muy bajo*.

Los *nutrientes* más importantes de las fresa son los azúcares, con una cantidad moderada que apenas llega al 5% de su peso, la vitamina C, los folatos, el potasio y el hierro.

El color de la fresa es debido a unos pigmentos vegetales conocidos como *ANTOCIANINAS,* similares a los *bioflavonoides.* Las antocianinas presentes en ciertas frutas como la fresa, actúan como *poderosos* **antioxidantes**, además de reducir la síntesis de colesterol en el hígado.

En una investigación llevada a cabo en la Universidad Tufts de Boston (EE. UU.), se comprobó que las fresas son la fruta con *mayor capacidad* **antioxidante,**[11] seguidas por las ciruelas, las naranjas y la uva. El efecto antioxidante de la fruta se valoró por su capacidad para neutralizar *RADICALES LIBRES* oxidantes.

La *acción* **antioxidante** de las fresas se debe *principalmente* a su contenido en vitamina C, en bioflavonoides y en antocianinas.

La composición de las fresas, así como sus acciones antioxidante y alcalinizante, las hacen especialmente indicadas en los siguientes casos:

• **Arteriosclerosis:** Las fresas, al poseer esa *gran capacidad* **antioxidante,** gracias a la cual *neutralizan* el efecto de los **radicales libres,** constituyen un medio eficaz para evitar la arteriosclerosis (depósito de colesterol en las paredes de las arterias, con posterior endurecimiento y estrechamiento). A ello contribuye además su *carencia* en **grasa** y en **sodio,** los dos principales enemigos de la salud arterial, así como su *riqueza* en **potasio,** mineral que evita la hipertensión arterial.

El consumo habitual de fresas durante la primavera y primeros meses del verano contribuye a prevenir la arteriosclerosis y a evitar su progresión. No deben faltar en la dieta de los que han sufrido un **infarto** de miocardio o padecen de **angina de pecho,** así como cuando hay **falta de riego** en las arterias cerebrales o en las de los miembros inferiores.

*Las fresas convienen especialmente a quienes deseen mejorar la circulación sanguínea en sus arterias.*

• **Exceso de ácido úrico:** Las fresas son **diuréticas** (aumentan la producción de orina) y facilitan la eliminación de ácido úrico con la orina, debido a su efecto alcalinizante. Por ello se recomiendan en caso de gota y de artritis úrica.

• **Estreñimiento:** Debido a su riqueza en *fibra* vegetal de tipo soluble, las fresas facilitan el tránsito intestinal. Las fresas *descongestionan* la **circulación venosa** en el sistema portal (venas del vientre), por lo que convienen en caso de **hemorroides, ascitis** (líquido en el abdomen) y afecciones hepáticas como la **hepatitis** crónica y la cirrosis.

• **Cáncer:** Debido a su acción antioxidante.

## Preparación y empleo

❶ **Frescas:** Las fresas frescas conviene lavarlas justo antes de ser consumidas. Combinan bien con la manzana, con el jugo de naranja, con los cereales y con el yogur.

❷ **Batido** de fresas: Se prepara triturándolas junto con zumo de naranja, leche descremada o de soja.

❸ **Mermeladas y compotas:** Conservan casi todos los nutrientes y principios activos de las fresas frescas, aunque pierden vitamina C.

Constituyen una forma de consumirlas fuera de su temporada de cosecha, con el inconveniente, sin embargo, de su elevado contenido en azúcar (un 50%).

❹ **Congeladas:** Son cada vez más populares; ya que de este modo se hallan disponibles todo el año y prácticamente en todas partes. Congeladas, las fresas suelen contener menos azúcar que en mermeladas (0%-20%), y conservan mejor sus nutrientes y principios activos, la vitamina C inclusive.

**Helianthus annuus L.**

# Semilla de girasol

## Combate la arteriosclerosis

**Sinonimia hispánica:** *pipas, flor de sol, maravilla, mirasol, mirabel, tornasol, trompeta de amor, acahual, chimalte, maíz de Texas, maíz meco.*

**Descripción:** *Semillas del girasol ('Helianthus annuus' L.), planta anual de la familia de las Solanáceas Compuestas que alcanza hasta 2 m de altura.*

### SEMILLAS DE GIRASOL
#### composición
por cada 100 g de parte comestible cruda

| | |
|---|---|
| Energía | 570 kcal = 2386 kj |
| Proteínas | 22,8 g |
| H. de c. | 8,26 g |
| Fibra | 10,5 g |
| Vitamina A | 5,00 µg ER |
| Vitamina B$_1$ | 2,29 mg |
| Vitamina B$_2$ | 0,250 mg |
| Niacina | 10,3 mg EN |
| Vitamina B$_6$ | 0,770 mg |
| Folatos | 227 µg |
| Vitamina B$_{12}$ | — |
| Vitamina C | 1,40 mg |
| Vitamina E | 50,3 mg EαT |
| Calcio | 116 mg |
| Fósforo | 705 mg |
| Magnesio | 354 mg |
| Hierro | 6,77 mg |
| Potasio | 689 mg |
| Cinc | 5,06 mg |
| Grasa total | 49,6 g |
| Grasa saturada | 5,20 g |
| Colesterol | — |
| Sodio | 3,00 mg |

1%  2%  4%  10%  20% 40%  100% 200% 500%
**% de la CDR (cantidad diaria recomendada)**
cubierta por 100 g de este alimento

**PROPIEDADES E INDICACIONES:** La pipa o semilla de girasol contiene hasta un 49,6% de **grasas,** de las que se obtiene un *excelente aceite* culinario; un 22,8% de **proteínas,** cantidad muy similar a la de la carne; y hasta un 8,3% de **hidratos de carbono.**

En cuanto a vitaminas, carecen prácticamente de la A y la C, pero las pipas de girasol son uno de los alimentos *más ricos* en **vitamina E** (el doble que las almendras, ver pág. 58) y **vitamina B$_1$** (superadas solo por la levadura de cerveza, y el germen de trigo, ver pág. 296).

Son *muy ricas* en minerales tales como el **magnesio, hierro** (6,8 mg/100 g, igual que las lentejas, ver pág. 130), **fósforo y calcio.**

Como puede deducirse de su composición, se trata de uno de los alimentos *más concentrados* en **nutrientes** de cuantos nos ofrece la naturaleza, especialmente en grasas, minerales y vitaminas $B_1$ y E. Sin embargo, a pesar de esa gran riqueza nutritiva, las pipas son *fácilmente* **digeribles,** siempre que se las mastique bien.

El consumo habitual de pipas (por supuesto, sin sal), resulta especialmente indicado en los siguientes casos:

• **Arteriosclerosis y afecciones cardíacas:** Los ***ácidos grasos esenciales*** de las pipas (*especialmente* el **linoleico**) impiden el progreso de la arteriosclerosis, al disminuir el nivel de colesterol en la sangre.

La ***VITAMINA E*** que las pipas contienen en abundancia es un *poderoso* **antioxidante,** que evita el deterioro de las arterias. También *disminuye* la **agregabilidad plaquetaria** y ejerce una acción *preventiva* contra la **trombosis** y el **infarto de miocardio**.[12, 13]

• **Exceso de colesterol:** El consumo de pipas, *especialmente* cuando *sustituye* al de *otros* **alimentos grasos** o ricos en calorías, ejerce un notable efecto reductor del nivel de colesterol.[14] Este mismo efecto se produce consumiendo aceite de girasol.

• **Afecciones de la piel y sus anejos:** El *ácido linoleico* y también la ***vitamina E,*** au-

Las humildes pipas de girasol son especialmente ricas en ácido linoleico y en vitaminas $B_1$ y E. De ahí su gran utilidad en caso de arteriosclerosis o de exceso de colesterol.

mentan la elasticidad de la piel, protegiendo a las células *contra* los efectos del **envejecimiento** (acción antioxidante). El consumo de pipas de girasol se recomienda en caso de **eccemas,** piel **agrietada o reseca y dermatitis** en general; *fortalece* las **uñas** y el **cabello,** logrando *reducir* el número de **canas.**

• **Afecciones nerviosas:** Las pipas de girasol contienen tanta ***vitamina B₁*** como el germen de trigo (ver pág. 296), Aquellos que padecen de **estrés, depresión, insomnio** o **nerviosismo,** encontrarán una buena ayuda en estas humildes semillas.

• **Diabetes:** Las semillas de girasol son muy bien toleradas por los diabéticos, y constituyen un alimento nutritivo que no debería faltar en su dieta.

• **Aumento de las necesidades nutritivas:** Las pipas de girasol constituyen un alimento *muy rico* en **calorías** y en **nutrientes esenciales,** apropiado para mujeres **embarazadas** o que **lactan, deportistas, anémicos, desnutridos, convalecientes** de enfermedades debilitantes, y en general, todos aquellos que necesitan un mayor aporte nutritivo.

• **Afecciones cancerosas:** Son numerosas las investigaciones tanto de carácter epidemiológico como experimental, en las que se ha demostrado que la ***vitamina E*** ejerce una acción *preventiva* del cáncer, y posiblemente *curativa* en ciertos casos.

## Preparación y empleo

❶ **Crudas:** Después de haberlas secado durante unos días extendidas sobre una superficie lisa, es la mejor forma de consumir las semillas de girasol.

❷ **Tostadas:** Son más sabrosas, aunque si el tiempo de tostado es largo, se pierden parte de sus propiedades.

❸ **Trituradas y en puré:** Una vez quitada la cáscara, se trituran las semillas hasta formar una pasta homogénea. Es la forma ideal para niños, ancianos y personas con dentadura deteriorada.

# Aguacate (palta)

## Reduce el colesterol y combate la anemia

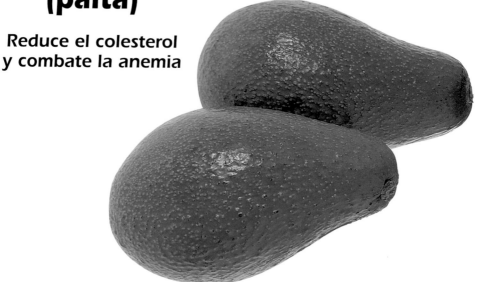

**AGUACATE
composición**

por cada 100 g de parte comestible cruda

| | |
|---|---|
| **Energía** | **161 kcal = 674 kj** |
| **Proteínas** | **1,98 g** |
| **H. de c.** | **2,39 g** |
| **Fibra** | **5,00 g** |
| **Vitamina A** | **61,0 µg ER** |
| **Vitamina B₁** | **0,108 mg** |
| **Vitamina B₂** | **0,122 mg** |
| **Niacina** | **2,27 mg EN** |
| **Vitamina B₆** | **0,500 mg** |
| **Folatos** | **61,9 µg** |
| **Vitamina B₁₂** | **—** |
| **Vitamina C** | **7,90 mg** |
| **Vitamina E** | **2,30 mg EαT** |
| **Calcio** | **11,0 mg** |
| **Fósforo** | **41,0 mg** |
| **Magnesio** | **39,0 mg** |
| **Hierro** | **1,02 mg** |
| **Potasio** | **599 mg** |
| **Cinc** | **0,420 mg** |
| *Grasa total* | *15,3 g* |
| *Grasa saturada* | *2,44 g* |
| *Colesterol* | *—* |
| *Sodio* | *10,0 mg* |

1%  2%  4%  10%  20%  40%  100%

**% de la CDR (cantidad diaria recomendada)**
cubierta por 100 g de este alimento

**Sinonimia científica:** *Persea gratissima* Gaertn.

*Sinonimia hispánica: palta, avocado, pagua, cura.*

***Descripción:*** *Fruto del aguacate ('Persea americana' Miller), árbol de hoja perenne de la familia de las Lauráceas de hasta 16 m de altura.*

**PROPIEDADES E INDICACIONES:** Hay varios aspectos que destacan en su composición:[15]

✓ ***Agua:*** Contiene una proporción *muy escasa* (74,2% o menos), para lo que suele ser habitual en los frutos frescos. Además de la aceituna y el plátano, no existe ningún otro fruto que presente un contenido tan bajo de agua. Esto indica que se trata de un fruto concentrado, con una *gran capacidad* **nutritiva y calórica,** que según variedades, puede llegar a las 200 kcal/100 g de parte comestible.

✓ ***Grasas:*** Junto con la aceituna, el aguacate es uno de los frutos *más ricos* en grasas (hasta un 20% según las variedades).

La composición de las grasas del aguacate es la siguiente:

– Lípidos neutros o **glicéridos,** formados por la unión de una molécula de glicerina con una, dos o tres de ácidos grasos, llamándose mono, di y triglicéridos respectivamente. Estos últimos son los más frecuentes, con diferencia notable respecto a los otros dos tipos de grasas. El ácido graso *más abundante* es el **oleico,** el mismo que se encuentra en la aceituna y en el aceite de oliva.

– **Fosfolípidos:** Son grasas que contienen fósforo en su molécula. Realizan funciones muy importantes en los tejidos del sistema nervioso.

– **Ácidos grasos libres,** es decir, no unidos a la glicerina. Se hallan en muy pequeña cantidad, y son responsables en parte del aroma típico del fruto.

Como puede verse, las **grasas** del aguacate son de *elevado* **valor biológico,** *mayormente* **insaturadas,** y por supuesto, *no* contienen **colesterol** como corresponde a un alimento de origen vegetal.

✓ **Proteínas:** El aguacate es uno de los frutos frescos *más ricos* en **proteínas,** que según la variedad, alcanzan el 2% de su peso. Contienen todos los **aminoácidos esenciales,**[16] aunque su proporción no es la óptima, como suele ocurrir con los alimentos vegetales, a excepción de la soja (ver pág. 254). A pesar de esto, las proteínas del aguacate son de un *gran valor,* tanto en cantidad como en calidad; valor que aumenta si se combinan con otras proteínas vegetales gracias al fenómeno de la **suplementación.**

✓ **Vitamina E:** Con sus 2,3 mg por 100 g de EαT (equivalente *alfa*-tocoferol), el aguacate es la **fruta** fresca *más rica* en esta vitamina. Ningún alimento de origen animal alcanza esta cantidad, ni siquiera los huevos (1,05 mg EαT) o la mantequilla (1,58 mg EαT). Entre los vegetales, los **frutos secos** oleaginosos, el **germen de trigo** y las **aceitunas** superan al aguacate en vitamina E.

Esta importante vitamina no solo favorece las funciones reproductoras, sino que por ser un *potente* **antioxidante,** *protege* contra el **cáncer** y contra el **envejecimiento** de las células.

✓ **Vitamina B6:** El aguacate es, junto al plátano, el **fruto** fresco *más rico* en esta vitamina: 0,5 mg/100 g, cantidad superior incluso a la de la carne de ternera, que tiene 0,37 mg/100 g.

✓ **Hierro:** El aguacate es una de las **frutas** frescas con un *mayor contenido* en hierro (1,02 mg/100 g), superior al de todas las frutas frescas.

Del estudio de la composición del aguacate se deduce que se trata de una de las frutas *más* ***nutritivas*** que existen. Unido esto a su delicado sabor y a su versatilidad culinaria, se explica el papel tan importante que desempeñó en la alimentación de los pueblos americanos precolombinos, para quienes constituía un *sustitutivo* de la **carne.**

## Preparación y empleo

❶ **Fresco:** El aguacate no es una fruta en el sentido culinario de la palabra, pues carece del dulzor y de la acidez características de las frutas. Gracias a esto, combina muy bien con todo tipo de ensaladas y platos, tanto en dulce como salado.

Se consume preferentemente crudo, habitualmente aliñado con limón, que además evita que adquiera un color pardo oscuro debido a la oxidación de las sales de hierro que contiene. Untado sobre el pan, sustituye con ventaja a la mantequilla o margarina.

❷ **Guacamole:** Aunque existen varias recetas, el auténtico guacamole mexicano se prepara con la pulpa del aguacate machacada, cebolla picada, zumo de limón, sal y chile (pimiento picante).

El aguacate es uno de los frutos frescos más ricos en grasas de gran valor nutritivo, proteínas, vitaminas E y B₆ y hierro, así como en fibra vegetal. Combina muy bien con todo tipo de ensaladas y platos de hortalizas.
Cuando se emplea aguacate en lugar de queso en las ensaladas, se reduce significativamente el aporte de calorías, de grasa saturada, de colesterol y de sodio.

✓ **Fibra:** Con su 5% o más, el aguacate es el fruto fresco más rico en fibra.

En nuestros días, el aguacate está considerado como uno de los frutos más apreciados, tanto por su valor nutritivo, como por sus propiedades dietoterápicas. El consumo de aguacate se recomienda especialmente en los siguientes casos:

• **Exceso de colesterol:** Desde 1960 se conoce el hecho paradójico de que el consumo de aguacate, tan rico en grasas, produce una *disminución* en el nivel de colesterol de la sangre. Los primeros estudios fueron realizados por Grant,[17] alimentando a 16 varones de 27 a 72 años con cantidades variables de aguacate (de medio a uno y medio al día). La mitad de ellos mostró una disminución en el nivel de colesterol entre el 8,7% y el 42,8%. En ningún caso se produjo aumento.

Más recientemente, en 1992, se llevó a cabo otro estudio similar en el Hospital General de Morelia (México).[18] La dieta suministrada en este caso contenía un 30% de calorías en forma de grasa, de la que el 75% procedía del aguacate. Después de dos semanas, se produjo una *reducción* significativa en el nivel de **colesterol,** a expensas de su fracción LDL (colesterol unido a las lipoproteínas de baja densidad, llamado vulgarmente colesterol nocivo), así como un *descenso* en el nivel plasmático de **triglicéridos** (uno de los tipos de grasa que circulan por la sangre, ver pág. 275).

Es curioso, y casi paradójico, que siendo el aguacate uno de los frutos más ricos en triglicéridos, su consumo disminuya el nivel de este tipo de grasa en la sangre. Estas son las agradables sorpresas que nos proporcionan los alimentos vegetales.

La **acción hipolipemiante** (de disminución del nivel de grasa de la sangre) del aguacate se debe posiblemente a la equilibrada composición de sus ácidos grasos, así como su *gran riqueza en **fibra*** vegetal, aunque quizá existan otras razones desconocidas hasta ahora.

Por todo ello, el consumo habitual de aguacate es *muy recomendable* a los que padecen de exceso de colesterol o de triglicéridos en la sangre, así como de cualquier otro tipo de hiperlipemia (aumento de las grasas en la sangre).

• **Trastornos circulatorios:** El aguacate es un alimento *sumamente aconsejable* en caso de **arteriosclerosis, hipertensión** arterial y enfermedades del **corazón** en general. Ello se debe a que, además de su interesante acción hipolipemiante (disminuye la grasa de la sangre), contiene muy *poco **sodio*** y *abundante **potasio***.

• **Anemia:** El *hierro* del aguacate se asimila relativamente bien, por lo que su consumo conviene en todos aquellos casos en los que se precisa un mayor aporte de hierro, como la **adolescencia** (especialmente las muchachas), y el **embarazo.**

La fibra soluble es más eficaz contra el colesterol, y la insoluble, presenta un mayor efecto laxante.

En cuanto a componentes no nutritivos, la pera contiene una menor proporción de **ácidos orgánicos** que la manzana, y algo más de **taninos,** de efecto absorbente y antiinflamatorio.

La pera es diurética, remineralizante, suavemente astringente y refrescante. Esta son sus principales indicaciones:

• **Hipertensión arterial:** Es conocido desde antiguo el efecto hipotensor de la pera, atribuido a su acción estimulante de la diuresis. Hoy sabemos además que la pera no contiene *nada* de **sodio,** mineral que tiene la propiedad de retener agua en el organismo, aumentando así el volumen, y por lo tanto la presión de la sangre.

Además, la pera es *muy rica* en **potasio,** mineral que *ejerce un efecto* contrario al del sodio. Hay estudios[22] que demuestran que a *mayor ingesta de* **potasio,** *menor riesgo* de padecer **hipertensión** arterial. Cada vez hay más estudios que relacionan el tipo de alimentación con la hipertensión arterial de causa aparentemente desconocida.

La pera es una fruta muy suculenta, que calma la sed mejor que los helados. Además, facilita la diuresis (producción de orina) y evita la hipertensión.

## Preparación y empleo

❶ **Cruda:** Conviene masticarla bien, especialmente las que presentan una pulpa dura o con textura arenosa. Generalmente recomendamos que las frutas se coman peladas (debido a los contaminantes que suele haber en la piel). Sin embargo, en el caso de la pera es conveniente comer también su piel, pues así se obtiene un mayor efecto diurético. Por supuesto que debe lavarse bien, y a ser posible, proceder de cultivo biológico.

❷ **Cocinada:** Así la pera resulta de más fácil digestión a quienes tienen el aparato digestivo debilitado. El inconveniente es que, al someterla a cocción, se pierden la mayor parte de sus vitaminas, aunque no los azúcares y minerales.

❸ **Compotas y mermeladas.**

• **Insuficiencia renal:** La pera activa la función de los riñones, y constituye una fruta muy recomendable en caso de insuficiencia renal debida a nefritis o nefrosis.

Se recomienda un *consumo* de peras *abundante* en caso de **edemas** (retención de líquidos), tanto de causa cardíaca como renal.

• **Exceso de ácido úrico:** La pera favorece la eliminación de ácido úrico y otras sustancias nitrogenadas con la orina. Ejerce un efecto **alcalinizante** de la sangre, lo cual resulta favorable en las dietas depurativas, para neutralizar el exceso de residuos ácidos producidos por una alimentación rica en carnes.

• **Obesidad:** La pera no debe faltar en los regímenes adelgazantes, por su suave acción diurética y su efecto depurativo.

• **Afecciones digestivas:** La pera es de fácil y rápida digestión, cuando el fruto está tierno y bien maduro. Se han hecho experiencias que muestran que a los 90 minutos de haberla ingerido, ya ha sido digerida y ha llegado al intestino grueso. Ejerce una *suave* acción **astringente,** *y combate* la **putrefacción y flatulencias** intestinales propias de la colitis (inflamación del intestino grueso) y de la dispepsia intestinal (mala digestión a nivel intestinal).

# Guayaba

## Reduce la hipertensión y el colesterol

**Sinonimia hispánica:** *guava, arrayán, arrayana, luma, hurapo, piche, sahuinto.*

**Descripción:** *Fruto del guayabo ('Psidium guajaba' L.), árbol de la familia de las Mirtáceas que alcanza hasta 6 m de altura.*

### GUAYABA
### composición
por cada 100 g de parte comestible cruda

| | |
|---|---|
| Energía | 51,0 kcal = 211 kj |
| Proteínas | 0,820 g |
| H. de c. | 6,48 g |
| Fibra | 5,40 g |
| Vitamina A | 79,0 µg ER |
| Vitamina B₁ | 0,050 mg |
| Vitamina B₂ | 0,050 mg |
| Niacina | 1,32 mg EN |
| Vitamina B₆ | 0,143 mg |
| Folatos | 14,0 µg |
| Vitamina B₁₂ | — |
| Vitamina C | 184 mg |
| Vitamina E | 1,12 mg EαT |
| Calcio | 20,0 mg |
| Fósforo | 25,0 mg |
| Magnesio | 10,0 mg |
| Hierro | 0,310 mg |
| Potasio | 284 mg |
| Cinc | 0,230 mg |
| Grasa total | 0,600 g |
| Grasa saturada | 0,172 g |
| Colesterol | — |
| Sodio | 3,00 mg |

1%  2%  4%  10%  20% 40%  100% 200% 500%
**% de la CDR** (cantidad diaria recomendada)
cubierta por 100 g de este alimento

**PROPIEDADES E INDICACIONES:** La pulpa de la guayaba es *pobre* en **proteínas, grasas** (menos del 1% de ambas) e **hidratos de carbono** (6%), pero destaca por su contenido de:

✓ **Vitamina C:** Con sus 183 mg/100 g, la guayaba es una de las frutas *más ricas* en esta vitamina. Solamente la acerola (ver pág. 354) y el escaramujo la superan. La guayaba contiene también pequeñas cantidades de **ácidos** orgánicos como el **cítrico** y el **málico,** que *favorecen* la *absorción* de la **vitamina C** y le otorgan su típico sabor ácido.

✓ **Carotenoides:** Son sustancias que en el organismo se transforman en vitamina A, y que ejercen una *poderosa acción* **antioxidante** en nuestras células. La riqueza en carotenoides de la guayaba es de 79 µg ER, lo cual significa que 100 g de pulpa aportan el 8% de las necesidades diarias de vitamina A. Las variedades con pulpa de color rojizo son más ricas en caroteno, y contienen **licopeno,** el mismo carotenoide que se encuentra en los tomates.

✓ *Fibra vegetal:* La mayor parte del 5,4% de fibra que contiene la pulpa de la guayaba, es de tipo soluble, compuesta por **pectina** y **mucílagos.**

La guayaba contiene además cantidades significativas de vitaminas del grupo B (excepto la B12), vitamina E, así como calcio, fósforo, magnesio y hierro. El mineral más abundante es el potasio. La guayaba es *relativamente rica* en **oligoelementos** como el cinc, el cobre y el manganeso.

Las aplicaciones medicinales de la guayaba son las siguientes:

• **Hipertensión:** En una investigación realizada en la India y publicada en el *American Journal of Cardiology* (Revista Americana de Cardiología),[20] se puso manifiesto que al añadir unas guayabas cada día a la dieta habitual, la tensión arterial de 61 voluntarios hipertensos descendió un promedio de 9 mm de mercurio la sistólica, y de 8 mm la diastólica (equivale a pasar de 150/90 mm de mercurio a 141/82). Estos resultados se obtuvieron tras tres meses de consumir habitualmente guayabas, y aunque no son espectaculares, aportan un elemento más en el tratamiento de la hipertensión.

No se sabe con certeza a qué componente de la guayaba se puede atribuir su suave efecto hipotensor, aunque sin duda influye el hecho de que

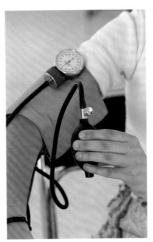

La guayaba hace descender la presión arterial, el nivel de colesterol y de grasa en la sangre; además, neutraliza los efectos de la nicotina por su riqueza en vitamina C. Una sola guayaba, que puede pesar unos 100 g, cubre por sí sola el triple de las necesidades diarias de vitamina C de un adulto.

es muy *baja* en **sodio** y *abundante* en **potasio** y en **fibra** vegetal.

• **Exceso de colesterol:** En este mismo experimento,[23] se produjo una reducción del 9,9% en el colesterol total y del 7,7% en el nivel de triglicéridos (ver pág. 275) de la sangre. Este efecto hipolipemiante de la guayaba se debe a su *riqueza* en **fibra** de tipo soluble *(pectina),* que "barre" el intestino y facilita la eliminación con las heces del colesterol, y de las sales biliares a partir de las cuales se sintetiza.

• **Arteriosclerosis:** La guayaba es una fruta ideal para mantener las arterias en buena salud, pues su consumo *previene* contra los factores de riesgo causantes de la arteriosclerosis: la **hipertensión** y el exceso de **colesterol.**

• **Tabaquismo:** Es otro factor importante en el endurecimiento de las arterias. La *gran cantidad de* **vitamina C** que se encuentra en la guayaba es de *gran ayuda* para los que están siguiendo una cura de **desintoxicación** tabáquica, ya que esta vitamina actúa como un *antagonista* de la **nicotina.** Dos o tres guayabas diarias constituyen un postre recomendado para los que están dejando de fumar.

• **Agotamiento físico:** La guayaba tiene efectos **tonificantes** sobre el organismo. Su uso se recomienda, además del tratamiento causal específico, en la convalecencia de enfermedades infecciosas y en caso de debilidad y cansancio provocado por enfermedades crónicas.

---

## Preparación y empleo

❶ **Fresca:** La parte interior de la guayaba, donde se encuentran las semillas, debe masticarse bien o pasarse por un pasapuré. La parte externa del fruto carece de semillas y es más suave. Los frutos demasiado maduros pierden vitamina C y fibra.

❷ **Productos elaborados:** Con la guayaba se producen deliciosos jarabes, jaleas y mermeladas.

❸ **Goiabada:** Producto típico brasileño que se obtiene añadiendo azúcar a la pulpa de guayaba, y luego se procede a su concentración por calentamiento. Se parece al dulce de membrillo.

# Centeno

## Otorga flexibilidad a las arterias

**Sinonimia hispánica:** *anigo, añai.*

**Descripción:** *Fruto en grano de la planta del centeno ('Secale cereale' L.), herbácea de la familia de las Gramíneas. Se cree que el centeno deriva de la cizaña, una gramínea considerada como mala hierba en los cultivos de trigo y cebada.*

## CENTENO
### composición
por cada 100 g de parte comestible cruda

| | |
|---|---|
| Energía | 335 kcal = 1403 kj |
| Proteínas | 14,8 g |
| H. de c. | 55,2 g |
| Fibra | 14,6 g |
| Vitamina A | — |
| Vitamina B$_1$ | 0,316 mg |
| Vitamina B$_2$ | 0,251 mg |
| Niacina | 6,84 mg EN |
| Vitamina B$_6$ | 0,294 mg |
| Folatos | 60,0 µg |
| Vitamina B$_{12}$ | — |
| Vitamina C | — |
| Vitamina E | 1,87 mg E$\alpha$T |
| Calcio | 33,0 mg |
| Fósforo | 374 mg |
| Magnesio | 121 mg |
| Hierro | 2,67 mg |
| Potasio | 264 mg |
| Cinc | 3,73 mg |
| Grasa total | 2,50 g |
| Grasa saturada | 0,287 g |
| Colesterol | — |
| Sodio | 6,00 mg |

1%  2%  4%  10%  20%  40%  100%

**% de la CDR** (cantidad diaria recomendada)
cubierta por 100 g de este alimento

**PROPIEDADES E INDICACIONES:** El centeno tiene una composición similar a la del trigo, aunque contiene más proteínas y fibra. Su aporte de energía es de 331 kcal/100 g, también próximo al de trigo (335 kcal/100 g).

Aunque carece de provitamina A, y de vitaminas C y B$_{12}$ como todos los cereales, contiene una buena proporción de los restantes nutrientes. La excepción son las grasas y el calcio, que no son tan abundantes como los otros:

✓ **Hidratos de carbono:** Forman la mayor parte del grano (55,2%), con el almidón como su principal constituyente. En el centeno, más que en otros cereales, los gránulos de almidón están encerrados en una fina trama de celulosa. Esto hace que su digestión intestinal sea lenta, con lo cual las moléculas de glucosa que lo forman se liberan poco a poco. De esta forma, el centeno no provoca aumentos bruscos en el nivel de glucosa de la sangre, sacia bastante y es muy bien tolerado por los diabéticos.

✓ **Proteínas:** Es bastante rico en proteínas (14,8%); por ejemplo, más que el trigo (10,4%), aunque contiene menos cantidad de gluteína y gliadina, proteínas que forman el gluten. Por ello, el pan de centeno es menos esponjoso que el de trigo.

✓ *Vitaminas:* El centeno es una buena fuente de vitaminas $B_1$, $B_2$, $B_6$, E, niacina y folatos. Al carecer de provitamina A y de vitamina C, es bueno combinarlos con frutas y hortalizas frescas, ricas en estas vitaminas.

✓ *Minerales:* Es bastante rico en fósforo, magnesio, hierro, así como en cinc, selenio y otros oligoelementos. Sin embargo, resulta pobre en calcio. Esta es otra buena razón para comerlo con leche o productos lácteos.

Con 100 g de centeno se satisface más de la *cuarta parte* de las necesidades diarias de **hierro,** y más de la *tercera parte* de las de **magnesio.** Todo ello sin *apenas* contenido de **sodio.**

El centeno es un cereal tanto o más nutritivo que el trigo, aunque no tan fácil de digerir. Su consumo se recomienda especialmente en los siguientes casos:

• **Arteriosclerosis y afecciones coronarias:** El centeno otorga elasticidad a las paredes arteriales, fluidifica la sangre y favorece la circulación.

El 'pumpernickel' es un pan de centeno integral típico de Alemania, muy rico en vitaminas del grupo B y en celulosa.

En realidad, este efecto preventivo sobre la degeneración de las arterias es común a todos los cereales integrales,[21] aunque parece ser que el centeno lo ejerce con mayor intensidad.

Su contenido en **antioxidantes** como la *vitamina E* y el selenio, así como su riqueza en *fibra* celulósica, explican en parte esta propiedad.

Los que padecen de arteriosclerosis en cualesquiera de sus localizaciones, especialmente la coronaria, que se manifiesta como angina de pecho o infarto de miocardio, se beneficiarán del consumo regular de centeno.

• **Hipertensión arterial:** Por su acción favorable sobre las arterias, y por su *bajo* contenido en *sodio,* conviene también a los que padecen de hipertensión. Si el centeno se consume en forma de pan, es preferible que no contenga sal añadida.

• **Estreñimiento:** La riqueza del centeno en *fibra* celulósica, mayormente insoluble, lo hace útil en la dieta de los estreñidos.

• *Prevención* del **cáncer de colon:** Además de evitar el estreñimiento, que ya es un factor de riesgo para el cáncer de colon, se ha comprobado que el pan de centeno reduce más que ningún otro la concentración de los ácidos biliares litocólico y de-soxicólico en el intestino.[24] Estos ácidos, que se eliminan con la bilis, actúan como cancerígenos sobre la mucosa intestinal, y además potencian la acción de otros inductores del cáncer que pudiera haber en el intestino, procedentes especialmente de la carne.

De esta forma, *el consumo habitual* de centeno conviene a los que tengan un riesgo elevado de padecer cáncer de colon, así como a los que ya han sido operados, para evitar las recidivas.

## Preparación y empleo

❶ **Granos enteros:** Aunque su cáscara (salvado) es muy dura, se pueden comer en forma de copos, o puestos a remojo en crudo, formando parte del muesli.

❷ **Cocinados:** Tras tenerlos unas horas a remojo, se cuecen como el arroz. Se recomienda la olla a presión, para evitar que queden duros.

❸ **Harina:** No es tan rica en gluten como la del trigo, pero aun así, es panificable. El pan de centeno es más denso que el de trigo, ya que al tener menos gluten, la masa sube menos. Normalmente la harina de centeno se mezcla con la de trigo.

❹ **Galletas de centeno:** Son crujientes, ligeras y muy apetitosas; típicas de Alemania y países escandinavos.

# Alimentos para la sangre

**L**A MAYOR **parte** del *hierro* que se ingiere con la alimentación se encuentra en forma de sales férricas (*hierro no hem*), y procede de las frutas, los cereales, las hortalizas y los huevos. Sin embargo, esta forma química de hierro se absorbe relativamente mal en el intestino. El hierro de la carne y del pescado, llamado **hierro hem,** se absorbe mejor.

Numerosos experimentos han demostrado que la *vitamina C,* especialmente en forma de zumo de limón, puede *duplicar* e incluso *triplicar* la **absorción** de *hierro no hem* en el intestino.[1] De esta forma, se llega *incluso* a **compensar** el *efecto negativo* que el **fitato** (componente del salvado) o los polifenoles (**taninos**) ejercen sobre la absorción de hierro.[2]

La *mayor parte* de los casos de **anemia** están causados por una *falta* de **hierro,** necesario junto con el **ácido fólico** y la **vitamina B12** para que el organismo produzca **hematíes** (glóbulos rojos). Por lo tanto, el uso de **limón** acompañando a los alimentos **vegetales** *ricos* en **hierro,** tales como las legumbres (alubias, lentejas, soja y derivados), ciertas verduras (espinacas, puerros) o los cereales (trigo, arroz), **aumenta** *considerablemente* el **aprovechamiento** de este importante mineral.

Actualmente se recomienda que *cada comida* contenga, al menos 25 mg de *vitamina C,* por su efecto favorable sobre la absorción de hierro.[3] El zumo de medio limón aporta esta cantidad de vitamina C.

La carne no es imprescindible para la formación de sangre. Con alimentos de origen vegetal se puede obtener una sangre de mejor calidad que con los de origen animal.

# TROMBOSIS

## Definición

La sangre tiene una tendencia espontánea a coagularse, gracias a la cual se detienen las hemorragias. Pero cuando esa coagulación ocurre dentro de los vasos sanguíneos, y se forma un trombo o coágulo sólido en su interior, este actúa como un tapón que impide la libre circulación de la sangre. A ese proceso se le llama trombosis, y puede ocurrir tanto en las arterias, como en las venas. Sus consecuencias son siempre graves, por ejemplo, el infarto o la apoplejía (ataque cerebral).

## Causas

Los factores que *favorecen* la trombosis son:

- La **arteriosclerosis.**
- La alimentación rica en **grasas saturadas** y en **sal.**
- La excesiva presencia de **toxinas** o sustancias de desecho en la sangre (lo que vulgarmente se llama "sangre sucia").
- El **tabaco** y la *falta* de **ejercicio físico.**

## Alimentación

Ciertos alimentos, *especialmente* las **frutas,** pueden hacer mucho para reducir la tendencia a la formación de trombos dentro de los vasos sanguíneos.

 **Aumentar**

Ajo
Limón
Naranja
Cebolla
Uva
Fruta
Soja
Oliva, aceite
Pescado, aceite

 **Reducir o eliminar**

Grasa saturada
Colesterol
Sal

*Leche de soja*

**La soja es la legumbre más rica en hierro. Sus derivados también son buenas fuentes de este mineral. Por ejemplo, el 'tofu' contiene 5,36 mg/100 g (unas tres veces más que la carne o que el queso tierno) y la leche de soja 0,58 mg/100 g (unas 10 veces más que la leche de vaca).**

*Naranjas*

**El limón o la naranja consumidos junto con la soja o sus derivados, favorece la absorción del hierro que contienen.**

# ANEMIA

## Definición

Literalmente significa "falta de sangre", aunque habitualmente se refiere a la disminución en la cantidad de hematíes o glóbulos rojos que hay en la sangre. Estos son los que le comunican el color rojo, y los que transportan el oxígeno necesario para la vida a todas las células del organismo.

## Alimentación

La anemia puede producirse por varios mecanismos como se indica en la columna siguiente.

El papel de la **alimentación** es *esencial,* pues debe proporcionar los nutrientes necesarios para la producción de células sanguíneas:

- Los *más* importantes: hierro, proteínas, vitamina $B_{12}$, folatos o ácido fólico.

|  Aumentar | ▽ Reducir o eliminar |
|---|---|
| LEGUMBRES | TÉ |
| SOJA | SALVADO DE TRIGO |
| FRUTA | BEBIDAS ALCOHÓLICAS |
| VERDURAS | LECHE |
| ALFALFA | |
| BERRO | |
| REMOLACHA ROJA | |
| ESPINACA | |
| AGUACATE | |
| GIRASOL, SEMILLA | |
| PISTACHO | |
| UVA | |
| FRUTA DE LA PASIÓN | |
| ALBARICOQUE | |
| LIMÓN | |
| ESPIRULINA | |
| MELAZA (MIEL DE CAÑA) | |
| VITAMINA $B_{12}$ | |
| FOLATOS | |
| VITAMINAS B, E Y C | |

*Brotes de alfalfa*

Los brotes de alfalfa contienen cerca de 1 mg/100 g de hierro, aproximadamente igual que la carne de ternera. Además, aportan vitamina C, que favorece la absorción del hierro. Son antianémicos y revitalizantes.

- Otros **nutrientes** *necesarios* para la producción de sangre: vitaminas $B_1$, $B_2$ y $B_6$, C, E y cobre.

## Causas

- **Insuficiente producción de sangre:** Los hematíes viven unos cien días, y en la médula de los huesos se están constantemente produciendo nuevas células sanguíneas. Para ello, la médula necesita hierro, proteínas, ácido fólico y diversas vitaminas. El nutriente que más a menudo escasea es el hierro, y la anemia que se produce en ese caso se llama **ferropénica** (por falta de hierro).

- **Pérdida de sangre,** ya sea en forma de hemorragia aguda o de pequeñas hemorragias. En algunos casos, estas pueden pasar desapercibidas, como por ejemplo cuando sangra el interior del estómago o del intestino.

- **Destrucción de los hematíes:** Da lugar a una anemia llamada **hemolítica,** en la que los glóbulos rojos se destruyen debido a diversas causas y enfermedades.

La costumbre popular de aliñar los platos con limón (por ejemplo las verduras y las legumbres) es doblemente beneficiosa:
- favorece el mejor aprovechamiento del hierro contenido en los alimentos;
- y hace menos necesario el uso de sal para acentuar el sabor de la comida.
Actualmente se recomienda que cada comida contenga, al menos 30 mg de vitamina C, por su efecto favorable sobre la absorción de hierro.[4] El zumo de medio limón aporta esta cantidad de vitamina C.

Beta vulgaris L. var. conditiva

6 - ALIMENTOS
PARA LA SANGRE

# Remolacha roja

## Su jugo rojo es antianémico

### REMOLACHA ROJA
#### composición
por cada 100 g de parte comestible cruda

| | |
|---|---|
| **Energía** | **43,0 kcal = 179 kj** |
| **Proteínas** | **1,61 g** |
| **H. de c.** | **6,76 g** |
| **Fibra** | **2,80 g** |
| **Vitamina A** | **4,00 µg ER** |
| **Vitamina B₁** | **0,031 mg** |
| **Vitamina B₂** | **0,040 mg** |
| **Niacina** | **0,651 mg EN** |
| **Vitamina B₆** | **0,067 mg** |
| **Folatos** | **109 µg** |
| **Vitamina B₁₂** | **—** |
| **Vitamina C** | **4,90 mg** |
| **Vitamina E** | **0,300 mg EαT** |
| **Calcio** | **16,0 mg** |
| **Fósforo** | **40,0 mg** |
| **Magnesio** | **23,0 mg** |
| **Hierro** | **0,800 mg** |
| **Potasio** | **325 mg** |
| **Cinc** | **0,350 mg** |
| *Grasa total* | *0,170 g* |
| *Grasa saturada* | *0,027 g* |
| *Colesterol* | *—* |
| *Sodio* | *78,0 mg* |

1%  2%    4%      10%   20%  40%  100%

**% de la CDR (cantidad diaria recomendada)**
cubierta por 100 g de este alimento

**Sinonimia hispánica:** *remolacha de mesa, remolacha colorada, remolacha de huerta, betabel.*

**Descripción:** *Raíz tuberosa de la remolacha roja ('Beta vulgaris' L. ssp. 'vulgaris' var. 'conditiva' Alef.), planta herbácea de la familia de las Quenopodiáceas.*

ESA TONALIDAD rojo sangre de la remolacha, da una alegre nota de color a los platos de ensalada y a las patatas (papas) a las que tan bien acompaña. ¿Será que la remolacha tiene sangre de verdad?

Así podrían pensar aquellos que a las pocas horas de haber comido remolacha, emiten orinas o heces rojas como la sangre: ¡Qué susto! Pero no se trata de sangre, sino de un pigmento peculiar de esta planta, llamado **betacianina.**

**PROPIEDADES E INDICACIONES:** En su composición destaca la elevada proporción de **hidratos de carbono** (azúcares) como la **sacarosa** y la **fructosa,** que puede llegar hasta el 10% de su peso. Esto hace de la remolacha roja una de las hortalizas *más ricas* en **azúcares,** superada únicamente por otra de sus variedades: la remolacha azucarera.

Estas son sus propiedades más destacadas:

• **Antianémica:** La acción antianémica de la remolacha roja es bien conocida, y ha sido descrita por el doctor Schneider[5] entre otros. Su contenido en hierro (1,80 mg/100 g) y en vitamina C (30 mg), que favorece la absorción de *este* mineral, son más bien modestos, y no explican por sí solos la notable acción **antianémica** de la remolacha roja. Probablemente sea alguno de sus componentes, no bien identificado todavía, el que actúa estimulando la **hematopoyesis** (producción de células sanguíneas en la médula ósea).

El *mayor* **efecto antianémico** de la remolacha se obtiene tomando de 50 a 100 ml de su **JUGO** *crudo* fresco **❶** *recién obtenido*, antes de las comidas, dos veces diarias. Resulta especialmente indicada en las anemias que no responden bien al tratamiento con hierro, y que suelen estar causadas por una baja producción de sangre en la médula ósea (**anemias hipoplásticas**).

## Preparación y empleo

❶ **Jugo fresco:** Su sabor no es muy agradable, por lo que se recomienda mezclarlo con otros jugos o endulzarlo con miel. Para evitar que resulte indigesto, no se deben tomar más de 50 o 100 ml cada vez.

❷ **Rallada cruda:** Se aliña con aceite y limón.

❸ **Hervida:** Sometida a cocción es como resulta más digerible. Debe hervir al menos durante una hora. Para pelarla fácilmente se sumerge en agua fría, cuando está todavía caliente.

• **Alcalinizante:** El alto contenido en sales minerales de la remolacha, especialmente de *potasio, calcio* y *magnesio,* explica su efecto alcalinizador sobre la sangre. Muy recomendable en caso de **gota,** aumento del **ácido úrico** en la sangre y **alimentación recargada** en grasas y pobre en vegetales.

• **Hipolipemiante:** La raíz de la remolacha contiene una cantidad notable de **FIBRA** vegetal, que tiene la propiedad de facilitar el tránsito intestinal y sobre todo, de reducir el nivel de **colesterol** en la sangre al reducir su absorción en el intestino.

Es muy recomendable, por lo tanto, que los que desean reducir su nivel de colesterol incluyan a menudo en su dieta la remolacha roja **❷,❸**.

• **Laxante** suave, debido a su contenido en fibra.

• **Aperitiva:** Aumenta la producción de jugos gástricos y tonifica el estómago.

• **Anticancerígena:** El doctor Schneider[5] refiere varias experiencias llevadas a cabo en Hungría y en Alemania, en las que se logró la reducción o desaparición de tumores cancerosos tras la administración diaria de 250 g de remolacha roja rallada, o de 300-500 ml de su jugo. Estos efectos se producían incluso tras hervir y concentrar el jugo para hacerlo más tolerable por el estómago, lo cual quiere decir que la sustancia responsable de la acción anticancerígena, es resistente a la ebullición.

# Limón

## Limpia y regenera la sangre

Un limón mediano que pese unos 150 g, cubre la CDR (cantidad diaria recomendada) de vitamina C para un adulto no fumador (unos 60 mg). Los fumadores necesitan un 50% más de esta vitamina.

### LIMÓN
**composición**
por cada 100 g de parte comestible cruda

| | |
|---|---|
| Energía | 29,0 kcal = 123 kj |
| Proteínas | 1,10 g |
| H. de c. | 6,52 g |
| Fibra | 2,80 g |
| Vitamina A | 3,00 µg ER |
| Vitamina B$_1$ | 0,040 mg |
| Vitamina B$_2$ | 0,020 mg |
| Niacina | 0,100 mg EN |
| Vitamina B$_6$ | 0,080 mg |
| Folatos | 10,6 µg |
| Vitamina B$_{12}$ | — |
| Vitamina C | 53,0 mg |
| Vitamina E | 0,240 mg E$\alpha$T |
| Calcio | 26,0 mg |
| Fósforo | 16,0 mg |
| Magnesio | 8,00 mg |
| Hierro | 0,600 mg |
| Potasio | 138 mg |
| Cinc | 0,060 mg |
| Grasa total | 0,300 g |
| Grasa saturada | 0,039 g |
| Colesterol | — |
| Sodio | 2,00 mg |

1%   2%   4%   10%   20%   40%   100%

**% de la CDR** (cantidad diaria recomendada)
cubierta por 100 g de este alimento

**Sinonimia hispánica:** *limón agrio, limón real, limón verdadero.*

**Descripción:** *Fruto en baya del limonero ('Citrus limon' Burm.), árbol de hoja perenne y espinoso de la familia de las Rutáceas, que alcanza de 3 a 6 m de altura.*

**PROPIEDADES E INDICACIONES:** En la composición del limón *destaca* ante todo la **vitamina C,** en cantidad similar o ligeramente inferior a la de la naranja. Carece prácticamente de proteínas y de grasa, y su porcentaje de hidratos de carbono suele ser de un 8,23%.

Sin embargo, los componentes más interesantes del limón desde el punto de vista dietoterápico son los no nutritivos, es decir, las llamadas sustancias acompañantes o **ELEMENTOS FITOQUÍMICOS.** Se trata de sustancias carentes de calorías, que no son ni vitaminas ni sales minerales, por lo que no se las puede calificar como nutrientes.

✓ **Ácidos orgánicos** (entre 6/8%), entre los que *destaca* el **ácido cítrico,** y en menor cantidad, el **málico, acético** y **fórmico.** Estos ácidos *potencian* la acción del ácido ascórbico o **vitamina C,** y poseen un *notable* efecto **antiséptico.**

✓ **Flavonoides,** entre lo que *destaca* la **hesperidina** y la **diosmina.** Se encuentran en la **CORTEZA** y en la **PULPA** del limón. Ejercen acciones fisiológicas:

– **antioxidante,**
– **protectora capilar,**
– **anticancerígena.**

✓ **Terpenos:** Son las sustancias responsables del peculiar aroma de los cítricos. Se encuentran sobre todo en la **CORTEZA.** El más abundante es el **d-limoneno,** de *probada* acción **desintoxicante** y **anticancerígena.**

Aunque el limón actúa sobre todo el organismo, sus aplicaciones medicinales derivan especialmente de sus efectos sobre la sangre:

– **antianémico:** aumenta la absorción de hierro,
– **fluidificante:** evita la trombosis,
– **depurativo:** facilita la eliminación de las sustancias tóxicas de la sangre.

Por ello, su uso está especialmente recomendado en los siguientes casos:

• **Anemia:** El limón nunca debería faltar en la mesa de una persona que padece anemia. Aunque su contenido en hierro es muy escaso, posee un *gran poder* **antianémico** debido a que *aumenta* la *absorción* del **hierro** contenido en los alimentos vegetales.

• **Afecciones circulatorias:** La *hesperidina* y los otros *flavonoides* del limón refuerzan la pared de los vasos capilares, otorgan una mayor elasticidad a las arterias y evitan la tendencia excesiva de la sangre a coagularse y formar trombos.

El uso del limón está muy recomendado en caso de **arteriosclerosis,** tendencia a la **trombosis, edemas** (retención de líquidos en los tejidos) y siempre que se desee fluidificar la sangre y mejorar la función circulatoria.

• **Exceso de ácido úrico:** el limón es un *gran eliminador* de ácido úrico, producto de desecho que nuestro organismo genera continuamente y que debe ser eliminado con la orina. Su exceso se deposita en las articulaciones produciendo **artritis** y dolores **reumáticos,** y en los riñones produciendo **nefritis** (inflamación).

• **Cálculos renales:** La cura de limón **❸** resulta de gran efectividad para favorecer la disolución de los cálculos renales, especialmente cuando están formados por sales úricas (uratos).

• **Infecciones:** Por su contenido en *vitamina C* y en *elementos fitoquímicos,* el limón *aumenta* las **defensas** del organismo y lo prepara para luchar contra las infecciones. Su uso conviene en todo tipo de enfermedades infecciosas, ya sean víricas o bacterianas.

• **Anticancerígeno:** El *d-limoneno,* un terpeno aromático que se encuentra en el limón, *especialmente* en la **CORTEZA,** ha demostrado tener la capacidad de neutralizar ciertas sustancias cancerígenas.[6]

## Preparación y empleo

**❶ Zumo (jugo) fresco:** Por su gran acidez, el limón no suele tomarse como fruta; tan solo se aprovecha su zumo. Es *muy conveniente* que este incluya la **piel** (si está libre de restos de plaguicidas), pues en ella se concentran la mayor parte de los terpenos aromáticos, de gran poder medicinal.

**❷ Aliño** para platos diversos: Todas las verduras de hoja verde, los arroces y las legumbres, mejoran su sabor, digestibilidad y propiedades cuando son sazonadas con limón.

**❸ Cura de limón:** Se realiza durante dos semanas. El primer día se toma el zumo de un limón diluido en agua media hora antes del desayuno, y cada día que pasa, se toma un limón más hasta un total de siete. A partir de entonces, se va disminuyendo la dosis en un limón diario, hasta tomar uno solo el último día. Deben *abstenerse* de realizar la cura del limón los **niños,** los **ancianos,** los que padecen de **descalcificación, insuficiencia renal** o **anemia.** En estos casos se puede tomar limón, pero no en grandes cantidades.

# Lenteja

## Muy rica en hierro y en fibra

**Sinonimia científica:**
*Lens esculenta* Moench., *Ervum lens* L.

**Sinonimia hispánica:** *lanteja.*

**Descripción:** *Semilla de la planta de la lenteja ('Lens culinaris' Medik.) herbácea de la familia de las Leguminosas. El fruto de la planta está constituido por una legumbre con dos vainas que encierra una o dos semillas, las lentejas.*

### LENTEJAS
### composición
por cada 100 g de parte comestible cruda

| | |
|---|---|
| **Energía** | **338 kcal = 1413 kj** |
| **Proteínas** | **28,1 g** |
| **H. de c.** | **26,6 g** |
| **Fibra** | **30,5 g** |
| **Vitamina A** | **4,00 µg ER** |
| **Vitamina B₁** | **0,475 mg** |
| **Vitamina B₂** | **0,245 mg** |
| **Niacina** | **6,80 mg EN** |
| **Vitamina B₆** | **0,535 mg** |
| **Folatos** | **433 µg** |
| **Vitamina B₁₂** | **—** |
| **Vitamina C** | **6,20 mg** |
| **Vitamina E** | **0,330 mg EαT** |
| **Calcio** | **51,0 mg** |
| **Fósforo** | **454 mg** |
| **Magnesio** | **107 mg** |
| **Hierro** | **9,02 mg** |
| **Potasio** | **905 mg** |
| **Cinc** | **3,61 mg** |
| *Grasa total* | *0,960 g* |
| *Grasa saturada* | *0,135 g* |
| *Colesterol* | **—** |
| *Sodio* | **10,0 mg** |

1%  2%  4%   10%  20%  40%  100% 200% 500%

**% de la CDR (cantidad diaria recomendada)**
cubierta por 100 g de este alimento

**PROPIEDADES E INDICACIONES:** Las lentejas constituyen un alimento muy concentrado: solo el 11,2% de su peso está formado por agua. Esto hace que sean notablemente energéticas: aportan 338 kcal/100 g. La mayor parte de esa energía procede de las proteínas y de los hidratos de carbono, ya que apenas contienen grasas (menos del 1%).

Con 100 g de lentejas crudas (lo suficientes para elaborar un plato grande de esta legumbre o dos pequeños) se satisface una buena parte, o incluso la totalidad de las necesidades diarias de varios nutrientes (para un hombre adulto):

✓ *Proteínas* (28,1 g): más de la mitad (el 53%).

✓ *Fibra* (30,5 g): se cubre prácticamente el 125%.

✓ *Vitamina B₁* (0,475 mg): casi la tercera parte (el 32%).

✓ *Vitamina B₆* (0,535 mg): más de la cuarta parte (el 27%).

✓ *Folatos* (433 µg): más del doble (el 216%).

✓ *Magnesio* (107 mg): casi la tercera parte (el 31%).

✓ **Hierro** (9 mg): el 90%.

✓ **Potasio** (905 mg): casi la mitad (el 45%).

✓ **Cinc** (3,61 mg): prácticamente la cuarta parte (el 24%).

✓ **Cobre** (0,852 mg): más de la mitad (el 57%).

Todo esto en un solo plato de lentejas. Así que uno podría pensar que no es tan extraño que Esaú vendiera su primogenitura a su hermano Jacob, el patriarca bíblico, a cambio de tan nutritivo plato.

Sin embargo, aunque las lentejas ofrecen una concentración tan alta en estos nutrientes, son **deficitarias** o simplemente carecen de otros:

– ácidos grasos poliinsaturados, debido a que apenas contienen grasas de ningún tipo;
– provitamina A, vitaminas C y E;
– calcio;
– vitamina B12 (como todos los vegetales).

El consumo de lentejas se recomienda especialmente en los siguientes casos:

• **Anemia:** Las lentejas son una **fuente** *muy buena* de **hierro,** pues aportan 9 mg/100 g. Es-

Las lentejas son muy ricas en folatos y en hierro, dos nutrientes especialmente necesarios para las mujeres jóvenes y las futuras embarazadas. El hierro y los folatos contribuyen a evitar la anemia.

ta es una cantidad muy superior a la de la carne (alrededor de 2 mg/100g) y los huevos (1,44 mg/100g).

Pero además de hierro, las lentejas aportan grandes cantidades de otros nutrientes que contribuyen a aumentar la producción de hematíes (glóbulos rojos): los **folatos** (un factor vitamínico del grupo B) y el **cobre** (un oligoelemento).

• **Estreñimiento:** La *gran riqueza* en **fibra** de las lentejas, excesiva incluso para algunos intestinos sensibles, actúa como un estimulante de los movimientos peristáltiscos del intestino.

• **Diabetes:** Aunque las lentejas son muy ricas en hidratos de carbono, estos liberan lentamente sus moléculas de glucosa en el intestino y no provocan una subida brusca en el nivel de azúcar en la sangre. Por ello se recomiendan en la dieta de los diabéticos[7], al igual que todas las legumbres, a pesar de que antiguamente les estuvieran prohibidas.

• **Aumento del colesterol:** La fibra de las lentejas arrastra con las heces al colesterol contenido en otros alimentos, así como a los ácidos biliares que sirven de materia prima para su síntesis en el organismo. El consumo de lentejas conviene pues a quienes deseen reducir su nivel de colesterol.

• **Embarazo:** Las mujeres gestantes tienen en las lentejas **hierro** *abundante* para evitar la anemia del embarazo, **fibra** para facilitar la evacuación y **folatos** *en gran cantidad* para prevenir las malformaciones del sistema nervioso del feto.

(Ver el cuadro "Alimentos que combinan bien con las lentejas", pág. 135.)

## Preparación y empleo

❶ **Cocinadas:** Es la forma habitual de consumir las lentejas. Por acción del calor, las fibras de celulosa se hacen más blandas, lo que facilita la digestión; además, se destruyen las lectinas (proteínas tóxicas) que presentan todas las legumbres crudas. Conviene tenerlas unas horas a remojo antes de someterlas a cocción.

❷ **Puré:** Es más fácil de digerir que las lentejas enteras, especialmente si al elaborar el puré se elimina la piel que las recubre. Estas pieles contienen polisacáridos indigeribles que provocan flatulencias intestinales.

❸ **Harina:** Se elabora en los países del norte de África y en el Oriente Medio y Próximo. Se usa mezclada con la harina de cereales, para aumentar el aporte de proteínas de la dieta.

# Fruta de la pasión (granadilla)

## Fruta rica en hierro

La fruta de la pasión amarilla es también muy apreciada por su exquisito sabor. Se sabe que está bien madura cuando la cáscara está algo arrugada y de color amarillo oscuro.

La fruta de la pasión púrpura tiene la piel algo arrugada y tiene un color morado oscuro cuando está madura.

**FRUTA DE LA PASIÓN**
composición
por cada 100 g de parte comestible cruda

| Energía | 97,0 kcal = 408 kj |
|---|---|
| Proteínas | 2,20 g |
| H. de c. | 13,0 g |
| Fibra | 10,4 g |
| Vitamina A | 70,0 µg ER |
| Vitamina B₁ | — |
| Vitamina B₂ | 0,130 mg |
| Niacina | 1,50 mg EN |
| Vitamina B₆ | 0,100 mg |
| Folatos | 14,0 µg |
| Vitamina B₁₂ | — |
| Vitamina C | 30,0 mg |
| Vitamina E | 1,12 mg EαT |
| Calcio | 12,0 mg |
| Fósforo | 68,0 mg |
| Magnesio | 29,0 mg |
| Hierro | 1,60 mg |
| Potasio | 348 mg |
| Cinc | 0,100 mg |
| Grasa total | 0,700 g |
| Grasa saturada | 0,059 g |
| Colesterol | — |
| Sodio | 28,0 mg |

1%   2%    4%      10%   20%   40%  100%

**% de la CDR (cantidad diaria recomendada)**
cubierta por 100 g de este alimento

*Sinonimia hispánica: pasionaria, granadilla, parcha, maracuyá, ceibey, chinola.*

***Descripción:*** *Fruto de las diversas variedades de la 'Passiflora edulis' Sims., planta trepadora de la familia de las Pasifloráceas. Tiene aproximadamente el tamaño y forma de un huevo. Su color varía, según las variedades, del morado al amarillo. Contiene una pulpa gelatinosa repleta de semillas negras.*

SON VARIAS las especies del género *Passiflora* que dan frutos comestibles, todos ellos de sabor ácido y muy aromáticos. Los más extendidos y utilizados son los llamados frutas de la pasión, a los que también se llama **granadillas** o **maracuyás.**

**PROPIEDADES E INDICACIONES:** La pulpa del fruto de la pasión es gelatinosa y de sabor muy aromático. En su composición destacan los siguientes nutrientes:

✓ ***Azúcares:*** Aunque no lo parezca debido a su sabor ácido, contiene *bastantes* azúcares (13%), constituidos por una mezcla casi a partes iguales de glucosa, frutosa y sacarosa.

✓ ***Proteínas:*** Con su 2,2%, es una de las **frutas** frescas *más ricas* en proteínas.

✓ **Hierro:** Es posiblemente la fruta fresca *más rica* en este mineral (1,6 mg /100 g), seguida de lejos por el membrillo (0,7 mg), el limón (0,6 mg), la frambuesa (0,57 mg) y la chirimoya (0,5 mg). La fruta de la pasión supera en hierro incluso al huevo (1,41 mg) y se acerca al contenido de la carne (alrededor de 2 mg /100 g). Aunque el hierro de origen vegetal es de tipo **no-hem** y se absorbe peor que el de origen animal, la presencia simultánea de **vitamina C** en la granadilla *potencia* notablemente la absorción de este mineral.

✓ **Otros minerales:** Es bastante rica en magnesio, calcio, fósforo y potasio.

✓ **Vitaminas:** 100 g de pulpa de fruto de la pasión aportan 30 mg de **vitamina C,** la *mitad* de la **CDR** (cantidad diaria recomendada). Además, contiene provitamina A y vitaminas $B_2$, $B_6$, E, así como niacina y ácido fólico.

✓ **Fibra:** La pulpa de la fruta de la pasión es uno de los productos **vegetales** *más ricos* en fibra de tipo **soluble** (pectinas y mucílagos).

✓ **Sustancias no nutritivas** de tipo aromático: El agradable aroma de la fruta de la pasión se debe a la combinación de más de cien sustancias químicas.[8] La acción ligeramente sedante de estos frutos puede ser debida a algunas de estas sustancias aromáticas, que se hallan en mucha mayor concentración en las hojas y flores de la pasionaria (*Passiflora incarnata* L.), usada como planta medicinal.

Tanto la pulpa como los jugos elaborados con la fruta de la pasión, son refrescantes, to-

Para obtener el jugo de la fruta de la pasión:
1. Extraer la pulpa del fruto con una cuchara.
2. Pasarla por un colador para eliminar las semillas.
3. Batirla para obtener un jugo homogéneo.

## 🍴 Preparación y empleo

❶ **Fresca:** La pulpa gelatinosa se toma con la ayuda de una cuchara, usando la cáscara como recipiente. Resulta algo incómodo separar las semillas de la pulpa en la boca.

❷ **Jugo:** Se filtra la pulpa mediante un colador, y después se bate con una batidora.

❸ **Complemento** para dar una nota de sabor exótico en macedonias de frutas, helados y diversos tipos de postres.

nificantes de las funciones digestivas y ligeramente sedantes, aunque su propiedad medicinal más importante es la antianémica. Estas son sus indicaciones medicinales:

• **Anemia por falta de hierro:** Debido a su gran contenido en hierro, así como en vitamina C que facilita la absorción de este mineral, la fruta de la pasión constituye una fruta *ideal* para los **anémicos.**

• **Estreñimiento:** La pulpa gelatinosa **❶**, y en menor proporción los jugos elaborados con ella, ejercen una suave acción laxante y a la vez protectora de las paredes del intestino.

• **Estados de nerviosismo y ansiedad:** Aunque su acción sedante es mucho más suave que la de las hojas y las flores de la pasionaria,[9] su empleo conviene a los que deseen sedar su sistema nervioso.

# Pistacho

## El fruto seco más rico en hierro

Poliinsat. **7,32 g**  Saturados **6,13 g**

Monoinsat. **32,7 g**

distribución porcentual de sus
**ácidos grasos**

**Sinonimia hispánica:** *alfóncigo, alfónsigo, alhócigo, alhóstigo, pistachero.*

**Descripción:** *Semilla del alfóncigo o pistachero ('Pistacia vera' L.) pequeño árbol de hoja perenne de la familia de las Anacardiáceas.*

### PISTACHOS
### composición
por cada 100 g de parte comestible cruda

| | |
|---|---|
| **Energía** | **577 kcal = 2416 kj** |
| **Proteínas** | **20,6 g** |
| **H. de c.** | **14,0 g** |
| **Fibra** | **10,8 g** |
| **Vitamina A** | **23,0 µg ER** |
| **Vitamina B₁** | **0,820 mg** |
| **Vitamina B₂** | **0,174 mg** |
| **Niacina** | **5,80 mg EN** |
| **Vitamina B₆** | **0,250 mg** |
| **Folatos** | **58,0 µg** |
| **Vitamina B₁₂** | **—** |
| **Vitamina C** | **7,20 mg** |
| **Vitamina E** | **5,21 mg EαT** |
| **Calcio** | **135 mg** |
| **Fósforo** | **503 mg** |
| **Magnesio** | **158 mg** |
| **Hierro** | **6,78 mg** |
| **Potasio** | **1093 mg** |
| **Cinc** | **1,34 mg** |
| *Grasa total* | *48,4 g* |
| *Grasa saturada* | *6,13 g* |
| Colesterol | — |
| Sodio | *6,00 mg* |

1%  2%  4%  10%  20%  40%  100%

**% de la CDR (cantidad diaria recomendada)**
cubierta por 100 g de este alimento

U NOS 1.700 años antes de Cristo, el pistacho ya formaba parte de "lo más fino del país", junto con la miel y las almendras, según la expresión del patriarca Jacob que habitaba en Palestina.[10] Desde entonces se lo viene usando en todos los países mediterráneos, y más recientemente, también en Norteamérica.

**PROPIEDADES E INDICACIONES:** La forma y composición del pistacho son semejantes a la del piñón (ver pág. 56), si bien contiene más **proteínas** (hasta un 20,6% de su peso), pero menos **grasas** (48,4%). Su aporte de hidratos de carbono también es considerable (hasta un 14%).

Su contenido en **provitamina A** y en **vitamina C** es relativamente pobre. Es *muy rico* en **minerales**, aportando potasio, magnesio, fósforo y calcio.

Pero el pistacho destaca sobre todo por su *gran riqueza* en **hierro** (6,8 mg/100 g), que iguala o supera a la de las lentejas (ver pág.

## Preparación y empleo

❶ **Tostados:** Ligeramente tostados es la forma más habitual de consumir los pistachos. Hay que evitar el exceso de sal.

❷ Por su exquisito sabor, son muy apreciados en **pastelería y confitería,** así como en la elaboración de **helados.**

130). Contiene valiosos oligoelementos como el *cobre* (1,2 mg/100 g), que según recientes investigaciones facilita la absorción y asimilación del hierro.[11] La *combinación* de **hierro y cobre** produce un efecto **antianémico** *muy superior* al de cualquier preparado farmacéutico a base de hierro solo.

Esta acción **antianémica** del pistacho *se potencia si se ingiere junto con* **frutas o verduras** frescas ricas en *vitamina C,* de la que apenas contiene. Es sabido que la vitamina C *facilita* en gran manera la *absorción* del **hierro** en el intestino.

Los que padecen de **anemia ferropénica** (por falta de hierro), se beneficiarán del consumo habitual de pistachos.

■ ■ ■ ■ ■

*viene de la página 131*

## Alimentos que combinan bien con las lentejas

**Estos alimentos compensan las deficiencias nutritivas de las lentejas, por lo que combinan muy bien con ellas.**

### Limón
Aporta *vitamina C* que aumenta la absorción del hierro de las lentejas. Además, mejora su sabor.

### Cereales
Son ricos en el aminoácido esencial **metionina**, del que carecen las lentejas y las legumbres en general. El **arroz** es el cereal que mejor combina con las lentejas.

### Coles, espinacas y lácteos
Son ricos en **calcio**, del que las lentejas aportan muy poco.

### Zanahoria
Aporta la **provitamina A** de la que carecen las lentejas.

# Haba

## Nutritiva
## y rica en hierro

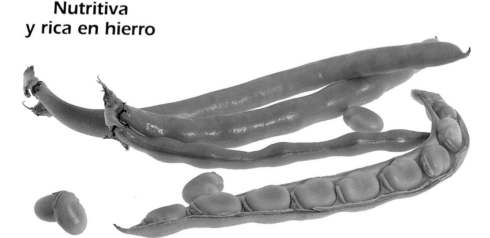

**Sinonimia hispánica:** *fabera, habón, haboncillo, habichuela.*

**Descripción:** *Semillas del fruto del haba ('Vicia faba' L.), planta herbácea de la familia de las Leguminosas cuyo tallo alcanza alrededor de un metro de altura. Desde el punto de vista botánico, el fruto es una legumbre formada por una vaina carnosa de color verde, de 15 a 25 cm de largo, en cuyo interior se hallan 6 o 7 semillas (las habas propiamente dichas).*

## HABAS TIERNAS
### composición
por cada 100 g de parte comestible cruda

| | |
|---|---|
| Energía | 72,0 kcal = 302 kj |
| Proteínas | 5,60 g |
| H. de c. | 7,50 g |
| Fibra | 4,20 g |
| Vitamina A | 35,0 µg ER |
| Vitamina $B_1$ | 0,170 mg |
| Vitamina $B_2$ | 0,110 mg |
| Niacina | 2,43 mg EN |
| Vitamina $B_6$ | 0,038 mg |
| Folatos | 96,3 µg |
| Vitamina $B_{12}$ | — |
| Vitamina C | 33,0 mg |
| Vitamina E | — |
| Calcio | 22,0 mg |
| Fósforo | 95,0 mg |
| Magnesio | 38,0 mg |
| Hierro | 1,90 mg |
| Potasio | 250 mg |
| Cinc | 0,580 mg |
| Grasa total | 0,600 g |
| Grasa saturada | 0,138 g |
| Colesterol | — |
| Sodio | 50,0 mg |

1%   2%   4%   10%   20%   40%   100%

**% de la CDR** (cantidad diaria recomendada)
cubierta por 100 g de este alimento

L A HUMANIDAD lleva varios milenios consumiendo habas, hasta el punto de que es posiblemente la leguminosa que se cultiva desde más antiguo.

**PROPIEDADES E INDICACIONES:** Las habas tiernas, contienen una considerable proporción de **proteínas** de *buena calidad* biológica (5,6%), hidratos de carbono en forma sobre todo de almidón (7,5%) y apenas grasas (0,6%). Entre sus vitaminas, destacan la $B_1$ (0,17 mg/100 g), los folatos (96,3 µg/100 g), así como la vitamina C (33 mg/100 g), de la que contiene la mitad aproximadamente que el limón.

El **hierro** es el **mineral** *más abundante* en las habas (1,9 mg/100 g), casi tanto como

Las habas son una buena fuente de hierro, por lo que convienen a los deportistas y jóvenes para favorecer la producción de sangre.

## Preparación y empleo

❶ **Crudas:** Así se consumen cuando son muy tiernas, aunque no siempre son bien toleradas. Conviene desechar la piel, que puede causar flatulencia y trastornos digestivos.

❷ **Cocinadas:** Es la forma más recomendable de consumir las habas. El calor y el agua inactivan las pequeñas cantidades de lectinas que pudieran contener, al igual que las otras leguminosas. Un corto hervor o una cocción al vapor son más que suficientes para destruir cualquier toxina y hacerlas perfectamente digeribles.

❸ **Secas:** El desecado es el proceso tradicional para conservarlas, aunque con él se pierde una buena parte de su riqueza vitamínica (no mineral). Las habas secas requieren un tiempo de cocción bastante prolongado.

en la carne. Se trata de hierro **no hem,** cuya **absorción** *se potencia* por la presencia simultánea de la *vitamina C.*

Las habas se recomiendan en caso de **anemia** hipocroma o ferropénica (por falta de hierro), así como en el embarazo, en la adolescencia, en los deportistas, y en la convalecencia de enfermedades infecciosas o de intervenciones quirúrgicas.

## Favismo

*Existe un pequeño porcentaje de habitantes de los países mediterráneos que sufre por causas genéticas una **intolerancia** a las habas. Cuando estos individuos comen habas sufren hemolisis (destrucción de la sangre) y diversos trastornos conocidos como favismo.*

# Alimentos para el aparato respiratorio

LA ALIMENTACIÓN influye más de lo que pudiera parecer en el buen estado del aparato respiratorio. Ciertos alimentos como la leche o los huevos pueden desencadenar crisis asmáticas; otros, como la cebolla o el ajo combaten la bronquitis; y las frutas y hortalizas ricas en beta-caroteno protegen contra el cáncer de pulmón.

Una investigación realizada en Inglaterra y en Gales muestra que los **niños** que ingieren *dos o más* piezas o raciones de **fruta** al día, **respiran** *mejor* y presentan *menor riesgo* de sufrir **disnea** (dificultad respiratoria); por el contrario, en los que consumen **carnes** procesadas (jamón, embutidos, etc.) *empeora* la **función pulmonar**.[1]

# TOS

### Definición

Es el **síntoma** *más común* de las enfermedades del aparato respiratorio. En realidad, la tos no es más que un **mecanismo defensivo** del organismo para expulsar de los bronquios alguna sustancia extraña o irritante.

### Alimentación

Ciertos alimentos pueden poner al organismo en la mejor disposición para vencer el problema causante de la tos, otros pueden aliviarla, y algunos empeorarla.

 **Aumentar**   **Reducir o eliminar**

| Aumentar | Reducir o eliminar |
|---|---|
| CEBOLLA | SAL |
| MIEL | LÁCTEOS |
| LIMÓN | |
| VITAMINA A | |
| VITAMINA C | |

*Leche*

**La leche y sus derivados pueden aumentar la producción de mucosidad en las vías respiratorias, por lo que contribuyen a agravar la tos.**

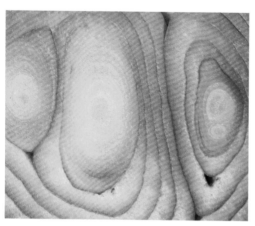

**La simple inhalación de la esencia que desprende una cebolla cruda, puede aliviar la tos. Los compuestos azufrados de la cebolla ejercen una acción antiespasmódica, sedante, mucolítica (facilitan la eliminación de la mucosidad) y antibiótica.**

# BRONQUITIS

### Definición

Es la inflamación de la mucosa que recubre el interior de los bronquios. Normalmente es de causa infecciosa, y se *favorece* o *agrava* por la inhalación de humos irritantes como el del **tabaco**.

### Alimentación

Existen alimentos con diversas propiedades curativas útiles en caso de bronquitis:

* **Mucolíticos**: Ablandan la mucosidad y favorecen su expulsión, como la cebolla y el rábano.
* **Emolientes**: Suavizan y desinflaman las mucosas respiratorias, como los dátiles, los higos y la okra.
* **Antibióticos** y **antisépticos**: Combaten los gérmenes, bacterianos o víricos, causantes o agravantes de la bronquitis: ajo, propóleos, etcétera.

 **Aumentar**  **Reducir o eliminar**

| Aumentar | Reducir o eliminar |
|---|---|
| CEBOLLA | SAL |
| AJO | BEBIDAS ALCOHÓLICAS |
| RÁBANO | GRASA SATURADA |
| RÁBANO RUSTICANO | |
| BERRO | |
| AZUFAIFA | |
| DÁTIL | |
| BORRAJA | |
| HIGO | |
| OKRA | |
| MIEL | |
| PROPÓLEOS | |
| VITAMINA A | |

*Dátiles*

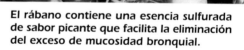

**El rábano contiene una esencia sulfurada de sabor picante que facilita la eliminación del exceso de mucosidad bronquial.**

# ASMA

### Definición
Se manifiesta con ataques de *disnea* (dificultad respiratoria) acompañados de silbidos al respirar, tos, expectoración y sensación de opresión en el pecho. El asma se debe a un espasmo e inflamación de los bronquios, causado *casi siempre* por un mecanismo **alérgico.**

### Alimentación
El consumo abundante de ciertos alimentos puede contribuir a reducir la sensibilidad bronquial y la predisposición a los ataques de asma.

La reducción en el consumo de sal y la abstinencia de los alimentos que más a menudo causan alergias puede hacer mucho para reducir la frecuencia e intensidad de las crisis.

### Otras causas evitables
Además de ciertos alimentos alergizantes, existen otros factores que pueden desencadenar crisis de asma, por ejemplo: la **contaminación** ambiental, el **polvo** y el **estrés** físico o psíquico.

 **Aumentar**

 **Reducir o eliminar**

| Aumentar | Reducir o eliminar |
|---|---|
| CEBOLLA | SAL |
| NARANJA | ADITIVOS |
| RÁBANO RUSTICANO | VINO |
| ACEITES | CERVEZA |
| MIEL | PESCADO |
| YOGUR | MARISCO |
| HORTALIZAS | QUESOS MADURADOS |
| MAGNESIO | HUEVO |
| VITAMINAS B | LEVADURA DE CERVEZA |
| ANTIOXIDANTES | JALEA REAL |
| | LECHE |
| | FRUTOS SECOS |

*Langostino*

**El marisco es causa frecuente de alergias que puede desencadenar o agravar los ataques de asma.**

# TABACO, DESINTOXICACIÓN

### Alimentación
La alimentación desempeña un papel muy importante en la cura de desintoxicación del tabaco. Cuando se deja de fumar, se deben elegir los alimentos que sean capaces de lograr estos tres objetivos:

- **Eliminar la nicotina** y otros venenos del organismo: El agua, las frutas y las verduras de acción depurativa contribuyen a ello.
- **Reparar los daños:** Los alimentos vegetales ricos en vitaminas **antioxidantes** protegen a las células de la agresión química causada por el tabaco, y contribuyen a la reparación de los daños causados.
- **Reducir el deseo de fumar:** Se debe evitar los alimentos o productos que lo estimulan.

 **Aumentar**

 **Reducir o eliminar**

| Aumentar | Reducir o eliminar |
|---|---|
| AGUA | BEBIDAS ALCOHÓLICAS |
| FRUTA | BEBIDAS ESTIMULANTES (CAFÉ, TÉ, MATE, ETC.) |
| HORTALIZAS | |
| VITAMINA C | GRASA SATURADA |
| GERMEN DE TRIGO | CARNE |
| ANTIOXIDANTES | ESPECIAS |

*Germen de trigo*

**El germen de trigo es muy rico en vitaminas B y minerales, necesarios para el buen funcionamiento del sistema nervioso y para vencer el nerviosismo que produce la abstinencia del tabaco.**

*Fruta*

**La fruta aporta vitaminas y elementos fitoquímicos antioxidantes, que neutralizan parte de los venenos del tabaco.**

# Cebolla

## Eficaz contra la bronquitis y el asma

**Sinonimia hispánica:** *cebolla común, cebollín.*

**Descripción:** *Bulbo de la planta de la cebolla ('Allium cepa' L.), herbácea de la familia de las Liliáceas. El bulbo no es una raíz, sino un engrosamiento subterráneo del tallo de la planta. La verdadera raíz está formada por los filamentos que nacen en la parte inferior del bulbo.*

### CEBOLLA
### composición
por cada 100 g de parte comestible cruda

| | |
|---|---|
| Energía | 38,0 kcal = 158 kj |
| Proteínas | 1,16 g |
| H. de c. | 6,83 g |
| Fibra | 1,80 g |
| Vitamina A | — |
| Vitamina B$_1$ | 0,042 mg |
| Vitamina B$_2$ | 0,020 mg |
| Niacina | 0,431 mg EN |
| Vitamina B$_6$ | 0,116 mg |
| Folatos | 19,0 µg |
| Vitamina B$_{12}$ | — |
| Vitamina C | 6,40 mg |
| Vitamina E | 0,130 mg EαT |
| Calcio | 20,0 mg |
| Fósforo | 33,0 mg |
| Magnesio | 10,0 mg |
| Hierro | 0,220 mg |
| Potasio | 157 mg |
| Cinc | 0,190 mg |
| Grasa total | 0,160 g |
| Grasa saturada | 0,026 g |
| Colesterol | — |
| Sodio | 3,00 mg |

1%   2%   4%   10%   20%   40%   100%

**% de la CDR (cantidad diaria recomendada)**
cubierta por 100 g de este alimento

S E DICE en el cuarto libro de Moisés, el de Números, que cuando los israelitas andaban errantes por el desierto del Sinaí, se acordaban de los alimentos que comían en Egipto; y se citan específicamente las cebollas, los ajos y los puerros.[2] Cabe pensar, pues, que las cebollas, junto con otros vegetales, ocuparon un lugar importante en la dieta de los esclavos constructores de pirámides, hace ahora más de 3.500 años.

Sin embargo, las cebollas aportan muy pocas calorías a la dieta, especialmente cuando se está realizando un ejercicio físico intenso; tampoco se puede decir que su sabor sea delicioso. Así que aquel pueblo de rudos esclavos debió añorar las cebollas, sobre todo por sus propiedades medicinales: ¡Cuántos de ellos debieron de enfermar de bronquitis o neumonía mientras pisaban el frío lodo con el que fabricar los ladrillos de adobe!

En la cebolla, como en las otras aliáceas (ajos y puerros), los israelitas posiblemente encontraron un alimento-medicina que les ayudó a prevenir y curar las afecciones respiratorias, además de otorgarles vigor y salud.

En nuestro días, la cebolla continúa siendo uno de los alimentos con mayor poder curativo.

**PROPIEDADES E INDICACIONES:** Ningún nutriente destaca cuando se examina la composición de la cebolla. Las 38 kcal/100 g que aporta, proceden en su mayoría del contenido en glucosa, sacarosa y otros **hidratos de carbono** (6,83%). Las **proteínas** están presentes en un pequeño porcentaje (1,16%), aunque notable tratándose de una hortaliza. Su contenido en **grasas** es prácticamente despreciable (0,16%).

Las **vitaminas** están todas presentes (excepto la B12), aunque en pequeñas cantidades. Igualmente ocurre con los **minerales,** entre los que destaca únicamente el potasio (157 mg /100 g). Entre los oligoelementos, el más abundante es el **azufre,** que forma parte de la esencia volátil.

Las sales minerales de la cebolla se convierten en carbonatos de reacción alcalina al pasar a la sangre,[3] lo cual explica el *notable* **efecto alcalinizante** de este bulbo. Los alimentos alcalinizantes facilitan la eliminación de las sustancias de desecho que se producen en nuestro organismo, que son todas ellas de naturaleza ácida.

En contraste con esta composición poco relevante en cuanto a nutrientes, la cebolla es muy rica en sustancias no nutritivas dotadas de una gran actividad fisiológica:

✓ **Aceite esencial:** Es el responsable del típico olor de la cebolla. Es un aceite muy volátil, que se evapora fácilmente. Su composición es muy compleja, pues está formado por la mezcla de más de cien sustancias diferentes, entre las que destaca el **disulfuro de alilo** y el **tiosulfinato.**

✓ **FLAVONOIDES:** Son sustancias de tipo glucosídico que favorecen la circulación sanguínea, impiden la formación de coágulos (acción antiagregante plaquetaria) y bloquean la oxidación de las lipoproteínas de baja densidad (un tipo de grasa de la sangre), causante de la arteriosclerosis. La cebolla es *rica* en **quercitina,** uno de los **flavonoides** *más activos.* En un estudio llevado a cabo en la Universidad de Wageningen (Holanda) se ha demostrado que la quercitina se absorbe bien en el intestino, tanto cuando procede de cebolla cruda como cocinada.[4]

A las sustancias que forman este aceite esencial y a los flavonoides, se atribuyen la mayor parte de las propiedades de la cebolla: **antibiótica, pectoral, antiasmática,** *protectoras* del

## Preparación y empleo

❶ **Cruda:** Es la forma ideal de consumirla, aunque para ello debe ser tierna. Lavándola durante unos minutos en agua, y aliñándola después con limón, se atenúa un poco su picor. Quienes padecen úlcera gástrica o gastritis deben consumir las cebollas hervidas o asadas.

❷ **Hervida en agua:** Desaparece su picor y se tolera mejor, pero también disminuyen sus efectos medicinales. Conviene que el tiempo de hervor sea muy corto (menos de un minuto), y tomar también el caldo.

❸ **Asada:** Resulta muy sabrosa; aunque cuanto más tiempo pase al fuego, menores serán sus efectos medicinales.

❹ **Jarabe de cebolla:** Se hierven varias cebollas cortadas a rodajas. Después de machacarlas hasta formar una pasta, se añaden unas cucharadas de miel o azúcar moreno.

❺ **Agua de cebolla:** Se obtiene poniendo a macerar una cebolla cruda troceada en un vaso de agua durante unas horas.

La ingestión de una cebolla cruda puede detener o aliviar una crisis de asma, por su acción antialérgica y broncodilatadora. El efecto persiste durante doce horas. La inhalación del aceite esencial de la cebolla también resulta beneficiosa, y más adecuada para los niños.

**corazón** y de las **arterias, diurética** y **antitumoral.**

La cebolla contiene además otras muchas sustancias no nutritivas con acciones no tan definidas como las de los dos grupos anteriores. Entre ellas destacan las siguientes:

✓ *Enzimas:* La cebolla es rica en sustancias enzimáticas como las oxidasas y las diastasas,[3] que tienen una acción dinamizadora sobre los procesos digestivos.

✓ *Glucoquina:* El doctor Schneider[5] la define como una *"hormona vegetal"* que tiene la facultad de reducir el nivel de glucosa en la sangre. Esto explica la acción favorable de la cebolla en caso de **diabetes.**

✓ *Fibra vegetal* (1,8%), que contribuye a su acción hipolipemiante (disminuye la absorción de colesterol) y antidiabética (retrasa el paso de azúcar a la sangre).

Se han descrito muchas propiedades medicinales de la cebolla, y se ha recomendado para nu-

merosas afecciones. Puesto que su aceite esencial es muy volátil e impregna rápidamente todos los tejidos del organismo, es lógico pensar que pueda actuar sobre múltiples órganos. Sin embargo, vamos a mencionar únicamente las aplicaciones dietoterápicas que han sido *investigadas y probadas* **científicamente:**

• **Afecciones respiratorias:** Los compuestos azufrados que forman el aceite esencial de la cebolla pasan rápidamente a la sangre nada más llegar al estómago, y se eliminan en primer lugar por los pulmones. A ello se debe que a los pocos minutos de haber comido cebolla, el aliento ya haya adquirido un olor característico. La cebolla produce un efecto **mucolítico** (deshace la mucosidad espesa), expectorante (facilita la eliminación de las mucosidades bronquiales) y **antibiótico** sobre gérmenes grampositivos.[6, 7]

Todas las infecciones de las vías respiratorias, desde la sinusitis hasta la bronquitis y la neumonía, mejoran con el consumo de cebolla, preferiblemente cruda **❶**, aunque también hervida **❷**, asada **❸** o en jarabe **❹**.

• **Asma bronquial:** En la clínica infantil de la Universidad Ludwig-Maximilians de Múnich (Alemania), se comprobó que el tiosulfinato, uno de los componentes del aceite esencial de la cebolla, es capaz de frenar la respuesta alérgica bronquial en caso de asma.[8, 9]

Además, se ha comprobado que el tiosulfinato de la cebolla actúa también sobre el centro respiratorio del tronco cerebral, produciendo una dilatación de los bronquios.[10]

Estas investigaciones justifican plenamente el uso de la cebolla cruda en caso de asma bronquial, por su acción antialérgica y broncodilatadora. Los efectos beneficiosos de la cebolla sobre los bronquios se dejan sentir a los pocos minutos de haberla ingerido.

• **Arteriosclerosis y afecciones coronarias:** Cada vez son mayores las evidencias de que el consumo de cebolla evita la **arteriosclerosis,** *impide* la **trombosis** (formación de trombos o coágulos dentro de las arterias y venas) y mejora la circulación de la sangre por las arterias coronarias. En el año 1989, un estudio realizado en la Universidad de Limburg (Maastricht, Holanda),[11] concluía que la acción beneficiosa de la cebolla sobre el sistema cardiovascular no estaba suficientemente demostrada. Sin embargo, en 1996, varias investigaciones[12, 13] pusieron de manifiesto que quienes consumen más **cebollas** y **manzanas** (dos de los alimentos más ricos en el flavonoide quercitina), tienen un menor riesgo de morir a consecuencia de infarto de miocardio.

El consumo habitual de cebolla en cualesquiera de sus formas **❶,❷,❸** previene la arteriosclerosis, hace más fluida la circulación sanguínea en todas las arterias y reduce el riesgo de padecer una complicación grave como el infarto de miocardio.

• **Aumento de triglicéridos en la sangre:** Los triglicéridos, formados por ácidos grasos y glicerina, son uno de los tipos de grasa que circula por la sangre. Un nivel elevado de triglicéridos favorece la arteriosclerosis y las enfermedades coronarias. Se ha demostrado que el consumo de extracto acuoso de cebolla (agua de cebolla **❺**) reduce el nivel de triglicéridos en la

sangre y en el hígado.[14] Además, la cebolla aumenta el nivel de colesterol HDL (el llamado colesterol "bueno"), que evita la arteriosclerosis.

• **Afecciones renales:** Aumenta el volumen de orina, facilitando la eliminación de sustancias de desecho por su acción **alcalinizante.** Conviene en la dieta de los que padecen litiasis (**cálculos**), **infecciones** urinarias o algún grado de **insuficiencia renal.**

• **Diabetes:** Reduce el nivel sanguíneo de glucosa, por lo que constituye un alimento *muy recomendable* para los diabéticos.

• **Afecciones hepáticas:** Estimula la función desintoxicadora del hígado, igual que favorece la acción de las otras glándulas digestivas productoras de jugos. *Muy recomendable* en caso de insuficiencia hepática por hepatitis crónica o cirrosis.

• **Cáncer:** Una investigación llevada a cabo en China, y patrocinada por el Instituto Nacional del Cáncer de los Estados Unidos, mostró que quienes consumen más cebollas y ajos tienen un **riesgo** *mucho menor* de padecer **cáncer de estómago.**[15, 16] Otras investigaciones[17] ponen de manifiesto la capacidad de la cebolla, así como del ajo, para inhibir el desarrollo de las células tumorales y neutralizar las sustancias cancerígenas.

Está pues justificado el consumo abundante de cebollas como preventivo y como complemento del tratamiento de determinados tipos de cáncer, como el de estómago y el de colon. Sin embargo, otros estudios llevados a cabo en Holanda, muestran que la cebolla carece de efecto en caso de cáncer de mama[18] o de pulmón.[19]

# Higo

## Suaviza los bronquios y tonifica todo el cuerpo

**Sinonimia hispánica:** *breva, higo extranjero.*

**Descripción:** *Falso fruto de la higuera ('Ficus carica' L.), árbol o arbusto de hoja caduca de la familia de las Moráceas. Se trata de un falso fruto, pues en realidad el higo es una inflorescencia (grupo de flores) carnosa. Cierto tipo de higueras dan dos cosechas al año: las* **brevas** *en primavera, que son muy tiernas y jugosas; y los* **higos** *propiamenmte dichos en verano-otoño.*

### HIGOS (FRESCOS)
### composición
por cada 100 g de parte comestible cruda

| | |
|---|---|
| Energía | 74,0 kcal = 310 kj |
| Proteínas | 0,750 g |
| H. de c. | 15,9 g |
| Fibra | 3,30 g |
| Vitamina A | 14,0 µg ER |
| Vitamina B$^1$ | 0,060 mg |
| Vitamina B$^2$ | 0,050 mg |
| Niacina | 0,500 mg EN |
| Vitamina B$^6$ | 0,113 mg |
| Folatos | 6,00 µg |
| Vitamina B$^{12}$ | — |
| Vitamina C | 2,00 mg |
| Vitamina E | 0,890 mg E$\alpha$T |
| Calcio | 35,0 mg |
| Fósforo | 14,0 mg |
| Magnesio | 17,0 mg |
| Hierro | 0,370 mg |
| Potasio | 232 mg |
| Cinc | 0,150 mg |
| Grasa total | 0,300 g |
| Grasa saturada | 0,060 g |
| Colesterol | — |
| Sodio | 1,00 mg |

1%  2%  4%   10%  20% 40% 100%

**% de la CDR** (cantidad diaria recomendada)
cubierta por 100 g de este alimento

**PROPIEDADES E INDICACIONES:** En la composición de los higos *destacan* los **hidratos de carbono,** que suponen un 15,9% de su peso total. La mayor parte de ellos están constituidos por monosacáridos o azúcares simples (glucosa y fructosa), y una pequeña parte, por disacáridos (sacarosa). La proporción de proteínas no alcanza el 1%, y la de grasas es tan solo del 0,3%.

Los higos son bastante ricos en **vitaminas** E, B$_6$, B$_1$ y B$_2$. Por el contrario, son más bien escasos en vitaminas A y C. En cuanto a **minerales,** es de destacar su contenido en potasio, calcio, magnesio y hierro. Los **oligoelementos** cinc, cobre y manganeso están presentes en cantidades significativas.

En los higos secos se concentran la mayor parte de sus nutrientes, excepto las vitaminas C y E que prácticamente desaparecen.
Su efecto medicinal sobre los bronquios y el aparato digestivo es incluso superior al de los frescos.

Los higos se digieren muy bien, y actúan como **emolientes** (suavizantes) de los bronquios y del aparato digestivo; son también **laxantes** y **diuréticos.** Su consumo se halla especialmente indicado en los siguientes casos:

• **Afecciones bronquiales:** los higos en cualesquiera de sus formas, pero especialmente los secos a remojo [❷] y los hervidos con leche [❸], ejercen una acción pectoral y antiinfecciosa.[20] Calman la tos, facilitan la expectoración y suavizan las vías respiratorias. Su uso se recomienda tanto a los que padecen de **bronquitis** crónica, como a los que sufren de infecciones agudas de vías respiratorias por **resfriado** o **gripe.**

• **Estreñimiento:** los higos frescos [❶] y los secos puestos a remojo [❷] se hallan *especialmente indicados* en caso de pereza intestinal. Su acción es similar a la de las ciruelas. Suavizan el conducto digestivo y estimulan los movimientos peristálticos del intestino que hacen progresar las heces en su interior.

• **Aumento de las necesidades nutritivas:** Los higos en cualesquiera de sus formas son un alimento muy recomendable en caso de anemia o de fatiga por causa orgánica o psíquica, debido a su acción tonificante.

Las mujeres embarazadas o que lactan, los adolescentes y todos aquellos que estén sometidos a esfuerzos físicos (deportistas) o psíquicos (estudiantes), encontrarán en el higo un alimento muy nutritivo, fácilmente digerible y rico en energía.

## Preparación y empleo

❶ **Frescos:** Para disfrutar de su dulzor y de su aroma, a los higos hay que dejarlos **madurar en el árbol.** Si se recolectan verdes, jamás adquirirán su espléndida plenitud y madurez. La dificultad de su transporte hace que solo se encuentren disponibles en el mercado durante unas pocas semanas al año.

❷ **Desecados:** Los llamados higos secos han perdido las dos terceras partes de su contenido acuoso, con lo que se concentran mucho sus azúcares, vitaminas y minerales. Tienen la ventaja de estar disponible todo el año. Pueden ponerse a remojo durante toda la noche antes de comerlos.

❸ **Hervidos con leche** (preferiblemente vegetal): Media docena de higos secos cocinados en medio litro de leche hirviente, constituyen un buen remedio para ablandar la tos y favorecer la expectoración, especialmente si se les añaden unas cucharadas de miel.

❹ **Pan de higos:** Se elabora con higos secos, almendras y hierbas aromáticas. Resulta altamente energético y muy tonificante.

# Dátil

## Calma la tos y suaviza los bronquios

**Sinonimia hispánica:** *támara.*

**Descripción:** *Fruto de la palmera datilera ('Phoenix dactylifera' L.), árbol de la familia de las Palmáceas que alcanza hasta 20 m de altura.*

### DÁTILES
### composición
por cada 100 g de parte comestible cruda

| | |
|---|---|
| Energía | 275 kcal = 1151 kj |
| Proteínas | 1,97 g |
| H. de c. | 66,0 g |
| Fibra | 7,50 g |
| Vitamina A | 5,00 µg ER |
| Vitamina B$_1$ | 0,090 mg |
| Vitamina B$_2$ | 0,100 mg |
| Niacina | 3,03 mg EN |
| Vitamina B$_6$ | 0,192 mg |
| Folatos | 12,6 µg |
| Vitamina B$_{12}$ | — |
| Vitamina C | 3,00 mg |
| Vitamina E | 0,100 mg E$\alpha$T |
| Calcio | 32,0 mg |
| Fósforo | 40,0 mg |
| Magnesio | 35,0 mg |
| Hierro | 1,15 mg |
| Potasio | 652 mg |
| Cinc | 0,290 mg |
| Grasa total | 0,450 g |
| Grasa saturada | 0,191 g |
| Colesterol | — |
| Sodio | 3,00 mg |

1%   2%   4%   10%   20%   40%   100%

**% de la CDR (cantidad diaria recomendada)**
cubierta por 100 g de este alimento

LOS ÁRABES del desierto consideran a la palmera datilera como "la fuente de la vida". No solamente regala al viajero sus nutritivos frutos, los dátiles, sino que además proporciona una bebida azucarada que destila al sangrar el tronco, fibras textiles con las que se elaboran vestidos y cuerdas, y una refrescante sombra.

**PROPIEDADES E INDICACIONES:** Los dátiles constituyen una de las frutas de mayor riqueza energética: 100 g (unos 10 dátiles) aportan 275 kcal, lo que supone el 11% de las necesidades diarias de energía para un hombre adulto de actividad física media. En la composición del dátil destacan los siguientes nutrientes:

✓ *Azúcares* (66%), compuestos *principalmente* de **glucosa y fructosa.** El dátil es una de las frutas *más ricas* en azúcares.

✓ *Vitaminas del grupo B,* especialmente la B$_1$, B$_2$, niacina y B$_6$. Estas vitaminas, entre otras funciones, tienen la de *facilitar* el **aprovechamiento** de los **azúcares** por las células de nuestro organismo. El dátil aporta cantidades significativas de todas estas vitaminas, lo cual contribuye a su acción **vigorizante.**

✓ **Minerales:** los dátiles son una de las frutas *más ricas* en minerales. Aportan sobre todo **potasio, hierro, magnesio, fósforo** y **calcio,** por este orden de importancia. Los **oligoelementos** cobre, manganeso y cinc también están presentes en cantidades significativas.

✓ **Fibra vegetal:** *Con 100 g* de dátiles se consigue casi la *tercera parte* de la CDR (cantidad diaria recomendada) de fibra vegetal. Se trata mayormente de fibra soluble, formada por **pectinas** y **gomas,** aunque también contiene fibra insoluble o celulósica. Ambos tipos de fibra ejercen acciones favorables complementarias sobre el intestino.

Los dátiles constituyen, pues, una fruta muy nutritiva y energética. Su contenido proteínico, que apenas llega al 2%, es más bien escaso, pero aun así supera al de la mayor parte de las frutas frescas, excepto el aguacate (ver pág. 112). Se trata de **proteínas** bastante completas, y fácilmente asimilables por el organismo. En cuanto a **grasas,** apenas alcanza el 0,5%.

Los dátiles hervidos con leche (preferiblemente vegetal) constituyen un remedio tradicional contra la tos y las afecciones respiratorias.

Las aplicaciones dietoterápicas más importantes de esta fruta son:

• **Afecciones respiratorias:** Tradicionalmente los dátiles se vienen usando para ablandar la **tos** cuando es excesivamente seca y para combatir los **catarros** de las vías respiratorias. Ejercen un probado efecto emoliente (suavizante) sobre los bronquios, y antitusígeno, posiblemente debido a su riqueza en azúcares y a algún componente todavía no identificado.

La forma más efectiva de tomarlos con este fin, es hervidos con leche **❸**.

• **Dietas hipoproteínicas:** Los dátiles aportan muy pocas proteínas en proporción a su riqueza energética. Esto resulta muy útil cuando se necesita limitar la ingesta de proteínas, como ocurre por ejemplo en caso de insuficiencia renal.

• **Dietas energéticas:** El consumo de dátiles tiene efectos **tonificantes** y **vigorizantes.** Se recomienda en caso de fatiga o debilidad a cualquier edad. Por su riqueza en azúcares, vitaminas y minerales (incluido el hierro), se benefician especialmente del consumo de dátiles los **adolescentes,** los **jóvenes deportistas,** y las mujeres **embarazadas** o que **lactan.**

## Preparación y empleo

**❶ Frescos:** Los dátiles frescos resultan más suaves y agradables que los secos. En muchos casos, los dátiles se congelan en el país de origen después de la recolección, y se descongelan inmediatamente antes de ser exportados para la venta. Aunque el proceso de congelación les afecta muy poco, debido a su escaso contenido en agua, son más sabrosos –y caros– los que no han sido previamente congelados.

**❷ Desecados:** La desecación es la forma tradicional de conservar los dátiles. Para evitar su dureza, se pueden poner a remojo en leche o agua antes de su consumo.

**❸ Hervidos con leche** (preferiblemente vegetal): Se ponen unos 100 g de dátiles a hervir en medio litro de leche durante unos minutos. Se toman los dátiles con la leche, para obtener un mayor **efecto pectoral.** Se puede añadir una cucharada de miel.

# Alimentos para el aparato digestivo

E N ESTE CAPÍTULO se abordan las enfermedades del aparato digestivo que no afectan específicamente al hígado, a la vesícula biliar, al estómago o al intestino, pues estas se abordan en su capítulo respectivo.

## Los primeros tramos del conducto digestivo

La boca, la faringe, el esófago y el estómago son los primeros tramos del conducto digestivo que recorren los alimentos. En este recorrido se pueden ver afectados por las siguientes características de los mismos:

• **Composición química:** El azúcar favorece la caries dental; las sustancias cancerígenas que se encuentran en ciertos tipos de carne así como las bebidas alcohólicas, favorecen el cáncer de boca, de esófago y de estómago (ver págs. 364, 365).

• **Textura física:** Los alimentos duros que exigen masticación vigorosa, fortalecen las encías y las piezas dentarias; pero, si no son bien masticados, pueden irritar el esófago y el estómago.

• **Temperatura:** Los alimentos muy calientes o muy fríos irritan la mucosa digestiva, y pueden ser incluso un factor causante de cáncer.

## LLAGAS DE LA BOCA

### Definición

Llamadas también **aftas bucales.** Son pequeñas úlceras dolorosas de fondo blanco y borde rojo, que aparecen en la mucosa bucal.

### Causas

Sus causas pueden ser muy variadas:

- **Deficiencias nutritivas,** especialmente de hierro, vitaminas B, incluidos los folatos. Pueden ser la primera manifestación de una anemia por falta de hierro.
- **Alergia** a algún alimento, en muchos casos desconocido.
- **Depresión inmunitaria** (baja de defensas).
- **Estrés** y **tensión** emocional.
- **Infecciones** víricas.

 **Aumentar**

HIERRO
VITAMINAS B
FOLATOS
CINC
YOGUR
SUERO ACIDIFICADO

**Reducir o eliminar**

BEBIDAS ALCOHÓLICAS
VINAGRE
SAL

**La papaya favorece todos los procesos digestivos debido, entre otras cosas, a su contenido en papaína. Esta enzima deshace las proteínas y puede suplir en parte la deficiencia de jugos digestivos.**

## HALITOSIS

### Definición

Se define como el **mal aliento** o el olor desagradable del mismo. Una deficiente higiene bucal, las malas digestiones, el estreñimiento, el consumo de bebidas alcohólicas y el hábito de fumar, son las causas más comunes.

### Alimentación

Una alimentación a base de vegetales que favorezca la buena digestión, y la abstinencia del tabaco y del alcohol, puede solucionar muchos casos de halitosis.

 **Aumentar**

SALVADO DE TRIGO
MANZANA
YOGUR
AGUA

**Reducir o eliminar**

BEBIDAS ALCOHÓLICAS
AZÚCARES
REFRESCOS

**Por su contenido en pectina (fibra soluble), la manzana regula el intestino y equilibra la flora intestinal, con lo cual puede mejorar la halitosis.**

*Manzanas*

## CARIES

### Definición

Hoy sabemos que la caries está causada por cierto tipo de **bacterias** que viven en la boca. Estas bacterias se reproducen muy rápidamente cuando existe azúcar en la cavidad bucal.

### Alimentación

Los ácidos que contienen los refrescos, y también los de la fruta, pueden deteriorar el esmalte dentario y facilitar el proceso de la caries.

Además de una alimentación con pocos dulces, lo más importante para evitar la caries es una **buena higiene dental y bucal**.

 **Aumentar**

ZANAHORIA
CEREALES INTEGRALES

 **Reducir o eliminar**

AZÚCARES
CHOCOLATE
REFRESCOS
JUGOS DE FRUTA
FRUTOS CÍTRICOS

## GINGIVITIS Y PERIODONTITIS

### Definiciones

La gingivitis es la inflamación de las encías, que además sangran fácilmente. Si no se corrige el problema a tiempo, puede afectar a periodonto (conjunto de tejidos que rodean al diente), dando lugar a la periodontitis.

La **periodontitis** deteriora el hueso alveolar, que es la parte de la mandíbula o del maxilar que sirve de soporte a los dientes. El resultado es la movilidad y finalmente la pérdida de las piezas dentarias.

### Alimentación

La carencia de ciertos nutrientes puede producir o agravar la gingivitis o la periodontitis. El consumo de algunos alimentos, también.

 **Aumentar**

FRUTA
VITAMINA C
FOLATOS
VITAMINA A
COENZIMA $Q_{10}$

 **Reducir o eliminar**

AZÚCARES
BEBIDAS ALCOHÓLICAS
FÓSFORO
CARNE

*Kiwis*

**Los kiwis aportan folatos y vitamina C que favorecen el buen estado de las encías.**

## APETITO, FALTA DE

### Definición

La **inapetencia** o falta de apetito puede deberse a múltiples causas. *Siempre* conviene **diagnosticar** *cuanto antes* la causa de la inapetencia, ya que en algunos casos puede deberse a enfermedades malignas como el cáncer.

### Alimentación

Los alimentos indicados pueden mejorar el apetito y facilitar la digestión.

 **Aumentar**

CONDIMENTOS
ACEITUNA
RÁBANO RUSTICANO
RUBARBO
COCLEARIA
ENDRINA
POLEN

*Limones*

**Los condimentos estimulan el apetito y preparan el estómago para la digestión. Los más recomendables son el ajo, el limón y las hierbas aromáticas.**

**El consumo de frutas en abundancia es garantía de una dieta sana, favorecedora de la salud y grata al paladar de los más exigentes por sus diferentes texturas y sabores.**

# Coliflor

## La más digestiva de las coles

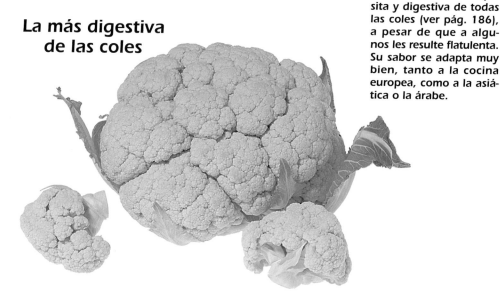

La coliflor está considerada como la más exquisita y digestiva de todas las coles (ver pág. 186), a pesar de que a algunos les resulte flatulenta. Su sabor se adapta muy bien, tanto a la cocina europea, como a la asiática o la árabe.

### COLIFLOR
### composición
por cada 100 g de parte comestible cruda

| | |
|---|---|
| Energía | 25,0 kcal = 105 kj |
| Proteínas | 1,98 g |
| H. de c. | 2,70 g |
| Fibra | 2,50 g |
| Vitamina A | 2,00 µg ER |
| Vitamina B₁ | 0,057 mg |
| Vitamina B₂ | 0,063 mg |
| Niacina | 0,959 mg EN |
| Vitamina B₆ | 0,222 mg |
| Folatos | 57,0 µg |
| Vitamina B₁₂ | — |
| Vitamina C | 46,4 mg |
| Vitamina E | 0,040 mg EαT |
| Calcio | 22,0 mg |
| Fósforo | 44,0 mg |
| Magnesio | 15,0 mg |
| Hierro | 0,440 mg |
| Potasio | 303 mg |
| Cinc | 0,280 mg |
| Grasa total | 0,210 g |
| Grasa saturada | 0,032 g |
| Colesterol | — |
| Sodio | 30,0 mg |

1%   2%   4%   10%   20%   40%   100%

**% de la CDR (cantidad diaria recomendada)**
cubierta por 100 g de este alimento

*Sinonimia hispánica:* brécol de cabeza, brócoli calabrés, brócoli de cabeza, brocolate, grumo, pava, albenga.

*Descripción:* Inflorescencia de la planta 'Brassica oleracea' L. var 'botrytis', herbácea de la familia de las Crucíferas.

L A PARTE comestible de la coliflor es precisamente la inflorescencia de la planta antes de alcanzar su pleno desarrollo, formada por la reunión de miles de pequeñas florecillas todavía cerradas. Desde el punto de vista botánico, tanto la coliflor, como el brécol (ver pág. 72) y todas las coles (ver pág. 186), constituyen variedades de una misma especie.

Los agricultores consiguen el inmaculado color blanco de la coliflor, uniendo por encima de la mata las verdes hojas que la rodean, de forma que impidan la entrada de luz solar.

Cuando se permite que los rayos de sol alcancen la inflorescencia, se obtienen coliflores de diversos colores según la variedad: **verde** (como el **romanesco**), debido a la presencia

Aunque la variedad más común de coliflor es la blanca, existen también otras de color verde y morado.

La coliflor tiene fama de producir flatulencias, pero a menudo eso es debido a las pesadas recetas que se elaboran con ella, más que a la coliflor en sí misma.

La forma más sana y digestiva de prepararla es cocinándola al vapor, y servirla aliñada con unas gotas de limón y aceite.

de clorofila, o **morado,** causado por su contenido en antocianinas.

**PROPIEDADES E INDICACIONES:** La coliflor contiene pequeñas cantidades de hidratos de carbono y de proteínas, y prácticamente nada de grasas. Contiene provitamina A (beta-caroteno), *vitaminas* B, C y E, *destacando* especialmente la *C* con 46,4 mg/100 g. En cuanto a minerales, *es muy rica* en *potasio* y *baja* en *sodio;* contiene cantidades significativas de calcio, magnesio, fósforo y hierro.

La coliflor es una hortaliza *rica* en *oligoelementos,* tales como el cromo, cinc, manganeso, cobre y selenio.

## Preparación y empleo

❶ **Cruda** en ensalada, cuando está tierna.

❷ **Cocinada** en sus muchas preparaciones culinarias: hervida, cocinada al vapor (estas dos son las formas más sanas de prepararla), asada, frita, estofada, gratinada.

Al igual que las otras plantas de la familia de las Crucíferas, la coliflor *es muy rica* en sustancias **anticancerígenas** pertenecientes al grupo de los *elementos fitoquímicos;* de ahí su utilidad como *preventiva* del cáncer.

Las aplicaciones medicinales de la coliflor, son las siguientes:

• **Afecciones digestivas:** La coliflor es una excelente portadora de vitaminas, minerales y oligoelementos, que tonifica las funciones digestivas. Actúa sobre el conducto digestivo en su conjunto, desde el estómago hasta el colon. Por su buena **digestibilidad,** superior a la de otras coles, *es muy recomendable* en la dieta de los enfermos del estómago (**gastritis, úlcera, dispepsia**). Actúa como un *normalizador* del tránsito intestinal, tanto en caso de estreñimiento como de descomposición o diarrea, o del intestino; por lo cual está indicada en caso de **estreñimiento, colitis** y **diverticulosis.**

La coliflor es, junto con la zanahoria (ver pág. 32) y los espárragos (ver pág. 234), una de las *primeras hortalizas* que debe darse a los enfermos *después* de una afección aguda, como una **gastritis** o una **gastroenteritis.**

• **Afecciones cardiocirculatorias:** Debido a su *escasez* en *sodio,* su *abundancia* en *potasio* y su *práctica carencia de grasas,* la co-

## Preparación de la coliflor

1. Cortar la base de la coliflor con un cuchillo grande.

2. Las hojas verdes protectoras pueden usarse como verdura, aunque hay quien prefiere eliminarlas.

3. Cortar los pequeños ramos de inflorescencias que forman la coliflor.

4. Lavar esos fragmentos de coliflor bajo un chorro de agua.

5. Se puede tomar cruda [❶], o bien cocinarla de diversas maneras.[❷]

liflor es uno de los alimentos *más apropiados* para los enfermos del corazón y del sistema circulatorio. No debe faltar en la mesa de los **cardiópatas,** de los **hipertensos** y de los que sufren de **arteriosclerosis** en cualesquiera de sus manifestaciones.

• **Obesidad y diabetes:** La coliflor aporta una cantidad mínima de calorías: tan solo 28 kcal /100 g, y sin embargo produce sensación de saciedad. Hervida o cocinada al vapor, la coliflor constituye una cena ideal para los que deseen adelgazar y para los diabéticos, debido a su *escaso contenido en hidratos de carbono.*

• **Afecciones renales:** La coliflor es **diurética y depurativa,** pues facilita la eliminación del exceso de agua retenida en los tejidos (edemas) y de sustancias de desecho como la urea. Su uso conviene en caso de **insuficiencia renal, artritismo, gota, edemas** de causa renal y **cálculos** renales.

• **Afecciones cancerosas:** En los últimos años se están realizando investigaciones, tanto de tipo estadístico como experimental, que demuestran la acción anticancerígena de la coliflor, el brécol, la col y otras plantas de la familia de las **Crucíferas** (ver pág. 361). Esta acción se debe a dos tipos de *elementos fitoquímicos:* los *glucósidos sulfurados* y los derivados de los *indoles.*[1, 2] Administradas por vía oral, ambas sustancias son capaces de impedir la formación de tumores malignos en animales de laboratorio a los que previamente se les han aplicado sustancias carcinógenas como el benzopireno.[3]

Así pues, su uso abundante se recomienda a las personas con mayor riesgo de padecer enfermedades cancerosas, ya sea por causas hereditarias, por haber consumido tóxicos como el tabaco, o por otras razones. Igualmente, aquellos que ya han sido diagnosticados de algún tipo de **tumoración,** y están *en tratamiento,* deberían incluir *todos los días* en su dieta alguna hortaliza de la familia de las Crucíferas: por ejemplo, coliflor, brécol (ver pág. 72), col (ver pág. 182) o rábano (ver pág. 174).

## Precauciones

*Aunque la coliflor se recomienda en las afecciones gástricas e intestinales, su uso debe restringirse en los siguientes casos:*

• *Colelitiasis (piedras en la vesícula), debido a que puede producir pesadez y dispepsia de tipo biliar.*

• *Flatulencias intestinales: La coliflor aumenta la producción de gases intestinales en personas propensas, debido a su abundante contenido en celulosa.*

**El romanesco o minarete es una coliflor de color verde amarillento, muy apreciada en Alemania. Se caracteriza porque la inflorescencia adquiere la forma de una torrecilla o minarete. Se recomienda hervirla y servirla entera.**

# Papaya

## Activa los procesos digestivos

**Sinonimia hispánica:** *lechosa, frutabomba, ababaya, melón zapote, mamao, mamén.*

**PAPAYA**
**composición**
por cada 100 g de parte comestible cruda

| | |
|---|---|
| Energía | 39,0 kcal = 161 kj |
| Proteínas | 0,610 g |
| H. de c. | 8,01 g |
| Fibra | 1,80 g |
| Vitamina A | 175 µg ER |
| Vitamina B$_1$ | 0,027 mg |
| Vitamina B$_2$ | 0,032 mg |
| Niacina | 0,471 mg EN |
| Vitamina B$_6$ | 0,019 mg |
| Folatos | 38,0 µg |
| Vitamina B$_{12}$ | — |
| Vitamina C | 61,8 mg |
| Vitamina E | 1,12 mg E$\alpha$T |
| Calcio | 24,0 mg |
| Fósforo | 5,00 mg |
| Magnesio | 10,0 mg |
| Hierro | 0,100 mg |
| Potasio | 257 mg |
| Cinc | 0,070 mg |
| Grasa total | 0,140 g |
| Grasa saturada | 0,043 g |
| Colesterol | — |
| Sodio | 3,00 mg |

1% 2% 4% 10% 20% 40% 100% 200% 500%
**% de la CDR (cantidad diaria recomendada)**
cubierta por 100 g de este alimento

**Descripción:** *Fruto del papayo ('Carica papaya' L.), árbol de tronco sin ramificar y no leñoso de la familia de las Caricáceas, que alcanza de 3 a 6 m de altura. El fruto suele pesar de 0,5 a 2 kg, aunque los hay de hasta 6 kg. Su cáscara verde o amarilla encierra una pulpa de textura muy fina y color amarillo o anaranjado. En su interior hay una cavidad ocupada por numerosas semillas de color negro y sabor agrio.*

**PROPIEDADES E INDICACIONES:** La papaya contiene un 88,8% de agua, casi tanta como el melón (92%), por lo que algunos le llaman "melón del trópico". Sin embargo, la papaya y el melón pertenecen a distintas familias botánicas, y sus características son bien diferentes.

Su contenido en *nutrientes energéticos* es más bien reducido, tanto en hidratos de carbono (8%), como en proteínas (0,61%) o en grasas (0,14%). La mayor parte de sus hidratos de carbono está formado por los azúcares: sacarosa, glucosa y fructosa.

*Destaca,* sin embargo, el contenido *vitamínico* de la papaya: 100 g de pulpa aportan el 103% de las necesidades diarias de *vitamina C,* y el 18% de las de *vitamina A* (para un adulto).

Las vitaminas del grupo B están también presentes, aunque en pequeñas cantidades excepto los **folatos,** de los que contiene 38 µg/100 g tantos como el mango (ver pág. 326) o la feijoa (ver pág. 252), las frutas frescas más ricas en estas sustancias.

En cuanto a minerales, la papaya es *rica* en **potasio** (257 µg/100 g), y contiene cantidades apreciables de calcio, magnesio, fósforo y hierro. La **pectina** (fibra vegetal de tipo soluble) está presente en la proporción de 1,8%.

La **PAPAÍNA** es una enzima proteolítica (que deshace las proteínas), similar a la pepsina contenida en el jugo gástrico. Se encuentra sobre todo en las hojas del árbol y en el jugo blanco o látex que mana de los frutos verdes, pero es escasa en la papaya madura.

La papaya es *ante todo* una fruta fácil de digerir, y que además, contribuye a facilitar el paso de otros alimentos por el conducto digestivo. Estas son sus principales indicaciones terapéuticas:

• **Afecciones del estómago:** Se recomienda en caso de digestión pesada, ptosis gástrica (estómago caído), gastritis, y siempre que exista pereza digestiva debido a inflamación de la mucosa gástrica.

En los países tropicales, la papaya está considerada como el desayuno ideal, posiblemente por su fácil digestión y su riqueza vitamínica. El batido de papaya es una de las formas más agradables de consumir este fruto.

La papaya contribuye a *neutralizar* el exceso de **acidez gástrica,** y su consumo resulta beneficioso en caso de **úlcera** gastroduodenal, **hernia de hiato** y **pirosis** (acidez de estómago).

• **Dispepsia biliar y pancreatitis** crónica: Resulta muy aconsejable por tonificar todos los procesos digestivos y ser muy baja en grasas.

• **Afecciones intestinales:** Su acción suavizante sobre las mucosas digestivas y antiséptica, la hace útil en caso de gastroenteritis y de colitis de cualquier tipo: infecciosa, ulcerosa, espástica (colon irritable).

Investigaciones llevadas a cabo en Japón,[4] muestran que la papaya, especialmente cuando no está completamente madura, ejerce una acción **bacteriostática** (que impide su desarrollo) sobre muchos gérmenes enteropatógenos, causantes de infecciones intestinales. Es, pues, un alimento muy recomendable en los casos de **diarrea infecciosa.**

• **Parásitos intestinales:** El látex de la papaya,[5] y en menor proporción su pulpa, ejercen una acción antihelmíntica y vermífuga contra los parásitos intestinales, especialmente las tenias.

• **Afecciones de la piel:** Por su riqueza en provitamina A, la papaya forma parte de la dieta recomendada para las enfermedades de la piel como eccemas, furunculosis y acné.

## Preparación y empleo

❶ **Fresca:** Es la *mejor* forma de consumirla. Las papayas que se venden en los países no tropicales normalmente se recolectan verdes para que soporten el transporte, con lo cual pierden algo de sabor y calidad. La papaya es muy apreciada como desayuno y como postre, aunque también se sirve **en ensalada**, con lechuga y jugo de limón.

❷ **Preparaciones culinarias:** La papaya se presta muy bien para realizar **refrescos, batidos, helados** y la **jalea** de papaya, postre popular en las regiones tropicales de América.

❸ **Conserva:** Se enlata para facilitar su transporte a tierras lejanas.

# Calabacín

## Suaviza
## el conducto digestivo

**Especie afín:** *Cucurbita pepo* L., var. *giromontina*.

**Sinonimia hispánica:** *zapallo*.

### CALABACÍN
### composición
por cada 100 g de parte comestible cruda

| Energía | 14,0 kcal = 60,0 kj |
|---|---|
| Proteínas | 1,16 g |
| H. de c. | 1,70 g |
| Fibra | 1,20 g |
| Vitamina A | 34,0 µg ER |
| Vitamina B$_1$ | 0,070 mg |
| Vitamina B$_2$ | 0,030 mg |
| Niacina | 0,567 mg EN |
| Vitamina B$_6$ | 0,089 mg |
| Folatos | 22,1 µg |
| Vitamina B$_{12}$ | — |
| Vitamina C | 9,00 mg |
| Vitamina E | 0,120 mg E$\alpha$T |
| Calcio | 15,0 mg |
| Fósforo | 32,0 mg |
| Magnesio | 22,0 mg |
| Hierro | 0,420 mg |
| Potasio | 248 mg |
| Cinc | 0,200 mg |
| Grasa total | 0,140 g |
| Grasa saturada | 0,029 g |
| Colesterol | — |
| Sodio | 3,00 mg |

1%   2%   4%   10%   20%   40%   100%

**% de la CDR (cantidad diaria recomendada)**
cubierta por 100 g de este alimento

**Descripción:** *Fruto en baya de la planta del calabacín ('Cucurbita pepo' L. var. 'oblonga'), variedad botánica de la calabacera ('Cucurbita pepo' L., ver pág.104). Se trata de una planta herbácea anual de la familia de las Cucurbitáceas, cuyo tallo no reptante (a diferencia del de la calabacera) alcanza hasta un metro de longitud.*

E L CALABACÍN se parece mucho al pepino (ver pág. 324), aunque botánicamente se encuentre mucho más cerca de la calabaza (ver pág. 104). Todas las variedades de calabacín tienen una carne blanca o amarillenta similar a la del pepino, aunque más consistente. Por su exquisito sabor (que recuerda algo al de la nuez), y sus propiedades dietoterápicas, el calabacín se ha ganado una merecida reputación entre las hortalizas.

**PROPIEDADES E INDICACIONES:** Aunque el calabacín pertenece a la misma especie botánica que la calabaza, presenta características propias. Por ejemplo, apenas contiene beta-ca-

El calabacín combina muy bien con el tomate. Cocinados ambos, siempre que no sea en fritura, resultan muy digestivos y ligeramente diuréticos; ideales en las curas de adelgazamiento.

roteno, a diferencia de la calabaza que es muy rica en esta importante provitamina; por otro lado, posee un 1,16% de proteínas, una cantidad muy similar a la de la calabaza.

## Preparación y empleo

❶ **Cocinado** en guisos, tortillas o pistos. Frito es muy sabroso, pero presenta el inconveniente de absorber una gran cantidad de aceite.

❷ **Crema de calabacín:** El calabacín bien troceado se hace hervir con leche de vaca o de soja algo diluidas. Se tritura y se puede espesar con harina fina de maíz (maicena).

Ambos, la calabaza y el calabacín, tienen en común el ser *muy bajos* en **grasas,** en **sodio** y en **calorías,** aunque la calabaza presenta los valores más bajos de ambos nutrientes.

El calabacín *destaca* por sus propiedades **emolientes** (suavizantes) sobre el aparato digestivo, debido a su contenido en mucílago. También es *ligeramente* **diurético.** Todo ello lo hacen muy apropiado en los siguientes casos:

• **Dispepsia** (mala digestión), **gastritis, colon irritable, colitis** (inflamación del colon).

• **Curas de adelgazamiento:** Aporta muy poca grasa y calorías, con una cantidad relativamente alta de proteínas.

• **Afecciones cardiovasculares,** como hipertensión arterial, arteriosclerosis y afecciones coronarias.

# Cebada

## Facilita la digestión

La malta es una bebida muy aromática, que sustituye con ventaja al café por ser digestiva, saludable y nutritiva.

**Sinonimia hispánica:** *cebada común, hordio, alcacer (verde).*

**Descripción:** *Fruto en grano de la planta de la cebada ('Hordeum vulgare' L.), herbácea de la familia de las Gramíneas.*

## CEBADA
### composición
por cada 100 g de parte comestible cruda

| | |
|---|---|
| Energía | 354 kcal = 1481 kj |
| Proteínas | 12,5 g |
| H. de c. | 56,2 g |
| Fibra | 17,3 g |
| Vitamina A | 2,00 µg ER |
| Vitamina B₁ | 0,646 mg |
| Vitamina B₂ | 0,285 mg |
| Niacina | 8,07 mg EN |
| Vitamina B₆ | 0,318 mg |
| Folatos | 19,0 µg |
| Vitamina B₁₂ | — |
| Vitamina C | — |
| Vitamina E | 0,600 mg EαT |
| Calcio | 33,0 mg |
| Fósforo | 264 mg |
| Magnesio | 133 mg |
| Hierro | 3,60 mg |
| Potasio | 452 mg |
| Cinc | 2,77 mg |
| Grasa total | 2,30 g |
| Grasa saturada | 0,482 g |
| Colesterol | — |
| Sodio | 12,0 mg |

1%   2%   4%   10%   20%  40%  100%

**% de la CDR (cantidad diaria recomendada)**
cubierta por 100 g de este alimento

**PROPIEDADES E INDICACIONES:** Los granos de cebada integrales o mondados tienen una composición muy similar a la del trigo completo (ver pág. 292), con algunas diferencias:

✓ **Proteínas:** Su porcentaje es algo superior (12,5%) al del trigo (11,3%), aunque con menos gluten. Por lo tanto, los panes hechos con cebada son más compactos y menos esponjosos que los elaborados con trigo.

Las proteínas de la cebada también son deficitarias en lisina. Esta aumenta al combinarlas con leguminosas o productos lácteos, ricos en lisina.

✓ **Hidratos de carbono:** La cebada contiene (56,2%) algo menos que el trigo (61,7%). Los hidratos de ambos cereales están formados por **almidón.** Este se digiere mejor cuando se consume en forma de harina bien molida, que cuando se ingiere el grano entero[6] (cebada hervida, copos). Sin embargo, como *más* **digestiva** resulta la cebada es malteada, en forma de granos o de harina, **[6]** o como malta **[7]**.

✓ *Vitaminas:* La cebada aporta más vitaminas $B_1$ y $B_2$ que el trigo, aunque solo la mitad de vitamina E. Al igual que todos los cereales, carece de provitamina A, de vitamina C y de vitamina $B_{12}$.

✓ *Minerales:* Su composición es similar a la del trigo, es decir, rica en fósforo, magnesio, hierro, así como en cinc y otros *oligoelementos,* pero pobre en calcio.

✓ *Fibra:* La cebada contiene 17,3 g de fibra celulósica por cada 100 g, unos 5 g más que el trigo.

La cebada está indicada en los siguientes casos:

• **Afecciones digestivas:** La cebada perlada **[2]**, la harina de cebada **[5]**, y sobre todo los granos malteados y la harina de malta **[6]**, son muy bien tolerados por los estómagos delicados. Su uso conviene en caso de gastritis, dispepsia (mala digestión), úlcera gastroduodenal, gastroenteritis y colitis.

El agua de cebada **[3]** y la malta bebida **[7]**, también son muy recomendables en caso de trastornos digestivos.

Al igual que el trigo y el centeno, no se debe consumir en caso de padecer celiaquía (intolerancia al gluten).

• **Exceso de colesterol:** El consumo de cebada en cualesquiera de sus preparaciones: integrales (granos mondados **[1]**, copos **[4]**, harina integral **[5]**), o semiintegrales (granos y harina malteados **[6]**); produce una reducción en los niveles de colesterol total, colesterol LDL (nocivo) y triglicéridos.

El consumo de cebada, como de todos los cereales integrales, se ha demostrado eficaz en la prevención de la **arteriosclerosis** y los trastornos circulatorios. No debería faltar en la dieta de los que tienen un riesgo elevado de padecer **enfermedades coronarias.**

• **Diabetes:** Los animales diabéticos de experimentación, alimentados con cebada, presentan unos menores niveles de glucosa en sangre que los alimentados con trigo.[7] Este efecto se atribuye a la presencia en la cebada de algún factor hipoglucemiante, todavía en estudio.

• **Afecciones del colon:** La fibra de la cebada contribuye a evitar el estreñimiento y todas sus complicaciones, incluido el cáncer de colon.[8]

## Preparación y empleo

**❶ Cebada mondada o descortezada (integral):** Granos de cebada a los que se les quita por abrasión la cáscara exterior indigerible (gluma), y una pequeña parte del salvado. Después de tenerla a remojo, se hierve durante una hora con verduras o se cocina como una sopa.

**❷ Cebada perlada (refinada):** Granos de cebada sometidos a un intenso proceso de abrasión, que se repite hasta eliminar la cáscara exterior (gluma), el salvado y la mayor parte del germen. Los granos quedan pulidos, redondeados y de un tamaño uniforme. Se usan hervidos, como si se tratara de arroz, aunque su sabor es un poco más intenso que el de este

último. Requiere un mínimo de 45 minutos de cocción.

**❸ Agua de cebada:** Se obtiene hirviendo los granos en agua durante media hora.

**❹ Copos:** Se elaboran con granos puestos a remojo, hervidos y después, prensados. Se usan formando parte del muesli, o cocinados durante diez minutos con leche o caldo de verduras.

**❺ Harina:** Puede hacerse a partir de granos mondados (integral) o perlados (refinada).

**❻ Granos malteados y harina de malta.**

**❼ Malta:** Es el extracto acuoso de los granos de cebada germinados y tostados.

# Aceituna

## Una perla mediterránea

*Sinonimia hispánica:* oliva.

*Descripción:* La aceituna u oliva es el fruto del olivo ('Olea europaea' L.), árbol de la familia de las Oleáceas. Las aceitunas **verdes** se cosechan al comienzo de la estación otoñal, mientras que las **negras** se recogen a partir del mes de diciembre, cuando ya están bien maduras.

### ACEITUNAS
### composición
por cada 100 g de parte comestible cruda

| | |
|---|---|
| **Energía** | **115 kcal = 480 kj** |
| **Proteínas** | **0,840 g** |
| **H. de c.** | **3,06 g** |
| **Fibra** | **3,20 g** |
| **Vitamina A** | **40,0 µg ER** |
| **Vitamina B$_1$** | **0,003 mg** |
| **Vitamina B$_2$** | **—** |
| **Niacina** | **0,037 mg EN** |
| **Vitamina B$_6$** | **0,009 mg** |
| **Folatos** | **—** |
| **Vitamina B$_{12}$** | **—** |
| **Vitamina C** | **0,900 mg** |
| **Vitamina E** | **3,00 mg E$\alpha$T** |
| **Calcio** | **88,0 mg** |
| **Fósforo** | **3,00 mg** |
| **Magnesio** | **4,00 mg** |
| **Hierro** | **3,30 mg** |
| **Potasio** | **8,00 mg** |
| **Cinc** | **0,220 mg** |
| **Grasa total** | **10,7 g** |
| **Grasa saturada** | **1,42 g** |
| **Colesterol** | **—** |
| **Sodio** | **872 mg** |

1%    2%    4%    10%    20%    40%    100%

**% de la CDR** (cantidad diaria recomendada)
cubierta por 100 g de este alimento

LOS ESPAÑOLES llevaron el olivo a las regiones de clima templado de las Américas. Los primeros olivares del Nuevo Mundo fueron plantados en Centroamérica durante el siglo XVI. Después el olivo pasó a Perú, Argentina y California, y recientemente se ha introducido su cultivo en Australia. Sin embargo, el 98% de todos los olivos del mundo se encuentra en los países ribereños del Mediterráneo.

**PROPIEDADES E INDICACIONES:** Las **aceitunas** son un fruto oleaginoso, *muy rico en* **grasas,** y por lo tanto en **calorías.** Destaca también su contenido en **proteínas,** superior al de la mayor parte de los frutos, y de alto valor biológico, ya que contienen todos los aminoácidos esenciales.

La *piel* de las aceitunas es rica en pigmentos vegetales (antocianinas) y en sustancias volátiles que otorgan a las aceitunas su aroma peculiar. La *pulpa* es rica en fibra vegetal y en sustancias grasas llamadas triglicéridos (hasta el 30% de su peso). Los triglicéridos están compuestos por la unión entre una molécula de glicerina y tres de ácidos grasos.

Las aceitunas contienen cantidades significativas de **provitamina A** y de **vitaminas B y E.** En cuanto a minerales, el **calcio** es el más abundante, aunque contiene también cantidades apreciables de **potasio, hierro** y **fósforo.** El *elevado* contenido en **sodio** se debe a la **sal** que se les añade durante su remojo en salmuera.

Veamos sus indicaciones más importantes:

• **Inapetencia:** Las aceitunas estimulan los procesos digestivos y abren el apetito. Dos o tres aceitunas antes de empezar a comer, constituyen un aperitivo natural que aumenta la producción de jugos gástricos y facilita la digestión.

Sin embargo, a causa de su riqueza en fibra vegetal, deben *masticarse bien* para que no resulten indigestas.

• **Afecciones de la vesícula biliar:** Las olivas, al igual que su aceite, tienen efecto **colagogo,** es decir, facilitan el vaciamiento de la ve-

El aceite de oliva, auténtico jugo de la aceituna, es ideal para aliñar cualquier hortaliza o ensalada.

sícula biliar. Resultan útiles en caso de **disquinesia biliar** (vesícula perezosa) y de **dispepsia biliar** (mala digestión debida a alteraciones en el vaciamiento de la vesícula). En caso de **colelitiasis** (piedras en la vesícula) se pueden usar, aunque con prudencia.

• **Estreñimiento:** Debido a su contenido en aceite y en fibra vegetal, las aceitunas tienen un suave pero eficaz efecto laxante. Las aceitunas son uno de los frutos *más ricos* en **fibra.**

## Preparación y empleo

❶ **Al natural:** En su estado natural, las olivas son duras y amargas, tanto las verdes como las negras.

Para hacerlas comestibles se las somete a un proceso de **maceración** (remojo), cambiando el agua a diario hasta que pierdan su sabor amargo.

Para acelerar el proceso de **desamargado,** antes de ponerlas a remojo se efectúan unos cortes en su superficie, o se las golpea con un objeto contundente hasta abrirlas.

❷ **Tratadas:** Se añade al agua de maceración unos 10-20 g de hidróxido sódico (sosa cáustica). De esta forma es suficiente con 24-36 horas de maceración. Después se lavan en

agua limpia, cambiándola cada 2 horas, 3 o 4 veces consecutivas.

Una vez desamargadas las aceitunas por cualquiera de los dos métodos expuestos, se ponen en **salmuera** (20-30 g de sal por litro de agua), y se añade una o varias **plantas aromáticas:** ajedrea, orégano, tomillo, laurel o romero. Después de 15 días están listas para el consumo.

❸ **Paté de aceitunas:** Se hace preferiblemente con aceitunas negras bien maduras, machacándolas hasta obtener una pasta uniforme. Por su exquisito sabor, se lo ha llamado "caviar vegetal".

# Alimentos
# para el hígado

ON SUS 1.500 g de peso, el hígado es la víscera *más* **grande** del organismo y la que *mayor número* de **procesos** químicos y **funciones** metabólicas realiza.

Antes de que la sangre procedente del intestino, que circula por el llamado **sistema venoso portal**, se reparta por el resto del organismo, debe pasar primeramente por el hígado. Allí se produce:

• El **procesamiento** de las **sustancias nutritivas** que transporta la sangre portal procedente del intestino. Por ejemplo, una *parte de* la *glucosa* es transformada en **glucógeno** *de reserva;* los **aminoácidos** son unidos unos con otros en una secuencia específica, para dar lugar a las **proteínas** *propias* de cada organismo; y los **ácidos grasos** se unen con la **glicerina** para formar **grasa** *de depósito.*

• La **neutralización** de las **toxinas** y **sustancias extrañas** procedentes del conducto digestivo.

El hígado realiza otra importante función: *segregar* la **bilis** necesaria para la digestión (aproximadamente un litro diario); la cual es almacenada en la **vesícula biliar.**

## HEPATOPATÍAS

### Definición

Son las **enfermedades del hígado** en general, que cursan con alguna alteración en las numerosas funciones de esta indispensable glándula.

### Alimentación

Los **alimentos** saludables pueden hacer *mucho* para **favorecer** la **recuperación** del hígado. En cambio, las **bebidas alcohólicas** y los alimentos *ricos* en **grasas y proteínas** de *origen animal* son las *principales* **amenazas** para el hígado.

El hígado constituye la *primera* **estación procesadora y depuradora** para las sustancias que transporta la sangre procedente del intestino. Por lo tanto, en caso de hepatopatía (enfermedad del hígado) resulta especialmente importante:

- *Elegir bien* los **alimentos** que se ingieren, evitando todos aquellos que sobrecargan su función.

- *Evitar* el consumo de **bebidas alcohólicas.** Existe un tipo de hepatopatía causado principalmente por el consumo de este tipo de bebidas.

- *Evitar* tanto como sea posible, los **medicamentos** *de origen químico* y los **contaminantes alimentarios** como los pesticidas, y los **aditivos químicos,** que deben ser neutralizados y eliminados por el hígado.

 **Aumentar**

CEREALES INTEGRALES
FRUTA
VERDURA
UVA
MANZANA
CIRUELA
CEREZA
NÍSPERO
ALCACHOFA
CARDO
CEBOLLA
CHUCRUT
RÁBANO
TAPIOCA
TAMARINDO
MIEL
LECITINA
LEVADURA DE CERVEZA
ACEITE DE OLIVA

 **Reducir o eliminar**

BEBIDAS ALCOHÓLICAS
GRASA TOTAL
PROTEÍNAS
SAL
'BACON' DE CERDO
EMBUTIDOS
MARISCO
CARNE
NATA
MANTEQUILLA
FRITOS
ESPECIAS

*Ciruelas*

## HEPATITIS

### Definición

Es la **inflamación** o **infección del hígado,** causada por un virus, el alcohol, un medicamento u otro tóxico.

### Alimentación

La **alimentación** en caso de hepatitis debe ser **ligera y saludable,** pero **nutritiva.** *Además* de los alimentos citados en el apartado de *"Hepatopatías",* conviene tener en cuenta de forma especial los que aquí se citan.

 **Aumentar**

HORTALIZAS
VITAMINA C
VITAMINAS B
FOLATOS
ANTIOXIDANTES

 **Reducir o eliminar**

BEBIDAS ALCOHÓLICAS
GRASA SATURADA
PROTEÍNAS
AZÚCARES
CAFÉ
VITAMINA A

## COLELITIASIS

Es la presencia de **cálculos** o **piedras** en la **vesícula biliar.** Suelen estar formados *principalmente* de **colesterol.** Este es uno de los componentes de la bilis, y se caracteriza por su difícil solubilidad y por su tendencia a cristalizar y precipitar formando piedras o cálculos.

Además de los alimentos indicados en el apartado *"Vesícula biliar, trastornos"* (ver página siguiente), conviene tener en cuenta los que aquí se citan; tanto para **evitar** que se formen cálculos, como para **prevenir** sus **complicaciones** una vez que estos se han formado, tales como el **cólico biliar** y la **colecistitis** o inflamación de la vesícula.

 **Aumentar**

FRUTA
LEGUMBRES
ALCACHOFA
MANZANA
RÁBANO
LECHE O BEBIDA DE SOJA
LECITINA
FIBRA
VITAMINA C

 **Reducir o eliminar**

GRASA TOTAL
LÁCTEOS
AZÚCARES
PROTEÍNAS

La lecitina contribuye a evitar que se formen cálculos biliares.

*Lecitina*

# CIRROSIS

## Definición

Es una enfermedad grave en la que se destruyen de forma permanente las células hepáticas. Estas son reemplazadas por un tejido fibroso que al proliferar impide el paso de sangre a través del hígado. Ello trae como consecuencia:

- Un **aumento** de la **presión** en el sistema venoso **portal,** que recoge la sangre del intestino.
- La retención de líquido en el vientre (**ascitis**).
- El **deterioro** de las **funciones desintoxicadoras** del hígado.

## Alimentación

Ciertos alimentos pueden minimizar las consecuencias de la cirrosis, mientras que otros la agravan y pueden causar el fallo completo del hígado. Las bebidas alcohólicas y las proteínas de origen animal, junto con la grasa, son los nutrientes más nocivos en caso de cirrosis.

Además de los alimentos citados en **"Hepatopatías"** (ver pág. anterior), se deben tener en cuenta los que se citan en esta página.

 **Aumentar**

HIDRATOS DE CARBONO
VITAMINAS B
FRUTA
HORTALIZAS
ALCACHOFA
MANZANA
UVA
NÍSPERO
PLÁTANO
FRESA (FRUTILLA)
CEBOLLA

 **Reducir o eliminar**

BEBIDAS ALCOHÓLICAS
GRASA TOTAL
SODIO
CARNE
QUESOS MADURADOS
LÁCTEOS

*Patatas*

**Los hidratos de carbono complejos, como el almidón, constituyen el nutriente que más fácilmente puede metabolizar el hígado enfermo. Los cereales integrales, las patatas (papas), la tapioca y otros tubérculos son las mejores fuentes.**

# VESÍCULA BILIAR, TRASTORNOS

## Definición

La vesícula biliar es un reservorio de bilis que debe vaciarse en el *momento* adecuado (cuando pasen grasas por el duodeno) y con la *intensidad* adecuada.

Por diferentes motivos, como **cálculos biliares** en su interior, **inflamación**, o **bilis espesa**, la vesícula puede no vaciarse en el momento preciso o con la intensidad debida. A estos trastornos se les llama también **coledisquinesias** o **vesícula perezosa.**

## Síntomas

Se manifiestan como pesadez abdominal, dolor en el costado derecho o dolor de cabeza.

## Alimentación

Ciertos alimentos dotados de acción **colerética** (que aumentan la secreción de bilis y la fluidifican) y **colagoga** (que estimulan el vaciamiento más o menos suave de la vesícula) pueden evitar estos trastornos funcionales. Otros, especialmente si son ricos en grasas, los favorecen.

 **Aumentar**

ALCACHOFA
ACHICORIA
ENDIVIA
ESCAROLA
RÁBANO
BERENJENA
RUIBARBO
TAMARINDO
ACEITUNA
PAPAYA

**Reducir o eliminar**

GRASA TOTAL
FRUTOS CÍTRICOS
VERDURAS

*Alcachofas*

**La alcachofa o alcaucil aumenta la secreción de bilis y mejora su vaciamiento al intestino. Alivia el mal gusto de boca y la digestión pesada debida a coledisquinesia (mal funcionamiento de la vesícula).**

# Endivia

## Facilita la digestión de los enfermos biliares

La blancura y ternura de las hojas de la endivia se consigue privándolas de la luz solar. Ello las hace también más pobres en vitaminas y otros nutrientes que las hojas verdes de otras variedades de achicoria.

*Sinonimia hispánica:* endibia, endive, achicoria blanca.

*Descripción:* Hojas de la endivia ('Cichorium intybus' L. var 'foliosum'), planta herbácea de la familia de las Compuestas. Se trata de una variedad de la achicoria, obtenida al hacer brotar sus raíces en un ambiente oscuro, cálido y húmedo.

### ENDIVIA
### composición
por cada 100 g de parte comestible cruda

| | |
|---|---|
| Energía | 17,0 kcal = 72,0 kj |
| Proteínas | 0,900 g |
| H. de c. | 0,900 g |
| Fibra | 3,10 g |
| Vitamina A | 3,00 µg ER |
| Vitamina B₁ | 0,062 mg |
| Vitamina B₂ | 0,027 mg |
| Niacina | 0,427 mg EN |
| Vitamina B₆ | 0,042 mg |
| Folatos | 37,0 µg |
| Vitamina B₁₂ | — |
| Vitamina C | 2,80 mg |
| Vitamina E | — |
| Calcio | 19,0 mg |
| Fósforo | 26,0 mg |
| Magnesio | 10,0 mg |
| Hierro | 0,240 mg |
| Potasio | 211 mg |
| Cinc | 0,160 mg |
| Grasa total | 0,100 g |
| Grasa saturada | 0,024 g |
| Colesterol | — |
| Sodio | 2,00 mg |

1%  2%  4%  10%  20%  40%  100%

**% de la CDR** (cantidad diaria recomendada) cubierta por 100 g de este alimento

SE DICE que para conseguir una excelente endivia, es necesario no alejarse de Bruselas y tener en cuenta las tres exigencias del cultivo forzado de esta hortaliza: humedad, calor y oscuridad.

**PROPIEDADES E INDICACIONES:** La endivia tiene un sabor y textura muy agradables, pero por tratarse de una planta cultivada artificialmente, contiene menos nutrientes y principios activos que las otras variedades de achicoria, incluida la silvestre.

La endivia está formada por un 94,5% de **agua.** Las **proteínas** suponen el 0,9% de su peso, lo cual es una cantidad significativa tratándose de una verdura fresca. Los **hidratos de carbono** no llegan al 1%, siendo el más abundante la **inulina.** El contenido en **grasas** es prácticamente *despreciable* (0,1%). En conjunto, la endivia aporta

## Escarola

### Escarola

La **escarola** pertenece al mismo género *Cichorium* que la endivia, pero constituye una especie diferente. Hay dos variedades de escarola:

- escarola **lisa** (*Cichorium endivia* L. var. *latifolium*),
- escarola **rizada,** (*Cichorium endivia* L. var. *crispum*).

Ambas son muy ricas en **provitamina A** (205 µg ER /100g), en **ácido fólico** (142 µg/100 g) y en **cinc** (0,79 mg/100 g), oligoelemento que escasea en los alimentos de origen vegetal.

La escarola contiene igualmente una sustancia amarga que estimula los órganos digestivos y facilita el vaciamiento de la *vesícula* biliar. Además de **colerética** y **colagoga,** es **alcalinizante** y ligeramente diurética. Se suele consumir en ensalada, y se recomienda *especialmente* en caso de **afecciones biliares** y de **obesidad.**

---

*17 kcal/100 g,* una de las cifras *más bajas* de todos los alimentos.

La endivia es una buena fuente de *ácido fólico* (37 µg/100 g), así como de *vitamina B₁* (tiamina). Las vitaminas $B_2$, $B_6$ y niacina también están presentes. Apenas contiene vitaminas A y C, al contrario de lo que ocurre con las achicorias de hojas verdes, que son bastante ricas en estas dos vitaminas.

En cuanto a *minerales,* contiene pequeñas cantidades de calcio, fósforo, magnesio y hierro; es bastante rica en potasio y contiene los oligoelementos cinc, cobre y manganeso.

## Preparación y empleo

**❶ Cruda:** Es la forma ideal de comerla. Aliñada con aceite de oliva y limón, constituye un plato muy saludable y digestivo.

**❷ Cocinada,** ya sea mediante ebullición (se acompaña con mayonesa, como los espárragos), o asada al horno complementando a diversos platos.

La endivia contiene las mismas sustancias amargas que se encuentran en las achicorias de hoja verde, aunque en menor cantidad. A ello se debe que su sabor sea ligeramente amargo. Estas sustancias actúan sobre el hígado, aumentando la producción de bilis (acción **colerética**) y facilitando el vaciamiento de la vesícula biliar (acción **colagoga**). Además, ejercen una acción **aperitiva** y **tonificante** sobre el estómago y las funciones digestivas. Esto hace que el consumo de la endivia convenga en los siguientes casos:

- **Trastornos de la vesícula biliar** debidas a la presencia de cálculos (colelitiasis) o a alteraciones en su vaciamiento (vesícula perezosa o disquinesia biliar). A la acción favorable de las sustancias amargas de la endivia sobre las vías biliares, se une el hecho de que apenas contiene grasa, y resulta de muy fácil digestión.

- **Diabetes:** La endivia es un alimento *ideal* para los diabéticos debido a que contiene muy pocos hidratos de carbono, y además, están formados en su mayor parte por *fructosa* (la *inlina* es un polímero de la fructosa).

- **Obesidad:** La endivia exige una cierta actividad masticatoria, a la vez que apenas aporta calorías. Esto la hace muy apropiada en las dietas de adelgazamiento.

# Alcachofa

## Desintoxica el hígado

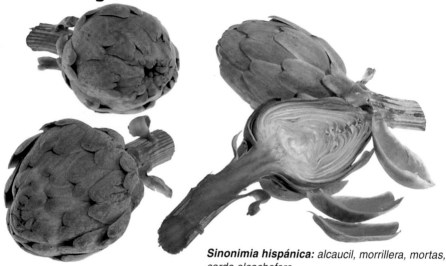

**Sinonimia hispánica:** *alcaucil, morrillera, mortas, cardo alcachofero.*

**Descripción:** *Inflorescencia o cabezuela floral no madura de la alcachofera ('Cynara scolymus' L.), planta herbácea de las familia de las Compuestas que alcanza hasta 2 m de altura.*

### ALCACHOFAS
### composición
por cada 100 g de parte comestible cruda

| | |
|---|---|
| **Energía** | **47,0 kcal = 196 kj** |
| **Proteínas** | **3,27 g** |
| **H. de c.** | **5,11 g** |
| **Fibra** | **5,40 g** |
| **Vitamina A** | **18,0 µg ER** |
| **Vitamina B₁** | **0,072 mg** |
| **Vitamina B₂** | **0,066 mg** |
| **Niacina** | **1,05 mg EN** |
| **Vitamina B₆** | **0,116 mg** |
| **Folatos** | **68,0 µg** |
| **Vitamina B₁₂** | **—** |
| **Vitamina C** | **11,7 mg** |
| **Vitamina E** | **0,190 mg EαT** |
| **Calcio** | **44,0 mg** |
| **Fósforo** | **90,0 mg** |
| **Magnesio** | **60,0 mg** |
| **Hierro** | **1,28 mg** |
| **Potasio** | **370 mg** |
| **Cinc** | **0,490 mg** |
| **Grasa total** | **0,150 g** |
| **Grasa saturada** | **0,035 g** |
| **Colesterol** | **—** |
| **Sodio** | **94,0 mg** |

1%   2%   4%      10%   20%   40%   100%

**% de la CDR** (cantidad diaria recomendada)
cubierta por 100 g de este alimento

**PROPIEDADES E INDICACIONES:** La alcachofa *carece* prácticamente de **grasas,** mientras que su contenido en **hidratos de carbono** (5,11%) y **proteínas** (3,27%) es considerable. Sin embargo, lo más destacable de su composición son una serie de sustancias que se encuentran en cantidades muy pequeñas, pero dotadas de notables efectos fisiológicos. Son las siguientes:

✓ **CINARINA:** Se trata del ácido 1,5-dicafeilquínico, que actúa tanto sobre los hepatocitos (células del hígado) haciendo que estos *aumenten* su producción de **bilis,** como sobre las células del riñón, provocando una *mayor* excreción de **orina.**

✓ **Cinarósido:** Glucósido flavonoide derivado de la luteolina, dotado de acción **antiinflamatoria.**

✓ **Cinaropicrina:** Es una sustancia aromática, responsable del sabor amargo.

✓ **Ácidos orgánicos:** Málico, láctico, cítrico, glicólico y glicérico, entre otros. Aunque todavía no se conoce bien su acción, se sabe que *potencian* la acción de la **cinarina** y del **cinarósido**.

✓ **ESTEROLES: beta-sitosterol** y **estigmasterol.** Son sustancias similares al colesterol en su estructura química, pero de origen vegetal. Poseen el interesante efecto de *limitar* la absorción del **colesterol** en el intestino.

La alcachofa es una hortaliza muy digerible y bien tolerada, tanto por sanos como por enfermos. Sus componentes hacen de ella un auténtico **alimento-medicina,** especialmente indicado en lo siguientes casos:

• **Afecciones del hígado:** La *CINARINA,* potenciada por los otros componentes de la alcachofa, produce un ***intenso*** efecto **colerético** (aumento de la secreción biliar). Normalmente el hígado segrega diariamente unos 800 ml de bilis, pero tras la ingestión de medio kilo de alcachofas cada día, esta cantidad puede llegar hasta los 1.200 ml (1,2 litros).

• **Afecciones biliares:** La *CINARINA* también ejerce, aunque con menor intensidad, una acción **colagoga** (facilita el vaciamiento de la vesícula biliar), por lo que su uso resulta adecuado en caso

Para evitar que las alcachofas se ennegrezcan debido a la oxidación de sus componentes al contacto con el aire, se las rocía con jugo de limón o se frotan con medio limón.

de **dispepsia biliar** provocada por colelitiasis (piedras en la vesícula) o mal funcionamiento de la vesícula.

La bilis segregada tras la ingestión de alcachofas es menos densa y más fluida, lo cual descongestiona el hígado. De esta forma se ve *favorecida* la función **desintoxicante** del **hígado,** gracias a la cual esta víscera neutraliza y elimina con la bilis muchos de las sustancias extrañas y tóxicos que circulan por la sangre.

El gusto amargo de boca y las digestiones pesadas tras la ingesta de alimentos grasos, mejoran sensiblemente después de practicar una cura de alcachofas (medio kilo diario durante 3 o 4 días).

• **Afecciones del riñón:** La *CINARINA* y las sustancias que la acompañan en la alcachofa, producen un *aumento* de la **diuresis** (producción de orina), pero sobre todo, de la concentración de urea en la orina.

• **Aumento del colesterol:** La alcachofa disminuye la tendencia del colesterol a depositarse en las paredes de las arterias,[1] dando lugar a su endurecimiento (arteriosclerosis).

• **Diabetes:** La *CINARINA* y sus sustancias acompañantes tienen una suave acción **hipoglucemiante** (disminuyen el nivel de glucosa en la sangre).

• **Afecciones de la piel:** Es un hecho comprobado clínicamente, que muchas **dermatitis,** incluidos los **eccemas** y las manifestaciones de la **alergia** cutánea, desaparecen o mejoran sensiblemente tras estimular los procesos de desintoxicación hepática. El consumo abundante de alcachofas puede lograr efectos sorprendentes en las **afecciones crónicas** de la piel.

## Preparación y empleo

❶ **Cruda:** Los corazones de alcachofa tierna se pueden usar en la ensalada, aliñados con aceite y limón. Su sabor resulta muy agradable, y de esta forma se aprovechan mejor su contenido en vitaminas y oligoelementos.

❷ **Asada,** tanto a la plancha como en el horno. En este caso no deben cortarse las puntas de las hojas, pues estas contribuyen a mantener la humedad interna durante el proceso de asado.

❸ **Hervidas:** Lo ideal es cocinar las alcachofas al vapor. Se colocan enteras en una cestilla, dentro de la olla. De esta forma conservan la mayor parte de sus sales minerales y oligoelementos. En el caso de cocinar las alcachofas en agua, se recomienda aprovechar el agua de cocción para caldo o sopa.

Raphanus
sativus L.

# Rábano

## Favorece la producción de bilis

### RÁBANOS
### composición
por cada 100 g de parte comestible cruda

| | |
|---|---|
| Energía | 17,0 kcal = 69,0 kj |
| Proteínas | 0,600 g |
| H. de c. | 1,99 g |
| Fibra | 1,60 g |
| Vitamina A | 1,00 µg ER |
| Vitamina B$_1$ | 0,005 mg |
| Vitamina B$_2$ | 0,045 mg |
| Niacina | 0,367 mg EN |
| Vitamina B$_6$ | 0,071 mg |
| Folatos | 27,0 µg |
| Vitamina B$_{12}$ | — |
| Vitamina C | 22,8 mg |
| Vitamina E | 0,001 mg E$\alpha$T |
| Calcio | 21,0 mg |
| Fósforo | 18,0 mg |
| Magnesio | 9,00 mg |
| Hierro | 0,290 mg |
| Potasio | 232 mg |
| Cinc | 0,300 mg |
| Grasa total | 0,540 g |
| Grasa saturada | 0,030 g |
| Colesterol | — |
| Sodio | 24,0 mg |

1%  2%   4%     10%  20%  40% 100%

**% de la CDR** (cantidad diaria recomendada)
cubierta por 100 g de este alimento

**Especie afín:** Rábano rusticano (*Armoracia rusticana*).

**Sinonimia hispánica:** *rabanete, rabanito, nabón, nabo chino, criollo.*

**Descripción:** *Raíz de la planta del rábano ('Raphanus sativus' L.), herbácea de las familia de las Crucíferas que alcanza hasta un metro de altura. La raíz es de forma esférica, cónica o cilíndrica, y generalmente de color rojo vivo, aunque también hay rábanos blancos y negros.*

AUNQUE fueron los antiguos romanos quienes extendieron el cultivo del rábano por toda Europa, es en los países del Lejano Oriente donde más se lo aprecia y consume. Mientras que en Alemania el consumo medio es de 250 g de rábano por persona y año, en Japón llega a los 13 kilos, y en Corea incluso a los 30.[2]

**PROPIEDADES E INDICACIONES:** El rábano está formado casi en un 95% de agua. Apenas contiene proteínas (0,6%) y grasas (0,54%), y

El hígado es un gran filtro donde son neutralizadas la mayor parte de las toxinas y sustancias químicas extrañas al organismo que se ingieren, como el alcohol etílico, los pesticidas y la mayor parte de los medicamentos.

Aunque el hígado es capaz de neutralizar estas sustancias tóxicas, le supone un sobreesfuerzo que puede hacerlo enfermar; por ello es mejor evitarlas tanto como sea posible.

En cambio, las frutas como la uva y las hortalizas como la alcachofa o la cebolla, favorecen la función desintoxicadora del hígado.

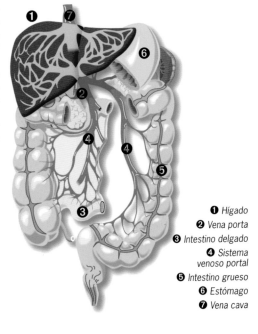

❶ Hígado
❷ Vena porta
❸ Intestino delgado
❹ Sistema venoso portal
❺ Intestino grueso
❻ Estómago
❼ Vena cava

su porcentaje de hidratos de carbono es también bajo (1,99%). También es muy pobre en provitamina A y en vitaminas del grupo B, excepto en *folatos,* que contiene 27 µg/100 g. Tampoco aporta vitamina E. La *vitamina C* es la más abundante (22,8 mg/100 g). Los minerales están presentes en pequeñas cantidades, excepto el *potasio.* Todo ello hace que su valor desde el punto de vista nutritivo sea escaso, aportando tan solo 17 kcal/100 g.

Todas las variedades de rábano contienen una *esencia sulfurada* de sabor picante, a la que se atribuyen sus propiedades **coleréticas** (aumentan la secreción de bilis en el hígado), **colagogas** (facilitan el vaciamiento de la vesícula biliar), **digestivas, antibióticas** y **mucolíticas** (ablandan la mucosidad). Sus aplicaciones son las siguientes:

- **Afecciones hepáticas** y **biliares.**
- **Trastornos digestivos** de tipo funcional (digestión lenta y pesada), por su efecto aperitivo y tonificante.
- **Sinusitis** y **bronquitis.**
- *Preventivo* del **cáncer:** El rábano chino, y posiblemente el común también, impide las mutaciones celulares que conducen al cáncer.[3]

## Preparación y empleo

❶ **Crudo:** Es la forma habitual de consumirlo. Contribuye con una nota de vivo color (cuando es rojo) al plato de ensalada. Su sabor suavemente picante lo hace aperitivo y digestivo.

❷ **Conservas:** En los países del lejano oriente se lo conserva en vinagre y también fermentado en diversas preparaciones. De esta forma se reduce mucho su contenido vitamínico y sus propiedades medicinales.

# Alimentos para el estómago

UNAS GOTAS de **ácido clorhídrico** son capaces de destruir cualquier tejido del organismo humano, provocando un intenso dolor y la muerte de las células que constituyen ese tejido. Sin embargo, la capa interna que recubre el estómago, llamada **mucosa gástrica,** es capaz de resistir la acción de dicho ácido durante toda la vida, sin resultar dañada.

El ácido clorhídrico, junto con la **pepsina,** es necesario para iniciar la digestión de los alimentos, especialmente de las proteínas.

*¿Cómo logra el estómago protegerse de los efectos corrosivos del ácido que él mismo segrega?*

Existe una auténtica ***barrera protectora,*** formada principalmente por **mucosidad,** que protege la capa interna del estómago. Del mantenimiento en buen estado de esa barrera defensiva, depende en buen grado la salud de este importante órgano.

La **gastritis** y la **úlcera gastroduodenal** son dos de las ***consecuencias*** más comunes de la ***alteración*** de la ***barrera mucosa*** del estómago.

# DISPEPSIA

## Definición
Es un trastorno del **proceso digestivo:** este se vuelve **difícil y doloroso.** Comúnmente la dispepsia se denomina como **mala digestión.**

## Síntomas
Se manifiesta con eructos, sensación de plenitud gástrica, malestar o distensión abdominal y acidez.

## Causas
En algunos casos la dispepsia es de causa **orgánica** y puede ser incluso uno de los primeros síntomas de una enfermedad grave. Sin embargo, *lo habitual* es que la dispepsia sea de tipo **funcional,** causada por una alimentación inadecuada o por hábitos insanos. Es preciso corregir estas causas para que pueda curarse la dispepsia. Si no es así, puede evolucionar hacia la gastritis y la úlcera de estómago.

Estos son algunos de los factores que pueden *producir* dispepsia, o *agravarla:*

- **Masticación insuficiente** (comer deprisa).
- **Irregularidad** en el horario de las comidas.
- El **estrés** o la tensión nerviosa.
- Alimentación rica en **fritos, conservas** y **encurtidos** (conservas en vinagre), como suele ser habitual en la llamada "comida basura".
- **Exceso de grasa** y el consumo de alimentos que suelen causar **intolerancia digestiva,** tales como la leche.
- **Exceso de líquidos,** especialmente refrescos carbónicos y cerveza.

 **Aumentar**

GERMINADOS
CEREALES INTEGRALES
ENSALADAS
CALABAZA
PAPAYA
HINOJO, BULBO
MALTA, BEBIDA

 **Reducir o eliminar**

FRITOS
ESPECIAS
BEBIDAS ALCOHÓLICAS
CAFÉ
VINAGRE
REFRESCOS
GRASA TOTAL
MARISCO
CHOCOLATE
LECHE

*Refresco*

# GASTRITIS

## Definición y causas
Es la **inflamación de la mucosa del estómago,** causada casi siempre por malos hábitos alimentarios o por sustancias agresivas para el estómago, como estos:

- Las **bebidas alcohólicas** en general y café.
- Ciertos **medicamentos,** especialmente los antiinflamatorios como la aspirina.
- Alimentos o bebidas **demasiado calientes** (como el té) o **fríos** (como la cerveza y los helados).
- El **tabaco:** Al fumar, la **nicotina,** los **alquitranes** y otras sustancias irritantes son disueltas en la saliva y pasan al estómago, pudiendo ser causa de gastritis.

## Alimentación
El **tratamiento dietético** de la gastritis requiere una alimentación blanda, suave y no irritante para el estómago. Resulta *fundamental evitar todo* aquello que pueda **irritar** la mucosa gástrica, así como el **tabaco** y la **tensión nerviosa.**

## Medicación
La **medicación antiácida** que habitualmente se prescribe en caso de gastritis resulta poco efectiva si no se corrigen los hábitos dietéticos y los hábitos insanos.

 **Aumentar**

PAPA (PATATA)
AVENA
ARROZ
TAPIOCA
ZANAHORIA
AGUACATE
CALABAZA
CHUCRUT
CHIRIMOYA
MANZANA

 **Reducir o eliminar**

CERVEZA
BEBIDAS ALCOHÓLICAS
BEBIDAS ESTIMULANTES
CAFÉ
REFRESCOS
ESPECIAS
MARISCO
CARNE
AZÚCARES
HELADOS
FRUTOS CÍTRICOS

*Copos de avena*

La avena contiene un mucílago que la hace suavizante y protectora de la mucosa. Los copos de avena cocinados constituyen un alimento muy recomendable en caso de gastritis.

# ÚLCERA GASTRODUODENAL

## Definición

Es una pérdida de sustancia en la mucosa que recubre el interior del estómago o del comienzo del duodeno.

## Causas

Sus **causas** son múltiples, destacando las siguientes:

- **Exceso de ácido** en el estómago.
- **Sustancias irritantes** (especias, alcohol, café, bebidas carbónicas, aspirina, tabaco, etc.).
- Ciertos **microorganismos** como el *Helicobacter pylori*, que pueden causar gastritis y ulceración en el estómago y duodeno.
- **Estrés** o tensión nerviosa, que causan una vasoconstricción y un menor aporte de sangre a la mucosa del estómago, la cual queda así desprotegida.

## Tratamiento

En los últimos años, se ha demostrado que algunas de las **recomendaciones tradicionales** para el tratamiento de la úlcera gastroduodenal, *carecen de fundamento;* por ejemplo:[1]

- Que el consumo abundante de **leche** facilita la curación de la úlcera. Hoy se sabe que puede aumentar la acidez.
- Que es preciso **comer a menudo y poca cantidad:** Esto somete al estómago a una estimulación casi permanente, que aumenta más la producción de ácido y resulta contraproducente en la curación de la úlcera. Tres comidas al día son preferibles a cinco o seis.
- Que se debe **evitar el consumo de fibra y de alimentos crudos:** Si son bien masticados, protegen contra la úlcera.

 **Aumentar**

| Aumentar | Reducir o eliminar |
|---|---|
| COL | BEBIDAS ALCOHÓLICAS |
| PATATA (PAPA) | CAFÉ |
| AVENA | ESPECIAS |
| TAPIOCA | MARISCO |
| OKRA | CARNE |
| CHIRIMOYA | LECHE |
| ACEITES | AZÚCAR BLANCO |
| MIEL | |
| FIBRA | |
| VITAMINA A | |
| VITAMINA C | |

**La patata o papa es nutritiva, antiácida, suavizante y sedante, por todo lo cual resulta muy indicada como alimento básico en caso de úlcera gastroduodenal.**

*Patata*

# HERNIA DE HIATO

## Definición

Consiste en que *la parte superior del estómago pasa hacia la cavidad torácica* a través de un orificio o hiato que existe en el diafragma, por el que normalmente discurre el esófago.

Esta alteración anatómica impide que el esfínter o válvula que separa el esófago del estómago, cumpla su función de evitar el paso del contenido del estómago hacia el esófago.

## Síntomas

La manifestación más común de la hernia de hiato es el **reflujo** hacia el esófago del contenido gástrico, que normalmente es muy ácido. Ese ácido ataca el esófago y produce la típica sensación de acidez en la boca del estómago, conocida como **pirosis**.

## Alimentación

El **tratamiento dietético** de la hernia de hiato consiste fundamentalmente en *evitar:*

- Los alimentos que **relajan** aun más el **esfínter esofágico**.
- Los que **estimulan la producción de ácido** en el estómago.

## Estilo de vida

Una **postura correcta** que evite el aumento de presión en la parte superior del abdomen, así como la **abstinencia** del **tabaco**, *contribuyen a evitar* la **progresión** de la hernia de hiato y de la **inflamación del esófago** que la acompaña.

 **Aumentar**     **Reducir o eliminar**

| Aumentar | Reducir o eliminar |
|---|---|
| PATATA (PAPA) | BEBIDAS ALCOHÓLICAS |
| ZANAHORIA | VINO |
| ALGAS | CAFÉ |
| GRANADA | ESPECIAS |
| | CHOCOLATE |
| | GRASA TOTAL |
| | LECHE |

*Granadas*

**El jugo de granada reduce la acidez de estómago y el reflujo esofágico.**

# Ananás

## Amigo del estómago

**Sinonimia científica:** *Ananas sativus* Schult.

**Sinonimia hispánica:** *piña [tropical], piña americana.*

**Descripción:** *Fruto compuesto (formado por la unión de los frutos de varias flores alrededor de un eje carnoso) de la piña americana o ananás ('Ananas comosus' Merr.), planta herbácea de la familia de las Bromeliáceas que alcanza hasta 50 cm de altura.*

### ANANÁS (PIÑA AMERICANA)
### composición
por cada 100 g de parte comestible cruda

| | |
|---|---|
| **Energía** | **49,0 kcal = 207 kj** |
| **Proteínas** | **0,390 g** |
| **H. de c.** | **11,2 g** |
| **Fibra** | **1,20 g** |
| Vitamina A | 2,00 µg ER |
| **Vitamina B₁** | **0,092 mg** |
| Vitamina B₂ | 0,036 mg |
| Niacina | 0,503 mg EN |
| Vitamina B₆ | 0,087 mg |
| Folatos | 10,6 µg |
| Vitamina B₁₂ | — |
| **Vitamina C** | **15,4 mg** |
| Vitamina E | 0,100 mg E$\alpha$T |
| Calcio | 7,00 mg |
| Fósforo | 7,00 mg |
| **Magnesio** | **14,0 mg** |
| Hierro | 0,370 mg |
| **Potasio** | **113 mg** |
| Cinc | 0,080 mg |
| Grasa total | 0,430 g |
| Grasa saturada | 0,032 g |
| Colesterol | — |
| Sodio | 1,00 mg |

1%   2%   4%    10%  20%  40%  100%

**% de la CDR** (cantidad diaria recomendada)
cubierta por 100 g de este alimento

C UENTA la historia que en 1493 los habitantes de la isla antillana de Guadalupe ofrecieron a Cristóbal Colón el ananás (llamado hoy también piña americana o piña tropical), quien pensó que se trataba de una variedad de alcachofa. Al comprobar la exquisitez de su pulpa, la llevó a España, desde donde se fue extendiendo por las zonas tropicales de Asia y África. En el siglo XIX se empezó a cultivar en las islas Hawai, convertidas hoy en uno de los principales productores mundiales.

**PROPIEDADES E INDICACIONES:** Bien madurado, el ananás contiene alrededor del 11% de hidratos de carbono, la mayor parte de los cuales son ***azúcares.*** En cuanto a grasas y proteínas, su contenido es despreciable.

Las ***vitaminas*** más abundantes en la piña americana son la ***C,*** la ***B₁*** y la ***B₆.*** Es también una buena fuente de ***folatos.*** Entre los ***minerales,*** destaca el manganeso, con 1,65 mg /100 g, seguido del cobre, potasio, magnesio y hierro.

Los componentes no nutritivos de la piña son los más significativos desde el punto de vista dietoterápico:

✓ *Ácidos cítrico y málico:* Son los responsables de su sabor ácido, y como ocurre con los cítricos, *potencian* la acción de la **vitamina C.**

✓ **BROMELINA:** La bromelina actúa en el tracto digestivo deshaciendo las **proteínas** y *facilitando su digestión,* al igual que lo hace la pepsina, enzima producida en el estómago que forma parte del jugo gástrico.

La piña tropical o ananás constituye una fruta muy suculenta, sabrosa y rica en ciertas vitaminas y minerales. Muchos la consideran un postre ideal, por *facilitar* la **digestión** de los otros alimentos; otros prefieren consumirla como aperitivo, antes de la comida, especialmente cuando el estómago se encuentra debilitado.

Su consumo está especialmente indicado en las siguientes afecciones:

• **Hipoclorhidria** (falta de jugos), que se manifiesta por digestión lenta y pesadez de estómago.

• **Ptosis gástrica** (estómago caído) causada por la incapacidad del estómago para vaciar su contenido (atonía gástrica).

En ambos casos, la piña debe tomarse **fresca** (no en conserva) y **bien madura,** ya sea antes o después de la comida.

• **Obesidad:** El ananás o su jugo fresco tomados antes de las comidas reduce el apetito (efecto saciante) y constituye un buen complemento en las dietas adelgazantes. Además es ligeramente diurético (favorece la eliminación de orina).

• **Esterilidad:** Esta fruta tropical es uno de los alimentos *más ricos* en **manganeso,** oligoelemento que interviene activamente en la formación de las células reproductoras, tanto masculinas como femeninas. Por ello se aconseja en la dieta de los que padecen de esterilidad debido a una insuficiente producción de células germinales (espermatozoides en el hombre y óvulos en la mujer).

• **Cáncer de estómago:** Se ha demostrado[2] que el ananás es un *potente* **inhibidor** de la formación de **nitrosaminas.** Estas sustancias de marcada acción cancerígena, se forman en el estómago como consecuencia de una reacción química entre los nitritos y ciertas proteínas contenidas en los alimentos.

La piña americana o ananás únicamente madura bien en la planta. Si se recolecta cuando todavía no está madura, con el fin de facilitar su transporte, resulta ácida y pobre en nutrientes.

## Preparación y empleo

❶ **Al natural:** Es ideal como postre, para favorecer la digestión, y también como aperitivo, para preparar el estómago.

❷ **Jugo:** Debe tomarse lentamente debido a su acidez.

❸ **Conserva:** Contiene todavía la mayor parte de sus vitaminas, minerales y fibra, pero sin embargo es pobre en su enzima bromelina, que se degrada con facilidad. Por ello, la piña en conserva apenas actúa como estimulante digestivo.

# Col

## Cicatriza las úlceras

Un repollo es, desde el punto de vista botánico, un apiñamiento de hojas con forma más o menos esférica. La mayor parte de las coles son repollos, aunque algunas, como la coliflor y el brécol, son inflorescencias (ver págs. 154, 72).
A la col blanca se la llama también repollo.

**COL
composición**
por cada 100 g de parte comestible cruda

| | |
|---|---|
| Energía | 25,0 kcal = 105 kj |
| Proteínas | 1,44 g |
| H. de c. | 3,13 g |
| Fibra | 2,30 g |
| Vitamina A | 13,0 µg ER |
| Vitamina B$_1$ | 0,050 mg |
| Vitamina B$_2$ | 0,040 mg |
| Niacina | 0,550 mg EN |
| Vitamina B$_6$ | 0,096 mg |
| Folatos | 43,0 µg |
| Vitamina B$_{12}$ | — |
| Vitamina C | 32,2 mg |
| Vitamina E | 0,105 mg E$\alpha$T |
| Calcio | 47,0 mg |
| Fósforo | 23,0 mg |
| Magnesio | 15,0 mg |
| Hierro | 0,590 mg |
| Potasio | 246 mg |
| Cinc | 0,180 mg |
| Grasa total | 0,270 g |
| Grasa saturada | 0,033 g |
| Colesterol | — |
| Sodio | 18,0 mg |

1%  2%  4%  10%  20%  40%  100%

**% de la CDR** (cantidad diaria recomendada)
cubierta por 100 g de este alimento

***Descripción:*** *Hojas de las diversas variedades de la especie 'Brassica oleracea' L., planta herbácea bianual o plurianual de la familia de las Crucíferas.*

TODAS LAS VARIEDADES actuales de la col derivan de la col silvestre, que todavía puede encontrarse en las costas atlánticas de Francia y de Inglaterra.

Según en qué parte de la planta se concentra su energía de crecimiento, obtenemos las diferentes **variedades** de col:

– en las **hojas:** col blanca, lombarda, col rizada;

– en las **inflorescencias:** coliflor, brécol;

– en la **base del tallo** (bulbo): colirrábano;

– en las **yemas** o brotes: col de Bruselas.

Las coles se usaban como alimento ya en la época grecorromana. Los griegos, además de apreciarlas como alimento, descubrieron sus propiedades medicinales. Hipócrates, Galeno y Dioscórides, alabaron las virtudes dietoterápicas de las coles. Catón el Viejo, filósofo romano del siglo II a.C., declaraba que «si los romanos habían podido pasar sin médicos durante más de seis siglos, el mérito debía atribuirse al uso de las berzas».

Durante toda la historia las coles han sido consideradas como un alimento propio de gentes humildes y poco distinguidas. Este concepto un tanto despectivo en cuanto a las coles, cambió radicalmente hace unas décadas cuando se descubrió su *gran potencial* **anticancerígeno:** las coles contienen sustancias capaces *impedir* la formación de **tumores** malignos, e incluso de *detener* su crecimiento.

Además de esta acción anticancerígena, las coles poseen muchas otras propiedades dietoterápicas y medicinales, tal como se expone a continuación.

**PROPIEDADES E INDICACIONES:** Las hojas de las coles contienen una gran variedad de nutrientes:

✓ *Proteínas,* en porcentaje nada desdeñable que oscila entre el 3,38% de las coles de Bruselas, y el 1,39% de la lombarda. Se trata de proteínas *incompletas,* como muchas de origen vegetal, por no contener todos los aminoácidos en la proporción idónea. Sin embargo, *combinadas* con otras proteínas vegetales, como las que se encuentran en los **cereales** o en las **leguminosas,** se convierten en proteínas *completas* de alta calidad.

✓ *Grasas* o lípidos, en una cantidad mínima, prácticamente *despreciable.* Únicamente la col de Bruselas alcanza el 0,3%, oscilando todas las demás coles entre 0,1% y 0,2% de su peso. Esta escasez en grasas hace de las coles un alimento *muy adecuado* para **cardíacos** y **obesos.**

Las grasas de la col, aunque están presentes en *muy escasa* proporción, tienen una *gran importancia* preventiva y curativa. Disueltas en ellas, se encuentran las sustancias sulfuradas –responsables de la mayor parte de sus acciones medicinales–, identificadas actualmente como *elementos fitoquímicos.*

✓ *Hidratos de carbono:* La mayor parte de las coles contienen entre un 3% y un 5%.

✓ *Vitaminas:* Son *especialmente ricas* en **beta-caroteno** (provitamina A) y *vitamina* **C,** aunque contienen también cantidades significativas de vitaminas B, E y K.

✓ **Minerales** y **oligoelementos:** Todas las coles en general son *ricas* en **potasio** y *muy bajas* en **sodio,** lo que las hace muy apreciadas en caso de **hipertensión** o de retención de líquidos (**edemas**). Contienen también bastante

## Preparación y empleo

❶ **Cruda:** Las hojas tiernas en ensalada, picadas bien finas, y aderezadas con aceite (a ser posible de oliva) y limón.

❷ **Jugo fresco:** Se elabora con una licuadora. Tomar de dos cucharadas a medio vaso antes de cada comida (con el estómago vacío), 3 o 4 veces diarias.

❸ **Cocinada:** Con el fin de conservar al máximo las propiedades medicinales de la col, se recomienda evitar el exceso de cocción. Los elementos fitoquímicos de tipo sulfuroso son sensibles al calor, y desaparecen con la cocción prolongada. La forma *ideal* de cocinado es **al vapor.**

## Las coles previenen el cáncer

*Son **muchos** los **experimentos** realizados con animales de laboratorio (ratones casi siempre), en los que se pone de manifiesto la acción anticancerosa de las coles, y en general, de todos los vegetales de la familia de las **Crucíferas.**[3, 4, 5] En todas estas investigaciones se demuestra que los animales que son alimentados con coles, no desarrollan tumores, incluso aunque se los someta a la acción de potentes cancerígenos como el benzopireno que se encuentra en el humo del tabaco.[6, 7]*

calcio, fósforo, hierro y magnesio, así como una gran variedad de oligoelementos, entre los que destaca el **azufre.**

Las coles son en general una *buena fuente* de **calcio,** tanto por la cantidad que contienen (35 - 77 mg/100 g, la mitad que la leche), como por lo fácilmente que ese calcio se absorbe. Las investigaciones muestran que el organismo absorbe mucho mejor el calcio de las coles que el de la leche.

✓ *Fibra vegetal:* Las coles son ricas en fibra vegetal de tipo celulósico. Esto las hace **laxantes** y **reguladoras** del tránsito intestinal; aunque también, **flatulentas** para algunas personas propensas a la formación de gases intestinales.

✓ *ELEMENTOS FITOQUÍMICOS:* Son sustancias de reciente descubrimiento, que se encuentran en las frutas, en las verduras y hortalizas en cantidades muy pequeñas, y que realizan importantes funciones en el organismo.

La **acción** *más importante* y estudiada de los elementos fitoquímicos descubiertos en las coles, es la **anticancerígena.** Pero posiblemente, también otros **efectos** medicinales como el **antiulceroso** o el **antidiabético** o el **antibiótico,** puedan atribuirse a estas sorprendentes sustancias.

Con esta composición tan variada y atractiva, desde el punto de vista científico, las coles presentan las siguientes aplicaciones medicinales:

• **Úlcera gastroduodenal:** La capacidad **cicatrizante** de las hojas de col sobre la **piel,** en aplicación externa es un hecho bien conocido y experimentado desde antaño.[8]

El doctor Ernst Schneider refiere las experiencias llevadas a cabo en la Universidad de Stanford, en las que se puso de manifiesto el efecto cicatrizante del jugo de col bebido, sobre las úlceras gástricas y duodenales.[9] Los pacientes ulcerosos que tomaban un vaso de jugo de col fresco (200-250 ml) cuatro o cinco veces diarias, veían acortar el tiempo de cicatrización de su úlcera a dos semanas; además, el dolor de estómago desaparecía a los pocos días de empezar a tomar dicho jugo.

Experiencias posteriores han puesto de manifiesto que cantidades menores de jugo de col (entre dos cucharadas y medio vaso) son suficientes para obtener un resultado eficaz [❷].

• **Otros trastornos del estómago:** Unas cucharadas de jugo de col, tomadas con el estómago vacío cinco o diez minutos antes de las comidas, son capaces de aliviar la **inflamación** del estómago en pocos días de tratamiento. Desaparecen los síntomas típicos de la **dispepsia** de origen funcional, tales como pesadez, eructos, y dolor de estómago.

• **Afecciones intestinales:** La col ejerce una suave acción **laxante** y **reguladora** del tránsito intestinal, debido a su contenido en *fibra* celulósica. Su uso conviene en caso de **estreñimiento** crónico y de **diverticulosis.**

Las **sustancias sulfurosas** contenidas en la col ejercen acción **antibiótica,** y pueden contribuir a *reequilibrar* la **flora bacteriana** intestinal en caso de infecciones intestinales. Se recomienda incluir el jugo de col fresca **[❷]** (medio vaso tres o cuatro veces diarias) como *complemento* en el tratamiento de las **colitis, fermentaciones** y **disbacteriosis** intestinales.

• **Parásitos intestinales:** El jugo de col en ayunas ha sido usado también como **vermífugo,** para expulsar los parásitos intestinales. Se toma medio vaso por las mañanas en ayunas, durante cinco días seguidos.

• **Afecciones cardiocirculatorias:** Las coles son en general *muy ricas en* **potasio** y *bajas en* **sodio.** Este último mineral influye directamente en la génesis de la hipertensión arterial, por su capacidad para retener agua y aumentar el volumen de la sangre.

Las coles tienen un *suave* efecto **diurético,** y constituyen un alimento muy apropiado para los enfermos del **corazón,** los **hipertensos** y los que sufren **arteriosclerosis** (endurecimiento y estrechamiento de las arterias). Su contenido en *vitaminas antioxidantes* (A, C y E) contribuye a la regeneración de las paredes arteriales.

• **Obesidad:** Las coles aportan muy pocas calorías (20-40 kcal/100 g, excepto las de Bruselas, que llegan a las 43 kcal/100g), y sin embargo producen una notable sensación de saciedad (quitan el apetito). Por ello, y por su riqueza vitamínica y mineral, la col es un alimento ideal para los obesos, que no debería nunca faltar en las dietas de adelgazamiento.

• **Osteoporosis y descalcificación:** Debido a la *notable cantidad de* **calcio** que contienen las coles (aproximadamente la mitad que la leche), y especialmente a lo bien que ese calcio es absorbido por el organismo, las coles constituyen un alimento a tener en cuenta en caso de osteoporosis y descalcificación, así como en todos los casos en que se necesite un mayor aporte de este mineral.

• **Diabetes:** Por su escaso contenido en hidratos de carbono, y su riqueza en vitaminas y minerales, la col es muy bien tolerada por los diabéticos.

• **Escorbuto:** El contenido en *vitamina C* de las coles, similar al de la naranja (53 mg/100 g) ha otorgado a estos vegetales la fama de antiescorbúticos. Ciertamente, en los países del centro y norte de Europa, donde especialmente en la época invernal escasean las frutas y verduras frescas (ricas en vitamina C), las coles son una de las mejores fuentes disponibles de esta vitamina, si no la única.

• **Afecciones cancerosas:** Son ya muchos los estudios que muestran cómo un *consumo regular* de coles, evita la formación de cánceres en los animales de experimentación, tal como se expone en el cuadro informativo de la página 183 (ver también pág. 361).

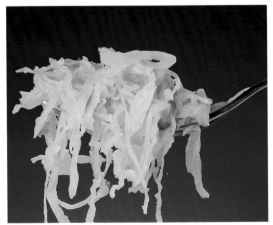

La col fermentada constituye un eficaz depurativo de la sangre, que no debería faltar en la mesa de los diabéticos y obesos.
Existen muchas formas de preparar la col fermentada o 'chucrut':
▪ **En crudo:** Es como mejor se aprovechan sus virtudes curativas. Se puede preparar con aceite de oliva, añadiéndole trocitos de piña tropical (ananás) o de manzana.
▪ **Cocinada:** Después de hacerla hervir a fuego lento durante 20 o 25 minutos, se toma con patatas hervidas, con puré de patata o con productos de soja. De esta forma constituye un plato muy saludable y nutritivo.

# La familia de las coles

*Todas las coles pertenecen a la familia botánica de las Crucíferas, y la mayor parte de ellas constituyen variedades de una misma especie: la 'Brassica oleracea'. Existen más de cien tipos de coles, pero aquí describimos únicamente las más conocidas.*

## Col común

*Brassica oleracea* L. var. *acephala*

**Sinonimia hispánica:** *col [verde], col forrajera, berza [gallega], berza común, bretón.*

A pesar de su apelativo de común, es una de las variedades de col *más ricas* en **principios nutritivos.** Destaca especialmente su contenido en **beta-caroteno** (provitamina A), **vitamina C,** y en los minerales **potasio, calcio y manganeso.** Es *muy rica* en **clorofila** y en **fibra** vegetal.

Su sabor es algo más fuerte que el de las otras coles. Debido a que la consistencia de sus hojas es un poco dura, a causa de su *gran riqueza* en **celulosa,** no resulta apropiada para el consumo en crudo. La forma ideal de tomarla es hervida, cocinada al vapor o asada.

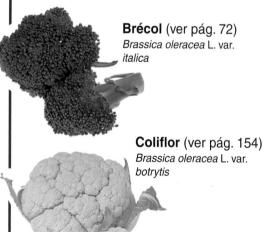

### Brécol (ver pág. 72)
*Brassica oleracea* L. var. *italica*

### Coliflor (ver pág. 154)
*Brassica oleracea* L. var. *botrytis*

## Col blanca

*Brassica oleracea* L. var. *capitata* ssp. *alba*

**Sinonimia hispánica:** *repollo [blanco], repollo de queso, repollo liso, col [murciana], lombarda.*

Sus hojas lisas y de color verde claro tienen un sabor delicioso, siendo las variedades más tempranas las más tiernas. Es ideal para hacer rollos de col asados, para todo tipo de guisos y para consumirla rallada en crudo.

## Col de Bruselas

*Brassica oleracea* L. var. *gemmifera*

**Sinonimia hispánica:** *berza de Bruselas, repollito de Bruselas, bretón.*

Posiblemente, constituyen la variedad de col más apreciada gastronómicamente, por su intenso y particular sabor. Las coles de Bruselas son *muy ricas* en **vitaminas** (especialmente A y C) y **minerales** (sobre todo potasio, calcio, hierro y azufre).

Destacan entre las coles, por ser la variedad con *mayor porcentaje* de **hidratos de carbono** y **proteínas.**

## Col roja

*Brassica oleracea* L. var. *capitata* ssp. *rubra*

**Sinonimia hispánica:** *lombarda, repollo colorado.*

La lombarda tiene un sabor ligeramente más dulce que las demás coles. Desde el punto de vista nutritivo, constituye una de las variedades de col *menos rica* en **proteínas, vitaminas** y **minerales.** Pero en compensación, aporta una nota de vivo color en los platos en los que está presente.

## Col china

*Brassica pekinensis* (Lour.) Rupr.

**Sinonimia hispánica:** *repollo chino.*

Su valor nutritivo es *muy reducido* en cuanto a hidratos de carbono, grasas y proteínas, y por lo tanto en cuanto a *calorías* (16 kcal/100 g). En cambio, contiene *mucho* **beta-caroteno** (provitamina A) y *bastante* **vitamina C.**

## Colinabo

*Brassica oleracea* L. var. *gongylodes*

**Sinonimia hispánica:** *colirrábano, col rábano, colrabi, berza de Siam.*

Las hojas del colinabo son ricas en **vitaminas** y **minerales,** al igual que las otras coles. Destaca su contenido en **magnesio** y en **beta-caroteno** (provitamina A).

## Col rizada

*Brassica oleracea* L. var. *sabauda / bullata*

**Sinonimia hispánica:** *berza, col de Milán, repollo de Milán, repollo crespo, llanta.*

Los ejemplares más tempranos aparecen en primavera, tienen las hojas más tiernas y blanquecinas, y se suelen cocinar rehogadas, al vapor e incluso se toman crudas; por el contrario, las coles rizadas de verano son de color verde intenso y de sabor más fuerte; se usan en sopas de verduras y potajes.

En general, contiene *menos* **nutrientes** que otras variedades de col.

# Pimiento (chile dulce)

## Aperitivo y tonificante gástrico

**Sinonimia hispánica:** *ají [dulce], chile [dulce], cornetilla, pebrera, picudillo, pimentón, bombalón, conguito, chiltipiquín, locote, uchú, ují; el picante: alegría, guindilla, miracielos, ñora, ñoro, pimiento de cerecilla, pimiento de las Indias.*

**Descripción:** *Fruto de la planta del pimiento ('Capsicum annuum' L.), herbácea de la familia de las Solanáceas que alcanza hasta 60 cm de altura. El fruto suele ser rojo, verde o amarillo, aunque hay también ejemplares de color anaranjado, morado e incluso negro.*

### PIMIENTO DULCE ROJO
#### composición
por cada 100 g de parte comestible cruda

| | |
|---|---|
| Energía | 27,0 kcal = 112 kj |
| Proteínas | 0,890 g |
| H. de c. | 4,43 g |
| Fibra | 2,00 g |
| Vitamina A | 570 µg ER |
| Vitamina B₁ | 0,066 mg |
| Vitamina B₂ | 0,030 mg |
| Niacina | 0,692 mg EN |
| Vitamina B₆ | 0,248 mg |
| Folatos | 22,0 µg |
| Vitamina B₁₂ | — |
| Vitamina C | 190 mg |
| Vitamina E | 0,690 mg EαT |
| Calcio | 9,00 mg |
| Fósforo | 19,0 mg |
| Magnesio | 10,0 mg |
| Hierro | 0,460 mg |
| Potasio | 177 mg |
| Cinc | 0,120 mg |
| Grasa total | 0,190 g |
| Grasa saturada | 0,028 g |
| Colesterol | — |
| Sodio | 2,00 mg |

1%   2%   4%   10%   20%  40%   100% 200% 500%

**% de la CDR (cantidad diaria recomendada)**
cubierta por 100 g de este alimento

**PROPIEDADES E INDICACIONES:** Los pimientos contienen un porcentaje escaso de proteínas (0,89%) e hidratos de carbono (4,43%), y apenas grasa (0,19%). Por ello aportan tan solo 27 kcal/100 g. Contienen pequeñas cantidades de vitaminas del grupo B, de vitamina E y de todos los minerales. Pero en su composición destacan sobre todo dos vitaminas:

✓ **Provitamina A** (beta-caroteno), con 570 µg ER/100 g (pimiento rojo), lo que supone *más* de la **mitad** de las necesidades diarias de esta vitamina para un hombre adulto.

Además de beta-caroteno, que se transforma en vitamina A en el organismo, el pimiento aporta también otros carotenoides como el **licopeno.** Este carotenoide es muy abundante en el tomate, el cual, aunque no se transforma en vitamina A, sí que es un *potente* **antioxidante** que protege contra la degeneración cancerosa de las células.

✓ **Vitamina C:** El pimiento rojo aporta casi cuatro veces más vitamina C que el limón o la

# Preparación del pimiento

La **piel** del pimiento puede resultar indigesta a los que tienen estómagos delicados. Para quitarla, se asa entero en el horno hasta que la piel empiece a separarse, y después se enfría rápidamente sumergiéndolo en agua fría.

Una vez asado, se puede aliñar con aceite, un poco de sal, limón, ajo y perejil.
Las **semillas** y sobre todo las membranas que las recubren pueden dar sabor amargo, así que conviene **eliminarlas**.

naranja: con 100 g de pimiento se consigue *más* del **triple** de la CDR (cantidad diaria recomendada).

El pimiento destaca también por otras sustancias no nutritivas:

✓ **Flavonoides:** Son *potentes* **antioxidantes** que actúan como antiinflamatorios y protectores del sistema circulatorio.

## Preparación y empleo

❶ **Crudo:** Cuando es **tierno** el pimiento puede servirse crudo en ensalada; en cuyo caso hay que cortarlo finamente y masticarlo bien. De esta forma se aprovecha al máximo su riqueza vitamínica.

❷ **Cocinado:** La forma *más sana* de cocinarlo es el **asado al horno. Frito** resulta bastante *indigesto* por la gran cantidad de aceite que absorbe. El pimiento forma parte de numerosas recetas culinarias, especialmente de salsas y pistos (con tomate y calabacín).

❸ **Pimentón:** Es el polvo que se obtiene tras moler el pimiento rojo. Puede ser dulce o ligeramente picante. Es muy rico en *provitamina A*, y otorga un grato tono rojizo a salsas, patatas, arroces y diversos platos; así que se lo usa como colorante culinario saludable.

✓ **Capsacina:** Es la sustancia responsable del picor. Los pimientos dulces la contienen en una proporción del 0,1%, diez veces menos que los picantes (1% o más). A *bajas dosis,* como las que se encuentran en el pimiento dulce, la capsacina es **aperitiva** y **estimulante** digestiva, aunque en dosis elevadas es rubefaciente (irrita la piel y las mucosas).

✓ **Fibra vegetal:** Contiene alrededor del 2%. Contribuye, junto con la capsacina, a la acción laxante del pimiento.

Las aplicaciones dietoterápicas del pimiento son las siguientes:

• **Afecciones del estómago:** Por su acción aperitiva, estimulante de la producción de jugos gástricos y antiinflamatoria, el pimiento conviene a los que padecen de **dispepsia** (mala digestión) debido a **insuficiencia de jugos** gástricos o a **atonía** digestiva.

• **Estreñimiento:** El pimiento es un laxante suave, y además tiene acción antiflatulenta.

• **Diabetes y obesidad:** Debido a su escaso aporte de hidratos de carbono y de calorías, el pimiento es muy bien tolerado por los diabéticos, y conviene en la dieta de los obesos.

• **Preventivo del cáncer digestivo:** Por su *extraordinaria riqueza* en **vitaminas antioxidantes** (A y C), que protegen a las células de la acción mutágena de las sustancias cancerígenas,[10] el *consumo habitual* de pimientos contribuye a evitar el cáncer, especialmente el de los órganos digestivos (estómago y colon).

# Patata (papa)

## Gran amiga del estómago

**Sinonimia hispánica:** *papa, criadilla de tierra, crilla, chunu, chuño, poguy.*

**Descripción:** *Tubérculo de la planta de la patata ('Solanum tuberosum' L.), herbácea perteneciente a la familia de las Solanáceas. Los tubérculos no son raíces, sino engrosamientos subterráneos de los tallos. El peso y tamaño de las patatas son muy variables: desde unos gramos hasta más de un kilo.*

### PATATAS (PAPAS)
### composición
por cada 100 g de parte comestible cruda

| | |
|---|---|
| Energía | 79,0 kcal = 331 kj |
| Proteínas | 2,07 g |
| H. de c. | 16,4 g |
| Fibra | 1,60 g |
| Vitamina A | — |
| Vitamina B$_1$ | 0,088 mg |
| Vitamina B$_2$ | 0,035 mg |
| Niacina | 2,02 mg EN |
| Vitamina B$_6$ | 0,260 mg |
| Folatos | 12,8 µg |
| Vitamina B$_{12}$ | — |
| Vitamina C | 19,7 mg |
| Vitamina E | 0,060 EαT |
| Calcio | 7,00 mg |
| Fósforo | 46,0 mg |
| Magnesio | 21,0 mg |
| Hierro | 0,760 mg |
| Potasio | 543 mg |
| Cinc | 0,390 mg |
| Grasa total | 0,100 g |
| Grasa saturada | 0,026 g |
| Colesterol | — |
| Sodio | 6,00 mg |

1%   2%   4%        10%   20%   40% 100%

**% de la CDR** (cantidad diaria recomendada)
cubierta por 100 g de este alimento

FUE EL CONQUISTADOR español Francisco Pizarro, quien en 1534 desembarcó en Sevilla por primera vez con un saco de patatas procedente del Perú. Su fácil cultivo hizo que pronto se extendieran por todo el viejo continente.

Pero la verdad es que las patatas fueron muy mal recibidas: en España se las llamaba despectivamente "piedras comestibles"; en Francia se las rechazaba debido a la creencia popular de que eran transmisoras de la peste; en Alemania solo se usaban para alimentar al ganado; y en Inglaterra se las censuraba porque no aparecen mencionadas en la Biblia.

Tuvieron que pasar más de doscientos años para que las humildes patatas demostraran que

# La piel de la patata

## Concentra las vitaminas, pero también los tóxicos

Si desea disfrutar de una sabrosa patata asada al horno con su piel, procure que proceda de un cultivo biológico para evitar los contaminantes que se acumulan en la piel.

Conviene pelar las patatas antes de cocinarlas, pues las sustancias tóxicas que existen en su piel pueden pasar al interior durante la cocción o el asado.

son capaces de calmar el hambre de los pueblos. Fue precisamente en los años previos a la Revolución Francesa, cuando se divulgó el consumo de este tubérculo.

## Preparación y empleo

❶ **Cocinadas al vapor:** Es la forma ideal de consumir las patatas, pues así se conservan mejor sus nutrientes. Si no proceden de cultivos biológicos, es preferible pelarlas (ver el cuadro superior).

❷ **Hervidas,** solas o con verdura.

❸ **Asadas al horno,** acompañadas o no de cebollas o pimientos.

❹ **Fritas:** Es la forma menos saludable de consumirlas (ver pág. 193).

❺ **Jugo crudo:** Se usa como antiácido (ver la página siguiente).

A partir de entonces, la patata se hizo un lugar en la mesa de los europeos, y por extensión, en la de todos los habitantes del mundo.

Con más de 1.300 variedades, la patata es actualmente la hortaliza más cultivada en todo el planeta (unos 270 millones de toneladas anuales). En Alemania, por ejemplo, cada habitante consume por término medio unos 70 kilos de este tubérculo al año.

El puré de patatas es una de las formas más digestibles de tomarlas, y resulta especialmente útil en las afecciones estomacales.

# Jugo de patata cruda

### Neutraliza
### la acidez gástrica

El doctor Schneider[11] recomienda un remedio popular en Alemania: el jugo de patata cruda, por ser muy rico en sustancias alcalinas. Unas cucharadas antes de la comida, son suficientes para calmar la acidez de estómago.

Por supuesto que recomendamos pelar las patatas antes de obtener su jugo.

Humildes, despreciadas y baratas, pero siempre sabrosas y saludables; las patatas resultan hoy insustituibles en la alimentación humana.

**PROPIEDADES E INDICACIONES:** La patata es un alimento bastante completo, que aporta sobre todo hidratos de carbono y proteínas de mucha calidad. Únicamente es deficitaria en los siguientes nutrientes: grasa, provitamina A, vitamina E, calcio y vitamina $B_{12}$. Todos los demás están bien representados en la patata:

✓ **Hidratos de carbono:** Contiene 16,4 g /100 g (16,4 %), de los cuales la mayor parte (unos 16 g) son de **almidón.** El resto (unos 0,4 g) están formados por glucosa, fructosa y sacarosa. El almidón o fécula de la patata es de fácil digestión y no produce flatulencias.

✓ **Proteínas:** La patata es una **buena fuente** de proteínas, aunque desde el punto de vista estrictamente cuantitativo pueda parecer modesta (2,07%). Las proteínas de la patata tienen las siguientes características:

– Son de *alto* **valor biológico,** es decir, aportan *todos* los **aminoácidos** que nuestro organismo necesita, y además, en una **proporción** *adecuada* para *favorecer* el **crecimiento.**

– Las proteínas de la patata son *ricas* en *lisina,* el aminoácido esencial que escasea en los cereales.[11] Desde este punto de vista, las patatas resultan idóneas para combinarlas con los cereales (especialmente con el maíz).

✓ **Vitaminas:** Las patatas son una buena fuente de vitamina C, aunque durante el proceso de cocción se pierde una parte de esta vitamina. Cocinadas al vapor es como menos vitamina C pierden; y fritas, como más. Prácticamente no contienen provitamina A ni vitamina E; en cambio son bastante ricas en vitaminas del complejo B, especialmente la $B_1$ y la $B_6$.

✓ **Minerales:** Las patatas destacan por su *riqueza* en **potasio** y su *bajo contenido* en **sodio,** lo que las hace muy recomendables en caso de hipertensión y de afecciones cardiovasculares. Son pobres en calcio, pero bastante ricas en hierro, fósforo y magnesio, así como en cinc, cobre, manganeso y otros oligoelementos.

✓ **Fibra vegetal:** Las patatas contienen un 1,6% de fibra vegetal de tipo soluble. Dos patatas de tamaño mediano (300 g) contienen casi la quinta parte de las necesidades diarias de fibra vegetal.

Este tubérculo es un alimento muy útil en diversos trastornos y enfermedades, entre los que destacan:

• **Afecciones del estómago:** Se ha dicho que la patata es la *mejor* **amiga del estómago,** por el bienestar gástrico que se suele sentir tras consumirla. Este efecto beneficioso de la patata se atribuye al menos a tres factores:

– **Efecto antiácido:** Es un alimento relativamente alcalino, capaz de neutralizar el exceso de ácido. Esta acción alcalinizante se produce tanto localmente en el estómago, como en la sangre y en la orina.

– **Consistencia física:** La textura suave de la patata reduce la necesidad de trabajo digestivo por parte del estómago, y le proporciona un relativo descanso.

– **Contenido en sustancias sedantes:** Varios trabajos de investigación realizados en los laboratorio Hoffman-La Roche de Basilea (Suiza)[12] y en la Universidad de Gotinga (Alemania)[13] han puesto de manifiesto que en la patata se encuentran pequeñas cantidades de varias benzodiazepinas, sustancias sedantes muy usadas en farmacia. Una de las sustancias encontradas en la patata es precisamente el diazepam,[12] el mismo principio activo que se encuentra en el conocido medicamento Valium®. Estos sedantes naturales de la patata podrían actuar también localmente sobre el estómago, contribuyendo a la relajación de este órgano.

Por todo ello, las patatas, especialmente en forma de puré, son *muy recomendables* en caso de hiperacidez gástrica, gastritis, úlcera de estómago, ptosis gástrica (estómago caído), neurosis gástrica (nervios en el estómago), y en general, en todos los casos de **digestión difícil** o de **estómago delicado.**

Por supuesto es necesario cuidar de que la forma de cocinar las patatas (fritas con exceso de aceite, condimentos) o los alimentos que las acompañan (fritos, carnes, etc.) no anulen los efectos curativos de este tubérculo sobre el estómago.

• **Afecciones cardiovasculares:** Al ser muy bajas en grasas y en sodio, las patatas constituyen un **alimento *ideal*** en caso de arteriosclerosis, insuficiencia cardíaca, angina de pecho o infarto e hipertensión arterial. El hecho de ser **tan ricas** en ***potasio*** (543 mg/100 g) hace que contribuyan a reducir la hipertensión arterial.

• **Afecciones de los riñones:** Las patatas **alcalinizan** la sangre y la orina, favoreciendo la eliminación de las sustancias ácidas tóxicas. De esta forma, alivian el trabajo de los riñones y depuran (limpian) la sangre. Una alimentación rica en patatas, o la llamada "***dieta de patatas***" resulta muy útil en caso de acidosis metabólica, exceso de ácido úrico, artritis úrica y cálculos urinarios.

• **Diabetes:** Las patatas contienen hidratos de carbono complejos (almidón) que se transforman en glucosa de forma lenta, durante las tres o cuatro horas que dura su digestión en el intestino. Esto hace que no provoquen aumentos bruscos del nivel de glucosa en la sangre (como lo hacen los hidratos de carbono simples o azúcares), y que sean bastante bien toleradas por los diabéticos.

## Patatas fritas

Al freírse las patatas pierden agua por evaporación, y ganan en aceite.
Del 15 % al 20 % de su peso está formado por grasa.

Las patatas fritas proporcionan de 500 a 600 kcal/100 g (crudas solo 79 kcal/100 g). Además suelen contener abundante **sal**. Todo ello las hace poco recomendables desde el punto de vista dietético.

El **aceite** más recomendable para freírlas es el **de oliva**, pues es el que mejor resiste las altas temperaturas. Aun así, conviene que el aceite no se sobrecaliente, es decir, que no humee.

**Las patatas fritas son sabrosas, pero poco saludables.**

# Alimentos para el intestino

EL INTESTINO es un lugar de paso para los alimentos. A medida que estos van avanzando por el intestino delgado, se produce la absorción de los principales nutrientes que contienen.

Lo que queda de los alimentos sin haber sido absorbido pasa al intestino grueso; se concentra allí y forma las heces, que posteriormente han de ser expulsadas.

Las dos alteraciones más comunes en el funcionamiento del intestino tienen que ver con la velocidad a la que los alimentos transitan por su interior:

• **Tránsito demasiado rápido:** Da lugar a la *diarrea,* con la consiguiente pérdida de agua, de sales minerales y de otros nutrientes que el organismo no absorbe.

• **Tránsito demasiado lento:** Se produce *estreñimiento.* Las heces sufren un proceso de putrefacción que da lugar a la producción de sustancias tóxicas. Estas pasan a la sangre provocan un estado de autointoxicación en todo el organismo.

# Evitar el estreñimiento

Se entiende por estreñimiento, la *dificultad para realizar el acto de la defecación*. Se acompaña de:

- expulsión de heces duras y escasas,
- reducción en la frecuencia de las deposiciones a menos de tres o cuatro veces por semana.

*Evitar* el estreñimiento es **esencial** para disfrutar de una buena salud.

## 1. Beber suficiente agua

Si el cuerpo no está bien hidratado, el intestino grueso extrae el agua que contienen las heces. Esto hace que se resequen, lo cual dificulta su evacuación.

## 2. Alimentación adecuada

Para evitar el estreñimiento es **esencial** alimentarse *correctamente,* aumentando la ingesta de fibra (ver pág. 197). Los alimentos que más contribuyen a evitar el estreñimiento son los siguientes:

- **Frutas frescas** (excepto el membrillo, el caqui, la granada y el níspero que son algo astringentes). Las **frutas desecadas** como las ciruelas y las uvas pasas también resultan eficaces.

- Las **hortalizas** y las **legumbres.**

- Los **cereales integrales** y los productos que con ellos se elaboran, como el pan y la pasta integral.

## 3. Ingerir suficiente fibra

Los alimentos de origen **vegetal** son los *únicos* que contienen fibra, necesaria entre otras cosas para que las heces progresen normalmente por el intestino

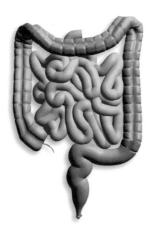

## 4. Educar el intestino

Los laxantes (plantas o fármacos), las lavativas, los supositorios de glicerina y otros remedios pueden solucionar un caso agudo —es decir, no habitual— de estreñimiento.

Sin embargo, el estreñimiento persistente de causa funcional no se soluciona con este tipo de remedios, los cuales únicamente proporcionan un alivio temporal.

Para evitar el estreñimiento es necesario educar el intestino, adquiriendo *desde* la **niñez** buenos hábitos evacuatorios:

- *No* desatender la llamada fisiológica para la defecación.
- Procurar evacuar *siempre* a la *misma* hora.
- Realizar algún tipo de **ejercicio físico.**

# Cómo aumentar
# la ingesta de fibra

La fibra es un componente de los alimentos vegetales que tiene las siguientes características:

- Es **necesaria** para el buen funcionamiento del intestino.
- **No** es **digerida** *ni* pasa a la **sangre,** sino que permanece en el intestino formando parte de las heces.
- **Retiene agua,** aumentando el volumen de las heces.
- Aunque no es atacada por las enzimas digestivas, como lo son otros hidratos de carbono, las proteínas y las grasas, es parcialmente fermentada por la flora bacteriana del colon. Como resultado de ello se producen diversos **gases** intestinales.
- Su consumo (al menos 25 g diarios para los adultos) contribuye a **prevenir** diversas enfermedades, como por ejemplo:
  - el **estreñimiento,**
  - la **diverticulosis,**
  - el **cáncer de colon,**
  - el exceso de **colesterol** y la **diabetes.**

## Consumir pan integral en lugar de pan blanco

El pan integral contiene aproximadamente tres veces más fibra que el blanco.

## Aumentar el consumo de legumbres y de hortalizas

- *Evitan* el **estreñimiento,** al aumentar la intensidad de los **movimientos peristálticos** del intestino.
- *Protegen* contra el **cáncer de colon.**
- *Reducen* el nivel de **colesterol.**

## Ingerir salvado y otros suplementos ricos en fibra

Lo *ideal* es consumirlo en su estado **natural,** formando parte de los cereales o del pan integral. Sin embargo, también puede tomarse de forma aislada, procurando no sobrepasar los **30 g** diarios, que aportan casi **13 g** de **fibra pura.**

## Tomar fruta con su pulpa en lugar de jugo de fruta

El jugo (zumo) de fruta apenas contiene fibra, pues esta se encuentra en la pulpa.

# CELIAQUÍA

## Definición

Se le llama también **esprúe celíaco**. Consiste en una **intolerancia al gluten**, la **proteína** que se encuentra en el **trigo**, la **cebada**, el **centeno** y, en menor proporción, en la **avena**.

## Causas

Esta enfermedad es *generalmente* de causa **hereditaria**, aunque existen factores favorecedores de su aparición, como la administración precoz de leche de vaca o de cereales a los lactantes.

## Síntomas

Las primeras manifestaciones suelen ocurrir durante el periodo de la lactancia o en la infancia, aunque también puede presentarse en la edad adulta. El diagnóstico se hace por biopsia intestinal. Estos son los **síntomas** más comunes:

- Diarrea: Las heces de los celíacos son espumosas debido a que contienen la grasa que el organismo no ha absorbido.
- Malestar y distensión abdominal, flatulencia.
- Fatiga, depresión, malestar general.
- Aftas (úlceras bucales).

Todos estos síntomas ceden con la supresión del gluten en la alimentación.

La **intolerancia al gluten**, sin llegar a producir el cuadro completo de la celiaquía, es **más frecuente** de lo que se piensa.

 **Aumentar**    **Reducir o eliminar**

| Aumentar | Reducir o eliminar |
|---|---|
| ARROZ | GLUTEN |
| MAÍZ | HARINAS |
| LEGUMBRES | LÁCTEOS |
| TAPIOCA | GRASA TOTAL |
| VERDURAS | EMBUTIDOS |
| FRUTA | CERVEZA |
| ALFORFÓN | |
| AVENA | |
| MIJO | |
| SORGO | |
| VITAMINAS, SUPLEMENTOS | |

*Arroz*

El arroz es el cereal que mejor sienta a los celiacos, por carecer de gluten.

# ESTREÑIMIENTO

## Definición

Es el **tránsito** *lento o dificultoso* del contenido intestinal, con **evacuaciones** *poco frecuentes* y de **heces excesivamente** *duras*.

## Causas

La *mayor parte* de los casos de estreñimiento es de tipo **funcional**, y se debe a una atonía o debilidad de la musculatura del intestino grueso. Únicamente en casos *muy concretos*, el estreñimiento es de tipo **orgánico**, siendo el cáncer de colon o de recto la causa más grave.

Se considera *normal* evacuar desde **dos veces** al día hasta una vez **cada dos** días. Si disminuye la frecuencia se considera estreñimiento.

Los factores que **favorecen** o **predisponen** a sufrir estreñimiento atónico de tipo funcional son los siguientes:

- Régimen alimentario incorrecto, con *insuficiente* ingesta de **agua** y/o de **fibra**. Como consecuencia la pared intestinal carece de estímulo y finalmente se debilita.
- **Hábito** intestinal **irregular:** Si debido a la tensión nerviosa o a las prisas se desatiende la llamada fisiológica para la defecación, se puede llegar a perder este reflejo intestinal.
- **Abuso de laxantes:** Produce un estado de inflamación permanente en la mucosa intestinal, la cual deviene insensible a los estímulos normales.
- **Falta** de **ejercicio físico,** necesario para estimular el reflejo defecatorio.

Corrigiendo estas cuatro causas se corrigen la mayor parte de los casos de estreñimiento funcional atónico. Una **alimentación correcta** resulta *imprescindible* para su solución.

 **Aumentar**    **Reducir o eliminar**

| Aumentar | Reducir o eliminar |
|---|---|
| AGUA | BOLLERÍA REFINADA |
| FIBRA | PAN BLANCO |
| CEREALES INTEGRALES | CHOCOLATE |
| PAN INTEGRAL | MARISCO |
| SALVADO DE TRIGO | CARNE |
| FRUTA | PESCADO |
| HORTALIZAS | |
| LEGUMBRES | |
| CIRUELA | |
| LINO, SEMILLAS | |
| MANZANA | |
| UVA | |
| HIGO | |
| RUIBARBO | |
| MIEL | |

*Fruta*

# COLON IRRITABLE

## Definición

Es un **síndrome funcional** caracterizado por: malestar, distensión abdominal y **alternancias** *bruscas* entre episodios de **estreñimiento** y de **diarrea**. El diagnóstico se hace casi siempre por exclusión, tras descartar la existencia de alteraciones patológicas en el intestino.

## Causas

Además de tener en cuenta las recomendaciones dietéticas que se dan seguidamente, conviene prestar atención a estos otros factores, que *pueden* **favorecer** la **aparición** del síndrome del colon irritable:

- Tratamiento con **medicamentos irritantes** para la mucosa intestinal, como los comprimidos de hierro o los antibióticos.
- **Alergia** o **intolerancia** a ciertos productos, como por ejemplo a la lactosa o al gluten.
- **Estrés** psíquico, **ansiedad** o **desequilibrio** neurovegetativo.

 **Aumentar**

 **Reducir o eliminar**

| Aumentar | Reducir o eliminar |
|---|---|
| AVENA | SALVADO DE TRIGO |
| FRUTA | LEGUMBRES |
| MAÍZ | LECHE |
| CAQUI | QUESOS MADURADOS |
| PAPAYA | GLUTEN |
| ARÁNDANO | CARNE |
| FIBRA | |
| YOGUR | |
| AGUA | |

*Leche*

*Pan integral*

La fibra en exceso (salvado, cereales integrales, legumbres), el gluten de la harina y la lactosa de la leche son algunos de los componentes de los alimentos peor tolerados en caso de colon irritable.

# DIARREA

## Definición

Consiste en la emisión de **heces blandas** o **líquidas** con una **frecuencia superior a la normal**. Ello provoca un aumento en las *pérdidas* de **agua** y de sales *minerales* que es *preciso* **compensar**. Los **niños** y los **ancianos** son los *más sensibles* al desequilibrio hídrico.

## Alimentación

En caso de **diarrea aguda**, se recomienda ingerir *únicamente* **agua** y alguno de estos **líquidos** durante las primeras 24 o 48 horas:

- **caldo de verduras** (rico en sales minerales),
- **suero** para rehidratación oral (puede elaborarse con una cucharadita de sal y cuatro cucharadas de azúcar por litro de agua),
- **zumo de limón** *diluido*,
- **tisanas** de plantas medicinales **astringentes** (ver *EPM* [*Enciclopedia de las plantas medicinales*] pág. 481),
- **fórmulas lácteas** adaptadas y/o **leche de soja**, en el caso de los **lactantes**.

## Causas

Se debe intentar **diagnosticar** la **causa** de *toda* diarrea. Lo *más frecuente* es que se deba a **infecciones** intestinales, a **toxinas** de los alimentos, a **alergias** o a **intolerancias** alimentarias.

## Tratamiento

Además de aplicar el tratamiento específico, y una vez *pasada* la fase aguda, se pueden administrar **alimentos** *suavemente* **astringentes** y **antiinflamatorios** para la mucosa intestinal, como los que se indican a continuación.

 **Aumentar**

 **Reducir o eliminar**

| Aumentar | Reducir o eliminar |
|---|---|
| LECHE (BEBIDA) DE SOJA | LECHE |
| LECHE DE ALMENDRA | HUEVO |
| MANZANA | CARNE DE POLLO |
| MEMBRILLO | MARISCO |
| GRANADA | JUGOS DE FRUTA |
| NÍSPERO | |
| PLÁTANO | |
| ZANAHORIA | |
| PAPAYA | |
| ZAPOTE | |
| ARROZ | |
| AVENA | |
| TAPIOCA | |
| CASTAÑA | |
| ALGARROBA | |
| YOGUR | |

*Yogur*

Diversas investigaciones muestran que el yogur incrementa las defensas antiinfecciosas del tracto digestivo.

# COLITIS

## Definición
Es la **inflamación del colon,** el segmento más importante del intestino grueso.

## Síntomas
Se manifiesta con heces diarreicas o descompuestas, que en ocasiones pueden contener mucosidad y restos de sangre.

## Causas
*Suele ser* de causa **infecciosa,** aunque las **alergias** y las **intolerancias** alimentarias, así como los **antibióticos** y los **laxantes,** desempeñan también un papel importante en su formación.

## Alimentación
Una alimentación que no resulte agresiva para el colon, puede contribuir significativamente a mejorar la colitis. Por ello se recomiendan los mismos alimentos que en caso de diarrea. El **salvado de trigo** *puede causar* colitis en las personas estreñidas que lo toman *en abundancia* como laxante.

 **Aumentar**

LOS MISMOS QUE PARA LA DIARREA

HORTALIZAS

CALABACÍN

HIERRO

VITAMINA A

**Reducir o eliminar**

SALVADO DE TRIGO

BOLLERÍA REFINADA

LECHE

CAFÉ

ESPECIAS

# ENFERMEDAD DE CROHN

## Definición
Es un *tipo especial de inflamación que afecta tanto al intestino* **delgado** *como al* **grueso.**

## Causas
Sus **causas** *no* son **bien conocidas,** aunque se sabe que se relaciona especialmente con la alimentación típica occidental, pobre en fibra y en vegetales y abundante en productos refinados y procesados. Es una enfermedad que afecta con mayor frecuencia a quienes se alimentan exclusivamente de la llamada *"comida rápida".*

 **Aumentar**

LOS MISMOS QUE PARA LA DIARREA

FIBRA

ACEITES

PESCADO, ACEITE

FOLATOS

HIERRO

**Reducir o eliminar**

AZÚCARES

HAMBURGUESAS

*Hamburguesa*

# COLITIS ULCEROSA

## Definición
Es una **forma grave** de colitis, que *puede* **convertirse en crónica** espontánea.

## Causas
Su **causa** es **desconocida,** pero se sabe que afecta *casi exclusivamente* a los habitantes del **mundo occidental.** La alimentación refinada, rica en carnes y grasas saturadas, y pobre en frutas, hortalizas y cereales, que constituye la llamada *"comida rápida",* es uno de los factores que aumentan el riesgo de padecer colitis ulcerosa.

## Síntomas
**Se manifiesta** con diarrea, dolor abdominal, emisión ocasional de sangre con las heces, cansancio y pérdida de peso. *Puede* **degenerar** en **cáncer de colon.**

## Tratamiento
Aunque no existe un tratamiento específico, una alimentación protectora del colon puede contribuir a mejorar la evolución de esta enfermedad.

 **Aumentar**

LOS MISMOS QUE PARA LA DIARREA

COL

ONAGRA, ACEITE

**Reducir o eliminar**

LOS MISMOS QUE PARA LA COLITIS

HAMBURGUESAS

CARNE

# HEMORROIDES

## Definición
Las hemorroides, llamadas vulgarmente **almorranas,** son **varices** situadas en un lugar anatómico especialmente sensible. El estreñimiento obliga a una hiperpresión durante la defecación, que favorece la dilatación de las venas del ano y como consecuencia da lugar a hemorroides.

## Tratamiento
Una vez que se han formado las dilataciones venosas, ya *no remiten* por sí mismas. Mediante una alimentación e higiene adecuadas, se puede evitar que se inflamen y que se formen coágulos de sangre en su interior (trombosis hemorroidal), lo cual produce muchas molestias y puede requerir una intervención quirúrgica.

 **Aumentar**

LOS MISMOS QUE PARA EL ESTREÑIMIENTO

FRESA

ARÁNDANO

**Reducir o eliminar**

LOS MISMOS QUE PARA EL ESTREÑIMIENTO

ESPECIAS

AZÚCAR BLANCO

# FLATULENCIA

## Definición

Es un **exceso de gases** en el intestino, que causa espasmos intestinales y distensión abdominal. El gas del intestino procede del que se ingiere al **deglutir**, y del que producen normalmente las **bacterias** de la flora intestinal.

## Causas

Cuando se produce en exceso, *suele ser* **debido a:**

- **Disbacteriosis** o alteración de la flora, que puede corregirse con sencillas medidas dietéticas.

- **Consumo** *abundante* de alimentos **vegetales ricos en fibra:** La flatulencia puede resultar más o menos molesta, pero *no* reviste **gravedad.** Estos gases *suelen ser* **inodoros,** a diferencia de los que se producen como consecuencia de la putrefacción intestinal derivada del consumo de carne y proteínas animales. Incrementando lentamente el consumo de alimentos ricos en fibra, y teniendo en cuenta algunas sencillas normas culinarias, la flatulencia suele corregirse espontáneamente.

- **Deglución de aire** debido a **estrés** o **ansiedad,** especialmente en el momento de las comidas.

## Tratamiento

Además de los alimentos indicados, el **carbón vegetal** de madera de haya u otras, es muy eficaz para reducir la flatulencia intestinal.

# DIVERTICULOSIS

## Definición

También llamada **enfermedad diverticular del colon.** Consiste en la formación de *muchas pequeñas bolsas o divertículos en la pared del conducto digestivo, generalmente del intestino grueso.*

## Causas

Para que se forme un divertículo es preciso que concurran **dos factores:**

- Que exista un punto de **debilidad** en la pared intestinal.

- Que se produzca un **aumento de presión** en el interior del intestino. Esto es lo que ocurre cuando las heces son pequeñas y duras, y los músculos de la pared intestinal tienen que contraerse fuertemente para hacerlas avanzar en su recorrido.

## Alimentación

Los alimentos que se recomiendan, *reducen* el **riesgo** de que se formen divertículos, o de que estos aumenten si ya existen. Lo que *no* se logra es **que desaparezcan** una vez formados.

## Complicaciones

Cuando los divertículos se inflaman debido a que en ellos quedan restos de heces, se produce una enfermedad grave llamada **diverticulitis.** Esta es una complicación de la diverticulosis que debe ser tratada **hospitalariamente** con **dieta absoluta,** y que en ocasiones, requiere una intervención quirúrgica.

 **Aumentar**

 **Reducir o eliminar**

| Aumentar | Reducir o eliminar |
|---|---|
| GERMINADOS | FIBRA |
| HIERBAS AROMÁTICAS | LEGUMBRES |
| YOGUR | VERDURAS |
| CAQUI | PAN |
| | PASTA |
| | LECHE |

 **Aumentar**

 **Reducir o eliminar**

| Aumentar | Reducir o eliminar |
|---|---|
| AGUA | BOLLERÍA REFINADA |
| FIBRA | GRASA TOTAL |
| CEREALES INTEGRALES | CARNE |
| FRUTA | |
| VERDURAS | |
| LEGUMBRES | |

*Bollería refinada*

El consumo abundante de productos refinados pobres en fibra favorece la formación de divertículos intestinales.

Si las legumbres se ponen a remojo vertiendo agua hirviendo sobre ellas (el agua debe ser sin sal), y se eliminan sus pieles, desaparece prácticamente su efecto flatulento.

# Carambola

## Un laxante suave y de fino sabor

### CARAMBOLA
### composición
por cada 100 g de parte comestible cruda

| | |
|---|---|
| Energía | 33,0 kcal = 138 kj |
| Proteínas | 0,540 g |
| H. de c. | 5,13 g |
| Fibra | 2,70 g |
| Vitamina A | 49,0 µg ER |
| Vitamina B₁ | 0,028 mg |
| Vitamina B₂ | 0,027 mg |
| Niacina | 0,478 mg EN |
| Vitamina B₆ | 0,100 mg |
| Folatos | 14,0 µg |
| Vitamina B₁₂ | — |
| Vitamina C | 21,2 mg |
| Vitamina E | 0,370 mg EαT |
| Calcio | 4,00 mg |
| Fósforo | 16,0 mg |
| Magnesio | 9,00 mg |
| Hierro | 0,260 mg |
| Potasio | 163 mg |
| Cinc | 0,110 mg |
| Grasa total | 0,350 g |
| Grasa saturada | 0,023 g |
| Colesterol | — |
| Sodio | 2,00 mg |

1%  2%  4%  10%  20%  40%  100%

**% de la CDR** (cantidad diaria recomendada)
cubierta por 100 g de este alimento

*Sinonimia hispánica:* árbol del pepino, carambolero, carambolo, balimbín, grosella carambola, jalea, tiriguro.

***Descripción:*** *Fruto del carambolo o tamarindo chino ('Averrhoa carambola' L.), árbol o arbusto de la familia de las Oxalidáceas que alcanza hasta 2 m de altura. El fruto es una baya de piel fina y de color amarillo dorado, que mide entre 6 y 12 cm de longitud.*

A LA CARAMBOLA se la llama en inglés 'fruta estrella' por la forma de su sección, que recuerda a una estrella de cinco puntas. Pero también es una "fruta estrella" por lo mucho que se la cotiza en los mercados internacionales.

Su pulpa es de textura muy suave y de un fino sabor agridulce. En los restaurantes se utilizan sus rodajas para decorar diversos platos exquisitos, pero la carambola tiene otras propiedades aparte de la meramente estética.

**PROPIEDADES E INDICACIONES:** Contiene un 5,13% de hidratos de carbono en forma de azúcares, y una pequeña proporción de proteínas (0,54%) y de grasas (0,34%), que en conjunto aportan 33 calorías por cada 100 g (33 kcal /100 g). Contiene una moderada cantidad de provitamina A (40 µg ER/100 g), de vitaminas del complejo B, así como E y C, siendo esta última la más abundante (21,2 mg/100 g).

En cuanto a minerales, contiene todos los necesarios en la dieta, pero en una proporción baja, excepto el **potasio** (163 mg/100 g).

La delicada pulpa de la carambola es rica en *fibra* vegetal de tipo *soluble* (2,7%), lo cual explica su acción **suavizante** y **laxante** sobre el intestino.

Estas son sus aplicaciones dietoterápicas:

• **Estreñimiento** por falta de tono intestinal, que es el tipo más frecuente. Dos o tres carambolas con el desayuno facilitan la evacuación.

• **Aumento del colesterol:** Debido a su *alto contenido* en *fibra soluble,* contribuye a reducir la absorción de colesterol en el intestino.

 **Estreñimiento, el trastorno intestinal más común**

*El estreñimiento es el trastorno intestinal más común en los países desarrollados, debido principalmente a una alimentación pobre en fibra.*

*La vida moderna impone a veces demasiadas restricciones para llevar a cabo la defecación, lo cual también contribuye al estreñimiento.*

*Muchos casos de cefalea (dolor de cabeza), eccema, alergia, aumento de colesterol, reumatismo, apatía y depresión, mejoran simplemente al evitar el estreñimiento.*

 **Preparación y empleo**

❶ **Fresca:** Los frutos grandes de la carambola son más sabrosos y dulces. Los más pequeños pueden tener sabor agrio.

❷ **Conservas:** Su pulpa se presta muy bien para la elaboración de jaleas y mermeladas.

❸ **Bebidas:** Con la carambola se elaboran refrescos y bebidas de sabor "tropical".

Calocarpum
sapota Merr.

# Zapote

## Astringente y antianémico

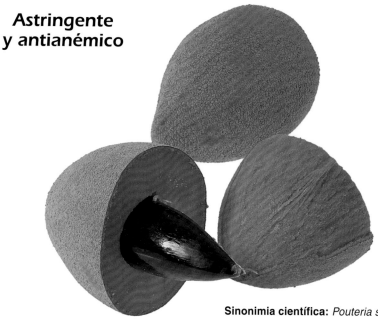

### ZAPOTE
### composición
por cada 100 g de parte comestible cruda

| | |
|---|---|
| **Energía** | **134 kcal = 559 kj** |
| **Proteínas** | **2,12 g** |
| **H. de c.** | **31,2 g** |
| **Fibra** | **2,60 g** |
| **Vitamina A** | **41,0 µg ER** |
| **Vitamina B₁** | **0,010 mg** |
| **Vitamina B₂** | **0,020 mg** |
| **Niacina** | **2,18 mg EN** |
| Vitamina B₆ | — |
| Folatos | — |
| Vitamina B₁₂ | — |
| **Vitamina C** | **20,0 mg** |
| Vitamina E | — |
| **Calcio** | **39,0 mg** |
| **Fósforo** | **28,0 mg** |
| **Magnesio** | **30,0 mg** |
| **Hierro** | **1,00 mg** |
| **Potasio** | **344 mg** |
| Cinc | — |
| Grasa total | 0,600 g |
| Grasa saturada | — |
| Colesterol | — |
| Sodio | 10,0 mg |

1%   2%   4%   10%   20%  40%  100%

**% de la CDR** (cantidad diaria recomendada)
cubierta por 100 g de este alimento

**Sinonimia científica:** *Pouteria sapota* L.

**Sinonimia hispánica:** *mamey [colorado], mamey zapote, zapote rojo, yuco.*

**Descripción:** *Fruto del árbol del zapote ('Calocarpum sapota' Merr.) de la familia de las Sapotáceas. Los frutos son esferoidales u ovoides, de hasta 20 cm de diámetro, y en su interior encierran una semilla única y bastante grande.*

BAJO SU PIEL áspera, correosa y poco atractiva, el zapote encierra una suave pulpa de color anaranjado, dulce y carente de acidez.

**PROPIEDADES E INDICACIONES:** Es un fruto *bastante* **energético** (134 kcal/100 g), debido a su *elevado* contenido en **hidratos de carbono** (31,2%), en su mayor parte azúcares. Es una buena fuente de **vitamina C** (20 mg /100 g), de **potasio** (344 mg/100 g), de **hierro** (1 mg/100 g) y de **magnesio** (30 mg/100 g). Es pobre en provitamina A (beta-caroteno) y en vitaminas del grupo B.

Un desayuno formado por cereales o pan integral, con unas ciruelas pasas (desecadas) y dos piezas de fruta fresca puede proporcionar los 25 g diarios de fibra que se recomienda ingerir cada día como mínimo.
Con un desayuno así resulta fácil evitar el estreñimiento.

Debido a su *riqueza* en polifenoles (**taninos**), es *buen* **astringente** intestinal, por lo que se recomienda en caso de **diarrea** y de **gastroenteritis.** También conviene a los **anémicos** y **desnutridos.**

## Otros zapotes

Son varias las frutas que en Centroamérica reciben también el nombre de zapote, por su semejanza en cuanto a aspecto y composición con el auténtico zapote. Las más importantes son:

- **Chicozapote** (*Manilkara zapota* Van Royen = *Achras zapota* L.), también llamado zapote chico, sapodilla y mamey zapote. Sus frutos tienen la pulpa más clara que el zapote, y tres huesos centrales en lugar de uno. De su árbol se extrae una gomorresina utilizada en la fabricación del **chicle** (goma de mascar).

- **Zapote chupachupa** (*Matisia cordata* Humb.-Bonpl.), también llamado simplemente chupachupa y mamey colorado. Tiene la pulpa más fibrosa que el auténtico zapote.

*Lúcumo*

El lúcumo ('Pouteria lucuma') pertenece a la familia de las Sapotáceas, al igual que el zapote. Se cultiva en Chile, Perú y Ecuador. La pulpa contiene almidón y al igual que el zapote, es un buen astringente en caso de diarrea.

## Preparación y empleo

❶ **Crudo:** Es la forma habitual de consumir el zapote. Su pulpa de consistencia cremosa es dulce y aromática, y carece por completo de acidez.

❷ **Conservas:** Con el zapote se elaboran mermeladas, jaleas y helados.

# Membrillo

## Suavizante y astringente intestinal

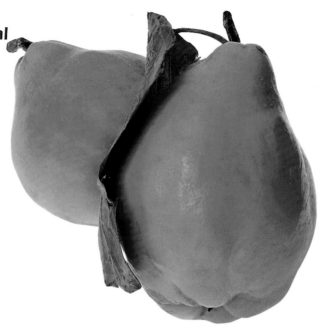

La carne o dulce de membrillo combina muy bien con el requesón y con el queso fresco.

## MEMBRILLO composición

por cada 100 g de parte comestible cruda

| | |
|---|---|
| Energía | 57,0 kcal = 240 kj |
| Proteínas | 0,400 g |
| H. de c. | 13,4 g |
| Fibra | 1,90 g |
| Vitamina A | 4,00 µg ER |
| Vitamina B$_1$ | 0,020 mg |
| Vitamina B$_2$ | 0,030 mg |
| Niacina | 0,200 mg EN |
| Vitamina B$_6$ | 0,040 mg |
| Folatos | 3,00 µg |
| Vitamina B$_{12}$ | — |
| Vitamina C | 15,0 mg |
| Vitamina E | 0,550 mg EαT |
| Calcio | 11,0 mg |
| Fósforo | 17,0 mg |
| Magnesio | 8,00 mg |
| Hierro | 0,700 mg |
| Potasio | 197 mg |
| Cinc | 0,040 mg |
| Grasa total | 0,100 g |
| Grasa saturada | 0,010 g |
| Colesterol | — |
| Sodio | 4,00 mg |

1%    2%    4%    10%    20%   40%   100%

**% de la CDR** (cantidad diaria recomendada) cubierta por 100 g de este alimento

*Sinonimia hispánica:* gamboa, marmello, cacho, codón.

*Descripción:* Fruto del membrillero ('Cydonia oblonga' Mill.), árbol de la familia de las Rosáceas de unos 4 m de altura. El fruto tiene un aspecto similar al de la pera.

QUIENES no conozcan el membrillo, y piensen que se trata de una variedad de pera, se llevarán un buen chasco al dar un bocado a su pulpa: es tan áspera e insípida que resulta prácticamente imposible comérsela. Sin embargo, la llamada carne o dulce de membrillo es un bocado exquisito, que apetece a todos los niños.

**PROPIEDADES E INDICACIONES:** El membrillo crudo contiene un 13,4% de hidratos de carbono en forma de azúcares. Pero la carne o **DULCE DE MEMBRILLO** sobrepasa el 50% en *azúcares,* ya que se elabora añadiéndole

## El estreñimiento, un síntoma que merece ser estudiado

El estreñimiento es un síntoma muy común, y normalmente se debe a **trastornos funcionales** o a una **alimentación inadecuada**. Sin embargo, en ocasiones **puede ser** la **primera manifestación** de una tumoración intestinal, como por ejemplo el cáncer de colon, o de otras **enfermedades graves**.

El estreñimiento que se presenta **sin** una **causa evidente** o que se hace **persistente**, debe ser **siempre** sometido a **diagnóstico médico**.

---

su peso en azúcar. Su contenido en proteínas y grasas es muy bajo (inferior al 1%).

Es bastante rico en vitaminas C y E, así como en minerales tales como potasio, hierro y cobre.

La acción **astringente** y **antiinflamatoria** que el membrillo ejerce sobre el intestino se debe a que contiene dos sustancias aparentemente antagónicas:

✓ **Pectina:** fibra soluble que **suaviza** la pared del intestino y facilita el tránsito de las heces.

✓ **Taninos** de acción **astringente,** que resecan y desinflaman la mucosa que tapiza el interior del intestino.

Tomado como postre o merienda, conviene a los niños o adultos con tendencia al tránsito rápido o a las flatulencias intestinales. Es muy recomendable en caso de **diarrea** por **gastroenteritis** o **colitis,** como *primer alimento* sólido tras la fase aguda.

Por su contenido en pectina, *contribuye* a *reducir* el nivel de **colesterol** en sangre.

## Preparación y empleo

❶ **Crudo:** Su sabor es muy áspero y ácido, y resulta prácticamente incomestible incluso maduro.

❷ **Carne de membrillo:** Es la forma tradicional de consumirlo. Se somete a cocción en agua, se convierte en puré y se le añade su propio peso de azúcar. Hay fabricantes que utilizan azúcar moreno, más rico en minerales, y más recomendable que el blanco.

La carne de membrillo es un astringente bien tolerado por niños y adultos. Puede ser unos de los primeros alimentos sólidos que se introduzcan después de un episodio de diarrea.

# Caqui

## Corta la diarrea y desinflama el intestino

### CAQUI
### composición
por cada 100 g de parte comestible cruda

| | |
|---|---|
| **Energía** | **70,0 kcal = 295 kj** |
| **Proteínas** | 0,580 g |
| **H. de c.** | 15,0 g |
| **Fibra** | 3,60 g |
| **Vitamina A** | 217 µg ER |
| **Vitamina B₁** | 0,030 mg |
| **Vitamina B₂** | 0,020 mg |
| **Niacina** | 0,267 mg EN |
| **Vitamina B₆** | 0,100 mg |
| **Folatos** | 7,50 µg |
| Vitamina B₁₂ | — |
| **Vitamina C** | 16,0 mg |
| **Vitamina E** | 0,590 mg EαT |
| **Calcio** | 8,00 mg |
| **Fósforo** | 17,0 mg |
| **Magnesio** | 9,00 mg |
| **Hierro** | 0,370 mg |
| **Potasio** | 161 mg |
| Cinc | 0,110 mg |
| Grasa total | 0,190 g |
| Grasa saturada | 0,020 g |
| Colesterol | — |
| Sodio | 1,00 mg |

1%   2%   4%   10%   20%   40%   100%

**% de la CDR** (cantidad diaria recomendada)
cubierta por 100 g de este alimento

*Sinonimia hispánica:* palosanto, zapote japonés, guayaco, locuá, persimón japonés.

*Descripción:* Fruto en baya del árbol del caqui o palosanto ('Diospyros kaki' L.), árbol de hoja caduca de hasta 4 m de altura de la familia de las Ebenáceas. El fruto se consume cuando está muy maduro, casi pasado.

Y A SEA DE color anaranjado o rojo intenso, los caquis evocan llamaradas de fuego ardiente. No en vano su nombre científico *Diospyros,* en griego significa 'fuego de Zeus'.

Sin embargo, una vez ingerido, el caqui actúa de forma totalmente opuesta a como lo haría un fuego ardiente: es un *gran* **suavizante** del conducto digestivo, especialmente del intestino.

**PROPIEDADES E INDICACIONES:** La pulpa gelatinosa del caqui apenas contiene proteínas y grasas. Sin embargo, destacan en su composición las siguientes sustancias:

✓ *Azúcares:* De cada 100 g de pulpa de caqui, unos 15 g son azúcares. El *más abundante es* la *fructosa,* seguido por la *glucosa* y la *sacarosa.*

✓ *Pectina* y *mucílagos:* Son *hidratos de carbono* complejos, responsables de la consistencia gelatinosa de la pulpa del caqui. El caqui, *junto* con la **manzana** (ver pág. 216), es una de las frutas *más ricas* en *pectina* (1%). La pectina y los mucílagos constituyen el componente más importante de la llamada *fibra* vegetal de tipo *soluble,* que el caqui contiene en la proporción de un 3,6%.

La *PECTINA* y los *MUCÍLAGOS* retienen *agua,* aumentando el volumen de las heces y facilitando así la evacuación. También *retienen azúcares,* con lo que estos no se absorben rápidamente (como ocurre al ingerir azúcar puro), sino de forma lenta y escalonada. Igualmente, *retienen* el **colesterol** que se encuentra en el tracto digestivo, procedente de los alimentos de origen animal, haciendo que una parte de él sea eliminado con las heces.

Pero el efecto más inmediato de la pectina y los mucílagos del caqui es el de **suavizar** y **desinflamar** las paredes del conducto digestivo, especialmente en sus últimos tramos (intestino grueso).

✓ *TANINOS:* Son compuestos fenólicos de *gran poder* **astringente.** Coagulan las proteínas, formando una capa seca y resistente en las mucosas. Los taninos se reconocen rápidamente por la sensación áspera que producen al pa-

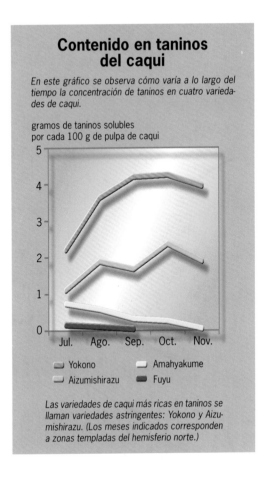

## Contenido en taninos del caqui

*En este gráfico se observa cómo varía a lo largo del tiempo la concentración de taninos en cuatro variedades de caqui.*

gramos de taninos solubles
por cada 100 g de pulpa de caqui

Jul.  Ago.  Sep.  Oct.  Nov.

⊃ Yokono  ⊂ Amahyakume
⊃ Aizumishirazu  ■ Fuyu

*Las variedades de caqui más ricas en taninos se llaman variedades astringentes: Yokono y Aizumishirazu. (Los meses indicados corresponden a zonas templadas del hemisferio norte.)*

## Preparación y empleo

❶ **Fresco:** El caqui solo se halla apto para el consumo durante los meses de otoño, así que es necesario aprovechar esa época para consumirlo en abundancia. En caso de diarrea se pueden comer hasta seis piezas diarias.

❷ **Puré de caqui:** Es un ingrediente muy apreciado para elaborar cremas, mermeladas, jaleas y compotas. Acompaña muy bien al requesón, al yogur y a la nata (crema de leche).

ladar. A mayor riqueza en taninos, mayor efecto astringente.

Existen variedades de caqui con mayor contenido en taninos que otras. Pero en todas ellas, los taninos *disminuyen,* llegando incluso a desaparecer, en las últimas fases del proceso de **maduración.** En el gráfico de esta misma página puede observarse que la máxima concentración de taninos en los caquis se alcanza en el mes de octubre, cuando todavía los frutos no han llegado al punto óptimo de maduración, que suele ser en noviembre en el hemisferio norte.

✓ *CAROTENOIDES:* Son sustancias derivadas del beta-caroteno, a partir de los cuales nuestro organismo produce la vitamina A. Por ello se les llama *provitaminas A.* El interés que despiertan los carotenoides se debe a su *probada* acción **antioxidante,** gracias a la cual evitan el enveje-

# Preparación del caqui

**1.** Palparlo para ver si está maduro.

**2.** Extirpar el pedúnculo.

**3.** Cortarlo en dos mitades con un cuchillo.

**4.** Comerlo con la ayuda de una cuchara. Para preparar el puré de caqui, se pasa la pulpa por un rallador o pasapuré, hasta obtener una pasta uniforme.

cimiento celular, frenan la arteriosclerosis y actúan como preventivos del cáncer.

Entre los quince carotenoides diferentes que contiene el caqui, destacan por su abundancia el **licopeno** (presente también en el tomate, ver pág. 264) y la **criptoxantina.**[1] Estos carotenoides son los responsables del color anaranjado o rojizo del caqui.

El caqui es una de las frutas *más ricas* en **carotenoides** (provitamina A). Teniendo en cuenta que 100 g de caqui aportan el 22% de las necesidades diarias de vitamina A para un adulto, un solo caqui de tamaño medio (250 g de peso) resulta suficiente para cubrir la mitad de la CDR (cantidad diaria recomendada).

✓ **Vitamina C:** Contiene unos 16 mg/100 g, lo cual supone que un caqui de tamaño medio (250 g) aporta el 40% de las necesidades diarias de esta vitamina. El caqui no es de las frutas más ricas en vitamina C, aunque contiene una cantidad significativa, suficiente como para *favorecer la absorción* del **hierro** que también contiene.

✓ **Hierro:** es el mineral más abundante (proporcionalmente a las necesidades diarias) de cuantos contiene el caqui, después del potasio. Un caqui de 250 g aporta el 10% de las necesidades diarias de hierro para un adulto, lo cual constituye una cantidad importante teniendo en cuenta que se trata de una fruta fresca.

Estos componentes del caqui explican sus aplicaciones medicinales:

• **Afecciones intestinales:** Los caquis ejercen en conjunto una suave acción astringente sobre las paredes del intestino, debido al efecto combinado de los taninos (**astringentes**) y de la pectina y los mucílagos (**suavizantes**). El efecto astringente es más intenso en ciertas variedades de caquis, y en los que no están demasiado maduros.

Además de astringentes, los caquis son **antiinflamatorios** intestinales, debido a su *notable contenido en **pectinas** y **mucílagos.** Los **carotenoides*** también contribuyen a esta acción. Su uso conviene en todo tipo de **diarreas** y **colitis** (inflamación del intestino grueso). De tres a seis caquis diarios, contribuyen a normalizar rápidamente el tránsito intestinal y a desinflamar las mucosas del aparato digestivo.

Los caquis completamente maduros de las variedades de pulpa más suave, apenas contienen taninos, y por lo tanto son menos astringentes. Se distinguen por poseer una pulpa muy suave y nada áspera. Esto significa que no son tan eficaces para cortar la diarrea como los caquis astringentes o poco maduros. Sí que conservan, sin embargo, su marcada acción antiinflamatoria sobre el intestino, útil en caso de colitis crónica, espasmos intestinales (retortijones), meteorismo (exceso de gases) y colon irritable.

• **Afecciones cardiocirculatorias:** Por su *bajo contenido* en **grasas** y en **sodio,** y su *elevado aporte* de **carotenoides** protectores de las arterias, los caquis son una fruta muy recomendable para aquellos que padecen de **arteriosclerosis, hipertensión** arterial y **afecciones cardíacas** en general.

• **Anemia:** Aunque el aporte en **hierro** del caqui no es muy elevado, tiene la ventaja de que *se absorbe muy bien* debido a que, además, contiene **vitamina C.** Se recomienda un consumo abundante de caquis en caso de **anemia ferropénica** (por falta de hierro), que es el tipo más frecuente de anemia.

• **Diabetes:** Aunque el caqui es una fruta dulce, los diabéticos la toleran muy bien por dos razones:

– Más de la *mitad* de su 15% de azúcares está formada por **FRUCTOSA,** el *azúcar natural* propio de la fruta. Este tipo de azúcar precisa menos cantidad de insulina para su aprovechamiento por las células del organismo. Por ello, los diabéticos, cuyo páncreas produce menos insulina, toleran y aprovechan mejor la fructosa que otros azúcares.

– La *abundante* **fibra** vegetal de tipo **soluble** que contiene el caqui en forma de **pectina,** retiene los azúcares en el intestino y los va liberando poco a poco. De esta forma no se produce un paso rápido de fructosa y glucosa a la sangre, lo cual es perjudicial para el diabético, sino lento y paulatino.

El caqui puede ser pues consumido por los diabéticos, quienes se beneficiarán de su acción favorable sobre el intestino y de su contenido en carotenoides y en hierro.

**Los caquis más maduros contienen menos taninos de acción astringente, pero siguen conservando su acción antiinflamatoria y suavizante sobre el intestino.**

# Arroz

## Ideal en las diarreas, recomendable en la hipertensión

El arroz blanco hervido con un poco de aceite y de sal, constituye, junto con la manzana y el yogur, uno de los primeros alimentos sólidos que deben ingerirse después de haber pasado una diarrea de cualquier causa.

### ARROZ BLANCO
### composición
por cada 100 g de parte comestible cruda

| Energía | 360 kcal = 1508 kj |
|---|---|
| Proteínas | 6,61 g |
| H. de c. | 79,3 g |
| Fibra | — |
| Vitamina A | — |
| Vitamina B₁ | 0,070 mg |
| Vitamina B₂ | 0,048 mg |
| Niacina | 2,88 mg EN |
| Vitamina B₆ | 0,145 mg |
| Folatos | 9,00 µg |
| Vitamina B₁₂ | — |
| Vitamina C | — |
| Vitamina E | — |
| Calcio | 9,00 mg |
| Fósforo | 108 mg |
| Magnesio | 35,0 mg |
| Hierro | 0,800 mg |
| Potasio | 86,0 mg |
| Cinc | 1,16 mg |
| Grasa total | 0,580 g |
| Grasa saturada | 0,158 g |
| Colesterol | — |
| Sodio | 1,00 mg |

1%  2%  4%  10%  20%  40%  100%
## % de la CDR (cantidad diaria recomendada)
cubierta por 100 g de este alimento

**Sinonimia hispánica:** *arroz común, casulla.*

**Descripción:** *Fruto en grano de la planta del arroz ('Oryza sativa' L.), herbácea anual de la familia de las Gramíneas. El fruto esta constituido por la cáscara, pericarpio o gluma, y el endospermo o grano propiamente dicho.*

EL ARROZ ha sido llamado el **"pan de Asia".** La mayor parte de la cosecha mundial de arroz, unos 500 millones de toneladas anuales, se produce en las regiones tropicales del Lejano Oriente: China, India, Bangladesh e Indonesia. En estos países el arroz se consume diariamente, y no se concibe una comida sin que se halle presente este cereal.

Los griegos y los romanos apenas conocieron y usaron el arroz. Fueron los árabes quienes lo introdujeron en Europa, a través de la península Ibérica. En el siglo XVII los holandeses lo llevaron a Norteamérica, y después a África; convirtiéndose en el cereal más ampliamente cultivado en el mundo.

**PROPIEDADES E INDICACIONES:** A pesar de lo populares y sabrosos que son los platos elaborados con arroz, se trata del cereal *más pobre* en **principios nutritivos,** especialmente si está refinado (pulido).

✓ *Proteínas:* Su contenido en este nutriente es el *más bajo* de todos los cereales, y ninguna de las variedades de arroz supera el 7%. Esta cantidad queda muy por debajo del 16,9% de la avena o del 13,7% del trigo. Cabe destacar que el arroz no contiene *nada* de **gliadina,** la proteína que constituye el gluten del trigo. Esta característica lo convierte en un alimento idóneo para los **celíacos.**

La **proteína** del arroz es *deficitaria* en **lisina** y en **triptófano,** dos aminoácidos esenciales. Por ello conviene consumirlo *junto* con **leguminosas,** que tienen precisamente un *exceso* de ambos aminoácidos. Combinando arroz con lentejas, por ejemplo, nuestro organismo obtiene los aminoácidos necesarios para producir una proteína completa. Las proteínas de la leche también combinan bien con las del arroz.

✓ *Grasas:* El arroz blanco carece prácticamente de grasas, pues la mayor parte de ellas se concentra en la cáscara o salvado y en el germen. El *arroz integral* posee tan solo un 2,7%

El arroz es la base de numerosas recetas culinarias orientales.

de grasas, bastante menos que la avena (6,9%) o el maíz (4,3%). Aunque escasos, los ácidos grasos del arroz son insaturados y de gran valor biológico.

✓ *Hidratos de carbono:* Constituyen casi las cuatro quintas partes del peso del grano de arroz. La *práctica totalidad* de ellos son **almidón.**

✓ *Vitaminas:* Al igual que los otros cereales, carece de vitaminas A y C. Su contenido en **vitaminas $B_1$ y $E$** es bastante *notable* en el arroz **integral,** siendo *muy escaso* en el arroz **blanco.**

El consumo de **arroz blanco** como *alimento fundamental,* produce una carencia grave en vitamina $B_1$, lo que da lugar a la enfermedad del **beriberi.** Cuando la alimentación es más variada, y el arroz blanco se acompaña de otros alimentos ricos en $B_1$, tales como los frutos secos oleaginosos o las legumbres, existe menos riesgo de sufrir la carencia de esta vitamina.

Sin embargo, lo ideal es consumir arroz integral o precocinado *(parboiled),* que contiene una cantidad mayor de **vitamina $B_1$** así como de **$B_2$, $B_6$ y niacina.**

## Preparación y empleo

❶ **Cocinado:** El arroz no puede consumirse crudo, pero son numerosas las preparaciones culinarias en las que es el ingrediente principal. Desde el punto de vista nutritivo, se *complementa especialmente bien* con las **verduras,** las **legumbres** y la **leche.**

❷ **Copos de arroz:** Se usan junto con otros cereales para el muesli. Se elaboran con arroz **integral.**

❸ **Agua de arroz:** Se prepara hirviendo **dos cucharadas** de arroz en **un litro** de agua, hasta que los granos empiezan a deshacerse. Se deja enfriar y se cuela. Para aromatizarla, se le puede añadir un canutillo de canela en rama y/o corteza de limón, o unas gotas de jugo de limón.

✓ **Minerales:** Con 1 mg/100 g de **sodio,** el arroz es uno de los alimentos *más bajos* en este mineral. Esto lo hace *especialmente recomendable* en caso de **hipertensión** y de **afecciones cardíacas.**

Tanto el arroz integral como el blanco contienen también otros minerales, como potasio, calcio, magnesio y hierro, aunque en cantidades relativamente reducidas.

Como *resumen* de las **propiedades nutritivas** del arroz, podemos decir que se trata de un alimento ligero, fácilmente digerible, que produce saciedad, pero que si es blanco (refinado) no debe constituir la base de la alimentación, ya que puede producir carencias vitamínicas y minerales.

En cualquier caso, ya sea blanco o integral, el arroz *debe combinarse* con otros alimentos como **legumbres, verduras** o **leche,** para aumentar su capacidad nutritiva.

El consumo del arroz conviene especialmente en los siguientes casos:

• **Diarreas en general:** El arroz hervido con un poco de aceite y de sal, constituye *junto* con la **manzana** (ver pág. 216) y el **yogur,** uno de los *primeros* **alimentos** *sólidos* que de-

El arroz continúa ostentando la grandeza de ser el cereal más difundido y consumido del mundo.

ben tomarse después de haber pasado una diarrea de cualquier etiología. Su excelente digestibilidad, unida a la suave acción astringente que posee, hacen del arroz un alimento altamente recomendable para recuperar la mucosa intestinal tras una **colitis** o **gastroenteritis.**

• **Diarreas infantiles:** El agua de arroz [❸] constituye el líquido *ideal* para la **rehidratación oral** en caso de diarrea, *especialmente* en los **niños.** Se puede dar como única bebida, añadiendo a discreción unas gotas de zumo de limón. Además de aportar el agua que el organismo necesita (rehidratación), el agua de arroz proporciona sales minerales, especialmente de potasio e hidratos de carbono polimerizados (almidón), que frenan la diarrea.

• **Hipertensión arterial:** Por ser el arroz uno de los alimentos *más bajos* en **sodio,** su consumo resulta muy útil en caso de hipertensión arterial. El **SODIO** es un mineral que tiene la propiedad de retener mucha agua (tal como ocurre con la sal común: cloruro de sodio). El consumo excesivo de sodio hace que el organismo retenga agua (edema) y que aumente el volumen de la sangre circulante. Esto trae como consecuencia un aumento de la presión arterial. Cuanto más sodio o sal se ingiere, más riesgo de hipertensión.

• **Afecciones cardíacas:** Cuando el corazón no cumple bien su función (insuficiencia cardíaca), se produce un acúmulo de líquidos en los tejidos, y los riñones no eliminan suficiente orina. Esta situación se agrava con el consumo

## Anemia por consumo de arroz

*Se ha puesto de manifiesto en algunos estudios, que las dietas en las que el arroz constituye el **alimento fundamental,** como ocurre en algunos países asiáticos, pueden causar **anemia.** Este hecho se atribuye a que el arroz blanco contiene **muy poco hierro.***

*Sin embargo, **no** hay por qué **temer** la presentación de anemia en las dietas ricas en arroz, **siempre y cuando** este se consuma **junto** con frutas o **verduras frescas** ricas en **vitamina C.** La vitamina C favorece la absorción del hierro de origen vegetal. La costumbre de comer el **arroz con verduras** y **con limón** es pues muy acertada desde el punto de vista nutritivo.*

# Tipos de arroz

### Arroz blanco de grano corto

Su grano se abre durante la cocción, por lo que se vuelve algo pastoso. Muy apreciado en **repostería,** especialmente para la elaboración del **arroz con leche.**

### Arroz cáscara

También llamado arroz *paddy* o "en bruto". Es el arroz tal como se obtiene de la espiga en el momento de la recolección. Por su dureza, este tipo de arroz *no es apto* para la *alimentación* humana.

### Arroz blanco de grano largo

Su grano permanece entero durante la cocción, y queda muy suelto. Es el preferido para hacer platos fríos, como las **ensaladas** de arroz.

### Arroz integral

También llamado **arroz cargo** o **completo.** Es *más rico* en **vitaminas** y *minerales* que el arroz blanco, pero más lento de cocinar y más duro de masticar. Conviene tenerlo unas horas a **remojo,** antes de cocinarlo. También contribuye a ablandarlo el añadir unas gotas de limón en el agua de cocción.

### Arroz vaporizado o precocinado

También llamado *sancochado,* o *parboiled.* Es un arroz integral tratado por un procedimiento hidrotérmico, y ligeramente refinado. Es más fácilmente comestible, y *conserva* la mayor parte de las **vitaminas.**

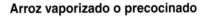

---

de alimentos ricos en sodio, que retienen más agua y produce más edema.

Por ello, en caso de **insuficiencia cardíaca,** conviene una alimentación *baja* en *sodio,* y el **arroz** constituye un alimento *ideal.* El hecho de que *prácticamente carezca de **grasas,*** hace al arroz todavía *más recomendable* en caso de afecciones cardíacas.

• **Aumento de colesterol:** el arroz integral, debido a su contenido en *fibra* vegetal, impide la absorción de los ácidos biliares en el intestino. Estos ácidos son las materias primas a partir de las cuales el hígado produce el colesterol. Puesto que el arroz prácticamente no contiene grasa, y por supuesto nada de colesterol, su consumo en forma integral tiene un efecto favorable, reduciendo el nivel de este en la sangre.

• **Exceso de ácido úrico:** Debido a su *escaso* contenido en ***proteínas,*** así como a su efecto **alcalinizante,** el arroz es muy recomendable en caso de exceso de ácido úrico en la sangre, que se manifiesta como **gota** y **artritismo;** por supuesto, siempre que se consuma *solo* o *con verduras.*

*Pirus malus* L. pH↑

# Manzana

## Cura tanto la diarrea como el estreñimiento

**MANZANA**
**composición**
por cada 100 g de parte comestible cruda

| | |
|---|---|
| Energía | 59,0 kcal = 245 kj |
| Proteínas | 0,190 g |
| H. de c. | 12,6 g |
| Fibra | 2,70 g |
| Vitamina A | 5,00 µg ER |
| Vitamina B$_1$ | 0,017 mg |
| Vitamina B$_2$ | 0,014 mg |
| Niacina | 0,110 mg EN |
| Vitamina B$_6$ | 0,048 mg |
| Folatos | 2,80 µg |
| Vitamina B$_{12}$ | — |
| Vitamina C | 5,70 mg |
| Vitamina E | 0,320 mg EαT |
| Calcio | 7,00 mg |
| Fósforo | 7,00 mg |
| Magnesio | 5,00 mg |
| Hierro | 0,180 mg |
| Potasio | 115 mg |
| Cinc | 0,040 mg |
| Grasa total | 0,360 g |
| Grasa saturada | 0,058 g |
| Colesterol | — |
| Sodio | 1,50 mg |

1%    2%    4%    10%    20%  40%  100%

**% de la CDR** (cantidad diaria recomendada)
cubierta por 100 g de este alimento

*Sinonimia hispánica:* camuesa, poma.

*Descripción:* Fruto del manzano ('Pirus malus' L.), árbol de la familia de las Rosáceas.

CADA AÑO se producen en el mundo 40 millones de toneladas de manzanas, lo que les hace ocupar el cuarto lugar en la producción mundial de frutas, tras la uva, la naranja y el plátano. Sin embargo, aunque no sea la más cultivada, la manzana ostenta el título de **"reina de las frutas"**. Posible-mente ello se deba, además de a sus grandes virtudes culinarias y medicinales, a que es la fru-ta que mejor combina con la práctica totalidad de los alimentos.

**PROPIEDADES E INDICACIONES:** Aparte del 12,6% de hidratos de carbono en forma de **azú-cares** que presenta, no hay ningún otro nu-triente que destaque en la composición de la manzana. Se trata en su mayor parte de **fruc-tosa** (azúcar de la fruta, también llamado levu-losa) y en menor proporción, de glucosa y sa-carosa. Contiene *muy pequeñas* cantidades de **proteínas** y de **grasas**. Entre las **vitaminas**

destacan la **C** y la **E**, y entre los **minerales**, el **potasio** y el **hierro**; aunque *todo* ello en *pequeña proporción*. En conjunto, sus nutrientes aportan 59 calorías por cada 100 gramos (59 kcal/100 g).

✓ **Pectina:** Se trata de un hidrato de carbono que no se absorbe en el intestino, y que forma la mayor parte de lo que llamamos **fibra** vegetal **insoluble.** La mayor parte de los 2,4 g/100 g de fibra de la manzana están formados por pectina. Solamente la quinta parte de la pectina de la manzana se encuentra en la piel del fruto, por lo que al pelarlas se pierde una pequeña cantidad. La pectina retiene agua y diversas sustancias de desecho en el intestino, actuando como una auténtica escoba intestinal que *facilita* la **eliminación** de las **toxinas** junto con las heces.

✓ **Ácidos orgánicos:** representan entre el 1% y el 1,5% del peso de la manzana, según las variedades. El más abundante es el ácido málico, aunque también se encuentran el cítrico, succínico, láctico y salicílico. Al igual que ocurre con los cítricos, estos ácidos orgánicos producen al metabolizarse un *efecto* **alcalinizante** (antiácido) en la sangre y en los tejidos. Además, estos ácidos *renuevan* la **flora intestinal** y *evitan* las **fermentaciones** intestinales.

✓ **Taninos:** La manzana es, *después* del **membrillo** (ver pág. 206), una de las frutas *más ricas* en taninos, que son **astringentes** y **antiinflamatorios.**

✓ **Flavonoides:** Constituyen un grupo de **elementos fitoquímicos** presentes en muchas frutas y hortalizas, capaces de *impedir* la *oxidación* de las lipoproteínas de baja densidad (sustancias que transportan el colesterol en la sangre). De esta forma los flavonoides *impiden* que el **colesterol** se deposite en las paredes de las arterias y *detienen* el proceso de la **arteriosclerosis** (endurecimiento y estrechamiento de las arterias).

Las manzanas contienen diversos flavonoides, el más activo e importante de los cuales, por su efecto **antioxidante,** es la **quercitina.**[2] Las manzanas son, *junto* con las **cebollas** (ver pág. 142), los vegetales *más ricos* en quercitina.

Estas sustancias explican en parte las muchas propiedades medicinales de este sencillo pero prodigioso fruto: antidiarreica, laxante, diurética, depurativa, hipolipemiante (disminuye el nivel de grasas de la sangre), colerética, tonificante del sistema nervioso, alcalinizante, antioxidante. Por ello su **consumo** *diario* conviene a sanos y enfermos, y especialmente en estos casos:

• **Diarreas y colitis:** La pectina de la manzana actúa como una esponja capaz de absorber y eliminar las toxinas producidas por las bacterias causantes de gastroenteritis y colitis. Además, debido a sus *taninos,* **seca** y **desinflama** la mucosa intestinal (túnica que tapiza el interior del conducto digestivo). Los *ácidos orgánicos* actúan como **antisépticos** y *regeneradores* de la **flora** bacteriana normal del intestino.

## Preparación y empleo

❶ **Cruda:** Recomendamos *pelarla*, pues en contra de lo que algunos creen, la escasa cantidad de pectina y de vitaminas que se encuentran en la piel no justifican su consumo. La piel puede contener restos de plaguicidas, y además es de difícil digestión.

❷ **Rallada:** Habitualmente se ha recomendado utilizar un rallador de cristal, por ser el material más inerte, aunque los modernos de acero inoxidable también resultan adecuados.

Recomendable para niños, ancianos y enfermos debilitados.

❸ **Asada al horno:** Es una forma sabrosa y digestiva de consumirla.

❹ **Cocinada:** Conviene tomarla con el líquido de la decocción. Resulta muy fácilmente digerible y apropiada para los niños.

❺ **Jugo:** El natural y sin procesar es muy preferible al envasado industrialmente.

**La manzana es la fruta por excelencia, ya que es bien tolerada por todo el mundo, y combina sin problemas con cualquier otro alimento.**

Ante cualquier tipo de diarrea, da buenos resultados la dieta a base de manzanas como único alimento. Cuando están afectados los órganos digestivos, se recomienda tomar la manzana rallada, asada o hervida **[❷,❸,❹]**.

• **Estreñimiento:** La manzana *regula* el funcionamiento del intestino, y *corrige* tanto las **diarreas** como el **estreñimiento.** Tomar una o dos manzanas por la mañana en ayunas, contribuye a vencer la hipotonía o pereza intestinal, que es la causa más habitual de estreñimiento.

• **Eccemas crónicos de la piel** debidos a la autointoxicación intestinal causada por el estreñimiento.

• **Hipertensión arterial:** Estudios realizados en Japón, donde la alimentación habitual contiene mucha sal, han puesto de manifiesto que quienes consumen manzanas *regularmente* presentan cifras tensionales *más bajas* que el resto de la población.[2]

La manzana no contiene prácticamente *nada* de **sodio,** y es bastante *rica* en **potasio,** lo cual contribuye a su efecto hipotensor.

• **Exceso de colesterol:** El consumo de dos o tres manzanas diarias durante varios meses, se ha mostrado *eficaz* para reducir el nivel de colesterol. Este efecto se explica en parte porque la pectina de la manzana absorbe las sales biliares en el intestino, una de las materias primas a partir de las cuales el organismo fabrica el colesterol.

• **Arteriosclerosis:** Debido a su riqueza en *flavonoides,* especialmente en *quercitina,* la manzana *contribuye* a *evitar* el depósito de **colesterol** en las arterias y su consiguiente estrechamiento. Además, los flavonoides también *inhiben* la **agregación plaquetaria** (la tendencia de las plaquetas de la sangre a formar trombos o coágulos). El **consumo *habitual*** de manzanas *previene* la estrechez de las arterias coronarias, que lleva al **infarto de miocardio.**[3]

• **Colelitiasis** (piedras en la vesícula): Estudios realizados en la Universidad de Toulouse (Francia) con animales de laboratorio[4] muestran que la manzana ejerce un efecto **colerético** (aumenta la producción de bilis en el hígado) que descongestiona el hígado. Además, *disminuye* el **índice litogénico** de la bilis, que mide la tendencia a la formación de cálculos biliares.

• **Diabetes:** Los diabéticos toleran muy bien la manzana por dos razones:

– una buena parte de su azúcar está en forma de *fructosa,* que no precisa de insulina para entrar en las células;

– y en segundo lugar, la *pectina* que actúa como un regulador de la liberación de azúcares, permitiendo que su paso a la sangre sea lento y progresivo.

• **Cáncer de colon:** Investigaciones llevadas a cabo en Japón con animales de laboratorio,[5] muestran que la *pectina* de manzana es capaz de impedir el desarrollo de tumores cancerosos en el colon.

Esta *acción preventiva,* permite recomendar fundamentalmente el consumo abundante de manzanas en pacientes con riesgo de padecer cáncer de colon; igualmente en aquellos que ya han sido diagnosticados y/o intervenidos, para evitar las recidivas.

# Indicaciones de la cura de manzanas

*Se lleva a cabo tomando de 3 a 5 días seguidos, 2 kg diarios de manzanas como único alimento. Se pueden tomar también ralladas, asadas o hervidas, pero sin endulzar. La ingesta de agua está permitida. Esta cura se puede repetir varias veces al año.*

## Diarreas por gastroenteritis o colitis

La fibra de la manzana *(pectina)* es un gran absorbente que **limpia** el intestino. Además, **regenera** la **flora** bacteriana fisiológica actuando en combinación con los *ácidos orgánicos* también presentes en la manzana.

## Afecciones del hígado

Se produce una descongestión de la glándula hepática gracias a su efecto colerético y depurativo. Muy recomendable en caso de **hepatitis crónica, degeneración grasa** del hígado debido al consumo de alcohol, y **cirrosis** hepática.

## Hipertensión arterial

La manzana *facilita* la **eliminación** de los iones de **sodio** que provocan contracción de las arterias, aumento del volumen de sangre y retención de agua en los tejidos. Además, *sustituye* el **sodio** por el ión **potasio,** que normaliza la presión arterial y mejora el funcionamiento del corazón.

## Eccemas crónicos por autointoxicación

La manzana **absorbe** las **toxinas** intestinales, con lo que se favorece la **limpieza** de la **sangre** y de la **piel.** Además, la manzana *ayuda a vencer* el **estreñimiento** y promueve la *depuración* del **hígado,** cuya congestión es responsable de muchas afecciones de la piel.

## Exceso de ácido úrico

Con una cura de manzanas se logra una **alcalinización** de la sangre que *facilita* la **eliminación** de ácido úrico con la orina.

## Exceso de colesterol y arteriosclerosis

*Reduce* el nivel de **colesterol** sanguíneo y *previene* la **arteriosclerosis.**

## Cáncer de colon

Evita la degeneración cancerosa del colon.

# Ciruela

## Laxa y protege
## el intestino

**CIRUELAS**
**composición**
por cada 100 g de parte comestible cruda

| | |
|---|---|
| **Energía** | **55,0 kcal = 230 kj** |
| **Proteínas** | 0,790 g |
| **H. de c.** | 11,5 g |
| **Fibra** | 1,50 g |
| **Vitamina A** | 32,0 µg ER |
| **Vitamina B$_1$** | 0,043 mg |
| **Vitamina B$_2$** | 0,096 mg |
| **Niacina** | 0,500 mg EN |
| **Vitamina B$_6$** | 0,081 mg |
| **Folatos** | 2,20 µg |
| Vitamina B$_{12}$ | — |
| **Vitamina C** | 9,50 mg |
| **Vitamina E** | 0,600 mg EαT |
| **Calcio** | 4,00 mg |
| **Fósforo** | 10,0 mg |
| **Magnesio** | 7,00 mg |
| **Hierro** | 0,100 mg |
| **Potasio** | 172 mg |
| **Cinc** | 0,100 mg |
| Grasa total | 0,620 g |
| Grasa saturada | 0,049 g |
| Colesterol | — |
| Sodio | — |

1%    2%    4%    10%    20%   40%   100%

**% de la CDR** (cantidad diaria recomendada)
cubierta por 100 g de este alimento

**Sinonimia hispánica:** *pruna, abricotina, almacena, almeiza, amacena, bruna, bruño, cascabelillo, claudia.*

**Descripción:** *Fruto del ciruelo ('Prunus domestica' L.), árbol de la familia de las Rosáceas que alcanza hasta 5 m de altura. Se trata de una drupa de forma redondeada u oval, de hasta 7 cm de diámetro mayor, con un hueso leñoso que contiene una semilla no comestible en su interior.*

**PROPIEDADES E INDICACIONES:** Todas las variedades de ciruelas poseen una composición muy similar, que se diferencia únicamente por su contenido en azúcares y por el tipo de colorante natural que contienen, del que depende el color de la piel y de la pulpa.

La ciruela es *muy pobre* en **proteínas** y en **grasas** (menos del 1% de ambos nutrientes). En cuanto a **vitaminas** y **minerales,** contiene una proporción *equilibrada* de todos ellos (excepto la B$_{12}$), aunque en pequeñas cantidades.

En la composición de la ciruela destacan dos componentes no nutritivos, que explican su acción laxante sobre el intestino:

✓ **Fibra vegetal:** Es de tipo **soluble,** compuesta *mayormente* por **pectina.** Las ciruelas frescas contienen un 1,5%, mientras que las secas llegan hasta el 7%. La **PECTINA** es un **hidrato de carbono** *complejo* que *absorbe* **agua** en el intestino, *aumentando* así el volumen de las **heces** y favoreciendo la evacuación. También *absorbe* **colesterol** y **sales biliares,** que son eliminados así con las heces.

✓ *Dihidroxifenilisatina:* Esta sustancia se ha identificado químicamente.[6] Tiene como función **estimular** *suavemente* los **movimientos peristálticos** del intestino, facilitando el tránsito de las heces en su interior.

Sus aplicaciones curativas son las siguientes:

• **Estreñimiento:** La *acción combinada* de la *pectina* y de la *sustancia* que estimula los movimientos intestinales hace de las ciruelas un **laxante** *efectivo y suave* a la vez. A diferencia de la fibra de tipo insoluble, como la del salvado, la *fibra soluble* de la ciruela **suaviza** y **protege** las paredes intestinales.

Los niños y los ancianos toleran muy bien las ciruelas, que constituyen el laxante recomendado en caso de **estreñimiento infantil** o de la **tercera edad.**

• **Exceso de colesterol:** La *fibra* de las ciruelas, compuesta *mayormente* por **pectina,** consigue que descienda el nivel de colesterol tanto en animales de experimentación,[7] como en los seres humanos.

Desayune con ciruelas: Un desayuno ideal para vencer el estreñimiento y proteger el intestino, debe contener ciruelas secas, yogur, miel y unas rebanadas de pan integral o de pan de centeno.
Para aumentar su efecto laxante, las ciruelas pasas se pueden poner a remojo por la noche, y se toman por la mañana en el desayuno, bebiendo después el agua donde se encontraban.

## Preparación y empleo

❶ **Frescas:** Para que las ciruelas crudas sean bien toleradas por el estómago, deben haber alcanzado su *punto óptimo* de **maduración.**

❷ **Ciruelas pasas** (desecadas): Se toman tal cual o puestas previamente **a remojo** la noche anterior. La dosis habitual es de 6 a 12 ciruelas pasas, preferiblemente por la mañana.

❸ **Preparaciones culinarias:** Con las ciruelas se elaboran deliciosas compotas y mermeladas, que también poseen efecto laxante.

• **Afecciones crónicas:** La ciruela es *suavemente* **diurética, depurativa** y **desintoxicante.** Su *bajísimo contenido* en **grasas, proteínas** y **sodio** la hacen muy apropiada en caso de **arteriosclerosis,** exceso de **ácido úrico, gota,** afecciones degenerativas de las articulaciones (**reumatismos, artrosis**) y hepatopatías (**hepatitis crónica, cirrosis,** etc.). En todos estos casos, conviene añadir unas cuantas ciruelas frescas o desecadas en el desayuno de cada día.

• **Prevención del cáncer de colon:** El hecho de que la *fibra soluble* de ciertos alimentos vegetales *protege* contra el **cáncer de colon** es ya conocido desde hace años por los investigadores. Por lo tanto, el **consumo *habitual*** de ciruelas, tanto frescas como desecadas, constituye un hábito *preventivo* muy recomendable para todos aquellos que tienen un mayor riesgo de padecer cáncer de colon, ya sea por causas genéticas (poliposis intestinales) o adquiridas (alimentación escasa en fibra vegetal, estreñimiento crónico o diverticulosis del colon).

# Granada

## Desinflama el intestino y enriquece la sangre

**Sinonimia hispánica:** *magrana, balaustia, pomagranada, granadilla.*

**Descripción:** *Fruto del granado ('Punica granatum' L.), árbol de hoja perenne de la familia de las Punicáceas que alcanza hasta 4 m de altura. El fruto está formado por numerosas vesículas rellenas de una pulpa muy jugosa de color rosado o rojizo. En el interior de cada una de estas vesículas se halla una semilla.*

## GRANADA
### composición
por cada 100 g de parte comestible cruda

| | |
|---|---|
| Energía | 68,0 kcal = 283 kj |
| Proteínas | 0,950 g |
| H. de c. | 16,6 g |
| Fibra | 0,600 g |
| Vitamina A | — |
| Vitamina B₁ | 0,030 mg |
| Vitamina B₂ | 0,030 mg |
| Niacina | 0,300 mg EN |
| Vitamina B₆ | 0,105 mg |
| Folatos | 6,00 µg |
| Vitamina B₁₂ | — |
| Vitamina C | 6,10 mg |
| Vitamina E | 0,550 mg EαT |
| Calcio | 3,00 mg |
| Fósforo | 8,00 mg |
| Magnesio | 3,00 mg |
| Hierro | 0,300 mg |
| Potasio | 259 mg |
| Cinc | 0,120 mg |
| Grasa total | 0,300 g |
| Grasa saturada | 0,038 g |
| Colesterol | — |
| Sodio | 3,00 mg |

1%   2%   4%   10%   20%   40%   100%

**% de la CDR (cantidad diaria recomendada)** cubierta por 100 g de este alimento

**PROPIEDADES E INDICACIONES:** La granada contiene una cantidad de **hidratos de carbono** (en forma de azúcares), *superior* a la mayoría de las frutas: 15,6% (el plátano alcanza los 21%). En cuanto a **proteínas,** se acerca al 1%, lo cual supone un cantidad respetable, teniendo en cuenta que se trata de una fruta fresca. Las **grasas** no superan el 0,3% de su peso.

La granada es bastante rica en **vitaminas C, E** y **B₆,** conteniendo también cantidades significativas de **B₁, B₂** y **niacina.** No contiene beta-caroteno (provitamina A). Los **minerales** más abundantes son el **potasio,** el **cobre** y el **hierro.**

Entre los componentes no nutritivos destacan los siguientes:

✓ **Taninos,** en pequeña cantidad. Son mucho más abundantes en la **CORTEZA** del fruto y en las láminas o **TABIQUES** amarillentos que separan los granos o vesículas. Los taninos ejercen una acción **astringente** y **antiinflamatoria** en las mucosas del tracto digestivo.

✓ *Ácido cítrico* y otros ácidos orgánicos, a los que debe su agradable sabor acidulado y parte de su acción favorable sobre el intestino (contribuyen a *regenerar* la **flora bacteriana** intestinal).

✓ *Antocianinas:* Pigmentos vegetales de color rojizo o azulado, pertenecientes al grupo de los *flavonoides*. Actúan como **antisépticos** y **antiinflamatorios** en el conducto digestivo y como *poderosos* **antioxidantes** en las células, *frenando* los procesos de **envejecimiento** y degeneración **cancerosa.** Ejercen también acción diurética.

✓ *Pelletierina:* Alcaloide de acción **vermífuga** (hace expulsar los parásitos intestinales), que se encuentra sobre todo en la corteza de la **RAÍZ** del árbol

Todos estos componentes otorgan a la granada las siguientes propiedades: astringente, antiinflamatoria, vermífuga (si se ingieren los tabiques internos), remineralizante, alcalinizante y depurativa.

La granada es astringente y antiinflamatoria intestinal. Se recomienda no tragar el resto duro que queda en la boca tras masticar los granos de granada, ya que puede resultar indigesto.

## Preparación y empleo

**❶ Al natural:** La granada es una de las frutas que mejor se conservan una vez recolectada. Madura bien fuera del árbol, sin que ello afecte a sus propiedades nutritivas. Las granadas, guardadas en un lugar fresco y seco, pueden durar hasta seis meses.

Si no se desea obtener un **efecto antiparasitario,** conviene eliminar las láminas o tabiques amarillentos que separan las vesículas, por su sabor amargo.

**❷ Jugo:** Es muy refrescante y sabroso. Se puede obtener fácilmente con un exprimidor de cítricos.

**❸ Granadina:** Es el jarabe que se obtiene tras hervir el jugo de granada con azúcar. Se conserva durante varios meses. Se usa como refresco, diluyéndolo en agua, o para aromatizar ensaladas de frutas.

Su uso está especialmente indicado en los siguientes casos:

• **Trastornos intestinales:** Por su acción astringente y antiinflamatoria sobre el tracto digestivo, la granada conviene en caso de **diarreas infecciosas** debidas a gastroenteritis o colitis. También son beneficiosas cuando hay **flatulencias** (exceso de gases) y **cólicos** intestinales. Se han obtenido resultados sorprendentes en caso de enfermedades crónicas del intestino tales como la colitis ulcerosa y la colitis granulomatosa (enfermedad de Crohn).

• **Acidez de estómago:** Por su efecto astringente, frena la producción de jugo gástrico y logra desinflamar el estómago irritado.

• **Anemia** por falta de hierro: La granada aporta bastante *cobre* (70 µg/100 g), oligoelemento que *facilita* la *absorción* del **hierro.**

• **Arteriosclerosis:** Por su riqueza en *flavonoides* y en vitaminas *antioxidantes* (C y E), que detienen el proceso de envejecimiento arterial, se recomienda la granada en caso de falta de riego arterial. Resulta, pues de gran utilidad como *preventiva* del **infarto,** y en la alimentación del cardíaco.

• **Hipertensión:** Por su *riqueza en* **potasio** y su *carencia en* **sodio,** conviene en la dieta de los hipertensos. Contribuye a evitar las cifras altas de tensión máxima o mínima.

• **Trastornos del metabolismo:** Recomendable en caso de **gota,** exceso de **ácido úrico** y **obesidad,** por su efecto **alcalinizante** y **depurativo.**

# Maíz
# (choclo)

## Suaviza el intestino

**Sinonimia hispánica:** *choclo, elote, mijo, millo, zara, abatí, canguil, cuatequil, altoverde, borona, caucha, capiá, choglios, gua, malajo.*

**Descripción:** *Semillas o granos de la planta del maíz ('Zea mays' L.), herbácea de la familia de las Gramíneas. Los granos de maíz crecen apiñados alrededor de las mazorcas. Cada planta tiene una o dos mazorcas.*

### MAÍZ DULCE
### composición
por cada 100 g de parte comestible cruda

| | |
|---|---|
| **Energía** | **86,0 kcal = 358 kj** |
| **Proteínas** | **3,22 g** |
| **H. de c.** | **16,3 g** |
| **Fibra** | **2,70 g** |
| **Vitamina A** | **28,0 µg ER** |
| **Vitamina B₁** | **0,200 mg** |
| **Vitamina B₂** | **0,060 mg** |
| **Niacina** | **2,08 mg EN** |
| **Vitamina B₆** | **0,055 mg** |
| **Folatos** | **45,8 µg** |
| **Vitamina B₁₂** | **—** |
| **Vitamina C** | **6,80 mg** |
| **Vitamina E** | **0,090 mg EαT** |
| **Calcio** | **2,00 mg** |
| **Fósforo** | **89,0 mg** |
| **Magnesio** | **37,0 mg** |
| **Hierro** | **0,520 mg** |
| **Potasio** | **270 mg** |
| **Cinc** | **0,450 mg** |
| ***Grasa total*** | ***1,18 g*** |
| ***Grasa saturada*** | ***0,182 g*** |
| **Colesterol** | **—** |
| **Sodio** | **15,0 mg** |

1%  2%  4%  10%  20%  40%  100%
**% de la CDR** (cantidad diaria recomendada)
cubierta por 100 g de este alimento

TODOS los primitivos pobladores del continente americano, de Chile a Canadá, cultivaban y consumía el maíz desde la más remota antigüedad. Los exploradores españoles lo introdujeron en Europa en el siglo XVI, desde donde se extendió al resto del mundo.

Actualmente, el maíz es el tercer cereal más cultivado en el mundo, después del trigo y el arroz. Sin embargo, nueve de cada diez kilos cosechados son destinados a la fabricación de piensos para el ganado.

**PROPIEDADES E INDICACIONES:** El maíz dulce contiene un 76% de agua, bastante más que las otras variedades de maíz que son más secas. Esto es así porque se recolecta cuando todavía no está maduro; por lo cual contiene una mayor proporción de agua, así como de azúcares, esto le confiere su agradable textura y sabor.

En conjunto, el maíz dulce aporta 86 kcal /100 g, algo más que las papas o patatas (79 kcal/100 g), aunque menos que el arroz (360 kcal/100 g).

Estos son sus nutrientes más destacados:

✓ *Hidratos de carbono:* Suponen el 16,3% de su peso. Se hallan formados por una mezcla de *azúcares* y *almidón.* En los granos inmaduros predominan los azúcares, mientras que los maduros contienen más almidón. Am-

bos tipos de hidratos de carbono son fácilmente digeribles y asimilables.

✓ *Grasa:* Se encuentra especialmente en el **germen** del grano y suponen el 1,18% del peso. Es rica en ácidos grasos mono y poliinsaturados, sobre todo en *ácido linoleico.* De la grasa del maíz se extrae un **ACEITE** muy nutritivo y adecuado para luchar contra el exceso de **colesterol.**

✓ *Proteínas:* El maíz dulce contiene un 3,22% de su peso en forma de proteínas, aunque en el seco la proporción alcanza el 10%. La proteína más abundante en el grano de maíz se conoce como *zeína,* y aunque contiene todos los aminoácidos esenciales, hay dos de ellos que están en una proporción insuficiente: la lisina y el triptófano. Esto hace que la proteína del maíz tenga un valor biológico del 60%, relativamente bajo si se compara con la de los huevos (94%) o la de la leche (85%).

La proteína del maíz, aunque es fácilmente digerible, no resulta suficiente por sí sola para satisfacer las necesidades de aminoácidos de nuestro organismo, y mucho menos en las épocas de crecimiento. Sin embargo, la *combinación*

## Preparación y empleo

❶ **Maíz dulce tierno:** Se puede comer directamente de la mazorca, ya sea después de una ligera cocción o asado sobre las brasas.

❷ **Maíz dulce en conserva:** Se presenta sobre todo enlatado o congelado. De ambas formas permanecen su sabor y la mayor parte de sus propiedades nutritivas. Los granos de maíz enlatados o congelados son **integrales,** pues incluyen el germen y el salvado del grano.

❸ **Harina integral:** Es tan nutritiva como el grano entero. Con ella se elaboran las famosas **tortillas** mexicanas y la **polenta** italiana (una especie de gachas).

❹ **Sémola:** Es una harina refinada, más fina que la integral, pero menos nutritiva, pues carece del germen y del salvado.

❺ **Copos:** Se elaboran machacando y tostando los granos de maíz, por lo que pierden parte de su contenido vitamínico; de ahí que a los elaborados industrialmente se los suele enriquecer con vitaminas y minerales.

❻ **Palomitas de maíz:** Ver el cuadro informativo adjunto.

❼ **Maicena:** Es una harina de maíz muy refinada y desgrasada, por lo que tiene escaso valor nutritivo, aparte del calórico. Se emplea en salsas y repostería, y como espesante en diversos productos alimentarios.

### Palomitas de maíz

*Las palomitas de maíz ('pop corn', en inglés) constituyen una forma divertida y saludable de consumir este cereal. Se elaboran con una variedad especial de maíz, cuyos granos se hallan recubiertos de una resistente cáscara. Al calentarlos, se forma vapor a presión en su interior, que finalmente rompe la cáscara y hace que el almidón y las proteínas del grano salgan formando una masa de color blanco.*

*Deben **masticarse** y **ensalivarse** lentamente para que puedan ser bien digeridas.*

**El maíz suaviza y protege la mucosa intestinal y es muy bien tolerado por quienes padecen colitis crónica o colon irritable.**

de **maíz** con **legumbres** y **semillas de girasol,** proporciona una *proteína completa.*

✓ *Vitaminas:* El maíz dulce de color amarillo aporta una cierta cantidad de provitamina A (28 µg ER/100 g), mientras que el maíz blanco apenas la contiene. El maíz dulce en conserva pierde un 25% de provitamina A cada año.

El maíz es una buena fuente de vitamina B1, y aporta una cantidad moderada de vitamina C. Aunque contiene niacina, esta no es aprovechable si el maíz no es tratado con álcalis.

✓ *Minerales:* Contiene bastante potasio, fósforo, magnesio y hierro, aunque muy poco calcio.

✓ *Fibra:* El maíz dulce es una *buena fuente* de fibra (2,7%) de ambos tipos, **soluble** e **insoluble.**

El consumo de maíz, resulta especialmente recomendable en los siguientes casos:

• **Afecciones intestinales:** Tanto el maíz dulce ⦗❶,❷⦘ como la harina de maíz ⦗❸⦘ y las otras formas de preparación, ejercen un efecto emoliente (suavizante) y protector sobre la mucosa intestinal. Además, *no contiene* **gluten,** lo cual hace que sea *muy bien tolerado* por los **intestinos sensibles.** Se recomienda especialmente en los siguientes casos:

– **Dispepsia** intestinal, caracterizada por fermentaciones, gases, y dolores (cólicos intestinales).

– **Colon irritable,** caracterizado por la alternancia entre periodos de estreñimiento y diarrea.

– **Colitis crónicas** (inflamación del intestino grueso), especialmente en forma de papillas cocinadas con su harina ⦗❸⦘.

– **Dieta de destete** en los lactantes, también en forma de harina.

– **Celiaquía:** enfermedad consistente en la intolerancia intestinal al gluten del trigo.

• **Enfermedades renales crónicas** que cursan con insuficiencia renal (glomerulonefritis crónica y nefrosis): El grano de maíz tiene un ligero efecto **diurético** (aunque mucho menor que el de sus estilos o estigmas[8]) y aporta una cantidad limitada de proteínas en relación al aporte calórico. Por ello resulta adecuado en la dieta de los enfermos renales.

• **Exceso de colesterol** y de grasa en la sangre: El **SALVADO** que recubre el grano de maíz, el cual se encuentra presente tanto en el maíz dulce ⦗❶,❷⦘ como en la harina integral ⦗❸⦘, es capaz de reducir el nivel de colesterol en la sangre.

• **Hipertiroidismo:** El maíz tiene un ligero efecto frenador sobre la glándula tiroides y sobre el metabolismo en su conjunto. Su consumo es adecuado en caso de hipertiroidismo, caracterizado por la delgadez y el nerviosismo entre otros síntomas.

• **Delgadez en general:** El maíz resulta recomendable, en cualquiera de sus formas, en las dietas para aumentar de peso.

# Cómo superar las deficiencias nutritivas del maíz

*El maíz es fundamental en la nutrición de muchos pueblos, pero no suficiente: Precisa ser combinado con otros alimentos que compensen sus deficiencias nutritivas.*

El cultivo del maíz ocupa el **tercer puesto** en importancia para la especie humana, después del **trigo** y del **arroz.** Muchos pueblos de todo el mundo, especialmente de Sudamérica, dependen básicamente del maíz para su subsistencia.

En los países en vías de desarrollo, el maíz es muy utilizado en la **alimentación** de los niños **después** del **destete,** debido a las siguientes razones:

- El maíz es uno de los cultivos que **más rinde:** unas seis toneladas de grano por hectárea. El trigo, por ejemplo, solo produce alrededor de dos toneladas por hectárea.

- El maíz es la **fuente de calorías y proteínas más asequible** en muchos países en desarrollo y, a veces, casi la única.

- El maíz y su harina **se conservan bien** sin necesidad de refrigeración.

- Las gachas de harina de maíz resultan **fácilmente digeribles** por los **niños** de corta edad.

- El maíz **carece** de **gluten,** la proteína de algunos cereales como el trigo, causante de producir intolerancias en algunos niños.

A pesar de todas estas ventajas, el maíz presenta tres **importantes deficiencias** nutritivas:

- Sus **proteínas** son de baja calidad,

- No aporta suficiente **niacina,** y

- Es pobre en **calcio.**

Estas deficiencias del maíz, se agravan cuando este cereal constituye el alimento principal de la dieta, especialmente en los niños después del destete.

Afortunadamente, las deficiencias nutritivas del maíz pueden corregirse o paliarse, si se combina adecuadamente con otros alimentos.

**Las famosas tortillas mexicanas combinan muy bien con los frijoles y legumbres en general, que les aportan la lisina y el calcio que no contiene el maíz. A diferencia de otros productos elaborados a base de maíz, las tortillas contienen niacina aprovechable por el organismo, por lo que el consumo habitual de ellas no supone riesgo de padecer carencia de niacina, causa de la pelagra.**

# Alimentos para el aparato urinario

L A SANGRE transporta el oxígeno y los nutrientes necesarios para la vida, pero también diversas **sustancias tóxicas** o **extrañas** que *deben* **ser eliminadas.** Estas proceden:

• De la **actividad metabólica** del propio organismo: Cuando los alimentos son utilizados por el organismo, se generan una serie de sustancias tóxicas que deben ser eliminadas.

• De los **contaminantes externos** que entran en nuestro organismo acompañando a los alimentos.

• De los **medicamentos** y **sustancias químicas** extraños al organismo.

Los **riñones** son los *principales* encargados de *filtrar* y *eliminar* todas esas sustancias tóxicas o extrañas al organismo que circulan por la sangre.

## Los mejores amigos de los riñones

Las **frutas** y las **hortalizas,** especialmente los que se incluyen en este capítulo, son los alimentos que más favorecen la función depuradora de los riñones. Junto con el **agua,** constituyen los mejores amigos de los riñones.

El *exceso* de **proteínas,** sobre todo si son de origen animal, genera numerosas sustancias de desecho, que deben ser eliminadas *sobrecargando* la función de los riñones.

Una alimentación a base de **vegetales** también es la *más adecuada* para **prevenir** la formación de *cálculos* o piedras en los riñones.[1]

La única precaución que se debe tener en cuenta es la de *evitar* ciertos alimentos ricos en **ácido oxálico,** pero *únicamente* en el caso de que exista **tendencia** a la formación de cálculos de oxalato.[2]

Según un estudio científico realizado en la Universidad del Estado de Washington (EE. UU.), los alimentos de uso común ricos en ácido oxálico que más aumentan la eliminación de oxalatos con la orina, y que por lo tanto deben evitar quienes forman cálculos de oxalato, son: las espinacas, el ruibarbo, las acelgas, los frutos secos, el chocolate, el té, el salvado y las fresas.[3]

## NEFROSIS

### Definición
Es un síndrome que afecta a los riñones, caracterizado por la **pérdida de proteínas** con la orina. Ello se debe a una excesiva permeabilidad de los **glomérulos renales,** en los que se filtra la sangre.

La nefrosis suele ser una de las manifestaciones de **diversas enfermedades** de los riñones. Su *tendencia* natural es a evolucionar lentamente hacia la **insuficiencia renal** (ver pág. 231). Se acompaña de importantes trastornos metabólicos, con aumento de nivel de grasa y de colesterol en la sangre.

### Alimentación
Una **alimentación vegetariana estricta,** baja en proteínas y en sodio, se ha mostrado como el medio **más eficaz** para controlar el progresivo deterioro de los riñones que se produce en la nefrosis.

 **Aumentar**

FRUTA
HORTALIZAS
CEREALES INTEGRALES
SOJA

 **Reducir o eliminar**

PROTEÍNAS
MARISCO
CARNE
GRASA TOTAL
SODIO
COLESTEROL

## ORINA ESCASA

*Todos* estos alimentos son **diuréticos,** es decir, **activan** la función de los **riñones** y aumentan la producción de orina. En realidad, la *mayor parte* de las **frutas y hortalizas** lo son en cierto grado, pero estas que mencionamos destacan por poseer un efecto más notable.

El aumento que producen estos alimentos en el volumen de orina resulta *especialmente favorable* para **reducir** los **edemas** (retención de agua en los tejidos) que se producen en caso de enfermedades renales y cardíacas.

El efecto diurético de todos los alimentos aquí citados se debe a los **elementos fitoquímicos** que contienen, especialmente a los **flavonoides,** componentes no nutritivos de los alimentos dotados de acción curativa.

Todos estos alimentos tienen en común el contener *muy poco* o nada de **sodio,** y el ser bastante *ricos* en **potasio.** Esto contribuye a potenciar su acción diurética, ya que un aumento en la ingestión de sodio produce retención de agua en los tejidos (edemas), y disminución del volumen de orina.

Por supuesto que la acción diurética de estos alimentos es mucho menos intensa que la de los medicamentos diuréticos. Sin embargo, tienen la ventaja de que se pueden tomar a diario durante toda la vida, sin riesgo de que produzcan efectos secundarios.

 **Aumentar**

ALCACHOFA
APIO
BERENJENA
BORRAJA
COLIFLOR
ESPÁRRAGO
JOBO ROJO
JUDÍA VERDE
MANZANA
MELOCOTÓN (DURAZNO)
MELÓN
NÍSPERO
PERA
SANDÍA
UVA

*Apio*

El aceite esencial del apio, o esencia, posee una eficaz acción diurética y además aumenta la eliminación de sustancias de desecho con la orina, como el ácido úrico y la urea.

# LITIASIS RENAL

## Definición

También llamada **nefrolitiasis, urolitiasis, litiasis urinaria** o **piedras en el riñón.** Consiste en la formación de cálculos o piedras en el *interior* del riñón. Aunque con menor frecuencia, puede ocurrir también en la *vejiga* urinaria.

## Causas

Los cálculos o piedras se forman debido a que las sustancias que normalmente se encuentran disueltas en la orina, dejan de estarlo y precipitan, dando lugar a un acúmulo sólido.

La *mayor parte* de los cálculos están formados por **oxalato cálcico, fosfato amónico magnésico, fosfato cálcico** o **uratos.** Una vez que se elimina un cálculo y se logra analizar y saber su composición, el ***especialista*** puede prescribir una **dieta** *más específica* para *evitar* la formación de **nuevos** **cálculos.**

## Alimentación

Los alimentos que recomendamos y desaconsejamos son de utilidad general en la mayor parte de los casos, y pueden contribuir significativamente a reducir el riesgo de que se formen cálculos.

Quien ha sufrido un cólico renal debido a un cálculo, normalmente desea hacer todo lo posible para que no se vuelva a producir un episodio tan doloroso. Esto incluye ciertos cambios en la alimentación, como los que aquí se indican.

|  **Aumentar** |  **Reducir o eliminar** |
|---|---|
| AGUA | SAL |
| ALIMENTOS DIURÉTICOS (LOS MISMOS QUE PARA ORINA ESCASA) | PROTEÍNAS |
| | LÁCTEOS |
| LIMÓN | QUESO |
| AVELLANA | CARNE |
| FIBRA | BEBIDAS ALCOHÓLICAS |
| MAGNESIO | CERVEZA |
| | CAFÉ |
| | CHOCOLATE |
| | CALCIO |
| | VERDURAS |
| | VITAMINA C |

**El limón se usa con éxito en la prevención, e incluso en la disolución de los cálculos renales. La cura de limón es la forma más eficaz de consumirlo.**

*Limones*

# INSUFICIENCIA RENAL

## Definición

Es la *pérdida de la capacidad de los riñones para cumplir su función de producir la orina*, con la que se eliminan las sustancias de desecho que produce nuestro organismo. Existen dos formas de insuficiencia renal:

- La **aguda,** que es de tratamiento hospitalario.

- La **crónica,** que es la que considera en esta obra. Suele evolucionar de forma progresiva a lo largo de la vida. En los casos graves, se requiere la aplicación de **diálisis** para eliminar de la sangre las sustancias tóxicas que los riñones no pueden expulsar con la orina.

## Alimentación

La alimentación vegetariana presenta *muchas ventajas* respecto a la omnívora en caso de insuficiencia renal: en general, aporta *menos* proteínas, sodio, fósforo, así como sustancias de desecho que sobrecargan los riñones.

Los alimentos cuyo consumo se recomienda aumentar o reducir, en el marco de un plan de tratamiento establecido por un especialista, pueden contribuir significativamente a mejorar la evolución de la insuficiencia renal.

|  **Aumentar** |  **Reducir o eliminar** |
|---|---|
| ALIMENTOS DIURÉTICOS (LOS MISMOS QUE PARA ORINA ESCASA) | PROTEÍNAS |
| | SODIO |
| | MARISCO |
| ALCACHOFA | CARNE |
| CALABAZA | FÓSFORO |
| CASTAÑA | POTASIO |
| DÁTIL | VITAMINAS, SUPLEMENTOS |
| MAÍZ | |
| PATATA (PAPA) | |
| PESCADO, ACEITE | |

**La horchata de avellanas es una bebida muy nutritiva y bien tolerada por enfermos y desnutridos, que se puede preparar fácilmente en casa.**

# Apio

## Limpia la sangre y reduce el colesterol

El consumo de apio tiene un efecto refrescante y tonificante sobre el organismo.

### APIO
### composición
por cada 100 g de parte comestible cruda

| | |
|---|---|
| Energía | 16,0 kcal = 67,0 kj |
| Proteínas | 0,750 g |
| H. de c. | 1,95 g |
| Fibra | 1,70 g |
| Vitamina A | 13,0 µg ER |
| Vitamina B₁ | 0,046 mg |
| Vitamina B₂ | 0,045 mg |
| Niacina | 0,490 mg EN |
| Vitamina B₆ | 0,087 mg |
| Folatos | 28,0 µg |
| Vitamina B₁₂ | — |
| Vitamina C | 7,00 mg |
| Vitamina E | 0,360 mg EαT |
| Calcio | 40,0 mg |
| Fósforo | 25,0 mg |
| Magnesio | 11,0 mg |
| Hierro | 0,400 mg |
| Potasio | 287 mg |
| Cinc | 0,130 mg |
| Grasa total | 0,140 g |
| Grasa saturada | 0,037 g |
| Colesterol | — |
| Sodio | 87,0 mg |

1%   2%   4%   10%   20%  40%  100%
**% de la CDR** (cantidad diaria recomendada)
cubierta por 100 g de este alimento

*Sinonimia hispánica:* panul, apio común, apio de huerta, apio acuático, apio palustre, apio bravío.

*Descripción:* Tallos y hojas del apio ('Apium graveolens' L.), planta herbácea perteneciente a la familia de las Umbelíferas.

EL SABOR del apio resulta inconfundible. Sus crujientes tallos tiernos no pasarán desapercibidos en la ensalada, por muchos ingredientes que esta incluya. Y es precisamente el aceite esencial responsable de ese sabor, el que le otorga la mayor parte de sus propiedades salutíferas.

**PROPIEDADES E INDICACIONES:** Desde el punto de vista nutritivo, el apio no presenta una composición llamativa. Es bastante pobre en hidratos de carbono (1,9%) y en proteínas (0,75%) y prácticamente carece de grasas.

Las sustancias activas que contiene hacen recomendable su consumo en los siguientes casos:

• **Edemas** (retención de líquidos), **cálculos** renales, **gota,** aumento de **ácido úrico, artritismo,** gracias al *notable efecto* **diurético** de su *aceite esencial.* Este provoca una dilatación de las arterias del riñón, con el consiguiente aumento en el volumen de orina y en la eliminación de sustancias de desecho, como la urea y el ácido úrico.

• **Acidez metabólica:** Debido a su riqueza en *sales minerales* de reacción *alcalina,* el apio se comporta como un *auténtico* **alcalinizante** capaz de neutralizar el exceso de ácidos del organismo. La alimentación rica en carnes y alimentos de origen animal produce un exceso de acidez en la sangre, y en el medio interno, lo cual conlleva múltiples efectos negativos sobre la salud, tales como: aumento de las pérdidas de calcio, formación de cálculos urinarios y retención de líquidos, entre otros.

El apio, *especialmente* si se toma en forma de caldo **❷**, tiene una acción **alcalinizante** y **remineralizante** similar a la de la cebolla (ver pág. 142). Neutraliza el exceso de acidez de la sangre, y facilita la eliminación urinaria de ácidos metabólicos.

• **Hipertensión:** El apio contiene bastante sodio (unos 87 mg/100 g), gracias a lo cual resulta útil para la fabricación de *sal de apio.* A pesar de ello, tiene un efecto hipotensor debido al *efecto vasodilatador de su aceite esencial* y de una sustancia llamada *3-butilptalida,* así como a su acción **diurética.** Su consumo conviene pues a los hipertensos.

El apio combina muy bien con la cebolla, tanto en caldo como en ensalada. Ambos productos ejercen una acción alcalinizante y eliminadora de residuos ácidos del metabolismo.

• **Exceso de colesterol:** En la Universidad de Singapur,[4] se ha realizado un interesante experimento para demostrar cómo el apio es capaz de reducir el nivel de colesterol en la sangre. Durante ocho semanas se alimentó a dos grupos de cobayas de laboratorio con una dieta muy rica en grasa. A las cobayas de uno de los dos grupos se les añadió unas cucharadas de jugo de apio en la ración diaria. Al cabo de las ocho semanas, estos animales presentaban unos niveles de colesterol significativamente inferiores al de las cobayas que no habían tomado apio.

• **Diabetes:** Contiene pequeñas cantidades de *glucoquina,* una sustancia de acción similar a la insulina, que disminuye el nivel de azúcar en la sangre. Así pues, a pesar de que el apio contiene una cantidad moderada de hidratos de carbono, resulta muy indicado para su consumo en caso de diabetes.

• **Psoriasis:** El apio contiene *psoralenos,* sustancias que pueden producir en personas predispuestas, una sensibilización de la piel a la luz del sol.[5] Estas mismas sustancias ejercen un efecto protector sobre la piel en caso de psoriasis; enfermedad de difícil tratamiento, que se caracteriza por la aparición de placas rojas y escamosas en la piel.

## Preparación y empleo

**❶ Crudo en ensaladas:** Se consumen los tallos tiernos y crujientes.

**❷ Hervido:** Se usa para la elaboración de **caldos depurativos,** ya sea solo o acompañado de cebolla, ortiga, perejil o col.

**❸ Jugo fresco:** Se prepara a partir de los tallos y las hojas. Se recomienda tomar *medio vaso* con cada comida, añadiendo unas gotas de limón a gusto del consumidor.

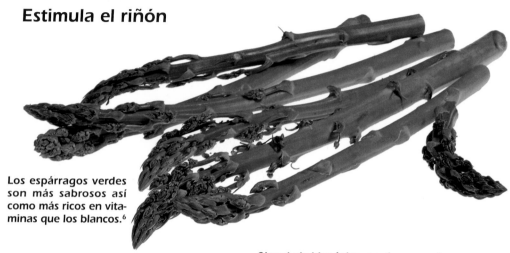

# Espárrago

## Estimula el riñón

Los espárragos verdes son más sabrosos así como más ricos en vitaminas que los blancos.[6]

**Sinonimia hispánica:** *aspárago, espárrago común.*

**Descripción:** *Tallos y brotes tiernos de la esparraguera ('Asparagus officinalis' L.), planta herbácea de la familia de las Liliáceas que alcanza hasta metro y medio de altura. Los tallos están recubiertos de unas pequeñas hojas a modo de escamas.*

### ESPÁRRAGOS
### composición
por cada 100 g de parte comestible cruda

| | |
|---|---|
| Energía | 23,0 kcal = 98,0 kj |
| Proteínas | 2,28 g |
| H. de c. | 2,44 g |
| Fibra | 2,10 g |
| Vitamina A | 58,0 µg ER |
| Vitamina B$_1$ | 0,140 mg |
| Vitamina B$_2$ | 0,128 mg |
| Niacina | 1,54 mg EN |
| Vitamina B$_6$ | 0,131 mg |
| Folatos | 128 µg |
| Vitamina B$_{12}$ | — |
| Vitamina C | 13,2 mg |
| Vitamina E | 2,00 mg EαT |
| Calcio | 21,0 mg |
| Fósforo | 56,0 mg |
| Magnesio | 18,0 mg |
| Hierro | 0,870 mg |
| Potasio | 273 mg |
| Cinc | 0,460 mg |
| Grasa total | 0,200 g |
| Grasa saturada | 0,046 g |
| Colesterol | — |
| Sodio | 2,00 mg |

1%  2%  4%  10%  20%  40%  100%

**% de la CDR** (cantidad diaria recomendada) cubierta por 100 g de este alimento

CUALQUIERA que haya tomado espárragos, incluso en pequeña cantidad, habrá notado que unos pocos minutos después la orina emite un olor especial. Ello se debe a la asparagina, sustancia activa del espárrago que forma parte de su aceite esencial volátil, y que se elimina con la orina aumentando su producción.

**PROPIEDADES E INDICACIONES:** Desde el punto de vista nutritivo, el espárrago es uno de los alimentos más bajos en calorías que podemos consumir: tan solo 23 kcal/100 g. Esto se debe a su casi total carencia de grasas, y su escaso aporte en hidratos de carbono. Sin embargo, es una de las hortalizas más ricas en **proteínas:** 2,28%, cantidad que se aproxima a la de la espinaca (2,86%).

Los espárragos aportan pocas calorías y bastante fibra, por lo que contribuyen a producir sensación de saciedad en el estómago. Aliñados con unas gotas de jugo de limón, resultan ideales en las dietas de adelgazamiento.

tos.[7] En conjunto, se trata de un alimento bastante rico en nutrientes, aunque bajo en calorías.

Estas son sus principales aplicaciones:

• **Afecciones renales:** Es un buen diurético que estimula la producción de orina en el riñón. Contribuye a eliminar los líquidos retenidos en los tejidos. Aquellos que padecen **nefritis** (inflamación del riñón) deben tomarlos **con moderación,** debido al gran estímulo que produce sobre el riñón.

• **Obesidad,** por su escaso aporte calórico.

• **Eccemas** de la piel, por su acción depurativa y desintoxicadora.

• **Estreñimiento,** por su contenido en fibra dietética.

Contiene bastante *fibra* (2,1%), *vitaminas* del grupo B, folatos y vitaminas A (provitamina), C y E. En cuanto a *minerales,* aporta cantidades significativas de potasio, fósforo, hierro y magnesio, así como de diversos oligoelemen-

 **Preparación y empleo**

❶ **Cocinados:** Normalmente se hierven de 5 a 10 minutos. También se pueden freír o asar. Si el tallo está muy duro, conviene pelarlo.

❷ **En conserva:** Pierden parte de su contenido vitamínico y de fibra (hemicelulosa),[6] pero *mantienen* los *minerales* y las sustancias de acción **diurética.**

235

# Sandía

## Un regalo para los riñones

**Sinonimia científica:** *Cucurbia citrullus* L. = *Momordica lanata* Thunb.

**Sinonimia hispánica:** *melón de agua, patilla, pepón, albudeca, angurria, badea común, batia.*

**Descripción:** *Fruto de la sandiera ('Citrullus lanatus' [Thunb.] Mansf.), planta herbácea y de tallos rastreros de la familia de las Cucurbitáceas, que produce de 3 a 5 frutos, de 3 a 10 kg (la 'gigante de Florida' puede pesar hasta 20 kg).*

### SANDÍA
### composición
por cada 100 g de parte comestible cruda

| | |
|---|---|
| Energía | 32,0 kcal = 132 kj |
| Proteínas | 0,620 g |
| H. de c. | 6,68 g |
| Fibra | 0,500 g |
| Vitamina A | 37,0 µg ER |
| Vitamina B₁ | 0,080 mg |
| Vitamina B₂ | 0,020 mg |
| Niacina | 0,317 mg EN |
| Vitamina B₆ | 0,144 mg |
| Folatos | 2,20 µg |
| Vitamina B₁₂ | — |
| Vitamina C | 9,60 mg |
| Vitamina E | 0,150 mg EαT |
| Calcio | 8,00 mg |
| Fósforo | 9,00 mg |
| Magnesio | 11,0 mg |
| Hierro | 0,170 mg |
| Potasio | 116 mg |
| Cinc | 0,070 mg |
| Grasa total | 0,430 g |
| Grasa saturada | 0,048 g |
| Colesterol | — |
| Sodio | 2,00 mg |

1%    2%    4%    10%    20%    40%    100%

**% de la CDR** (cantidad diaria recomendada)
cubierta por 100 g de este alimento

**L**A SANDÍA es una fruta muy refrescante. Hundir los dientes en su perfumada pulpa y sentir la boca llena de jugo, constituye todo un placer cuando el calor aprieta.

La sandía, al igual que el melón, lleva calmando la sed de los humanos desde hace varios milenios. Los israelitas, errantes por el desierto tras su huida de Egipto, hace unos 3.500 años, añoraban los melones y sandías que comían en el país de las pirámides. Egipto y los países mediterráneos siguen siendo hoy los principales productores de esta fruta.

**PROPIEDADES E INDICACIONES:** Su composición es muy similar a la del melón, aunque contiene menos vitamina C, folatos, hierro y potasio, y algo más de beta-caroteno (provitamina A), vitamina B₁ y vitamina B₆.

Una buena rodaja de sandía es un refresco muy superior a las bebidas embotelladas. Los niños se benefician especialmente del efecto refrescante y mineralizante de la sandía. Recientemente se ha sabido que la sandía contiene también una cierta cantidad de licopeno, el mismo carotenoide que abunda en el tomate. El licopeno es la sustancia responsable del color rojo de ambos, del tomate y de la sandía. En el organismo, actúa como potente antioxidante y como factor protector del cáncer de próstata (ver pág. 266).

## Preparación y empleo

**❶ Fresca:** Es la forma habitual de consumirla. No es recomendable tomarla como postre, ya que puede resultar indigesta debido a la gran cantidad de agua que aporta.

**❷ Jugo:** Es más recomendable para aquellos que tienen el estómago delicado, pues no contiene la fibra de la pulpa que puede resultar indigesta.

Sus propiedades son muy similares a las del melón (ver pág. 240): hidratante, remineralizante, alcalinizante, diurética y laxante. Posiblemente la sandía ejerce todavía un *mayor* efecto **diurético** *que* el **melón.**

Está indicada principalmente en las **dolencias de los riñones y de las vías urinarias** (insuficiencia renal, litiasis, infecciones), y siempre que se desee realizar una **cura depurativa** para eliminar toxinas de las sangre. La cura de sandía se puede hacer alternando el fruto fresco con su jugo, que resulta mejor tolerado por el estómago.

Los **diabéticos** toleran bien la sandía, debido a su bajo contenido en azúcares. Puesto que solo aporta 32 kcal/100 g, y produce sensación inmediata de saciedad, se recomienda en las **curas de adelgazamiento.**

237

# Avellana

## Previene la formación de cálculos renales

**Sinonimia hispánica:** *ablana, avellana europea, nochizo (el arbusto silvestre).*

**Descripción:** *Semilla del fruto del avellano ('Corylus avellana' L.), árbol o arbusto de la familia de las Betuláceas que alcanza de 2 a 4 m de altura. La semilla es dicotiledónea, y se encuentra encerrada dentro de un pericarpio duro y leñoso de forma casi esférica y de unos 2 cm de diámetro.*

*Aunque se denomina a la avellana fruto seco oleaginoso, al igual que a la almendra y a la nuez (ver págs. 58, 74), su parte comestible no es el fruto en su conjunto, sino su semilla.*

### AVELLANAS composición
por cada 100 g de parte comestible cruda

| | |
|---|---|
| Energía | 632 kcal = 2643 kj |
| Proteínas | 13,0 g |
| H. de c. | 9,20 g |
| Fibra | 6,10 g |
| Vitamina A | 7,00 µg ER |
| Vitamina B₁ | 0,500 mg |
| Vitamina B₂ | 0,110 mg |
| Niacina | 4,74 mg EN |
| Vitamina B₆ | 0,612 mg |
| Folatos | 71,8 µg |
| Vitamina B₁₂ | — |
| Vitamina C | 1,00 mg |
| Vitamina E | 23,9 mg EαT |
| Calcio | 188 mg |
| Fósforo | 312 mg |
| Magnesio | 285 mg |
| Hierro | 3,27 mg |
| Potasio | 445 mg |
| Cinc | 2,40 mg |
| Grasa total | 62,6 g |
| Grasa saturada | 4,60 g |
| Colesterol | — |
| Sodio | 3,00 mg |

1%   2%   4%   10%   20% 40%   100% 200% 500%
**% de la CDR** (cantidad diaria recomendada)
cubierta por 100 g de este alimento

T ODOS LOS excursionistas, montañeros y ciclistas han llevado alguna vez un puñado de avellanas en el bolsillo, de las que han obtenido abundante energía para su camino. Combinan muy bien con las pasas, con los higos secos y con los dátiles (ver págs. 91, 147, 148).

**PROPIEDADES E INDICACIONES:** A pesar de ser un alimento muy concentrado, las avellanas se digieren bastante bien, mejor incluso que las almendras o las nueces. Son tan energéticas que un solo puñado de avellanas (unos 50 g) aporta las calorías necesarias para estar practicando gimnasia durante una hora (316 kcal).

Las hojas del avellano resultan de gran utilidad en caso de varices y de hemorroides, tanto tomadas en infusión como aplicadas externamente.

mina $B_1$ y folatos; en cambio, las avellanas aportan menos proteínas, calcio, fósforo, hierro y niacina que las almendras.

La avellana constituyen una buena fuente de **grasas** (62%),de **proteínas** (13%), de vitaminas $B_1$ y $B_6$ y de **minerales** (especialmente calcio, fósforo, magnesio y manganeso).

El valor nutritivo de las avellanas es similar al de las almendras. Sin embargo, las avellanas superan a las almendras en calorías, grasas, vita-

Al igual que otros frutos secos, las avellanas no contienen apenas provitamina A (beta-caroteno) y vitamina C. Son relativamente pobres en hidratos de carbono. Por eso conviene que los deportistas las coman junto con frutos desecados ricos en hidratos de carbono, como las pasas, higos o dátiles.

Su consumo está especialmente indicado en estos casos:

• **Cálculos renales:** El doctor **Valnet,**[8] destacado fitoterapeuta francés, subraya la acción preventiva de las avellanas en la formación de cálculos en las vías urinarias. Su *consumo habitual* se recomienda en la dieta de los que padecen de litiasis renal, especialmente cuando se trata de cálculos de **urato.** Un puñado de avellanas cada mañana da buenos resultados.

• **Diabetes:** Por su escasez en hidratos de carbono y su gran aporte energético, la avellana es un buen complemento en la dieta de los diabéticos.

• Siempre que exista mayor necesidad de energía: **deportistas, adolescentes, convalecencia** de enfermedades debilitantes. Son también muy aconsejables en la dieta de las mujeres **embarazadas.**

## Preparación y empleo

❶ **Crudas:** Cuando las avellanas se consumen crudas conviene masticarlas muy bien, tanto si se toman frescas, recién cortadas del árbol, como secas.

❷ **Tostadas:** Son más sabrosas que las crudas, y resultan también más digestibles para la mayoría de las personas.

❸ **Aceite:** El aceite de avellanas se usa poco, debido a que se enrancia con mucha rapidez.

❹ **Horchata:** Después de tener las avellanas a remojo durante 8 horas, se machacan hasta convertirlas en una pasta. A continuación se les añade agua (un vaso por cada 30 g de avellanas) y después de una o dos horas se pasan por un colador fino. El líquido obtenido es la horchata de avellanas.

# Melón

## Una fuente de agua viva

**Sinonimia hispánica:** *albudeca, andrehuela, badea, coca.*

**Descripción:** *Fruto de la melonera ('Cucumis melo' L.), planta herbácea de tallo rastrero de la familia de las Cucurbitáceas.*

**MELÓN**
**composición**
por cada 100 g de parte comestible cruda

| | |
|---|---|
| Energía | 26,0 kcal = 110 kj |
| Proteínas | 0,900 g |
| H. de c. | 5,40 g |
| Fibra | 0,800 g |
| Vitamina A | 3,00 µg ER |
| Vitamina B$_1$ | 0,060 mg |
| Vitamina B$_2$ | 0,020 mg |
| Niacina | 0,400 mg EN |
| Vitamina B$_6$ | 0,120 mg |
| Folatos | 17,0 µg |
| Vitamina B$_{12}$ | — |
| Vitamina C | 16,0 mg |
| Vitamina E | 0,150 mg E$\alpha$T |
| Calcio | 5,00 mg |
| Fósforo | 7,00 mg |
| Magnesio | 8,00 mg |
| Hierro | 0,400 mg |
| Potasio | 210 mg |
| Cinc | 0,160 mg |
| Grasa total | 0,100 g |
| Grasa saturada | 0,025 g |
| Colesterol | — |
| Sodio | 12,0 mg |

1%  2%  4%  10%  20%  40%  100%

**% de la CDR (cantidad diaria recomendada)**
cubierta por 100 g de este alimento

**PROPIEDADES E INDICACIONES:** El melón es, *ante todo,* ***agua.*** Según las variedades, el porcentaje hídrico oscila entre el 90% y el 95%. Ahora bien el agua del melón, al igual que el de todas las frutas muy jugosas, no debe considerarse igual al agua del grifo ni incluso de la fuente. ***No*** es un agua **pasiva e inerte,** simple vehículo de transporte para sales y solutos, sino un agua viva, que ha estado en íntimo contacto con el protoplasma de las células vegetales; el agua del melón es un agua biológica, que ha participado de los miles, o quizás, millones de reacciones químicas que se desarrollan en el interior de las células vivas del vegetal.

Posiblemente por ello, nada calma tanto la sed del verano, como una buena tajada de melón. Y nada agradecen tanto los riñones, como ese auténtico ***"suero vegetal"*** que es el agua del melón.

Quienes se quejan de que el melón les resulta indigesto, deberían probar a tomarlo antes de las comidas, o fuera de ellas.
Es preferible tomar el melón un poco antes de comer, que después como postre. Al tomarlo después de la comida, se produce una dilución de los jugos gástricos y un encharcamiento del estómago, lo cual dificulta la digestión.

El melón contiene una cantidad de **azúcar** (5,4%) menor que la de otras frutas; *apenas* contiene **grasa** (0,1%), y las **proteínas** están presentes en la nada despreciable porcentaje del 0,9%. Pero, sobre todo, el melón aporta junto con su agua, una *buena cantidad* de **vitaminas** y **minerales** *armoniosamente combinados.* Destacan las vitaminas C, $B_6$, $B_1$ y los folatos, pero también contiene pequeñas cantidades de las restantes vitaminas (a excepción de la $B_{12}$).

Los **minerales** nutrientes están *todos* presentes en el melón, destacando por su riqueza el **potasio,** el **hierro** y el **magnesio.** Un solo melón de 2,5 kg contiene la dosis diaria de hierro necesaria para un hombre adulto (10 mg), y más de la mitad de la de magnesio, que es de 350 mg.

El melón es pues hidratante, remineralizante, alcalinizante, diurético y laxante.

Sus indicaciones más importantes son las siguientes:

• **Afecciones urinarias:** El consumo de melón enriquece la sangre en sales minerales y en vitaminas, y facilita la labor depuradora de los riñones. Después de haber tomado melón, los riñones son capaces de eliminar con mayor eficacia las sustancias de desecho y las toxinas que se producen como resultado de la actividad metabólica. El *"agua viva"* del melón contribuye a ello, junto con los minerales que lleva disueltos.

Conviene a todos aquellos que deseen *favorecer* la importante **función renal,** y especialmente a los que padecen de:

– **Insuficiencia renal** en su grado **inicial,** cuyos síntomas principales son la retención de líquidos y las micciones escasas o poco concentradas.

– **Cálculos renales** y **arenillas,** en especial cuando son de tipo úrico. Merced a su *gran poder* **alcalinizante,** el melón aumenta la solubilidad de las sales ácidas que forman los cálculos úricos, y facilita su disolución y eliminación.

– **Infecciones urinarias** (pielonefritis y cistitis): Aunque el melón no es un antiséptico urinario, por su acción **alcalinizante** de la orina puede frenar la proliferación de los gérmenes coliformes causantes de infecciones urinarias (*Escherichia coli* y similares), los cuales precisan de un medio ácido para desarrollarse.

• Exceso de ácido úrico, manifestado por **artritis úrica** y **gota.**

• **Estreñimiento** crónico debido a pereza intestinal.

• Estados de **deshidratación** acompañados de pérdida de minerales, como ocurre tras diarreas, sudoración abundante o crisis febriles. Aunque el melón sea laxante, puede administrarse sin problemas en caso de diarrea por gastroenteritis.

## Preparación y empleo

❶ **Fresco:** Es la mejor forma de consumirlo. No es aconsejable como postre, pues el abundante líquido que aporta, dificulta la digestión.

❷ **En conserva:** Con el melón se elaboran deliciosas confituras y mermeladas.

# Berenjena

## Diurética y digestiva

**Sinonimia hispánica:** *manzana de amor, pepino morado.*

**Descripción:** *Fruto de la planta de la berenjena ('Solanum melongena' L.), herbácea anual de la familia de las Solanáceas.*

**BERENJENA**
**composición**
por cada 100 g de parte comestible cruda

| | |
|---|---|
| Energía | 26,0 kcal = 107 kj |
| Proteínas | 1,02 g |
| H. de c. | 3,57 g |
| Fibra | 2,50 g |
| Vitamina A | 8,00 µg ER |
| Vitamina B$_1$ | 0,052 mg |
| Vitamina B$_2$ | 0,034 mg |
| Niacina | 0,748 mg EN |
| Vitamina B$_6$ | 0,084 mg |
| Folatos | 19,0 µg |
| Vitamina B$_{12}$ | — |
| Vitamina C | 1,70 mg |
| Vitamina E | 0,030 mg EαT |
| Calcio | 7,00 mg |
| Fósforo | 22,0 mg |
| Magnesio | 14,0 mg |
| Hierro | 0,270 mg |
| Potasio | 217 mg |
| Cinc | 0,140 mg |
| Grasa total | 0,180 g |
| Grasa saturada | 0,034 g |
| Colesterol | — |
| Sodio | 3,00 mg |

1%  2%  4%  10%  20%  40%  100%

**% de la CDR (cantidad diaria recomendada)**
cubierta por 100 g de este alimento

POCAS HORTALIZAS hay que presenten una variedad tan grande de formas, tamaños y colores. Existen berenjenas redondeadas, ovaladas, y alargadas como un plátano; pequeñas como un huevo o grandes como un melón; su piel puede ser morada, verde, amarilla, rojiza e incluso blanca. Solo una característica es constante en todas las variedades de berenjenas: el color blanquecino de su carne y de sus semillas.

**PROPIEDADES E INDICACIONES:** La pulpa de la berenjena, que es un fruto desde el punto de vista botánico, contiene cierta cantidad de hidratos de carbono, muy pocas proteínas y apenas grasas. Los minerales y vitaminas se encuentran en cantidades pequeñas, pero destacan el potasio, calcio, el azufre, el hierro y las vitaminas B y C.

Por su acción diurética, la berenjena asada resulta muy adecuada para quienes han padecido de cálculos renales (piedras en el riñón) y desean evitar que se reproduzcan.

Estas son sus propiedades:

• **Diurética:** La berenjena aumenta la producción de orina, estimulando la capacidad de filtración de los riñones. Su consumo conviene en caso de **litiasis** renal (cálculos), **edemas** (retención de líquidos), **hipertensión** arterial y afecciones **cardíacas.**

• **Tónico digestivo:** *Activa* la función biliar, favoreciendo suavemente el vaciamiento de la **bilis,** así como la producción de **jugo pancreático.** Conviene pues a los que padecen de **digestiones pesadas** o de **dispepsia biliar.**

• **Laxante** suave, por su contenido en celulosa (*fibra* vegetal).

• **Preventiva del cáncer:** Investigaciones recientes muestran que los frutos de la familia de las Solanáceas, como la berenjena y también el tomate (ver pág. 264), son *muy ricos en elementos fitoquímicos.* Estas sustancias protegen contra la formación de cánceres.

## Preparación y empleo

❶ **Cocinada** (*nunca cruda*). De sus muchas preparaciones culinaria, la berenjena frita es la forma menos digerible de comer esta hortaliza. La forma *más sana* es **asada al horno** y aliñada con aceite y ajo. Se puede acompañar con pimientos, como la *escalivada*, típico plato catalán.

## Precauciones

*Las berenjenas contienen una cierta cantidad de* **solanina,** *que desaparece casi por completo con la maduración.*

*La solanina es un alcaloide tóxico que produce* **trastornos digestivos,** *pero que* **desaparece con el calor.**

*Por ello las berenjenas se deben tomar* **siempre** *bien* **maduras y cocinadas.**

# Arándano

## Trata y previene las cistitis

### ARÁNDANOS
### composición
por cada 100 g de parte comestible cruda

| Energía | 56,0 kcal = 236 kj |
|---|---|
| Proteínas | 0,670 g |
| H. de c. | 11,4 g |
| Fibra | 2,70 g |
| Vitamina A | 10,0 µg ER |
| Vitamina B₁ | 0,048 mg |
| Vitamina B₂ | 0,050 mg |
| Niacina | 0,409 mg EN |
| Vitamina B₆ | 0,036 mg |
| Folatos | 6,40 µg |
| Vitamina B₁₂ | — |
| Vitamina C | 13,0 mg |
| Vitamina E | 1,00 mg EαT |
| Calcio | 6,00 mg |
| Fósforo | 10,0 mg |
| Magnesio | 5,00 mg |
| Hierro | 0,170 mg |
| Potasio | 89,0 mg |
| Cinc | 0,110 mg |
| Grasa total | 0,380 g |
| Grasa saturada | 0,032 g |
| Colesterol | — |
| Sodio | 6,00 mg |

1%　2%　4%　10%　20%　40%　100%

**% de la CDR** (cantidad diaria recomendada)
cubierta por 100 g de este alimento

**Especies afines:** *Ver cuadro pág. 247.*

***Sinonimia hispánica:*** *ráspano, mirtillo, anavia, gardincha, manzanilleta, mervéndano, uva de bosque.*

***Descripción:*** *Fruto en baya del arándano ('Vaccinium myrtillus' L.), pequeño arbusto de hoja caduca de la familia de las Ericáceas, que alcanza de 25 a 50 cm de altura.*

EL ARÁNDANO es una fruta en baya pequeña y humilde, cuyo diámetro no suele superar el centímetro, y que nace de una planta también pequeña y poco llamativa. Poca cosa, pensarán algunos.

Tradicionalmente, su uso alimentario ha quedado relegado al de simple guarnición de platos suculentos, o al de servir, con sus confituras, de relleno de tartas y pasteles.

Sin embargo, esta pequeña fruta del bosque encierra grandes propiedades. En los últimos años han proliferado los trabajos de investigación en los que se ponen de manifiesto las notables virtudes dietoterápicas del arándano.

**PROPIEDADES E INDICACIONES:** Los arándanos contienen por término medio un 11,4% de hidratos de carbono, la *mayor parte* de ellos *fructosa* y otros azúcares, y *muy pocas grasas* y *proteínas.* Entre los minerales destaca el *potasio,* y entre las *vitaminas,* la *A.*

Sin embargo, sus **propiedades medicinales** se deben a otros componentes no nutritivos, como los *ácidos orgánicos,* el *tanino,* la *mirtilina* (glucósido colorante) y las *antocianinas,* que en conjunto le confieren una acción antiséptica, protectora vascular y astringente.

Estas son sus indicaciones:

• **Infecciones urinarias:** El jugo de arándanos ejerce una *sorprendente* acción **antiséptica** y **antibiótica** sobre los gérmenes causantes de las infecciones urinarias, especialmente sobre el *Escherichia coli.* Esto ha podido ser demostrado en los últimos años, y constituye la aplicación más importante de este fruto.

Esta acción antiséptica urinaria ha sido más estudiada y verificada con dos especies de arándano que se crían en Norteamérica, los cuales son de color rojo:

– **arándano agrio** *(Vaccinium oxycoccus),*
– **arándano trepador** *(Vaccinium macrocarpon).*

Todas las especies de arándanos presentan una composición y efectos similares, por lo que los arándanos azules deben participar también de las propiedades antisépticas estudiadas en los arándanos rojos.

Los arándanos presentan dos grandes ventajas sobre las mayoría de los antibióticos usados para el tratamiento de estas repetitivas infecciones urinarias bajas (cistitis):

– **Impiden** la **adherencia de las bacterias** a las células que tapizan el interior de la vejiga urinaria.[9] Esta adherencia es un fenómeno habitual en las infecciones de las vías urinarias bajas, como la cistitis, y explica en parte las frecuentes recidivas (reinfecciones) que se producen tras los tratamientos a base de antibióticos.

– **No** provocan la **aparición de resistencias** en las bacterias que infectan los órganos urinarios, tan frecuentes con los antibióticos.

Los arándanos, especialmente en forma de jugo fresco **[❸]** constituyen pues un alimento-medicina recomendado en el tratamiento de las **cistitis** de repetición. La toma de 300 ml (un vaso grande lleno) diarios de jugo de arándano agrio envasado durante seis meses, fue suficiente para reducir a la mitad la frecuencia de bacteriuria y de piuria (presencia de bacterias y

---

## Preparación y empleo

**❶ Frescos:** La conservación de los arándanos es muy limitada, por lo que lo ideal es consumirlos al poco tiempo de su recolección. Combina muy bien con la leche y con el yogur.

**❷ Jugo:** Se obtiene por presión de los arándanos maduros. Una forma sencilla de obtenerlo es haciéndolos pasar por un pasapuré, y filtrando después el líquido resultante.

**❸ En conserva:** Con los arándanos se preparan compotas, zumos, mermeladas y jaleas.

## Cura de arándanos

*Se lleva a cabo con arándanos **frescos** o cocinados en forma de **puré**. Durante un periodo de **tres a cinco días** consecutivos se consume de **medio a un kilo** diario, repartido en **cuatro tomas**, como **único alimento**.*

*Los **niños** y las personas **debilitadas** pueden tomar además **leche**.*

*Con esta cura se consigue eliminar los **oxiuros**, pequeños parásitos intestinales relativamente frecuentes en los niños.*

Los arándanos comunes son de color azul oscuro, pero existen otras especies de color rojo. Todos ellos tienen una pulpa jugosa, agridulce y aromática. Los arándanos rojos suelen ser un poco más ácidos.
Los arándanos son ideales para las mujeres, pues combaten las infecciones urinarias y mejoran la circulación venosa en las piernas.

de pus en la orina, respectivamente), en un grupo de mujeres propensas a las cistitis de repetición.[9, 10] Es de suponer que el jugo fresco resulte totavía más efectivo.

Para que los efectos de los arándanos resulten significativos, en caso de cistitis de repetición, deben tomarse a diario entre uno y tres meses, aunque en casos rebeldes no hay ningún inconveniente en tomarlo hasta seis meses seguidos.

• **Cálculos urinarios:** Los arándanos contienen *ácido quínico,* sustancia que se elimina por la orina.[11] Esta sustancia acidifica la orina y con ello evita que se formen cálculos de fosfato cálcico (no otros tipos de cálculos). El consumo de arándanos puede incluso llegar a disolver los cálculos de fosfato cálcico ya formados.

• **Diarreas infecciosas:** La **acción antimicrobiana** de los arándanos se manifiesta igualmente sobre el conducto digestivo, a lo que se le une el efecto astringente del *tanino.* Nor-

malizan y reequilibran la flora intestinal, impidiendo la excesiva proliferación del *Escherichia coli,* el germen más frecuente del intestino. El uso de los arándanos está especialmente indicado en caso de **disbacteriosis** (alteración de la flora bacteriana intestinal), generalmente debido al uso de antibióticos. Muy útil para frenar la **flatulencia** intestinal (exceso de gases).

• **Afecciones circulatorias:** Por su contenido en *antocianinas,* los arándanos actúan como protectores de las paredes de los vasos capilares y venosos. Reducen la inflamación e hinchazón de los tejidos. Su consumo habitual se recomienda en los casos de **piernas pesadas, varices, flebitis** y **úlceras varicosas,** así como en las **hemorroides.**

• **Pérdida de visión de causa retiniana:** Las *antocianinas* de los arándanos (sustancias responsables del color de los frutos, más abundantes en las especies de color azul) mejoran el funcionamiento de la retina, y con ello la agudeza visual.

Esto hace a los arándanos, muy recomendables en caso de **diabetes, hipertensión** o **arteriosclerosis,** enfermedades que afectan a la retina produciendo una disminución de agudeza visual.

## Especies de arándanos

Todas las especies de arándanos pertenecen al género *Vaccinium* y son similares en cuanto a su composición y propiedades, aunque con algunas particularidades.

La forma más fácil de clasificar las diversas especies de arándanos es según el color de sus frutos:

### Arándanos de color azul

En realidad son de color azul oscuro o morado. Estas son sus características:

– Son más dulces que los arándanos rojos.
– Son *más ricos* en **antocianinas** (pigmentos vegetales).
– Son los *más recomendables* para las **afecciones circulatorias** (varices, hemorroides) y de la **retina,** aunque también son efectivos en caso de **cistitis** y de **diarrea.**

• **Arándano común** (*Vaccinium myrtillus* L.): Descrito en pág. 244. Se cría generalmente silvestre y mide de 0,5 a 1 cm de diámetro. Muy rico en principios activos de acción medicinal.

• **Arándano americano\*** (*Vaccinium corymbosum* L.): Es similar al arándano común, pero de mayor tamaño. Sus jugosos frutos miden hasta 2,5 cm de diámetro. Se cultiva ampliamente en Norteamérica.

• **Arándano americano pequeño** (*Vaccinium angustifolium*): Se cultiva en el noreste de Estados Unidos (estado de Maine) y en Canadá (provincia de Quebec). Sus frutos miden de 1 a 1,5 cm.

*Arándano agrio*
*('Vaccinium oxycoccus')*

### Arándanos de color rojo

– Son más agrios que los de color azul.
– Contienen *más* sustancias **acidificantes** de la orina.
– Son los *más recomendables* para las **infecciones urinarias** y **digestivas.**

• **Arándano agrio\*\*** (*Vaccinium oxycoccus* L.): Propio de regiones septentrionales, tanto de Europa como de Norteamérica. Sus frutos son encarnados, de 0,5 a 1 cm de diámetro, y más ácidos que los de otros arándanos.

• **Arándano trepador\*\*\*** (*Vaccinium macrocarpon*): Es parecido al agrio pero un poco más grande y ligeramente ovalado.

• **Arándano rojo\*\*\*\*** (*Vaccinium vitisidaea* L.): Crece en zonas templadas y frías del hemisferio norte. Sus bayas son rojas y un poco ácidas.

*Arándano común*
*('Vaccinium myrtillus')*

\* **Sin. hispánica:** *uvilla azul;* **Ing.:** *highbush blueberry.*

\*\* **Ing.:** *cranberry.*

\*\*\* **Ing.:** *large American cranberry, American cranberry.*

\*\*\*\* **Ing.:** *cowberrry, foxberry.*

13

# Alimentos para el aparato reproductor

LA ALIMENTACIÓN influye notablemente sobre los órganos reproductores, tanto masculinos como femeninos. Un alimentación que aporte los 25 g diarios de fibra recomendados para un adulto, contribuye significativamente a evitar el dolor y las alteraciones del ciclo menstrual. La fibra se encuentra *únicamente* en los alimentos **vegetales,** como las **frutas, cereales integrales, hortalizas** (incluidas las verduras) y **legumbres.** Tal como se ha demostrado en la universidad de la Columbia Británica, de Vancouver (Canadá), las mujeres vegetarianas padecen menos trastornos ovulatorios que las omnívoras.[1]

La **soja** y sus derivados como el **'tofu'** o la **leche de soja,** contienen *fitoestrógenos* que regularizan el ciclo menstrual, evitan el excesivo crecimiento de la próstata y reducen el riesgo de que se forme cáncer. No ejercen ningún efecto feminizante, a diferencia de las hormonas estrogénicas.[2]

## MASTOPATÍA FIBROQUÍSTICA

### Definición

Es una *enfermedad benigna* de la mama, caracterizada por la aparición de pequeños **quistes,** en ocasiones dolorosos, que varían de tamaño a lo largo del ciclo menstrual. Suele afectar a las mujeres de 30 a 50 años. Se dice que es benigna porque su evolución no produce alteraciones graves ni amenaza a la vida, lo que la diferencia del cáncer de mama.

En algunos casos, los quistes mamarios se asocian con **fibromas** o **fibroadenomas,** que son nódulos duros de tamaño constante y poco dolorosos.

### Alimentación

Es un hecho *bien demostrado* que la **alimentación** es un factor fundamental en la génesis de las enfermedades de la mama, tanto en esta de tipo benigno, como en el cáncer.

 **Aumentar**

FIBRA
VITAMINA A
VITAMINA E

 **Reducir o eliminar**

GRASA SATURADA
CARNE
BEBIDAS ESTIMULANTES

*Carne roja*

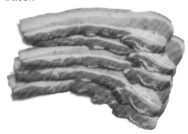

*'Bacon'*

**La asociación entre consumo de grasa saturada (principalmente de origen animal) y cáncer de mama, es bien conocida. También se ha comprobado que a mayor consumo de grasa, mayor riesgo de que se produzcan fibromas y quistes mamarios.**[3]

## DISMENORREA

### Definición

Es una *irregularidad del ciclo menstrual acompañada de dolor* que afecta al estado general. En algunos casos, se asocia con el llamado **síndrome premenstrual,** trastorno que se produce en los días previos a la menstruación. La **retención de líquidos** (especialmente en las mamas) y los **cambios** en el **humor,** caracterizan el síndrome premenstrual.

### Causas

Aunque la dismenorrea puede deberse a causas orgánicas o de tipo hormonal, una alimentación sana puede contribuir mucho a evitarla. La soja y sus derivados, así como otras legumbres, contienen sustancias de acción hormonal llamados **fitoestrógenos,** que pueden regular el ciclo menstrual.

### Alimentación

Por otro lado, una **alimentación artificial** a base de productos refinados y procesados, *agrava* la dismenorrea.

 **Aumentar**

SOJA
ALIMENTOS DIURÉTICOS
FIBRA
ACEITES
VITAMÍNICOS, SUPLEMENTOS
MAGNESIO
FLAVONOIDES

 **Reducir o eliminar**

SAL
BEBIDAS ESTIMULANTES
AZÚCARES

**En general, todos los aceites de origen vegetal ricos en ácidos grasos poliinsaturados (maíz, soja, pepita de uva, germen de trigo, etc.) resultan favorables. Los aceites de onagra y de pescado, tomados como suplementos dietéticos, pueden reducir los espasmos y el dolor del útero.**

# IMPOTENCIA SEXUAL

## Definición

Se produce cuando el varón no puede lograr o mantener una erección en el pene, lo suficientemente firme como para permitir el coito o cópula. La impotencia sexual no se soluciona con productos o sustancias que aumenten el deseo sexual, pues lo que falta en caso de impotencia no es el deseo, sino la capacidad para ejecutarlo.

## Causas

La **potencia** sexual es *consecuencia* de un **buen estado** de salud, tanto física como mental. Todos los alimentos insanos reducen la potencia sexual y favorecen la impotencia.

## Estilo de vida

El consumo de **tabaco, alcohol** y **café** es una de las *causas más comunes* de impotencia; la arteriosclerosis y la diabetes también originan este problema, ya que reducen la circulación sanguínea en las arterias del pene.

 **Aumentar**　　 **Reducir o eliminar**

**ANTIOXIDANTES**　　　　**BEBIDAS ALCOHÓLICAS**
**GERMEN DE TRIGO**　　　**COLESTEROL**
**CINC**　　　　　　　　　**GRASA SATURADA**
　　　　　　　　　　　　　**BEBIDAS ESTIMULANTES**

*Frutas y verduras*

Los antioxidantes evitan la arteriosclerosis y mejoran el riego sanguíneo en las arterias que irrigan los cuerpos cavernosos del pene, en los que se produce la erección. La provitamina A y las vitaminas C y E son las sustancias naturales dotadas de mayor poder antioxidante, todas ellas de origen vegetal. Una alimentación rica en frutas, cereales integrales y hortalizas contribuye a mantener la potencia sexual mejor que ningún otro alimento o producto.

# PRÓSTATA, HIPERTROFIA

## Definición

La hipertrofia prostática benigna, llamada también **adenoma prostático,** es un crecimiento de la próstata que afecta a los hombres de más de 50 años.

Cuando su tamaño es superior al normal comprime la uretra (conducto por donde se evacua la orina) que atraviesa el interior de la glándula, y dificulta la micción. Es una enfermedad benigna que no guarda relación con el cáncer de próstata (ver capítulo 18).

## Alimentación

Aunque se debe a causas hormonales, ciertos alimentos pueden retrasar o aliviar la hipertrofia de esta glándula, mientras que aquellos que irritan las vías urinarias, la agravan.

 **Aumentar**　　 **Reducir o eliminar**

**TOMATE**　　　　**ESPECIAS**
**SOJA**　　　　　**CAFÉ**
**FRUTOS SECOS**
**CINC**
**SELENIO**
**FIBRA**

*Pipas de calabaza*

La carencia de cinc puede favorecer el crecimiento excesivo de la próstata. Los mariscos contienen cinc, especialmente las ostras, pero no constituyen una fuente saludable de este mineral.
El germen de trigo, el sésamo, el azúcar de arce, los frutos secos oleaginosos, las semillas de calabaza y las legumbres también son ricos en cinc y no presentan ninguno de los riesgos de los mariscos.

# Feijoa

## Una fruta ideal
## para las embarazadas

### FEIJOA
### composición
por cada 100 g de parte comestible cruda

| | |
|---|---|
| Energía | 49,0 kcal = 205 kj |
| Proteínas | 1,24 g |
| H. de c. | 6,13 g |
| Fibra | 4,50 g |
| Vitamina A | — |
| Vitamina B₁ | 0,008 mg |
| Vitamina B₂ | 0,032 mg |
| Niacina | 0,289 mg EN |
| Vitamina B₆ | 0,050 mg |
| Folatos | 38,0 µg |
| Vitamina B₁₂ | — |
| Vitamina C | 20,3 mg |
| Vitamina E | — |
| Calcio | 17,0 mg |
| Fósforo | 20,0 mg |
| Magnesio | 9,00 mg |
| Hierro | 0,080 mg |
| Potasio | 155 mg |
| Cinc | 0,040 mg |
| Grasa total | 0,780 g |
| Grasa saturada | — |
| Colesterol | — |
| Sodio | 3,00 mg |

1%    2%    4%    10%    20%    40%    100%

### % de la CDR (cantidad diaria recomendada)
cubierta por 100 g de este alimento

**Sinonimia científica:** *Acca sellowiana* (Berg.) Burret.

***Sinonimia hispánica:*** *sumina, guayaba-piña, pitanga, guayaba, guayaba [del país], falsa guayaba, guayaba chilena, guayaba ananás.*

**Descripción:** *Fruto de la feijoa ('Feijoa sellowiana' Berg.), árbol de la familia de las Mirtáceas que alcanza hasta 7 m de altura.*

L A FEIJOA es una fruta emparentada con la guayaba (ver pág. 118), pues ambas pertenecen a la misma familia botánica. Su pulpa, de color crema o asalmonado es tierna y gelatinosa, y su sabor recuerda al de la piña tropical o ananás. Aunque su centro está lleno de pequeñas semillas, son blandas y apenas se notan al comer la fruta.

**PROPIEDADES E INDICACIONES:** Contiene pequeñas cantidades de grasas y de proteínas, y en mayor proporción hidratos de carbono. La feijoa contiene bastante ***vitamina C*** (unos

La feijoa resulta reco-
mendable para las mu-
jeres embarazadas, por
su riqueza en folatos,
yodo y fibra vegetal.

20 mg/100 g), aunque mucho menos que la guayaba (183 mg/100 g). Contiene también pequeñas cantidades de vitaminas del grupo B y de minerales. En su composición destacan estos dos nutrientes:

## Preparación y empleo

❶ **Cruda:** Hay que quitarle la dura corteza que la recubre. Algunas variedades son un poco ásperas, especialmente cuando no están bien maduras.

❷ **Preparaciones culinarias:** La feijoa se presta para elaborar zumos (jugos), compotas y mermeladas.

✓ *Folatos:* Es una de las frutas frescas *más ricas* en estas sustancias necesarias para la formación de las células de la **sangre.** La *carencia* de folatos durante el **embarazo** *puede causar* **anemia,** así como **malformaciones** fetales.

✓ *Yodo:* Su contenido en este oligoelemento (50 a 100 µg/100 g) es *superior* al de otras frutas y se acerca al del pescado marino (150-350 µg/100 g).

La feijoa se recomienda especialmente en los siguientes casos:

• **Embarazo,** por su riqueza en folatos y en yodo, muy importante durante la gestación.

• **Bocio hipotiroideo,** cuando este es causado por un aporte insuficiente de yodo en la alimentación.

• **Estreñimiento,** por su riqueza en fibra vegetal de acción laxante.

# Soja

## La superlegumbre

A igual peso, las semillas de soja contienen más proteínas y más hierro que la carne, más calcio que la leche, y más vitaminas B₁, B₂ y B₆ que el huevo; y todo ello sin aportar nada de colesterol.

**Sinonimia científica:** *Dolichos soja,* L., *Phaseolus max* L., *Soja hispida* Moench.

**Sinonimia hispánica:** *soya, frijol soya, poroto soya, frijol del Japón.*

**Descripción:** *Semillas de la planta de la soja ('Glycine max' [L.] Merr.), herbácea de la familia de las Leguminosas que alcanza de medio a un metro de altura. Las semillas de la soja son esferoidales, de unos 8 a 10 mm de diámetro, y crecen dentro de una vaina parecida a la de los guisantes.*

### SOJA
### composición
por cada 100 g de parte comestible cruda

| | |
|---|---|
| **Energía** | **416 kcal = 1742 kj** |
| **Proteínas** | **36,5 g** |
| **H. de c.** | **20,9 g** |
| **Fibra** | **9,30 g** |
| **Vitamina A** | **2,00 µg ER** |
| **Vitamina B₁** | **0,874 mg** |
| **Vitamina B₂** | **0,870 mg** |
| **Niacina** | **10,5 mg EN** |
| **Vitamina B₆** | **0,377 mg** |
| **Folatos** | **375 µg** |
| **Vitamina B₁₂** | **—** |
| **Vitamina C** | **6,00 mg** |
| **Vitamina E** | **1,95 mg EαT** |
| **Calcio** | **277 mg** |
| **Fósforo** | **704 mg** |
| **Magnesio** | **280 mg** |
| **Hierro** | **15,7 mg** |
| **Potasio** | **1797 mg** |
| **Cinc** | **4,89 mg** |
| **Grasa total** | **19,9 g** |
| **Grasa saturada** | **2,88 g** |
| **Colesterol** | **—** |
| **Sodio** | **2,00 mg** |

1%   2%   4%   10%   20% 40%   100% 200% 500%
## % de la CDR (cantidad diaria recomendada)
cubierta por 100 g de este alimento

LOS QUE se han adentrado en el estudio del japonés, han descubierto con sorpresa que en ese idioma no existe ninguna palabra para referirse a los sofocos o calores que sufren las mujeres menopáusicas. Obviamente, ello no es debido a que a las mujeres japonesas no les llegue la menopausia, sino simplemente, a que pasan esa época de cambio hormonal sin sufrir ningún tipo de trastornos.

Numerosos estudios han confirmado que es precisamente la soja, que muchos japoneses, chinos y coreanos consumen a diario, la responsable de su mejor salud reproductora y de su menor tasa de cáncer de mama y de próstata.

En Europa y en Norteamérica, la soja no se empleó en la alimentación humana hasta bien entrado el siglo XX. Afortunadamente, en las últimas décadas los investigadores están descubriendo cada vez mayor número de propiedades curativas en este alimento. Esto ha hecho que ahora empiece a ser más apreciada por los occidentales, aunque –no lo olvidemos– con tres mil años de retraso respecto al pueblo chino.

**PROPIEDADES E INDICACIONES:** La semilla de soja es, posiblemente, el alimento natural con mayor contenido en proteínas, vitaminas y minerales. Además, la soja contiene también valiosos elementos fitoquímicos. Su extraordinaria capacidad para nutrir y para prevenir las enfermedades se comprende mejor al conocer su composición:

✓ *Proteínas:* La soja es el alimento más rico en proteínas de cuantos nos ofrece la naturaleza, ya que contiene un 36,5%. La carne con menos del 20% y los huevos con un 12,5% quedan muy por detrás.

Pero además de cantidad, la soja ofrece **calidad.** Sus proteínas satisfacen las necesidades de aminoácidos de nuestro organismo, tanto si se trata de adultos como de niños.[4]

En general, las proteínas de todas las leguminosas son deficitarias en el aminoácido esencial azufrado, metionina. Sin embargo, las proteínas de la soja contienen una proporción suficiente de este importante aminoácido (excepto para los lactantes), como para poder decir que se trata de proteínas completas. Su calidad biológica es comparable a la de la carne.

Experimentos realizados en el Instituto Nacional de Investigaciones Agronómicas francés, han puesto de manifiesto que las proteínas de la soja se **digieren** y **absorben** con la *misma facilidad* que las de la **leche** de vaca.[5]

✓ *Grasa:* A diferencia de otras legumbres como las alubias o las lentejas, que contienen menos del 1%, la soja llega al 19,9% de grasa. Por *predominar* los **ácidos grasos insaturados,** la grasa de la soja *contribuye* a **reducir** el nivel de **colesterol.**

✓ *Hidratos de carbono:* Suponen el 20,9% de su peso, y están formados por diversos oligosacáridos, sacarosa, y una pequeña parte de almidón. A diferencia de otras legumbres como las lentejas, las alubias, la soja verde o el azuki, que son ricas en almidón, la soja apenas lo contiene. Esto hace que sea muy *bien tolerada* por los **diabéticos.**

## Preparación y empleo

❶ **Semillas cocinadas:** Se deben tener a remojo durante varias horas, y después hervirlas de 60 a 90 minutos, aderezándolas como cualquier legumbre. Su sabor es un tanto especial, y no todos lo saben apreciar. La llamada **soja verde** o judía mungo y el **azuki** (ver pág. 256) son *más apropiadas* que la soja común para consumirlas hervidas.

❷ **Harina:** Se presenta en dos formas: desgrasada (50% de proteínas) e integral (40% de proteínas). Cualquiera de ellas mezclada con harina de trigo, enriquece su valor nutritivo y produce una masa muy apropiada para bollería, sin necesidad de añadir huevo (la lecitina de la soja actúa como emulsionante, igual que la lecitina del huevo). Con la harina de soja se elaboran deliciosas recetas vegetarianas.

❸ **Proteína de soja:** Se presenta de varias formas (concentrada, aislada o texturizada), cuya concentración proteínica varía del 70% al 96%. Es ideal para elaborar todo tipo de platos sin carne.

❹ **Bebida de soja:** También llamada **leche de soja.** Sustituye a la leche de vaca, aunque tiene menos calcio y nada de vitamina $B_{12}$.

❺ 'Tofu', 'miso', 'tempeh' (ver pág. 258).

# Soja verde y azuki

## Soja verde

La llamada soja verde, judía mungo o frijol mungo (*Vigna radiata* [L.] Wilczek) es originaria de la India, y cada vez gana más adeptos debido a su grato sabor y fácil digestión. Se consume **hervida** tras tenerla a remojo, como cualquier legumbre (tiempo de cocción: 45 minutos aproximadamente), o también, **germinada.**

## Azuki

La judía azuki, o simplemente azuki (*Vigna angularis* [Willd.] Ohwi et Ohashi), resulta también muy apropiada para tomarla guisada, aunque requiere un tiempo de cocción superior al de la soja verde (de 50 a 60 minutos). Es también muy nutritiva y sabrosa.

✓ **Vitaminas:** 100 g de soja aportan más de la mitad de las necesidades diarias de vitamina $B_1$ y $B_2$, y una quinta parte (el 20%) de las de vitamina $B_6$ y vitamina E. En esto superan al resto de legumbres. Sin embargo, al igual que todas las legumbres secas (no así los germinados), la soja es pobre en vitamina C y apenas contiene provitamina A.

✓ **Minerales:** La soja contiene una elevada concentración de minerales, de modo que 100 g aportan 15,7 mg de hierro, cinco veces más que la carne, cantidad que suple sobradamente las necesidades diarias de este mineral para un hombre adulto. Aunque se trata de **hierro no hem,** que se absorbe peor que el *hierro hem* de la carne, la presencia simultánea de vitamina C en el intestino, procedente de verduras frescas o frutas ingeridas en la misma comida, incrementa notablemente la absorción del hierro de la soja.

La soja también es muy rica en **fósforo, magnesio** y **potasio:** 100 g cubren la casi totalidad de las necesidades diarias de estos minerales. También es bastante rica en calcio. Por el contrario, la soja tiene la ventaja de *apenas* contener **sodio,** mineral que produce retención de agua en los tejidos, lo cual la hace muy apropiada en caso de afecciones cardiocirculatorias.

La soja es también una buena fuente de los oligoelementos **cobre, cinc** y **manganeso.**

✓ **Fibra:** La soja contiene un 9,3 % de fibra, en su mayor parte soluble. Sin embargo, los productos derivados de la soja contienen mucha menos fibra (por ejemplo, el *tofu*: 1,2%). La fibra de la soja contribuye a regular el tránsito intestinal y a reducir el nivel de colesterol.

✓ **Sustancias no nutritivas:** La semilla de soja contienen abundantes sustancias químicas que no son verdaderos nutrientes en el sentido estricto del término, pero que ejercen notables acciones en el organismo. Algunas de ellas, como las **isoflavonas,** están consideradas como **elementos fitoquímicos.** El descubrimiento de estas sustancias constituye uno de los grandes avances de la ciencia de la nutrición de los últimos años. Estas son las más destacadas:

– **ISOFLAVONAS:** Constituyen el componente no nutritivo más importante de la soja. A él se deben la mayor parte de sus propiedades terapéuticas. Son un tipo de **fitoestrógenos** (hormonas femeninas de origen vegetal), que ejercen una acción similar a la de los estrógenos, pero sin sus efectos indeseables.

Las isoflavonas más importantes de la soja son la **genisteína** *(descubierta en* 1987*)* y la **daidzeína.** Según algunos investigadores, los productos de soja aportan entre 100 y 200 mg de isoflavonas por cada 100 g,[6] aunque según otros las cantidades son algo menores. El aceite de soja y las fórmulas para lactantes a base de soja, no los contienen.

– *FITOSTEROLES:* Son sustancias similares al colesterol, pero de origen vegetal. Tienen el efecto de impedir la absorción del colesterol contenido en los alimentos, reduciendo así su nivel en la sangre.

– *INHIBIDORES DE LAS PROTEASAS:* Estas sustancias están presentes en la soja y en menor proporción, en otras legumbres. En dosis altas, tal como se encuentran en la soja cruda, resultan tóxicas y se consideran como un factor antinutritivo.[7] Sin embargo, al procesar la soja (cocción, remojo, fermentación, etc.) se reduce mucho su concentración.

En dosis bajas, tal como se encuentran en la soja cocinada o en sus derivados, los inhibidores de las proteasas ejercen una valiosa acción **anticancerígena,** por un mecanismo todavía no bien conocido.[8]

– *ÁCIDO FÍTICO:* Se encuentra sobre todo en el salvado de los cereales, y también en la soja. Aunque dificulta la absorción del hierro y de otros minerales, es capaz de neutralizar la acción de las sustancias cancerígenas que se ingieren con los alimentos.[9]

Como puede verse, la soja es muy nutritiva (aporta 416 kcal/100 g) y muy rica en sustancias activas que explican sus indicaciones dietoterápicas:

• **Trastornos propios de la mujer:** Debido a su contenido en isoflavonas (estrógenos vegetales), el consumo de soja o de sus derivados favorece el equilibrio hormonal de la mujer. Los resultados que se obtienen son los siguientes:

– **Regularización del ciclo menstrual,** especialmente en las mujeres premenopáusicas.[10]

– **Alivio de los síntomas menopáusicos:** El *consumo habitual* de soja o de sus derivados más ricos en isoflavonas *(tofu,* bebida de soja, harina de soja, extracto de proteína) hace que la menopausia pase sin apenas trastornos.

Ciertamente, la terapia hormonal sustitutoria a base de estrógenos elimina los síntomas de la menopausia, además de evitar la osteoporosis y de reducir el riesgo de infarto. Sin embargo, aumenta el riesgo de padecer cáncer de mama o de útero, debido al sobreestímu-

**La soja es la legumbre más cultivada, posiblemente debido a que no necesita abono y produce más proteínas, de mejor calidad y en menor tiempo que ninguna otra planta.**

257

**Se puede afirmar con toda propiedad que la soja se ha convertido en un alimento-estrella, no solo por su valor nutritivo, superior al de la carne, sino también por sus múltiples posibilidades culinarias y dietéticas.**
Se puede usar como una **legumbre** en guisos, potajes y platos fríos. Sustituye con ventaja en prácticamente todas sus aplicaciones a la leche de vaca (**bebida de soja**) y al queso ('**tofu**', 'tempeh', 'miso'). Sus salsas, como el **tamari,** son nutritivas y proporcionan grato sabor a los más diversos platos. El **aceite** que se extrae de la soja es excelente tanto desde el punto de vista nutritivo como dietoterápico. Y los **texturizados** de proteína soja se aplican en la cocina y en la industria alimentaria de igual modo que la carne, pero libres de los inconvenientes de esta.

lo hormonal causado por los estrógenos administrados.

La alimentación a base de soja y derivados constituye una alternativa válida y eficaz a la terapia hormonal sustitutoria con estrógenos. Tiene los mismos *efectos* beneficiosos que estos sobre los huesos y el corazón,[11] con la gran ventaja de que protege contra el cáncer de mama y de útero.

– **Disminución del riesgo de cáncer de mama:** Investigaciones realizadas en la Universidad del Sur de California (EE. UU.) muestran claramente que a mayor consumo de *tofu,* menor riesgo de cáncer de mama.[12] El efecto protector del tofu se manifiesta tanto en mujeres premenopáusicas como postmenopáusicas.

El '**tofu**' es el producto de soja *más rico* en **fitoestrógenos** del tipo **isoflavonas,** *seguido* por la **leche** (bebida) **de soja.**[13] Estas sustancias, entre las que destaca la **genisteína,** actúan como **citostáticos,** es decir, detienen *in vitro* el crecimiento de células cancerosas de la mama.[14, 15]

**• Trastornos propios del hombre:** Es curioso que los fitoestrógenos de la soja inducen los efectos beneficiosos de los estrógenos naturales, pero sin sus inconvenientes. Esto ocurre tanto en la mujer como en el hombre, de formas que los varones que toman soja a menudo, disfrutan:

– De un *menor riesgo* de **cáncer de próstata.**[9, 16] Los hombres japoneses presentan una menor mortalidad por cáncer de próstata, gracias al consumo de productos de soja, especialmente de *tofu.*[17]

– De un *menor riesgo* de **infarto de miocardio:** Tanto los fitoestrógenos, como los estrógenos producidos por el organismo, evitan la arteriosclerosis y mejoran la salud del corazón y de las arterias.[18]

Experimentos llevados a cabo con monos macho, muestran que el consumo habitual de productos de soja ricos en fitoestrógenos no ejercen ningún efecto indeseable en el sistema reproductor masculino.[19]

**• Colesterol elevado:** Es un hecho bien demostrado, que el consumo habitual de soja y de sus derivados produce una disminución en el nivel de colesterol total en la sangre.

**• Arteriosclerosis:** Hasta ahora se creía que el proceso de endurecimiento arterial era irreversible. Pero ahora sabemos que por acción de la soja, las arterias se vuelven menos rígidas y estrechas. Esta es una buena noticia para aquellos que padecen de arteriosclerosis, con la consiguiente falta de riego sanguíneo en las arterias coronarias (infarto, angina de pecho), cerebrales, ilíacas u otras.

**• Trombosis:** Se ha demostrado experimentalmente que la **genisteína** de la soja impide la formación de trombos (coágulos) en las arterias, inhibiendo la formación de trombina (sustancia que desencadena el proceso de la coagulación) y la agregación de las plaquetas.[20] La formación de un trombo dentro de una arteria constituye la complicación más grave de la arteriosclerosis: la trombosis de las arterias coronarias obstruye el paso de la sangre por su interior y trae como consecuencia el **infarto de miocardio;** la trombosis de las arterias cerebrales desencadena el temido **ataque cerebral.**

**• Osteoporosis:** El *consumo abundante* de *proteínas* de origen **animal** provoca la pérdida de calcio con la orina, y está considerado como uno de los factores que *más contribuyen* a la osteoporosis en los países desarrollados.[21, 22]

A diferencia de los occidentales, los pueblos del Lejano Oriente obtienen la mayor parte de las proteínas a partir de la soja, y no de la carne. A ello se debe el hecho de que disfruten de una mejor salud en sus órganos reproductores (próstata, útero, mama), y posiblemente también, su notable vitalidad y fecundidad.

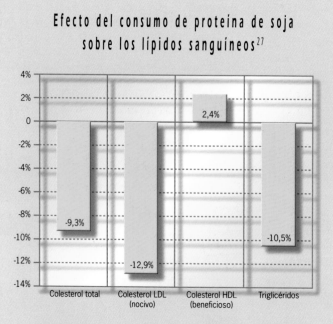

**Efecto del consumo de proteína de soja sobre los lípidos sanguíneos**[27]

Se ha demostrado[25] que al consumir de **30 a 50 g** diarios de **proteína** de **soja** (por ejemplo, dos vasos de bebida de soja y una hamburguesa de carne vegetal), **en sustitución** de otros tantos de proteína **animal,** se producen los siguientes resultados:

- Reducción del **9,3%** en el **colesterol total.**
- Reducción del **12,9%** en el **colesterol LDL** (colesterol nocivo).
- Aumento del **2,4%** en el **colestrol HDL** (colesterol beneficioso).
- Reducción del **10,5%** en los **triglicéridos.**

Por el contrario, las **proteínas** de la **soja** reducen la **pérdida** urinaria de **calcio** y **aumentan** la **mineralización** y la **densidad** de los huesos.[23] Este efecto es especialmente notable en las mujeres menopáusicas. A él contribuye también la acción estrogénica de las isoflavonas de la soja.

**• Insuficiencia renal:** Las proteínas de la soja no entorpecen la función de los riñones, al contrario de lo que ocurre con las proteínas de origen animal.[24] Sustituir la carne por productos de soja favorece la función renal, tanto en

caso de insuficiencia, como de nefrosis (degeneración del tejido renal que hace perder proteínas con la orina).[25]

**• Alimentación infantil:** La soja aporta proteínas de alta calidad a los niños, con las que pueden satisfacer sus necesidades nutritivas y desarrollarse adecuadamente. Únicamente en el caso de lactantes criados exclusivamente con fórmulas a base de soja (debido a intolerancia a la leche), se recomienda añadir el aminoácido metionina como suplemento.

Las bebida de soja, el *tofu* y la harina y proteína de soja son muy recomendables para todos los niños, por su buena digestibilidad y su poder nutritivo. Además, existen tres indicaciones específicas para el uso de productos de soja en la alimentación infantil:

**– Diarrea** persistente con malabsorción y desnutrición en lactantes.

**– Intolerancia a la leche por deficiencia de lactasa.**

**– Alergia infantil:** La alimentación a base de soja acaba con muchos casos de erupciones, dermatitis atópica, asma y otras manifestaciones infantiles de alergia.

**• Prevención del cáncer:** El Instituto Nacional del Cáncer de los Estados Unidos está dedicando mucha atención al efecto anticancerígeno de la soja y de sus productos.[26]

El consumo diario de una ración de productos de soja reduce el riesgo de padecer cáncer de mama, de colon, de recto, de estómago, de próstata y de pulmón.

# Soja: aspectos negativos

*Aunque es muy nutritiva y está dotada de extraordinarias virtudes curativas, la soja presenta algunos inconvenientes que no debemos ignorar. Ninguno de ellos es insalvable, por lo que en ningún caso deben ser un motivo para no consumir esta superlegumbre, que bien se puede considerar como un auténtico alimento-medicina.*

## Ácido úrico

Todas las legumbres producen ácido úrico, siendo la soja la que más (380 mg/100 g). La carne de ternera produce unos 130 mg/100 g (las vísceras más), y la leche, nada.

El ácido úrico de la soja no supone ningún riesgo para la salud, especialmente si se lleva una alimentación rica en vegetales que alcaliniza la orina y facilita su eliminación.

## Factores antinutritivos

Como toda las legumbres, las semillas de soja crudas contienen sustancias tóxicas. Se las conoce como factores antinutritivos, debido a que interfieren en la absorción de otros nutrientes.[28]

Afortunadamente, los factores antinutritivos de la soja *desaparecen* en su mayor parte o totalmente cuando se la procesa de cualquiera de estas formas:

- remojo en agua y cocción,
- fermentado,
- germinado de las semillas,
- procesado industrial.

## Falta de vitamina B$_{12}$

La soja carece de esta vitamina, como ocurre con todos los alimentos vegetales. Afortunadamente, algunos productos de soja están suplementados con esta vitamina.

## Escasa cantidad de provitamina A y de vitamina C

Por ello, la soja y sus productos deberían comerse siempre acompañados de verduras o frutas frescas ricas en provitamina A (carotenos) y en vitamina C. Esta última facilita la absorción del hierro contenido en la soja, entre otras funciones.

## Alergias

La soja ingerida por vía oral rara vez produce alergias. Sin embargo, el **polvo** que sueltan las semillas provoca graves alergias respiratorias cuando lo inhalan personas sensibles.

## Flatulencias

Como todas las legumbres, la semilla de soja contiene hidratos de carbono de tipo *oligosacárido* en su piel, los cuales provocan flatulencias digestivas. El remojo y la cocción eliminan la mayor parte de ellos.

## Soja transgénica

Aunque no presenta problemas conocidos para la salud, su cultivo supone una amenaza para el medio ambiente.

## Cáncer

*Reduce* el ***riesgo*** de padecer diversos tipos de cáncer,[9] especialmente los de

- mama,
- próstata y
- colon.

## Arteriosclerosis

El **consumo** *habitual* de soja evita el estrechamiento y endurecimiento de las arterias, conocido como arteriosclerosis.

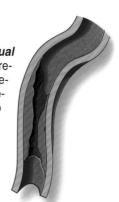

## Corazón

*Disminuye* el ***riesgo*** de sufrir **trombosis** coronaria e **infarto** de miocardio.

El **consumo** *habitual* de soja *evita* la **arteriosclerosis** y hace que la sangre sea más fluida, con lo que mejora la circulación sanguínea en las arterias coronarias.

**El consumo diario de una ración de soja durante unos meses, es suficiente para notar sus efectos beneficiosos.**

Se considera una ración, por ejemplo:
- un plato de soja guisada, o
- dos vasos de bebida de soja, o
- 30-50 g de 'tofu', o
- una hamburguesa vegetal a base de soja.

## Huesos

Aumenta su densidad cálcica y ***evita*** la **osteoporosis.** Ello se debe *principalmente* a la acción **estrogénica** de las ***isoflavonas*** de la soja.

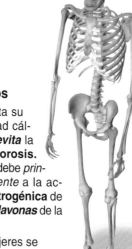

Las mujeres se benefician especialmente de esta propiedad **remineralizante** de la soja, especialmente las que se encuentran en la menopausia.

# aspectos positivos

## Aporta proteínas:

- en *gran* **cantidad** (*más* que *ningún* otro alimento **vegetal**),
- de *gran* **calidad** biológica (sustituyen con ventaja a las proteínas de origen animal),
- *capaces* de **suplementar** la calidad de **otras proteínas** como las del maíz o las del trigo
- de *fácil* **digestión** y **absorción.**

## Colesterol

La soja y sus derivados **no contienen** colesterol, como cualquier producto de origen vegetal. Además, son *ricos* en **ácidos grasos insaturados,** que *contribuyen* a **reducir** la producción de colesterol en el organismo.

## Menopausia

*Alivia* sus **síntomas** indeseables, debido a que aporta **isoflavonas,** un tipo de hormonas vegetales que reemplazan en parte a los estrógenos naturales que se producen en los ovarios.

La menor producción de estrógenos durante la menopausia es una de las causas de las molestias que se producen en esa época de la vida femenina.

## Alimentación infantil

La leche o bebida de soja puede sustituir a la leche de vaca y a las fórmulas lácteas infantiles, permitiendo un crecimiento adecuado.

# Tomate

## Protege la próstata

**Sinonimia científica:**
*Lycopersicon esculentum* Mill.

***Sinonimia hispánica:*** *jitomate.*

***Descripción:*** *Fruta en baya de la tomatera ('Solanum lycopersicum' L.), planta herbácea de la familia de las Solanáceas. Puede ser de color rojo, verde o amarillo.*

### TOMATE ROJO
### composición
por cada 100 g de parte comestible cruda

| | |
|---|---|
| Energía | 21,0 kcal = 90,0 kj |
| Proteínas | 0,850 g |
| H. de c. | 3,54 g |
| Fibra | 1,10 g |
| Vitamina A | 62,0 µg ER |
| Vitamina B$_1$ | 0,059 mg |
| Vitamina B$_2$ | 0,048 mg |
| Niacina | 0,728 mg EN |
| Vitamina B$_6$ | 0,080 mg |
| Folatos | 15,0 µg |
| Vitamina B$_{12}$ | — |
| Vitamina C | 19,1 mg |
| Vitamina E | 0,380 mg E$\alpha$T |
| Calcio | 5,00 mg |
| Fósforo | 24,0 mg |
| Magnesio | 11,0 mg |
| Hierro | 0,450 mg |
| Potasio | 222 mg |
| Cinc | 0,090 mg |
| Grasa total | 0,330 g |
| Grasa saturada | 0,045 g |
| Colesterol | — |
| Sodio | 9,00 mg |

1%   2%   4%   10%   20%   40%   100%

**% de la CDR (cantidad diaria recomendada)**
cubierta por 100 g de este alimento

TRAS LA PAPA o patata (ver pág. 190), el tomate es la planta de la familia de las Solanáceas más extendida y cultivada en todo el mundo. Fueron los exploradores españoles quienes la introdujeron por primera vez en Europa desde Perú y México en el siglo XVI, aunque tuvieron que pasar más de doscientos años para que el tomate empezara a ser aceptado en Francia, Alemania y norte de Europa.

Su similitud con los frutos rojos de la belladona, planta tóxica que también pertenece a la misma familia botánica, hizo que se considerara al tomate como venenoso. De hecho, esta hortaliza no fue plenamente aceptada en la cocina alemana y norteamericana hasta bien entrado el siglo XX.

En los países del sur de Europa, el tomate fue mucho mejor recibido. Desde su llegada en el siglo XVI se ganó un lugar destacado en la gastronomía italiana y española, hasta el punto de que hoy es un elemento insustituible en la dieta mediterránea.

En nuestros días, el tomate ha sido redescubierto por los especialistas en nutrición, quienes han visto en él bastante más que un ingrediente para las ensaladas, o que una salsa sabrosa para ciertos guisos. El poder curativo que el tomate muestra en muchos trastornos, así como su acción preventiva sobre ciertos tipos de cáncer, especialmente el de próstata, hacen de esta hortaliza un *auténtico* **alimento-medicina** aceptado por todo el mundo.

**PROPIEDADES E INDICACIONES:** El tomate fresco es muy rico en agua (casi un 94% de su peso). Contiene una pequeña proporción de hidratos de carbono (3,54%), proteínas (0,85%) y grasas (0,33%). Los hidratos de carbono están formados principalmente por glucosa y fructosa. En conjunto, estos nutrientes aportan 21 kcal/100 g, una de las cifras más bajas de todos los alimentos vegetales, inferior incluso a la de los espárragos: 23 kcal/100 g.

Sin embargo, el valor nutritivo y dietoterápico del tomate reside en su riqueza vitamínica y mineral, así como en las sustancias no nutritivas.

En cuanto a **vitaminas,** la más abundante es la **C** (19,1 mg/100 g), cantidad inferior a la de la naranja (53,2 mg/100 g) pero suficiente como para hacer del tomate un buen antiescorbútico. Un tomate de 100 g cubre la tercera parte de las necesidades diarias de esta vitamina para un adulto.

Las vitaminas $B_1$, $B_2$, $B_6$, niacina y folatos están todas representadas con cantidades significativas. La provitamina A está presente (62 µg ER/100 g), aunque en cantidad muy inferior a la zanahoria (2.813 µg ER/100 g) o el mango (389 µg ER/100 g).

Entre los **minerales** destaca el potasio, con 222 mg/100 g, seguido del hierro (0,45 mg /100 g), el magnesio y el fósforo. El tomate es una *buena fuente* de **hierro,** pues a igualdad de peso contiene unas nueve veces más de este mineral que la leche (0,05 mg por 100 g), aunque unas tres veces menos que el huevo (1,44 mg/100 g). Sin embargo, aunque pueda parecer sorprendente, un tomate mediano, de 180 g de peso, contiene el mismo hierro que un huevo de tamaño normal (unos 60 g).

Los **componentes no nutritivos** son sustancias presentes en los alimentos, que, aunque

## Preparación y empleo

❶ **Crudo:** Constituye la forma *más* **saludable** de consumir el tomate.

❷ **Frito:** Resulta sabroso aunque un poco indigesto para los estómagos delicados.

❸ **Jugo y salsa** de tomate: Son muy ricos en vitamina C y sales minerales, pero los preparados comercialmente contienen mucha sal y bastantes aditivos que pueden provocar reacciones alérgicas.

## El tomate y el ácido oxálico

*Durante muchos años se ha estado prohibiendo el tomate a los que padecen* **cálculos renales,** *debido a su contenido en ácido oxálico. Esta sustancia junto con el calcio forma sales insolubles (oxalato cálcico), las cuales precipitan en forma de cálculos o piedras.*

*Sin embargo,* **no** *hay razón para* **eliminar** *el tomate de la dieta de los enfermos renales. Su contenido en* **ácido oxálico** *es* **muy bajo** *(5,3 mg/100 g), similar al de muchos otros alimentos e inferior al de la lechuga (17 mg/100 g), el té (83 mg/100 g) o las espinacas (779 mg/100 g).[29]*

*Además, el tomate es un buen* **diurético** *y* **depurativo** *que facilita la función renal.*

El tomate hervido o frito con un poco de aceite resulta ser una mejor fuente de licopeno que el tomate crudo. El licopeno, que otorga el color rojo al tomate, evita la degeneración de la próstata.

Según investigaciones realizadas en la Universidad de Düsseldorf (Alemania),[30] el licopeno procedente del tomate hervido o frito con aceite se absorbe mucho mejor que el licopeno procedente del tomate crudo. Aunque resulte un poco indigesto a algunos estómagos delicados, el tomate cocinado o la salsa de tomate, son más efectivos que el crudo como fuente de licopeno.

no se las considera como nutrientes en el sentido tradicional, ejercen *importantes funciones en el organismo*. En el tomate destacan los siguientes:

✓ **Fibra vegetal:** Contiene una pequeña cantidad (1,1%) de fibra de tipo **soluble,** que se encuentra en la pulpa y especialmente en la sustancia mucilaginosa que rodea las semillas. La fibra contribuye a su acción reductora sobre el colesterol sanguíneo y a su suave efecto laxante.

✓ **Ácidos orgánicos,** especialmente el málico y oxálico, que contribuyen a su peculiar sabor. A medida que madura el tomate, disminuye su concentración de ácidos y aumenta la de azúcares.

A pesar de que el tomate tiene un gusto ácido debido a estas sustancias, le ocurre como al limón: produce un efecto contrario, es decir, una **alcalinización** en la sangre, en los tejidos orgánicos y en la orina. Ello se debe a que contiene muchas más sustancias de reacción alcalina (las sales minerales) que ácida.

✓ **Licopeno** (o licopina): es el pigmento vegetal perteneciente al grupo de los **carotenoides,** que otorga el típico color rojo al tomate. A diferencia del beta-caroteno, el licopeno no se transforma en vitamina A. Debido a ello, du-

rante un tiempo se pensó que el licopeno carecía de importancia fisiológica. Sin embargo, cada vez son más numerosas las investigaciones que demuestran la importancia del licopeno para el organismo.

En la Universidad Heinrich-Heine de Düsseldorf (Alemania), uno de los centros en los que más se ha investigado acerca del **LICOPENO** del tomate, se han llegado a las siguientes conclusiones:[31]

– El licopeno está normalmente presente en la sangre humana, (0,5 µmol por litro de plasma). *Junto* con el **beta-caroteno,** es el **carotenoide** *más abundante* en el organismo humano.
– También se encuentra en los **testículos,** en la **próstata** y en las glándulas **suprarrenales.**
– Ejerce una *intensa acción* **antioxidante,** impidiendo el deterioro que los radicales libres producen en las células del ADN.
– Interviene en los mecanismos de control del crecimiento celular. En ausencia de licopeno, las células crecen más desordenadamente.

Como resultado de su composición, el consumo del tomate está especialmente indicado en los siguientes casos:

• **Afecciones prostáticas:** Diversos estudios realizados en la Universidad de Harvard (EE.UU.)[32, 33] han puesto de manifiesto que los varones que consumen habitualmente tomate fresco, así como salsa o jugo de tomate, presentan un *riesgo mucho menor* de padecer **cáncer de próstata.**

Este hecho resulta fácilmente explicable teniendo en cuenta que el tomate es el alimento *más rico* en **licopeno,** carotenoide que protege a las células de la próstata de la oxidación y del crecimiento anormal. El consumo habitual de tomate en cualesquiera de sus formas, se muestra como un *importante* factor **preventivo** del cáncer de próstata, uno de los más frecuentes en los varones.

Teniendo en cuenta lo que sabemos sobre la acción del licopeno en el tejido prostático,[30, 31] podemos deducir que el consumo habitual del tomate favorece el buen funcionamiento de la próstata en general. Además de evitar la degeneración cancerosa de sus células, el tomate puede *reducir* también el crecimiento excesivo de esta glándula (**hipertrofia** benigna de la próstata), tan frecuente entre los hombres de más de cincuenta años.

• **Depurativo:** El tomate es un *gran* **alcalinizador** de la sangre, con lo que neutraliza y facilita la eliminación de los residuos metabólicos que en su mayor parte son de naturaleza ácida. Además es **diurético** y facilita el trabajo de los riñones. Su uso habitual *es muy recomendable* para "limpiar" la sangre en caso de **gota** (exceso de ácido úrico), insuficiencia renal con aumento de **urea** en la sangre, o **intoxicación crónica** por una alimentación rica en carnes y proteínas de origen animal.

• **Depresión inmunitaria** (disminución de las defensas): Por su riqueza en vitaminas y minerales, y sobre todo en carotenoides antioxidantes (licopeno y beta-caroteno), el tomate es un *estimulante natural* de las funciones inmunitarias. *Aumenta* las **defensas** antiinfecciosas del organismo, que son las que finalmente eliminan a los agentes infecciosos (no son los antibióticos, en contra de lo que vulgarmente se cree.

• **Arteriosclerosis:** Por su acción antioxidante, el tomate evita la oxidación del **colesterol** transportado por las lipoproteínas de baja densidad (LDL), que da lugar al estrechamiento y endurecimiento de las arterias (arteriosclerosis). El tomate es *muy útil* como **preventivo** para todos aquellos que padezcan de trastornos de la circulación arterial, incluida la angina de pecho y el infarto de miocardio.

• **Afecciones cancerosas:** Ya hemos dicho que el consumo de tomate protege contra el cáncer de próstata. Estudios realizados en Italia[32] muestran cómo el consumo habitual de tomate previene igualmente el cáncer de boca, de esófago, de estómago, de colon y de recto. Los investigadores definen a este alimento típico de la dieta mediterránea como *altamente protector* en todo tipo de **cánceres** del **aparato digestivo.**

El tomate rojo es más rico en licopeno (carotenoide de acción antioxidante que protege de la arteriosclerosis y el cáncer), que la variedad de tomate de color verde.

# Alimentos para el metabolismo

S E ENTIENDE por 'metabolismo' el *conjunto de **reacciones bioquímicas*** que constantemente tienen lugar en nuestro organismo para la producción de **energía** y para el **mantenimiento de la vida.**

Por lo tanto, en un sentido amplio, todos los alimentos son apropiados para el metabolismo, ya que al ser ingeridos, todos ellos intervienen de una forma u otra en los procesos químicos que se llevan a cabo en el organismo.

Sin embargo, los alimentos que se exponen en este capítulo intervienen *más* que otros en el metabolismo, o lo hacen de forma *más directa*.

Por ejemplo, el champiñón y el níspero reducen el nivel de azúcar en la sangre en caso de diabetes, las cerezas y los puerros facilitan la eliminación de sustancias de desecho, y el grano de trigo completo provee una proporción equilibrada de nutrientes para la producción de energía en el organismo.

## Reducir al ingesta total de calorías

Para que una dieta tenga efecto adelgazante, debe aportar **menos** calorías de las **que se queman.**

## Mantener una proporción equilibrada en la procedencia de las calorías

Las calorías que se ingieren en una dieta de adelgazamiento, **no** deben proceder *solamente* de las **proteínas** o de las **grasas,** tal como se propone en algún tipo de régimen.

Lo *ideal* es que en una dieta de adelgazamiento saludable, las **calorías** *procedan* de los **tres nutrientes energéticos,** de acuerdo con el gráfico adjunto.

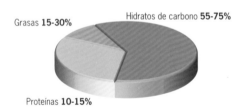

Grasas **15-30%**
Hidratos de carbono **55-75%**
Proteínas **10-15%**

## Elegir alimentos saciantes

Suelen ser todos ellos ricos en *fibra.* Al retener agua, la fibra aumenta de volumen en el estómago y produce sensación de saciedad.

Son alimentos saciantes las **verduras** en general, las **algas,** la **batata** o boniato y algunas **frutas,** como las cerezas.

## Elegir alimentos con baja densidad energética

Se debe *aumentar* el consumo de alimentos que aportan pocas calorías en relación a su peso, como son las **hortalizas y verduras** y las **frutas.**

## Adquirir buenos hábitos alimentarios

- **Comer lentamente,** masticando minuciosamente los alimentos. Está comprobado que de esta forma se ingiere menos cantidad de alimentos, y por lo tanto, menos calorías.
- *Evitar* **picar** entre comidas.
- *Evitar* los motivos de **ansiedad** y de **preocupación** a la hora de comer, pues hacen que inconscientemente se ingiera más cantidad de alimento.
- Hacer del **desayuno** y del **almuerzo** las *principales* comidas del día, *eliminando* la cena o *reduciéndola* a un plato de verdura o un poco de fruta.

**Un desayuno fuerte evita la obesidad, mientras que uno ligero la favorece.**

# para evitar la obesidad

## ¿Cerezas o pastel?

### El número de calorías no es lo único que importa

**Medio kilo** de **cerezas** aporta **360 kcal,** las mismas aproximadamente que **100 g** de **tarta** de chocolate.

Ingiriendo igual número de calorías, la tarta favorece la obesidad, mientras que las cerezas la evitan.

En una dieta de adelgazamiento, no solo importa el **total** de calorías, sino su **procedencia.** A igual número de calorías ingeridas, los cereales, las hortalizas, las legumbres y las frutas engordan menos que los dulces, los bollos refinados, los embutidos y los patés.

### 1/2 kg de cerezas
- Se comen **lentamente** (en unos diez minutos).
- Producen sensación de **saciedad.**
- Aportan **azúcares** simples de absorción rápida, pero que al estar combinados con la **fibra,** se absorben más **lentamente** que si estuvieran formando parte de un pastel o un bollo.
- Contienen **vitaminas** del grupo **B,** que facilitan la metabolización de los azúcares. Por ello, se queman y aprovechan más fácilmente que si estuvieran formando parte de un bollo o pastel refinado.

### 100 g de pastel
- Se consumen **rápidamente** (en un minuto).
- **No sacian,** por lo que se sigue comiendo.
- Aportan **grasas saturadas** e **hidratos de carbono refinados,** los cuales se transforman en **grasa de depósito** a menos que se realice un esfuerzo físico intenso.

Los cereales y el pan integrales, las legumbres y las frutas proporcionan hidratos de carbono, y pueden y deben consumirse en cantidades controladas en una dieta saludable de adelgazamiento.

Los diabéticos, como los obesos, deben acostumbrarse a comer cantidades controladas y pesadas de cada alimento, con el fin de no sobrepasar las calorías totales diarias, y mantener un equilibrio óptimo entre las proporcionadas por cada nutriente.

Cuando un alimento es metabolizado en el organismo, es decir, asimilado y aprovechado para las funciones vitales, suele producir un *aumento* o bien una *disminución* de la **acidez** de la **sangre** y de los **fluidos** corporales.

Es necesario destacar el hecho de que el **sabor** más o menos ácido de un alimento *no tiene que ver con la reacción* que producirá en el organismo cuando sea metabolizado.

Así, por ejemplo, el limón, la naranja y otros frutos tienen un sabor ácido debido a su contenido en ácido cítrico y otros ácidos orgánicos. Sin embargo, cuando esos ácidos y otros componentes de las frutas son metabolizados en el organismo, dejan un **residuo** de *minerales alcalinos,* por lo que su acción es alcalinizante, y no acidificante como parecería.

**Las carnes y sus derivados, al igual que el pescado, los huevos y el queso curado, acidifican el organismo. Si este no es capaz de compensar o de eliminar el exceso de ácidos, se favorecen numerosos trastornos.**

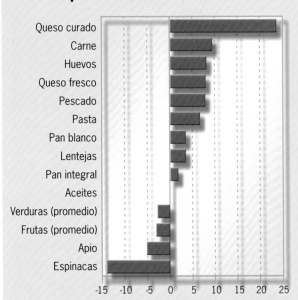

## Carga ácida renal producida por diversos alimentos

|  |  |
|---|---|
| Queso curado | |
| Carne | |
| Huevos | |
| Queso fresco | |
| Pescado | |
| Pasta | |
| Pan blanco | |
| Lentejas | |
| Pan integral | |
| Aceites | |
| Verduras (promedio) | |
| Frutas (promedio) | |
| Apio | |
| Espinacas | |

Eje: -15  -10  -5  0  5  10  15  20  25

*Las cifras miden los mEq (miliequivalentes) de aniones ácidos (de cloruros, sulfatos, fosfatos y ácidos orgánicos) o de cationes alcalinos (de potasio, sodio, calcio y magnesio) que se excretan en la orina tras ingerir 100 g de cada uno de estos tipos de alimentos, según un estudio realizado en el Instituto de Investigación de Nutrición Infantil de Dortmund (Alemania).[1]*

- *Valores positivos: Indican que el alimento en cuestión induce la eliminación de aniones ácidos en la orina, y que por lo tanto es acidificante.*
- *Valores negativos: Indican que ese alimento induce la eliminación de cationes alcalinos por la orina y que por lo tanto es alcalinizante.*

**Las hortalizas, las verduras y la mayor parte de las frutas son alcalinizantes, y contribuyen a compensar el exceso de ácidos que normalmente se produce en el organismo.**

# entre acidez y alcalinidad

## Estrechos límites

El *pH* o grado de **acidez** de la **sangre** y del líquido extracelular debe mantenerse dentro de unos **límites** *muy precisos* para que puedan llevarse a cabo las funciones vitales: entre *7,35* y *7,45.*

Teniendo en cuenta que un *pH 7* representa la **neutralidad** (ni acidez, ni alcalinidad), el *pH 7,4* que como *promedio* mantiene la **sangre** es **ligeramente alcalino** o básico.

En el organismo existe una *tendencia permanente* hacia la acidificación, por lo que continuamente tiene que estar luchando para eliminar el exceso de ácidos.

## Consecuencias de la acidificación

Son numerosos los trastornos que se producen como consecuencia de la acidificación de la sangre y del organismo:

- *Tendencia* a la **osteoporosis** y la **descalcificación.**
- *Tendencia* a la **arteriosclerosis** y a las **enfermedades coronarias.**
- *Mayor probabilidad* de padecer **artritis.**
- *Tendencia* a la retención de líquidos en los tejidos (**edemas**).
- *Mayor riesgo* de que se produzcan **cálculos** renales.
- *Mayor riesgo* de **cáncer:** Las células cancerosas se desarrollan con mayor facilidad en medio ácido.

## Cómo evitar la acidificación

- *Aumentar* el consumo de **alimentos alcalinizantes** que reducen la formación de ácidos en el organismo, como las verduras, las hortalizas, y la mayor parte de las frutas.
- *Reducir* la ingesta de **alimentos acidificantes,** especialmente de quesos curados, de carne, de marisco, de pescado y de huevos; los cereales, las nueces, los cacahuetes (maní), las lentejas y la soja son también acidificantes, aunque menos que los productos de origen animal.
- *Favorecer* la **función de los riñones,** bebiendo **agua** *en abundancia* y consumiendo **frutas** y **hortalizas** de acción diurética (ver pág. 230, *"Orina escasa"*).

---

### Alimentos acidificantes y alcalinizantes

*La mayor parte de los alimentos **vegetales** son **alcalinizantes,** excepto los cereales y algunas legumbres. Los alimentos de **origen animal** son todos ellos **acidificantes,** excepto la leche y el yogur.*

|  |  **Acidificantes** |  **Alcalinizantes** |
|---|---|---|
| **FRUTAS** | Ciruelas y arándanos | Todas las demás |
| **FRUTOS SECOS** | Nueces, cacahuetes, anacardos | Almendras, castañas |
| **CEREALES** | Todos los cereales, tanto integrales como refinados, y su derivados (pan, pasta, etc.) | |
| **LEGUMBRES** | Soja, lentejas | Garbanzos, judías |
| **VERDURAS Y HORTALIZAS** | | Todas |
| **LÁCTEOS** | Queso | Leche y yogur |
| **HUEVOS, PESCADO, MARISCO Y CARNE** | Todos ellos y sus derivados | |

# DELGADEZ

## Advertencia

Cuando se empieza a perder peso sin razón aparente, es preciso realizar una completa exploración médica para averiguar la causa y descartar un proceso maligno.

## Causas

Las **causas** *más comunes* de adelgazamiento suelen ser: trastornos digestivos, enfermedades febriles, infestación por parásitos intestinales, actividad física exagerada en proporción a la ingesta alimentaria y trastornos hormonales como el hipertiroidismo.

## Alimentación

Para **recuperar peso,** es preciso que la alimentación cumpla estas tres condiciones:

1. Que se ingieran *suficientes* **calorías** en forma de *hidratos de carbono.* De esta forma, el organismo puede destinar las proteínas ingeridas a producir nuevas proteínas corporales. Si no se toman suficientes calorías, las proteínas ingeridas se usan para producir energía, y no para la síntesis de tejidos orgánicos.

2. Que se consuman *suficientes* **vitaminas** del grupo **B,** *imprescindibles* para que los **hidratos de carbono** puedan ser *metabolizados,* es decir, transformados en energía.

3. Que se mantenga una **proporción** *correcta* entre las **calorías** procedentes de los tres nutrientes energéticos: hidratos de carbono (60%), grasas (30%) y proteínas (10%).

Con el fin de ingerir la mayor cantidad posible de calorías, se recomiendan los alimentos concentrados, y además ricos en vitaminas del grupo B, como los que figuran a continuación.

 **Aumentar**

ALFALFA
CEREALES INTEGRALES
AVENA
TRIGO
LEGUMBRES
CASTAÑA
PATATA (PAPA)
GIRASOL, SEMILLAS
ALHOLVA
HIGO
FRUTO DEL PAN

*Copos de avena naturales*

**La avena es el cereal que más energía proporciona, y uno de los que más fácilmente se digiere y asimila gracias a su contenido en mucílagos que suavizan el conducto digestivo.**

# FATIGA FÍSICA

## Definición

Es un estado de debilidad física que se produce *tras realizar actividades normales que no deberían producir agotamiento.* Constituye uno de los motivos más frecuentes de consulta médica, y se le llama también **cansancio, agotamiento, falta de energía** o **astenia.**

## Causa

Las alteraciones hormonales, cardíacas o respiratorias causan fatiga física. También las infecciones, tanto las agudas como la gripe o las crónicas, como la tuberculosis.

## Alimentación

Una **alimentación** *deficitaria* también puede causar fatiga física. Cuando se consumen muchos productos refinados, conservas y alimentos procesados (la típica "comida basura"), se agotan las reservas de ciertos nutrientes que solo se encuentran en las frutas y hortalizas frescas, como por ejemplo la vitamina C. Por el contrario, una alimentación en la que predominen los vegetales preparados de una forma simple, comunica un vigor y resistencia que no puede obtenerse con alimentos más sofisticados.

Además de corregir la causa de la fatiga, para vencerla es necesario instaurar una alimentación saludable que incluya los alimentos y productos que a continuación se recomiendan.

 **Aumentar**

GERMEN DE TRIGO
SÉSAMO
JALEA REAL
POLEN
UVA
BERRO
ALBARICOQUE
AGRACEJO
MIEL

 **Reducir o eliminar**

BEBIDAS ESTIMULANTES
CHOCOLATE
GUARANÁ

*Café*

**Aunque producen un alivio momentáneo, el café, el té y el mate no solucionan el problema causante del agotamiento; y su consumo abundante lo agrava aún más.**

# TRIGLICÉRIDOS ELEVADOS

## Definición

Los triglicéridos son *un tipo de grasa que circula por la sangre formando parte de las* **lipoproteínas,** *junto con el* **colesterol** *y los* **fosfolípidos.** Su *aumento* de nivel *favorece* la **arteriosclerosis,** y como consecuencia, el infarto de miocardio y la apoplejía (*ictus* o ataque cerebral).

Los triglicéridos están formados químicamente por glicerina y ácidos grasos, y se encuentran en *todas* las **grasas.** Los **aceites** están formados principalmente por triglicéridos.

## Causas

La diabetes, el hipotiroidismo y las enfermedades hepáticas pueden aumentar el nivel de triglicéridos, aunque en muchos casos obedece a causas únicamente hereditarias.

## Alimentación

Se ha podido comprobar que ciertos alimentos, como los que se indican seguidamente, pueden reducir el nivel de triglicéridos, y con ello el riesgo de arteriosclerosis y de enfermedades coronarias.

 **Aumentar**

 **Reducir o eliminar**

| Aumentar | Reducir o eliminar |
|---|---|
| SOJA | GRASA TOTAL |
| JUDÍA (FRIJOL) | FRUCTOSA |
| AGUACATE | AZÚCARES |
| CEBOLLA | |
| GUAYABA | |
| GERMEN DE TRIGO | |
| PESCADO, ACEITE | |

Se ha comprobado que el consumo de 120 g diarios de judías cocinadas durante tres semanas, reduce en un 10% los niveles de colesterol y de triglicéridos en la sangre.[1]

# GOTA

## Síntomas

La gota se manifiesta con inflamación y dolor agudo en las articulaciones, debido a *depósitos de* **ácido úrico** *cristalizado.* La más afectada suele ser la metatarso-falángica (la de la base del dedo gordo del pie). Los hombres y las mujeres posmenopáusicas son los que con mayor frecuencia sufren de gota, debido a un efecto hormonal.

## Causas

El **ácido úrico** se forma en nuestro organismo por dos mecanismos:

- A partir de los alimentos, como producto de desecho del metabolismo de ciertas proteínas llamadas **nucleoproteínas.**

- A partir de las propias células del organismo: Cuando el ácido úrico se produce en exceso o no se elimina a un ritmo adecuado por parte de los riñones, aumenta su nivel en la sangre y se deposita en diversos tejidos, como los que rodean las articulaciones. Allí causa inflamación y dolor. Esto se conoce como gota.

## Alimentación

Los alimentos cuyo consumo se recomienda a los que padecen gota, deben cumplir estas dos condiciones:

1. Que contengan *pocas* **purinas** generadoras de ácido úrico.

2. Que *favorezcan* la *eliminación* del **ácido úrico.** Los alimentos **alcalinizantes** *aumentan* la eliminación de ácido úrico con la orina, mientras que los **acidificantes** la *dificultan.*

Las **frutas** y la mayor parte de las **hortalizas** cumplen ambas condiciones.

 **Aumentar**

 **Reducir o eliminar**

| Aumentar | Reducir o eliminar |
|---|---|
| ALIMENTOS ALCALINIZANTES (VER CUADRO PÁG. 273) | VÍSCERAS |
| LIMÓN | CARNE |
| FRUTA | MARISCO |
| FRUTOS SECOS | PESCADO GRASO (AZUL) |
| HORTALIZAS | BEBIDAS ALCOHÓLICAS |
| LÁCTEOS | BEBIDAS ESTIMULANTES |
| CEREZA | LEVADURA DE CERVEZA |
| FRESA (FRUTILLA) | LEGUMBRES |
| UVA | ESPINACA |
| MANZANA | FRUCTOSA |
| APIO | SETAS (HONGOS) |
| TOMATE | ESPÁRRAGO |

# DIABETES

## Definición

La llamada **diabetes 'mellitus'** o **diabetes sacarina** es un trastorno del metabolismo de la glucosa, que se da con bastante frecuencia en los países occidentales. En realidad, este término incluye dos enfermedades cuya característica común es la de presentar un nivel elevado de azúcar en la sangre:

- **Diabetes tipo I:** se la llama también **diabetes juvenil** o **insulinodependiente.** Debido a una infección vírica, a una toxina o a una reacción autoinmune, todo ello favorecido por una predisposición hereditaria, se destruyen las células productoras de insulina en el páncreas. Estos diabéticos suelen ser delgados y necesitan administrarse insulina desde la infancia.

- **Diabetes tipo II:** también llamada **diabetes del adulto** o **no insulinodependiente.** Sus causas se desconocen, aunque se sabe que está *favorecida* por una alimentación rica en productos dulces y refinados, y pobre en cereales integrales.[2]

## Alimentación

Los alimentos cuyo consumo se recomienda aumentar aquí, contribuyen significativamente al control de la diabetes y a evitar sus complicaciones. Para ello, es preciso que su uso se inserte en el marco de una **planificación dietética** establecida por un *especialista*.

Los alimentos cuyo consumo se recomienda reducir o eliminar han demostrado favorecer la aparición de diabetes, y/o empeorar su evolución. Un diabético que simplemente tenga en cuenta estas sencillas recomendaciones, ya tiene mucho ganado en el control de su enfermedad.

 **Aumentar**

LEGUMBRES
VERDURAS
CEREALES INTEGRALES
FRUTA
FRUTOS SECOS
ALCACHOFA
APIO
AGUACATE
CEBOLLA
CHAMPIÑÓN
NOPAL
PATATA (PAPA)
GERMEN DE TRIGO

 **Reducir o eliminar**

AZÚCARES
BOLLERÍA REFINADA
MIEL
GRASA SATURADA
CHOCOLATE
MARISCO
CARNE
LECHE
BEBIDAS ALCOHÓLICAS
SAL

*Carne*

# HIPOGLUCEMIA

## Definición

Es un trastorno metabólico causado por el *descenso del nivel de glucosa en la sangre* por debajo del mínimo necesario para el buen funcionamiento del cerebro (unos 80 mg/100 ml). Se manifiesta con debilidad, sensación de hambre y nerviosismo. Cuando el descenso es muy importante, se produce también sudor frío, mareo, palpitaciones, desmayo, e incluso coma.

## Causas

La **causa** *más común* de hipoglucemia es un *exceso* de **insulina** debido a:

- una dosis elevada inyectada como tratamiento antidiabético,

- un aumento exagerado de su secreción por parte del propio páncreas, como respuesta a una subida brusca de glucemia, causada por la ingesta de azúcares.

## Alimentación

Una alimentación equilibrada, a horas regulares y con pocos dulces, puede contribuir a evitar la hipoglucemia, aunque en un caso agudo puede ser necesario administrar una cierta cantidad de dulces o de azúcar para subir su nivel.

**Aumentar**

CEREALES INTEGRALES
LEGUMBRES
FRUTOS SECOS

**Reducir o eliminar**

AZÚCARES
BOLLERÍA REFINADA
BEBIDAS ALCOHÓLICAS
BEBIDAS ESTIMULANTES

*Leche*

Varias investigaciones muestran que los lactantes que se alimentan con leche de vaca presentan con mayor frecuencia diabetes tipo I (insulinodependiente). Por prudencia se aconseja a todos los diabéticos que reduzcan su consumo de leche de vaca.

Un consumo elevado de carne se asocia con un mayor riesgo de padecer diabetes.[3] Esta enfermedad se da con menor frecuencia entre los vegetarianos.

# Novedades para los diabéticos

## Dieta antidiabética clásica

Hasta hace unas décadas se prescribía a los diabéticos una dieta:

- pobre en hidratos de carbono de todo tipo, y
- rica en proteínas y en grasas.

Se desaconsejaba el consumo de cereales integrales, legumbres y frutas, debido a que proporcionan hidratos de carbono complejos (almidón) y azúcares que se transforman en glucosa al ser digeridos.

Este régimen pobre en hidratos de carbono parecía ser el más lógico para los diabéticos, y aparentemente permitía un buen control del nivel de glucosa en la sangre. Sin embargo, se ha comprobado que los diabéticos que siguen esta dieta sufren con mayor frecuencia de arteriosclerosis y de enfermedades coronarias como el infarto de miocardio.

El *exceso* de **grasa** y de **proteínas,** que *favorecen* la **arteriosclerosis,** así como la carencia de cereales, legumbres y frutas de acción protectora, explican la **nocividad** *a largo plazo* de esta dieta antidiabética.

Las hortalizas feculentas –como la patata o el boniato– y las frutas frescas, se pueden consumir en cantidades controladas.

## La dieta antidiabética actual

El tratamiento dietético de la diabetes está superando cada vez más los viejos tabúes respecto a la inconveniencia de los hidratos de carbono. Actualmente se recomienda una alimentación:

1. *Rica* en **hidratos de carbono complejos,** es decir, en **almidón.**
2. *Rica* en **fibra.**
3. *Baja* en **grasa,** especialmente en grasa saturada de origen animal.[4]
4. *Pobre* en **azúcares.**

De esta forma se obtienen *mejores resultados* en el **control** de la **glucemia,** en la **prevención** de las **complicaciones** y en la **supervivencia** de los diabéticos.

La lista completa de alimentos recomendados y desaconsejados en caso de diabetes se expone en la pág. 276.

Las verduras y los frutos secos también resultan adecuados para la dieta de los diabéticos.

Los cereales integrales y las legumbres satisfacen completamente los cuatro objetivos dietéticos para los diabéticos, ya que contribuyen a controlar el nivel de glucosa más que ningún otro tipo de alimento. Además, su consumo abundante previene la diabetes.[2]

# Champiñón

## Reduce las necesidades de insulina

### CHAMPIÑONES composición
por cada 100 g de parte comestible cruda

| | |
|---|---|
| Energía | 25,0 kcal = 106 kj |
| Proteínas | 2,09 g |
| H. de c. | 3,45 g |
| Fibra | 1,20 g |
| Vitamina A | — |
| Vitamina B$_1$ | 0,102 mg |
| Vitamina B$_2$ | 0,449 mg |
| Niacina | 4,90 mg EN |
| Vitamina B$_6$ | 0,097 mg |
| Folatos | 21,1 µg |
| Vitamina B$_{12}$ | — |
| Vitamina C | 3,50 mg |
| Vitamina E | 0,120 mg EαT |
| Calcio | 5,00 mg |
| Fósforo | 104 mg |
| Magnesio | 10,0 mg |
| Hierro | 1,24 mg |
| Potasio | 370 mg |
| Cinc | 0,730 mg |
| Grasa total | 0,420 g |
| Grasa saturada | 0,056 g |
| Colesterol | — |
| Sodio | 4,00 mg |

1%   2%   4%   10%   20%   40%   100%

**% de la CDR (cantidad diaria recomendada)**
cubierta por 100 g de este alimento

**Especie afín:** *Agaricus campestris* L. (champiñón silvestre).

**Sinonimia hispánica:** *champiñón cultivado, seta de París, champiñón silvestre, seta de campo, hongo comestible.*

**Descripción:** *Cuerpo fructífero del hongo 'Agaricus bisporus' L.; perteneciente a la familia de las Agaricáceas, de la clase de los basidiomicetos. Está formado por tres partes bien diferenciadas: el **sombrero**, que es la zona más carnosa, de 5 a 10 cm de diámetro y color blanco; el **pie**, cilíndrico y con anillo; y el **himenio** o conjunto de laminillas situadas debajo del sombrero, en las que se forman las esporas.*

LOS CHAMPIÑONES son las setas u hongos más apreciados por su grato sabor y su inconfundible aspecto blanquecino. Su uso culinario data de principios del siglo XX, cuando empezó a consumirse en la capital de Francia (de ahí su nombre de **seta de París**).

**PROPIEDADES E INDICACIONES:** Contienen un 2,1% de proteínas bastante completas, aproximadamente las mismas que la patata, pero menos de la tercera parte de sus calorías (25 kcal/100 g). Sin embargo, los champiñones fritos aumentan mucho su aporte calórico.

Investigaciones realizadas con animales de experimentación en la Universidad de Surrey (Reino Unido) muestran que el champiñón produce una importante mejoría en la evolución de la diabetes.[5] Además, aporta proteínas y vitaminas del grupo B con muy pocos hidratos de carbono.

## Preparación y empleo

❶ **Crudos:** Cuando son muy tiernos pueden comerse crudos, cortados en finas láminas. Tienen que estar bien limpios de restos de tierra. Algunas investigaciones muestran que los champiñones crudos *pueden* tener **efecto cancerígeno** debido a su contenido en agaritina,[6, 7] aunque otras lo desmienten.[8, 9] Como medida preventiva, recomendamos que no se consuman en crudo.

❷ **Cocinados:** Asados, fritos, o en diversas preparaciones culinarias. Requieren un escaso tiempo de cocción (unos pocos minutos).

❸ **Conservas:** Retienen bien su aroma y sabor congelados, en lata, y sobre todo, desecados.

Son bastante ricos en **vitaminas B₁, B₂,** *niacina* y *folatos,* así como en los minerales *potasio, fósforo* y *hierro,* y en *oligoelementos.* Sin embargo, son pobres en vitamina C y en calcio, y apenas contienen provitamina A ni vitamina E.

Como todas las setas, es de **digestión lenta** y a veces **pesada,** debido a la quitina que contiene y a las características de sus proteínas, ricas en ácidos nucleicos. No es recomendable para los gotosos (ver pág. 275).

El champiñón resulta *especialmente útil* en dietoterapia por su acción **antidiabética.** A ello contribuye su escaso aporte en hidratos de carbono (3,45%), así como su relativa riqueza en proteínas y vitaminas del grupo B. Se ha demostrado que el consumo de champiñones por animales de experimentación diabéticos, hace que necesiten menos dosis de insulina para regular su nivel de glucosa en sangre.[5]

Además de los diabéticos, pueden consumirlo los obesos por su acción saciante y su escaso aporte calórico, siempre que no sean fritos o cocinados con aceite.

Artocarpus communis Forst.
 pH↑

# Fruto del pan

## Nutritivo y energético

**Especie afín:** *Arctocarpus heterophylla* Lam. (fruta de Jack).

**Sinonimia hispánica:** *frutapán, albopán, buen pan, guampán, jaquero, lavapén, marure, mazapán, pan de pobre, pan de todo el año, pana [peu], topán.*

**Descripción:** *Fruto del árbol del pan ('Artocarpus communis' Forst.), árbol de la familia de las Moráceas que alcanza hasta 20 m de altura.*

### FRUTO DEL PAN
### composición
por cada 100 g de parte comestible cruda

| | |
|---|---|
| Energía | 103 kcal = 432 kj |
| Proteínas | 1,07 g |
| H. de c. | 22,2 g |
| Fibra | 4,90 g |
| Vitamina A | 4,00 µg ER |
| Vitamina B₁ | 0,110 mg |
| Vitamina B₂ | 0,030 mg |
| Niacina | 0,900 mg EN |
| Vitamina B₆ | 0,100 mg |
| Folatos | 14,0 µg |
| Vitamina B₁₂ | — |
| Vitamina C | 29,0 mg |
| Vitamina E | 1,12 mg EαT |
| Calcio | 17,0 mg |
| Fósforo | 30,0 mg |
| Magnesio | 25,0 mg |
| Hierro | 0,540 mg |
| Potasio | 490 mg |
| Cinc | 0,120 mg |
| Grasa total | 0,230 g |
| Grasa saturada | 0,048 g |
| Colesterol | — |
| Sodio | 2,00 mg |

1%  2%  4%  10%  20%  40%  100%

**% de la CDR** (cantidad diaria recomendada)
cubierta por 100 g de este alimento

EL ÁRBOL del pan pasó a la historia por ser el desencadenante del motín del Bounty. En 1792, este navío británico transportaba mil árboles del pan desde Tahití a las colonias inglesas del Caribe, donde se esperaba que produjeran abundantes frutos con los que alimentar a los esclavos.

Blight, el capitán del Bounty, tuvo que racionar el agua de la tripulación para regar el cargamento de árboles del pan, que necesitan abundante agua dulce. Este hecho provocó el famoso amotinamiento que acabó en el Pacífico sur en la solitaria isla de Pitcairn.

En el siglo XVIII, muchos barcos transportaron árboles del fruto del pan desde las islas de la Polinesia hasta las del Caribe. Allí fueron plantados para proporcionar los nutritivos frutos del pan a quienes trabajaban duramente cosechando caña de azúcar, cacao y otros cultivos tropicales.

**PROPIEDADES E INDICACIONES:** La pulpa del fruto fresco contiene alrededor del 70% de agua, pero una vez seca tiene una composición que *se asemeja* a la de la **harina de trigo.** La harina de trigo tiene más proteínas, pero menos grasas, minerales y vitaminas que el fruto del pan.

Se entiende, pues, que este fruto pueda sustituir a la harina de trigo en las regiones tropicales en las que escasean los cereales panificables. **No** podemos decir que el fruto del pan sea un alimento completo, pero **sí** resulta **nutritivo** y **saludable.** *Combinado* con alimentos ricos en proteínas, tales como las **alubias** o frijoles, u otras **leguminosas,** el fruto del pan es un componente importante en la alimentación de los países tropicales.

Su nutriente más abundante es el ***ALMIDÓN,*** que forma la mayor parte de sus hidratos de carbono, al igual que ocurre con la harina de trigo. Durante el proceso digestivo, el almidón se transforma lentamente en **glucosa,** sustancia que constituye la fuente de energía más importante para las células del organismo.

## Preparación y empleo

❶ **Pulpa del fruto:** Es jugosa y está surcada de finas hebras. Su sabor es suave y bastante neutro. Se puede consumir cruda, o bien hervida, asada o frita.

❷ **Semillas:** Los frutos de ciertas variedades del árbol del pan contienen numerosas semillas, que se consumen asadas como si se tratara de castañas.

❸ **Harina:** Se extrae de la pulpa desecada. Mezclada con harina de cereales, se usa para la elaboración de pan.

# Pejibaye

## Un fruto muy energético

### PEJIBAYE
### composición
por cada 100 g de parte comestible cruda

| | |
|---|---|
| **Energía** | **196 kcal = 816 kj** |
| **Proteínas** | **2,60 g** |
| **H. de c.** | **37,1 g** |
| **Fibra** | **4,60 g** |
| **Vitamina A** | **201 µg ER** |
| **Vitamina B₁** | **0,050 mg** |
| **Vitamina B₂** | **0,160 mg** |
| **Niacina** | **1,40 mg EN** |
| **Vitamina B₆** | **0,300 mg** |
| **Folatos** | **28,0 µg** |
| **Vitamina B₁₂** | **—** |
| **Vitamina C** | **35,0 mg** |
| **Vitamina E** | **2,40 mg EαT** |
| **Calcio** | **14,0 mg** |
| **Fósforo** | **46,0 mg** |
| **Magnesio** | **163 mg** |
| **Hierro** | **1,00 mg** |
| **Potasio** | **264 mg** |
| **Cinc** | **1,40 mg** |
| *Grasa total* | *4,40 g* |
| *Grasa saturada* | *0,700 g* |
| *Colesterol* | *—* |
| *Sodio* | *3,00 mg* |

1%   2%   4%   10%   20%  40%  100%

## % de la CDR (cantidad diaria recomendada)
cubierta por 100 g de este alimento

**Sinonimia científica:**
*Guilelma gasipaes* (H.B.K.) Bailey.

*Sinonimia hispánica: pijibay, cachipay, chantaduro, jijirre, supa, tenga, palma pichiguao, gasipaes, pijiguao.*

*Descripción: Fruto de la palmera pejibaye ('Bactris gasipaes' L.), árbol de la familia de las Palmáceas.*

E STE FRUTO se consume en Centro y Sudamérica desde antes de la llegada de los colonizadores europeos. En la actualidad forma parte de la alimentación tradicional de países como Colombia y Venezuela.

**PROPIEDADES E INDICACIONES:** En su composición *predominan* los **hidratos de carbono**, que superan el 40% de su peso. Entre ellos el más abundante es el **almidón,** aunque también existen hidratos de carbono simples o **azúcares.** También contiene grasas y proteínas, aunque en menor proporción que

El pejibaye es el fruto de un tipo de palmera que crece en zonas tropicales del continente americano. Al igual que los dátiles de otras palmeras, constituye una buena fuente de energía. Los que practican algún deporte o ejercicio físico, ya sean niños o ancianos, se benefician de su efecto energizante.

*Dátiles*

los hidratos. Posee, asimismo, una apreciable cantidad de **vitamina A** en forma de carotenoides[10] los cuales resisten bien la acción del calor, y en menor proporción vitaminas B1, B2, C y niacina. En cuanto a minerales, se encuentran en cantidad discreta el calcio, fósforo y hierro.

Por su elevada proporción de almidón, el pejibaye resulta un fruto *rico* en **energía.** Cada gramo de almidón proporciona al organismo 4 calorías (= 4 kcal) cuando se metaboliza.

El consumo de pejibaye está indicado en los siguientes casos:

• Épocas de **crecimiento** (niñez, adolescencia).

• **Deportistas,** personas que realizan **trabajos físicos,** y en general, siempre que exista una mayor demanda de aporte energético.

• **Desnutrición, adelgazamiento, convalecencia** de enfermedades debilitantes.

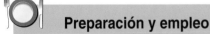

## Preparación y empleo

❶ **Crudo:** Su pulpa tiene una consistencia farinácea y un sabor muy agradable.

❷ **Hervido:** Es la forma más habitual de consumirlo. Se somete a cocción de 30 a 45 minutos en agua salada. Después de pelado, se sirve con diversas salsas, con requesón o con queso fresco.

❸ **Tostado:** Adquiere un sabor muy agradable.

Beta vulgaris L. cv. vulgaris
pH↑

# Acelga

## Ligera y sabrosa

**Sinonimia científica:** *Beta cycla* L.

**Sinonimia hispánica:** *beta.*

**Descripción:** *Hojas verde brillante y peciolos blancos y carnosos, llamados pencas de la acelga ('Beta vulgaris' L. ssp. 'vulgaris' cv. 'vulgaris'), planta herbácea de la familia de las Quenopodiáceas.*

### ACELGAS
### composición
por cada 100 g de parte comestible cruda

| | |
|---|---|
| Energía | 19,0 kcal = 80,0 kj |
| Proteínas | 1,82 g |
| H. de c. | 0,270 g |
| Fibra | 3,70 g |
| Vitamina A | 610 µg ER |
| Vitamina B₁ | 0,100 mg |
| Vitamina B₂ | 0,220 mg |
| Niacina | 0,883 mg EN |
| Vitamina B₆ | 0,106 mg |
| Folatos | 14,8 µg |
| Vitamina B₁₂ | — |
| Vitamina C | 30,0 mg |
| Vitamina E | 1,50 mg EαT |
| Calcio | 119 mg |
| Fósforo | 40,0 mg |
| Magnesio | 72,0 mg |
| Hierro | 3,30 mg |
| Potasio | 547 mg |
| Cinc | 0,380 mg |
| Grasa total | 0,060 g |
| Grasa saturada | 0,009 g |
| Colesterol | — |
| Sodio | 201 mg |

1%   2%   4%   10%   20%   40%   100%

**% de la CDR (cantidad diaria recomendada)**
cubierta por 100 g de este alimento

A PESAR de que la acelga es una de las verduras más antiguas de cuantas se conocen, ponderada ya por los escritores griegos hace más de 2.500 años, hay quienes la consideran como simple, ordinaria o de poco valor.

Pero ahí sigue la acelga, llamativa, con sus gruesos tallos blancos, y sus hojas nervudas de color verde brillante, esperando a que los humanos sepan reconocer sus bondades dietéticas.

**PROPIEDADES E INDICACIONES:** Destaca por su contenido en ***provitamina A*** y en ***hierro.***

El caldo de acelga y de otras verduras tiene un notable efecto alcalinizante sobre la sangre y los tejidos corporales, debido a su riqueza en sales minerales de reacción alcalina. Por ello, favorecen la eliminación de los residuos tóxicos del metabolismo que son de carácter ácido, como el ácido úrico.

Estas son sus indicaciones más importantes:

- **Obesidad:** La acelga tiene la propiedad de satisfacer el apetito sin apenas aporte energético (unas 20 kcal/100 g). En cualesquiera de sus formas de preparación **[❶,❷,❸]**, las acelgas constituyen un plato ideal, especialmente en la cena, para aquellos que deseen adelgazar.

- **Depurativa y alcalinizante de la sangre,** por su riqueza en sales *minerales.*

- **Digestiva y laxante:** Recomendable en casos de **gastritis, estreñimiento** y **hemorroides.**

- **Anemia,** debido a su elevado contenido en hierro.

Las acelgas contienen bastante *ácido oxálico,* aunque no tanto como las espinacas (ver pág. 36). Por ello deben usarse con moderación en caso de cálculos o litiasis renal.

## Preparación y empleo

❶ **Hojas:** Hervidas con agua o al vapor; rehogadas o aliñadas con aceite y limón constituyen un plato saludable y muy ligero.

❷ **Hojas tiernas:** Se pueden tomar crudas en ensalada.

❸ **Peciolos** de las hojas (**pencas**): Según algunos es la parte más exquisita de la planta, y pueden sustituir perfectamente a los cardos. Las **pencas** se preparan hervidas, rebozadas, asadas o formando parte de una sopa de verduras.

# Níspero

## Un buen antidiabético

**Sinonimia hispánica:** *níspera, níspola, níspero de España, níspero del Japón.*

**Descripción:** *Fruto del nisperero ('Eriobotrya japonica' Lindl.), árbol de hoja perenne de la familia de las Rosáceas que alcanza hasta 5 m de altura, y se emplea también como fruta ornamental.*

### NÍSPEROS
### composición
por cada 100 g de parte comestible cruda

| | |
|---|---|
| **Energía** | **47,0 kcal = 196 kj** |
| **Proteínas** | 0,430 g |
| **H. de c.** | 10,4 g |
| **Fibra** | 1,70 g |
| **Vitamina A** | 153 µg ER |
| **Vitamina B₁** | 0,019 mg |
| **Vitamina B₂** | 0,024 mg |
| **Niacina** | 0,263 mg EN |
| **Vitamina B₆** | 0,100 mg |
| **Folatos** | 14,0 µg |
| **Vitamina B₁₂** | — |
| **Vitamina C** | 1,00 mg |
| **Vitamina E** | 0,890 mg EαT |
| **Calcio** | 16,0 mg |
| **Fósforo** | 27,0 mg |
| **Magnesio** | 13,0 mg |
| **Hierro** | 0,280 mg |
| **Potasio** | 266 mg |
| **Cinc** | 0,050 mg |
| **Grasa total** | 0,200 g |
| **Grasa saturada** | 0,040 g |
| **Colesterol** | — |
| **Sodio** | 1,00 mg |

1%    2%    4%    10%    20%   40%   100%

**% de la CDR** (cantidad diaria recomendada)
cubierta por 100 g de este alimento

**PROPIEDADES E INDICACIONES:** Algunos sufren una pequeña decepción al abrir un níspero y comprobar que casi la mitad de su volumen se halla ocupado por las semillas. Sin embargo, cambian rápidamente de idea al paladear la suculenta pulpa del fruto, aunque esta ocupe solo una parte del volumen total.

Los *azúcares* fructosa y levulosa suponen el 10,4% de la parte comestible. El contenido en grasas y proteínas es mínimo (0,2% y 0,4% respectivamente).

La *vitamina A* (en forma de provitamina) es la más abundante, con 153 µg ER/100 g. Las vitaminas del complejo B, la C y la E están presentes, aunque en pequeñas cantidades.

En cuanto a *minerales,* el níspero aporta cantidades significativas de hierro, calcio y magnesio, aunque el mineral más abundante es el *potasio.*

En conjunto, el níspero aporta pocas calorías (47 kcal/100 g), pero abundante agua (86,7%) y sales minerales, que *refuerzan* su acción **diurética.**

Es rico en *taninos* de acción astringente (2,5%), así como en numerosas sustancias aromáticas de tipo *triterpénico,* de las que dependen sus propiedades antidiabéticas.

Estas son sus indicaciones:

• **Diabetes:** Investigaciones realizadas en la Universidad Federico II de Nápoles[11] (Italia), han puesto de manifiesto que los extractos de níspero consiguen reducir los niveles de glucosuria (azúcar en orina) en los ratones diabéticos.

El efecto antidiabético del níspero ha sido demostrado también en humanos, según investigaciones llevadas a cabo en la Universidad Autónoma de México.[12]

Cabe pues recomendar el consumo abundante de nísperos en caso de diabetes. Como ocurre con otras frutas, el hecho de contener azúcar no las hace inapropiadas para los diabéticos, tal como podría pensarse.

• **Afecciones hepáticas:** La cura de nísperos en primavera [❸] se ha venido usando con buenos resultados en caso de afecciones hepáticas

crónicas: hepatitis, degeneración grasa del hígado y cirrosis. Puede repetirse cada dos o tres semanas.

Con la **cura de nísperos** se logra descongestionar el hígado y reducir su volumen cuando ha aumentado (hepatomegalia). Igualmente disminuye la ascitis (líquido en el vientre), que suele acompañar a las degeneraciones hepáticas.

• **Diarreas de tipo infeccioso** (gastroenteritis, enterocolitis y colitis). Tiene una suave acción **astringente** y **normalizadora** del tránsito intestinal, a la vez que **hidrata** y restituye los minerales perdidos. Es muy recomendable como *primer* **alimento sólido** después del periodo de ayuno o de dieta líquida que debe guardarse en toda diarrea infecciosa. Se puede tomar hasta un kilo diario de nísperos bien maduros, siempre y cuando, claro está, nos hallemos en la época primaveral en la que esta fruta se halla disponible.

• **Afecciones renales:** El níspero es un *buen* **diurético,** que aumenta la producción de orina y facilita la eliminación de arenillas y sedimentos úricos de los riñones. Se recomienda en caso de **gota,** exceso de **ácido úrico, cálculos o arenillas** (especialmente los de uratos), así como en la **insuficiencia renal** por su escasez en proteínas y su aporte mineral.

• **Resfriado común:** Se ha comprobado que uno de los tipos de sustancias que contiene el níspero, los *ésteres triterpénicos,* poseen una *notable* **acción antivírica,** específicamente contra los rinovirus causantes del resfriado común.[13] Conviene pues tomar nísperos abundantemente en primavera, por su acción preventiva y curativa de los resfriados. Desgraciadamente, estas sustancias antivíricas del níspero no actúan contra el virus del sida.

---

## Preparación y empleo

❶ **Frescos:** Es la forma ideal de consumir los nísperos. Tienen que estar *bien maduros*, pues de lo contrario resultan demasiado ácidos.

❷ **Compotas y mermeladas:** Su uso está poco extendido, aunque es la única forma de comerlos fuera de los meses de primavera. Lamentablemente, pierden la mayor parte de sus propiedades.

❸ **Cura de nísperos:** Se realiza en primavera, tomando como alimento principal 1-2 kg diarios de nísperos, durante 2-3 días. Puede acompañarse de pequeñas cantidades de pan tostado o galletas.

**Los diabéticos se benefician del níspero.**

# Batata

## Produce sensación de saciedad

**BATATA**
**composición**
por cada 100 g de parte comestible cruda

| | |
|---|---|
| Energía | 105 kcal = 439 kj |
| Proteínas | 1,65 g |
| H. de c. | 21,3 g |
| Fibra | 3,00 g |
| Vitamina A | 2006 µg ER |
| Vitamina B₁ | 0,066 mg |
| Vitamina B₂ | 0,147 mg |
| Niacina | 1,01 mg EN |
| Vitamina B₆ | 0,257 mg |
| Folatos | 13,8 µg |
| Vitamina B₁₂ | — |
| Vitamina C | 22,7 mg |
| Vitamina E | 0,280 mg EαT |
| Calcio | 22,0 mg |
| Fósforo | 28,0 mg |
| Magnesio | 10,0 mg |
| Hierro | 0,590 mg |
| Potasio | 204 mg |
| Cinc | 0,280 mg |
| Grasa total | 0,300 g |
| Grasa saturada | 0,064 g |
| Colesterol | — |
| Sodio | 13,0 mg |

1% 2% 4% 10% 20% 40% 100% 200% 500%
**% de la CDR** (cantidad diaria recomendada) cubierta por 100 g de este alimento

**Sinonimia hispánica:** *boniato, moniato, camote, patata dulce, papa dulce, patata de Málaga, patata de América, aje, apichú.*

**Descripción:** *Tubérculo de la batata ('Ipomoea batatas' Poir.), planta herbácea perenne de la familia de las Convolvuláceas, de tallos rastreros o trepadores, que alcanza de 30 cm a 1 m de altura.*

LA BATATA se consume mucho en Centroamérica, especialmente en Haití, su lugar de origen. Los españoles introdujeron su cultivo en Europa y de allí pasó al resto del mundo.

**PROPIEDADES E INDICACIONES:** En su composición *predominan* los **hidratos de carbono,** que constituyen aproximadamente el 21,3% de su peso. Los hidratos de carbono de la batata están formados por **almidón** y **azúcares** *(principalmente* **sacarosa)** en distintas proporciones dependiendo de las variedades. Cuanto más sacarosa contiene, más dulce es su sabor.

Su contenido en **grasas** y **proteínas** es mínimo, menor que el de las patatas. Es *muy rica*, sin embargo, en **beta-caroteno** (provitamina A), especialmente las variedades de color más amarillo.

La batata es bastante digestible, aunque requiere una buena masticación y ensalivación.

La batata contiene cierta cantidad de **fibra** vegetal de tipo celulósico. Esto hace que se digiera muy fácilmente, y tenga además un efecto suavizante sobre la pared del intestino.

Son tres las principales aplicaciones dietoterápicas de la batata:

• **Obesidad:** Por contradictorio que parezca, el consumo de batata protege contra la obesidad. Ciertamente se trata de una alimento rico en almidón, y con bastantes calorías (algo más que la patata); pero tiene una propiedad que lo hace muy útil en caso de obesidad: produce **sensación de saciedad.**

La batata, al producir sensación de plenitud en el estómago y disminuir el apetito, ayuda a los obesos a reducir su consumo de calorías. Por supuesto, debe tomarse en *cantidades controladas,* con el fin de no sobrepasar la ingesta calórica diaria.

Evidentemente, la batata no debe ser la base de la alimentación, debido a su carencia de gra-

Aunque la batata es un alimento rico en almidón, y por lo tanto en calorías, tiene la peculiaridad de producir sensación de saciedad, y por lo tanto, de quitar el apetito.
Cien gramos de batata aportan 105 kcal, por lo que pueden quitar el hambre durante varias horas.

sas y proteínas. Sin embargo, combinada con leche, con leguminosas o con frutos secos oleaginosos, constituye un alimento nutritivo e igualmente saciante.

• **Arteriosclerosis** y afecciones circulatorias: La *gran riqueza* en **beta-caroteno** (provitamina A) hace de la batata un alimento muy recomendable en caso de arteriosclerosis.

Además, la batata *carece* prácticamente de **grasas saturadas** y de **sodio,** los dos enemigos más importantes del sistema arterial. Su consumo habitual se recomienda en caso de **arteriosclerosis, falta de riego** sanguíneo, e **hipertensión** arterial.

• **Aumento de las necesidades energéticas:** El consumo abundante de batata es muy recomendable en aquellas personas que realizan esfuerzos físicos importantes, en los **deportistas** y en los **convalecientes** de enfermedades debilitantes. En estos casos la batata puede constituir el alimento principal de la comida del mediodía, dos o tres veces por semana.

## Preparación y empleo

❶ **Asada al horno:** Es la forma más común de preparar la batata. También se puede asar sobre las brasas. Debe asarse entera, sin quitarle la piel.

❷ **Puré con leche:** Una vez asada o hervida se mezcla bien con leche hasta formar una pasta de consistencia homogénea. Como la batata ya es bastante dulce, especialmente si es amarilla, no precisa la adición de azúcar. Se puede aumentar aún más su valor nutritivo añadiendo una yema de huevo.

❸ **Pastelería:** Con las batatas se elaboran deliciosos productos de pastelería, así como mermeladas y confituras.

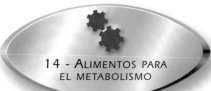

# Cereza

## Sacia el apetito
## y limpia la sangre

Una cura de cerezas de uno o dos días de duración cada semana, permite perder peso a la vez que se depura el organismo y se limpia la sangre. La lentitud con la que obligatoriamente se deben comer las cerezas, explica en parte su efecto saciante.

### CEREZAS
### composición
por cada 100 g de parte comestible cruda

| | |
|---|---|
| Energía | 72,0 kcal = 300 kj |
| Proteínas | 1,20 g |
| H. de c. | 14,3 g |
| Fibra | 2,30 g |
| Vitamina A | 21,0 µg ER |
| Vitamina B$_1$ | 0,050 mg |
| Vitamina B$_2$ | 0,060 mg |
| Niacina | 0,400 mg EN |
| Vitamina B$_6$ | 0,036 mg |
| Folatos | 4,20 µg |
| Vitamina B$_{12}$ | — |
| Vitamina C | 7,00 mg |
| Vitamina E | 0,130 mg E$\alpha$T |
| Calcio | 15,0 mg |
| Fósforo | 19,0 mg |
| Magnesio | 11,0 mg |
| Hierro | 0,390 mg |
| Potasio | 224 mg |
| Cinc | 0,060 mg |
| Grasa total | 0,960 g |
| Grasa saturada | 0,216 g |
| Colesterol | — |
| Sodio | 2,00 mg |

1% 2% 4% 10% 20% 40% 100%

**% de la CDR (cantidad diaria recomendada)**
cubierta por 100 g de este alimento

**Especie afín:** *Prunus cerasus* L. (guinda, cereza ácida).

**Sinonimia hispánica:** *ambrunesa, mollar, guinda, picota, tomatillo.*

**Descripción:** *Fruto del cerezo ('Prunus avium' L.), árbol de la familia de las Rosáceas que alcanza hasta 20 m de altura. El fruto es una drupa de unos 2 cm de diámetro cuyo color oscila desde el rojo claro hasta el morado oscuro.*

**PROPIEDADES E INDICACIONES:** Tradicionalmente se ha considerado a las cerezas como una fruta sin importancia nutritiva y dietética, que aporta poco más que dulzor y sabor agradable.

Sin embargo, hoy sabemos que aunque en su composición no destaca ningún nutriente en especial, los contiene *todos en pequeña cantidad* (excepto la vitamina B$_{12}$). De su 14% de *azúcares,* el más importante es la **fructosa,** lo cual hace a las cerezas aptas para los diabéticos. Las **grasas** y las **proteínas** están presentes en un porcentaje aproximado del 1% cada una de ellas.

Contiene pequeñas cantidades de vitaminas A, B, C y E, así como de todos los minerales y oligoelementos: calcio, fósforo, magnesio, hierro,

sodio, **potasio** (el más abundante), cinc, cobre y manganeso.

Pero además, la cereza contiene también pequeñas cantidades de otros componentes no nutritivos:

✓ *Ácidos orgánicos* málico, succínico y cítrico, que actúan como **estimulantes** de las glándulas digestivas y como **depurativos** de la sangre.

✓ *Fibra vegetal* de tipo *soluble,* formada en su *mayor parte* por *pectina.* Con 100 g de cerezas se obtiene el 10% de la CDR (canti-

## Preparación y empleo

❶ **Frescas:** Las cerezas hay que consumirlas de una en una, masticándolas y ensalivándolas bien.

❷ **Cura de cerezas:** Se realiza consumiendo como único alimento, medio kilo de cerezas maduras tres o cuatro veces diarias, durante uno o dos días. Los que tengan el **estómago delicado** pueden tomarlas **hervidas.** Para obtener un efecto *más intenso,* se recomienda intercalar entre las tomas de frutos varias tazas de **decocción** de **pedúnculos** (rabos), que se prepara haciendo hervir 50 g de pedúnculos en un litro de agua durante cinco minutos.

❸ **Preparaciones culinarias:** Las cerezas son ideales para hacer con ellas tartas de frutas, mermeladas y compotas.

dad diaria recomendada) de fibra vegetal. Esto explica su *suave* efecto **laxante** e **hipolipemiante** (descenso del colesterol).

✓ *Flavonoides* que le otorgan propiedades **diuréticas, antioxidantes** y **anticancerígenas.**

✓ *Ácido salicílico*, el precursor natural de la aspirina, de acción **antiinflamatoria** y **antirreumática.** Está presente en una cantidad muy pequeña, de unos 2 mg/kg de cerezas, pero suficiente para hacer notar sus efectos.

Las cerezas constituyen una fruta fácil y agradable de tomar, que conviene especialmente en los siguientes casos:

• **Obesidad:** El hecho de que las cerezas tengan que comerse una a una, hace que resulten muy efectivas en caso de obesidad. Para ingerir 360 calorías (= 360 kcal) en forma de pastel o chocolate, solo hace falta dar unos bocados. En cambio, para ingerir esa misma cantidad de calorías en forma de cerezas, hay que comer medio kilo de ellas, lo cual puede costarnos unos quince minutos. Después de ese tiempo, la sensación de saciedad obtenida con las cerezas será mucho mayor que tras haber comido el pastelito, y no sentiremos la necesidad de seguir comiendo.

El efecto **diurético y depurativo** de las cerezas, así como su *escasez* en **sodio y grasas,** *potencia* su **acción adelgazante.**

• **Diabetes:** Los diabéticos toleran bien cantidades controladas de esta fruta, dado que más de la *mitad* de sus **azúcares** está constituida por **fructosa.** Al igual que ocurre con otras curas de frutas, la de cerezas [❷] no se recomienda en caso de diabetes, excepto bajo control facultativo.

• **Curas depurativas [❷]:** Según el doctor **Valnet,** destacado médico fitoterapeuta francés, uno o dos días de cura de cerezas, constituye una excelente depuración orgánica, que favorece la eliminación de los desechos y de las toxinas.

• **Afecciones crónicas:** El **uso** *abundante* de las cerezas, especialmente en forma de **cura semanal [❷]**, se recomienda en todo tipo de enfermedades crónicas tales como artritismo, gota, reumatismo crónico, arteriosclerosis, estreñimiento crónico, autointoxicación debido a una alimentación recargada, hepatopatías crónicas, insuficiencia cardíaca, convalecencia de procesos infecciosos y afecciones cancerosas.

# Trigo

## El rey de los cereales

**Descripción:** *Fruto en grano de la planta del trigo ('Triticum aestivum' L.), herbácea de la familia de las Gramíneas. Está formado por el **pericarpo** o salvado, el **endospermo** o núcleo, y el **germen**.*

### TRIGO
### composición
por cada 100 g de parte comestible cruda

| | |
|---|---|
| Energía | 331 kcal = 1385 kj |
| Proteínas | 10,4 g |
| H. de c. | 61,7 g |
| Fibra | 12,5 g |
| Vitamina A | — |
| Vitamina B$_1$ | 0,394 mg |
| Vitamina B$_2$ | 0,096 mg |
| Niacina | 4,80 mg EN |
| Vitamina B$_6$ | 0,272 mg |
| Folatos | 41,0 µg |
| Vitamina B$_{12}$ | — |
| Vitamina C | — |
| Vitamina E | 1,44 mg EαT |
| Calcio | 27,0 mg |
| Fósforo | 493 mg |
| Magnesio | 126 mg |
| Hierro | 3,21 mg |
| Potasio | 397 mg |
| Cinc | 2,63 mg |
| Grasa total | 1,56 g |
| Grasa saturada | 0,289 g |
| Colesterol | — |
| Sodio | 2,00 mg |

1%  2%  4%  10%  20%  40%  100%

**% de la CDR** (cantidad diaria recomendada) cubierta por 100 g de este alimento

CADA AÑO el planeta Tierra produce unos 600 millones de toneladas de granos de trigo, con los que se alimentan miles de millones de personas. Ningún otro cereal es tan cultivado como el trigo.

Casi cuatro mil años después de que José, el hijo de Jacob, alimentara al pueblo egipcio gracias a sus reservas de grano, el trigo sigue proporcionando más cantidad de alimento y a más gente, que ningún otro producto en todo el mundo. En Europa, en casi toda América, en buena parte de Asia y de África, y en Australia, el trigo es esencial para la nutrición humana.

**PROPIEDADES E INDICACIONES:** El grano de trigo en su conjunto, formado por el salvado o pericarpo, el endospermo y el germen, forman un **alimento *casi* completo,** que contiene todos los nutrientes que nuestro organismo necesita, con las siguientes excepciones:

– provitamina A (beta-caroteno),

– vitamina C, y

– vitamina B12, al igual que todos los alimentos vegetales.

El resto de nutrientes están todos contenidos en el grano de trigo completo, incluida la **fibra.** *Todos* ellos se encuentran en una **proporción idónea,** *excepto* las **grasas** y el **calcio,** que escasean.

✓ *Hidratos de carbono:* Constituyen el nutriente más abundante del trigo (76%). La mayor parte de ellos están formados por *almidón,* y solo una pequeña parte (1%-2% g) por azúcares.

*Cuanta más* **fibra** *acompañe al almidón, más paulatinamente se produce la liberación de* **glucosa.** De forma que el trigo y la harina **integrales** (completos) son *mejor tolerados* por los **diabéticos** que la harina blanca desprovista de fibra, ya que no provocan aumentos bruscos del nivel de glucosa en la sangre.

✓ *Proteínas:* El 90% de las proteínas del trigo está constituido por **gluteína** y **gliadina,** dos proteínas que cuando se aíslan de resto de componentes del grano y se mezclan con agua forman una masa esponjosa llamada **gluten.**

Simplificando se puede decir que el gluten es el contenido proteínico del endospermo del trigo, es decir, de su harina blanca (sin el germen ni el salvado).

Gracias al **GLUTEN,** la masa "sube", es decir, se expande por la acción del gas carbónico que se forma durante la fermentación. Al expandirse el gluten, y debido a su elasticidad, se forman los típicos "ojos" del pan.

Sin embargo, el gluten presenta dos inconvenientes:

– Puede producir **intolerancia** en determinados casos. Esto ocasiona una enfermedad conocida como celiaquía en los niños, o esprúe en los adultos.

– Es una **proteína incompleta,** pues aunque contiene todos los aminoácidos esenciales, su proporción de **lisina** es *insuficiente* para cubrir las necesidades del organismo.

Es interesante notar que la **proteína** del **germen** del trigo, que es de un tipo diferente a la del gluten, contiene también un *exceso de lisina* que compensa en parte la deficiencia del gluten. Decimos que compensa en parte porque el germen pesa muy poco (un 2,5% del total del grano) y por lo tanto contiene pocas pro-

## Preparación y empleo

❶ **Grano entero:** Nada, excepto la posible contaminación por pesticidas, impide que consumamos el grano tal cual, recién sacado de la espiga (así se acostumbraba a hacerlo antaño, como los discípulos de Jesús en Palestina[14]). Se debe masticar a conciencia, y escupir la parte más dura del salvado. También puede tostarse, lo cual facilita la masticación y la digestión.

❷ **Copos:** Se elaboran cociendo y aplastando el grano. Son **integrales,** pues contienen todas las partes del grano. Solo sufren una pequeña pérdida de vitaminas provocada por el calentamiento. Se comen después de puestos a remojo o de hervirlos con leche o caldo de verduras. Forman parte del famoso muesli para el desayuno.

❸ **Harina:** Es el polvo fino que se obtiene tras moler el grano. La harina **integral** contiene *todas* las partes del grano, y la **refinada** *solo* el **endospermo** (ver pág. 295). Con ella se elabora el pan y numerosos productos de panadería.

❹ **Germinado:** Los brotes de trigo germinado son muy tiernos y saludables. A diferencia del grano seco, contienen *provitamina A* y *vitamina C.*

❺ **Trigo bulgur:** Son granos de trigo duro partidos en varios trocitos y vaporizados. Es bastante integral, y requiere un tiempo de cocción menor que los granos enteros. Se usa como sustituto del arroz.

teínas, aunque de gran calidad. A pesar de ello, el trigo completo o la harina integral proporcionan proteínas de mayor poder nutritivo que la simple harina blanca.

✓ **Grasas:** Contiene un 1,56%, de las cuales más de la **mitad** se encuentran en el **germen** y en el **salvado.** Se trata en su mayor parte de ácidos grasos poliinsaturados, entre los que predomina el **linoleico.**

✓ **Fibra:** El trigo completo contiene un 12,5% de fibra, en su *mayoría* **insoluble** (lignificada), que se encuentra *sobre todo* en el **salvado.** Esta fibra otorga al trigo un *notable* efecto **laxante.**

✓ **Vitaminas:** El trigo es una buena fuente de vitaminas $B_1$, $B_2$, $B_6$, **niacina**, **folatos** y vitamina **E**. El **germen** y el **salvado** son *más ricos* en vitaminas que el endospermo. No contiene vitaminas C y $B_{12}$, ni provitamina A.

✓ **Minerales:** El trigo aporta buenas cantidades de fósforo, magnesio, hierro y potasio, así como diversos oligoelementos entre los que destaca el cinc, cobre y manganeso. El mineral más *escaso* es el **calcio.**

El trigo completo y su harina integral son alimentos universales que todo el mundo (salvo en caso de intolerancia al gluten), puede consumir a diario. Se recomiendan especialmente en los siguientes casos:

• **Aumento de las necesidades nutritivas:** Etapas de crecimiento (niñez y adolescencia), deportistas, embarazo, lactancia, convalecencia de enfermedades debilitantes, etcétera. El trigo es una excelente fuente de energía (331 kcal /100 g). Gracias a su riqueza en vitaminas del grupo B, la glucosa que libera su almidón se metaboliza muy fácilmente.

• **Afecciones digestivas:** El trigo es de fácil digestión, y con un mínimo trabajo de los órganos digestivos, proporciona una gran cantidad de nutrientes.

Mención especial requiere su efecto laxante y regulador del tránsito intestinal. Todos los estreñidos deberían tomar cada día trigo completo en cualesquiera de sus formas. Su consumo habitual ayuda a prevenir la diverticulosis intestinal, las hemorroides, el cáncer de colon, así como los eccemas y dolores de cabeza provocados por la autointoxicación que acompaña al estreñimiento crónico.

• **Afecciones crónicas:** El consumo habitual de trigo o harina integrales, previene la aparición de las llamadas enfermedades de la civilización, provocadas en muchos casos por el exceso de alimentos refinados: arteriosclerosis, diabetes, reumatismos, e incluso el cáncer.[15]

## Por qué se usa más la harina blanca de trigo

*¿Por qué, si está demostrado que la harina integral es más nutritiva y saludable, se usa mucho más la blanca para la nutrición humana?*

*Hay al menos tres motivos para ello:*

• *La **demanda de la población:** La blanca ha sido siempre más apreciada que la morena o integral.*

• *La **mejor conservación de la harina blanca:** La harina integral se conserva solo durante unas pocas semanas, debido a que **se enrancia** con facilidad.*

• *La **presencia de factores antinutritivos** en el salvado, como los **fitatos,** que en teoría pueden dificultar la absorción del hierro y del cinc en el intestino. Esto ha hecho que algunos especialistas desprestigien a los cereales integrales desde el punto de vista nutritivo. Sin embargo, no hay motivo para ello.*

# Anatomía de un grano de trigo

## Tres partes bien diferenciados y con propiedades nutritivas que se complementan mutuamente.

Se ha llamado al grano de trigo *"el huevo integral"*, porque sus tres partes (**salvado, endospermo** y **germen**) forman un conjunto *equilibrado* de **nutrientes.**

Por eso alguien ha dicho, refiriéndose al grano de trigo: *"Lo que Dios ha juntado, que no lo separe el hombre".*

### Salvado o pericarpo
(ver pág. 297)

(14,5% del grano)

Es la cubierta externa que recubre al grano, después de haber quitado la paja o cáscara. Está formado por seis capas superpuestas, todas ellas ricas en **fibra celulósica.**

**Capa de aleurona** [4]
Sus células son *muy ricas* en **proteínas, grasas, vitaminas** y **minerales.** Sin embargo, al estar dotadas de gruesas paredes de celulosa, los nutrientes quedan atrapados en su interior, y únicamente se liberan triturándolo finamente en la **molienda.**

**Membrana hialina** [5]
Junto con la capa de aleurona supone el 62% del peso del salvado.

**Envoltura tubular**
**Envoltura transversal**
**Envoltura longitudinal**
Estas tres capas son muy finas y juntas suponen el 11% del peso. Están formadas principalmente por celulosa.

**Epidermis**
Representa el 27% del peso del salvado. La presencia de **lignina** junto con la **celulosa** le otorga su típica consistencia leñosa.

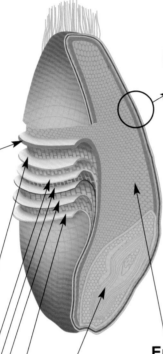

### Detalle del grano de trigo visto al microscopio

[1] Trama interna de celulosa del endospermo
[2] Gránulos de almidón
[3] Gluten
[4] Capa de aleurona
[5] Membrana hialina
[6] Capas externas del salvado

### Germen
(ver pág. 296)
(2,5% del grano)

Es el **embrión** del grano, del cual surgirá una nueva planta de trigo.

En el germen se encuentran las *tres cuartas* partes de todas las **vitaminas B** y **E** del grano de trigo.

### Endospermo o núcleo
(83% del grano)

La harina blanca que se obtiene del endospermo contiene *bastantes* **proteínas** (**gluten**), aunque incompletas. Su **calidad** *aumenta* al **combinarlas** con proteínas ricas en el aminoácido esencial lisina, como por ejemplo las contenidas en:

- el **germen del trigo,** tal como ocurre naturalmente en los productos integrales;
- la **leche** y derivados;
- las **legumbres.**

# El germen del trigo

## Un tesoro de vitaminas y propiedades curativas

El germen es la parte del grano más rica en nutrientes y sustancias activas, especialmente:

- **Proteínas** (23,2%), *más completas* que las del gluten del endospermo, pues no son deficitarias en lisina.
- **Ácidos grasos esenciales** (9,72%), como el linoleico y el alfa-linolénico (omega-3).
- **Vitaminas** $B_1$, $B_2$, $B_6$, niacina y folatos.
- **Vitamina E,** poderoso antioxidante.
- **Minerales,** especialmente fósforo, magnesio, hierro y oligoelementos.
- **Enzimas** como la superóxido-dismutasa, de acción antioxidante.
- **Octacosanol:** Sustancia que se encuentra en el germen de trigo y en su aceite, y en menor proporción, en otros aceites de semillas. Su fórmula química es $C_{28} H_{58} O$. Se ha comprobado que aumenta la resistencia a la fatiga y el rendimiento de los atletas de una forma natural.[16]

Con 100 g de germen de trigo (unas 10 cucharadas), se cubre sobradamente la CDR (cantidad diaria recomendada) de vitamina $B_1$, de folatos, de vitamina E, de fósforo y de manganeso. La **dosis** *habitual* es de **dos** a **cuatro cucharadas** con el desayuno.

Su uso se recomienda especialmente en los siguientes casos:

- **Trastornos del sistema nervioso** en los que se requiere una dosis extra de vitaminas B: astenia (cansancio), depresión, estrés, nerviosismo, etc.
- **Esterilidad** masculina o femenina de causa gonadal, ya que la **vitamina E** favorece la producción de los espermatozoides y los óvulos.
- **Hiperlipidemias** (aumento de grasa en la sangre), especialmente los tipos IIa y IIb.
- **Cáncer,** enfermedades **coronarias** (infarto o angina de pecho): Por su acción **antioxidante** frena los procesos degenerativos celulares, el envejecimiento y la arteriosclerosis.
- **Diabetes:** El efecto antidiabético se atribuye a la acción combinada de las vitaminas $B_1$ y E, abundantes en el germen de trigo.
- Siempre que exista un **aumento de necesidades nutritivas:** Deportistas, estudiantes en época de esfuerzo intelectual, mujeres embarazadas y lactantes.

El germen de trigo y su aceite mejoran la forma física y la resistencia a la fatiga.

# El salvado de trigo

*Su acción se podría comparar a la de una esponja o una escoba actuando en el interior del intestino.*

## Composición

El salvado de trigo contiene abundantes proteínas, grasas, vitaminas y minerales, aunque los seres humanos no los aprovechan bien debido a que están encerrados entre fibras de celulosa indigeribles. Sin embargo, *su interés* no está en los nutrientes que pueda suministrar, sino en su *riqueza* en *fibra,* que alcanza el *42,8%.*

La fibra del salvado está constituida por *celulosa, hemicelulosa* y *lignina* (que le otorga la consistencia dura y leñosa).

## Acción fisiológica

Produce tres acciones principales en el intestino:

* Retiene agua y *aumenta* el **volumen** y **peso** de las heces. Por cada *gramo* de salvado consumido, las heces aumentan *2-3 g* de peso.
* *Aumenta* la **velocidad** del tránsito de las heces por el intestino.
* *Adsorbe* –es decir, retiene y elimina con las heces– sustancias **irritantes, tóxicos, colesterol, sales** biliares y **cancerígenos** que se hallan en el intestino.

## Ventajas del salvado

* *Compensa* la **falta de fibra** de una alimentación basada en alimentos refinados. Aunque es preferible usar cereales integrales, que consumirlos refinados y después añadir salvado para compensar.
* *Evita* el **estreñimiento:**[17] Para que surta efecto, se han de tomar de 20 a 30 g diarios, al menos durante una semana.
* *Reduce* el **nivel de colesterol,** aunque el salvado de **avena** es mucho *más efectivo* para ello.
* *Reduce* el **riesgo** de padecer diverticulitis, cáncer de colon, enfermedades coronarias y cáncer de mama.[18]

## Inconvenientes del salvado

* **Irritación del intestino:** Debido a la dureza que le otorga la lignina, la fibra del salvado puede resultar irritante para la mucosa que recubre el interior del intestino. Se desaconseja el uso de salvado en caso de colitis y colon irritable[19] (ver págs. 199, 200).
* **Contenido en fitatos:** Los fitatos forman compuestos insolubles con el hierro, el cinc y el calcio, con lo que se dificulta la absorción de estos minerales en el intestino.

  – Sin embargo, cuando se consumen **cereales integrales** *cocinados, germinados* o *fermentados* (pan, bollería), los **fitatos** *no* tienen *efectos negativos* sobre la absorción de hierro, cinc y calcio.[20]
* **Contaminación:** El salvado está en contacto con el exterior, y puede estar contaminado por:
  – Pesticidas.
  – Metales pesados.

## Uso correcto del salvado

* Es *preferible* consumir el salvado en su **estado natural,** junto con el resto del grano, formando parte del trigo integral y sus derivados.
* En caso de tomarlo *aisladamente,* insistimos en que *no* hay que **sobrepasar** los *30 g diarios,* y a ser posible, que proceda de cultivos biológicos.

**Es preferible consumir pan y cereales integrales, en los que está incluido el salvado, a tomarlo aisladamente. En este caso, no sobrepasar los 30 g diarios (dos cucharadas).**

15

# Alimentos para el aparato locomotor

**L**A ALIMENTACIÓN influye decisivamente sobre el buen estado del aparato locomotor, que incluye tanto los **huesos** como las **estructuras** que los rodean y que hacen posible el movimiento corporal: **músculos, articulaciones, tendones** y **fascias** o aponeurosis.

Existen alimentos cuyo consumo *puede contribuir* a la salud del aparato locomotor de las siguientes formas:

• *Aportando* los **hidratos de carbono,** las *vitaminas* y los **minerales** necesarios para que los músculos mantengan el **tono** correcto y se contraigan con fuerza.

• *Evitando* el depósito de **ácido úrico** en las articulaciones, que causa su inflamación y deterioro (ver pág. 275).

• *Reduciendo* la **artritis** o inflamación de las articulaciones (ver pág. 302).

• *Previniendo* la **osteoporosis,** al aportar el *calcio,* el *fósforo* y el *magnesio* necesarios para la correcta mineralización del esqueleto (ver pág. 300).

# OSTEOPOROSIS

## Definición

Es una **reducción** en la **masa** y en la **densidad** de los *huesos* hasta tal punto que favorece la deformación de los mismos o su fractura. En realidad, la pérdida de masa ósea es un proceso que se produce normalmente con la edad a partir de los 40 o 50 años. Sin embargo, solo se habla de osteoporosis cuando alcanza un nivel patológico.

## Prevención

Varios factores pueden contribuir a evitar o frenar la pérdida de masa ósea, logrando así *reducir* el **riesgo** de que aparezca la osteoporosis:

- Ingesta **suficiente** de **calcio,** *especialmente* durante la época de **crecimiento** en la que se está formando el esqueleto. Los niños o jóvenes que no ingieren suficiente calcio, tienen más riesgo de sufrir osteoporosis de adultos. También los adultos necesitan una cierta cantidad de calcio, pues los huesos se están formando y destruyendo a la vez durante toda la vida. La CDR (cantidad diaria recomendada) de calcio para las personas adultas se sitúa ente 500 y 800 mg de modo que puedan compensar las pérdidas de este mineral y formar nuevo tejido óseo.

- *Reducción* en la **eliminación de calcio:** El *exceso* de **proteínas** y de **sal,** así como la **cafeína,** *aumentan* las **pérdidas urinarias** de calcio. Además, la alimentación a base de carne, pescado y marisco es **acidificante** de la sangre. El organismo trata de compensar el exceso de acidez liberando de los huesos minerales alcalinizantes como el calcio. De esta forma, los huesos se empobrecen en calcio y se favorece la osteoporosis. Las frutas y las hortalizas son **alcalinizantes,** y aunque no aportan mucho calcio, evitan que este se movilice de los huesos y se pierda con la orina.

  La disminución en la producción de hormonas que ocurre en la **menopausia,** también favorece la pérdida de calcio, en unas mujeres más que en otras. La **soja** y sus derivados contienen *fitoestrógenos* (hormonas de origen vegetal) que pueden compensar parcialmente la menor producción ovárica, reduciendo así el riesgo de padecer osteoporosis.

- **Insolación** *suficiente:* El sol es necesario para que en la piel se sintetice vitamina D, gracias a la cual, el calcio pasa del intestino a la sangre. Las personas de piel blanca producen suficiente vitamina D si están expuestas parcialmente al sol durante 5 o 10 minutos diarios. Las de piel oscura necesitan el doble o más.

- **Ejercicio físico** *suficiente:* En las personas que llevan una vida sedentaria predomina la destrucción de hueso sobre su formación. El ejercicio físico evita la pérdida de masa ósea y frena la osteoporosis.

La **alimentación** *adecuada* es el factor que *más influye* en la prevención de la osteoporosis, pero no solo durante la madurez, sino también en la infancia y juventud. Cuanto más calcio retenga el esqueleto en la época de crecimiento, mayor será la reserva de este mineral para la época de madurez, y más se retrasará la aparición de la osteoporosis.

 **Aumentar**

CALCIO
SOJA
ALMENDRA
TOFU
COL
GERMINADOS
MELAZA
COCO
ALFALFA
NARANJA
VERDURAS
NABO
VITAMINAS D, K, B$_6$ Y B$_{12}$
SÉSAMO

 **Reducir o eliminar**

CARNE
PESCADO
QUESOS MADURADOS
SAL
GRASA TOTAL
AZÚCAR BLANCO
CHOCOLATE
BEBIDAS ESTIMULANTES
BEBIDAS ALCOHÓLICAS
REFRESCOS
FÓSFORO
SALVADO DE TRIGO

*Leche*

**La leche es una muy buena fuente de calcio (alrededor de 120 mg/100 g). Además, su biodisponibilidad** (la proporción que es absorbida) es bastante elevada (20% a 40%), ya que la lactosa (azúcar de la leche) y la vitamina D favorecen la absorción de calcio.

**Aunque la leche y los lácteos no constituyen la única fuente de calcio alimentario, su consumo durante la adolescencia y la juventud previene contra la osteoporosis en la edad adulta.[1]**

**Por el contrario, se ha demostrado que el consumo de leche o de productos lácteos por los adultos no contribuye a la prevención de la osteoporosis.**

**De todo ello se deduce que, aun siendo ricos en calcio, la leche y los productos lácteos no son suficientes, y ni siquiera necesarios, para tener huesos sanos.**

# ARTROSIS

## Definición

Es una **degeneración del cartílago** que constituye la superficie articular. Se le llama también **artritis degenerativa** u **osteoartritis.** La sobrecarga de las articulaciones debido a exceso de peso o de trabajo, es uno de los factores que más favorecen esta enfermedad. Afecta sobre todo a la **cadera** y la **rodilla.**

## Alimentación

El **objetivo prioritario** en el tratamiento dietético de la artrosis es la **pérdida de peso.** Una buena ingesta de **minerales** formadores de hueso y de **azufre,** necesario para el buen estado de los cartílagos, también contribuye a prevenir o frenar el desarrollo de la artrosis.

 **Aumentar**

CALCIO
LEGUMBRES
CEREALES INTEGRALES
MELAZA
ALFALFA
COCO

*Alfalfa*

**Evitar la obesidad es la primera norma en el tratamiento de la artrosis.**

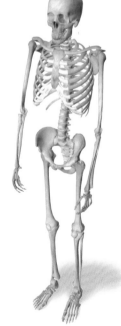

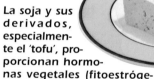

**La soja y sus derivados, especialmente el 'tofu', proporcionan hormonas vegetales (fitoestrógenos como la isoflavona) que reemplazan a las producidas por los ovarios y favorecen la mineralización del esqueleto.[2] Además contienen calcio.**

**Existen diversos estudios en los que se demuestra que las mujeres que consumen más carne, presentan mayor riesgo de sufrir fractura de cadera[3] o de antebrazo.[4]**
**Es interesante notar que precisamente en los países ricos en los que se consume más carne, se dan más casos de fracturas debidas a osteoporosis.**
**La alimentación lactovegetariana es la más efectiva en la prevención de la osteoporosis.**

## ARTRITIS REUMATOIDE

### Definición

Es una **inflamación de las articulaciones** de causa desconocida, que se da con mayor frecuencia en la edad media de la vida y en mujeres. Afecta principalmente a las pequeñas articulaciones de las manos y de los pies, y produce inflamación, dolor, incapacidad funcional y deformación articular.

### Alimentación

Es frecuente en los enfermos de artritis reumatoide, que se produzca anemia, úlcera de estómago, falta de proteínas y cierto grado de desnutrición. Por ello, y porque ciertos alimentos empeoran la enfermedad, es importante seguir una alimentación adecuada. Estos son los resultados que se obtienen con tres tipos de **dieta** diferentes:

- **Omnívora** a base de carne o proteínas de origen animal: *empeora* la enfermedad y agrava las manifestaciones inflamatorias en las articulaciones.

- **Ovolactovegetariana**: Produce una cierta **mejoría** cuando *reemplaza* a la dieta omnívora. El yogur es el producto lácteo mejor tolerado.

- **Vegetariana estricta** (vegana): Es la que **mejores resultados** produce, especialmente si es rica en frutas y hortalizas crudas.

Se ha comprobado que los enfermos de artritis reumatoide presentan un índice elevado de anticuerpos frente a dos tipos de bacterias intestinales: *Escherichia coli* y *Proteus mirabilis*. Ambas especies bacterianas proliferan cuando se sigue una dieta omnívora, mientras que su número decrece con una alimentación vegetariana o con el consumo de yogur 'bio'.[5, 6] Esta es una de las explicaciones al hecho de que la artritis reumatoide mejora al seguir una dieta vegetariana.

 **Aumentar**

FRUTA
LEGUMBRES
SOJA
HORTALIZAS
FRUTOS SECOS
CEREALES INTEGRALES
ACEITES
PESCADO, ACEITE
CHUCRUT
NUEZ
GERMEN DE TRIGO
YOGUR

**Reducir o eliminar**

CARNE
CERDO
BEBIDAS ALCOHÓLICAS
LECHE
HUEVO
ADITIVOS

*Brécol*

Una alimentación a base de fruta y hortalizas crudas proporciona una mejoría sustanciosa en la evolución de la artritis reumatoide, reduciendo la inflamación, el dolor y la deformidad articulares.

En diversas experiencias se ha comprobado que una dieta vegetariana reduce la inflamación en caso de artritis reumatoide, mientras que una dieta omnívora la agrava.[7, 8, 9]
Una de las explicaciones a este hecho es que la carne contiene una elevada proporción de ácido araquidónico, un ácido graso a partir del cual el organismo produce los llamados eicosanoides. Estas sustancias desencadenan las reacciones inflamatorias.[10]

# RAQUITISMO Y OSTEOMALACIA

## Definición

Ambas enfermedades consisten en un **reblandecimiento** y **deformación** de los **huesos** debido a que no contienen suficientes minerales (especialmente calcio). Estos minerales son los que otorgan su dureza característica a los huesos.

El **raquitismo** se da en la *edad infantil,* y la **osteomalacia** en la *edad adulta*.

En la osteoporosis hay pérdida de masa ósea y el hueso se hace más esponjoso y menos denso, con lo que tiende a fracturarse. En el raquitismo y en la osteomalacia existe suficiente masa ósea, llamada también matriz ósea, formada por proteínas; sin embargo, esta matriz ósea no contiene suficientes minerales.

## Causas

La causa *más común* de ambas es la **carencia** de **vitamina D** debido a falta de exposición a la luz solar y a una ingesta insuficiente de esta vitamina.

## Alimentación

En ambos casos se precisa, además de vitamina D y calcio, otros minerales (como el fósforo y el magnesio) y oligoelementos (como el boro y el flúor) necesarios para que los huesos se mineralicen y adquieran su dureza normal.

 **Aumentar**

 **Reducir o eliminar**

| | |
|---|---|
| VITAMINA D | SALVADO DE TRIGO |
| CALCIO | ESPINACA |
| COL | |
| NARANJA | |
| ALFALFA | |
| MELAZA | |
| ALMENDRA | |
| COCO | |

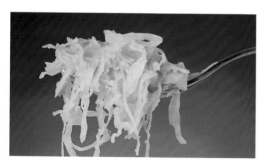

Todas las variedades de col, incluida la coliflor y el brécol, proporcionan calcio que es fácilmente absorbido. El 'chucrut' (col fermentada) también.

# SÍNDROME DEL TÚNEL CARPIANO

## Causas

Se produce por la compresión sobre el nervio mediano a su paso por el llamado túnel del carpo, en la muñeca. Se debe al crecimiento de los tejidos y ligamentos que rodean el nervio a su paso por dicho orificio.

## Síntomas

Se manifiesta con parestesias (hormigueos y pinchazos) y paresia (dificultad para el movimiento) en los dedos pulgar e índice de una o de ambas manos.

## Tratamiento

Aunque en *muchos casos* se requiere una **intervención quirúrgica** para liberar el nervio, ciertos alimentos pueden aliviarlo.

 **Aumentar**

 **Reducir o eliminar**

| | |
|---|---|
| VITAMINA B6 | BEBIDAS ALCOHÓLICAS |
| GERMEN DE TRIGO | BEBIDAS ESTIMULANTES (CAFÉ, TÉ, MATE, ETC.) |

# CALAMBRES MUSCULARES

## Definición

Son **contracturas musculares** involuntarias y dolorosas, que suelen producirse por la noche en los músculos de la pierna.

## Causas

Ciertos factores *los favorecen*: la **deshidratación**; la *pérdida* de **minerales** debida a diarreas, vómitos, poliuria (orina excesiva) o sudoración; el **ejercicio** *intenso*; y los *trastornos* de la **circulación venosa** en las piernas relacionados con las varices.

 **Aumentar**

*Caldo depurativo*

AGUA
MAGNESIO
POTASIO
VITAMINAS B
CALDO DEPURATIVO
FRUTA
BEBIDAS ISOTÓNICAS

Una buena taza de caldo por la noche antes de ir a dormir, contribuye a prevenir los calambres musculares.

Allium porrum L. | pH↑

# Puerro

## Elimina el ácido úrico

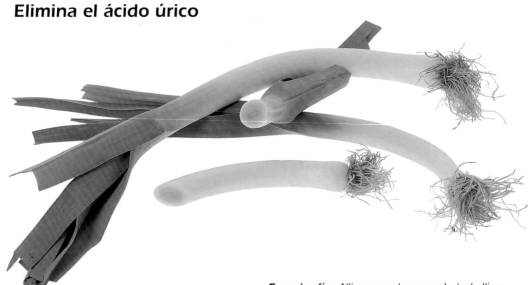

### PUERROS
### composición
por cada 100 g de parte comestible cruda

| | |
|---|---|
| Energía | 61,0 kcal = 255 kj |
| Proteínas | 1,50 g |
| H. de c. | 12,4 g |
| Fibra | 1,80 g |
| Vitamina A | 10,0 µg ER |
| Vitamina B₁ | 0,060 mg |
| Vitamina B₂ | 0,030 mg |
| Niacina | 0,600 mg EN |
| Vitamina B₆ | 0,233 mg |
| Folatos | 64,1 µg |
| Vitamina B₁₂ | — |
| Vitamina C | 12,0 mg |
| Vitamina E | 0,920 mg EαT |
| Calcio | 59,0 mg |
| Fósforo | 35,0 mg |
| Magnesio | 28,0 mg |
| Hierro | 2,10 mg |
| Potasio | 180 mg |
| Cinc | 0,120 mg |
| Grasa total | 0,300 g |
| Grasa saturada | 0,040 g |
| Colesterol | — |
| Sodio | 20,0 mg |

1%   2%   4%        10%   20%  40%  100%

**% de la CDR (cantidad diaria recomendada)**
cubierta por 100 g de este alimento

**Especie afín:** *Allium ampeloprasum* L. (cebollino común, ajipuerro).

**Sinonimia hispánica:** *puerro común, porro, porrina, porrino, ajito tierno, ajo puerro, ajete, ajipuerro, ajo macho, prasio, cebollín, cebollino.*

**Descripción:** *Tallos del puerro ('Allium porrum' L.), planta herbácea de la familia de las Liliáceas.*

EL PUERRO se diferencia de la **cebolla** en que apenas tiene bulbo, pero en cambio desarrolla mucho más su tallo. Uno y otra, junto con el **ajo,** pertenecen a la misma familia botánica, y comparten muchas de sus propiedades.

**PROPIEDADES E INDICACIONES:** La composición del puerro es similar a la de la cebolla (ver pág. 142), aunque contiene *más **hidratos de carbono*** (12,3%), *más **ácido fólico*** (64,1 µg/100 g), y *más **minerales.*** Entre estos *destacan* el ***calcio*** (59 mg/100 g), el ***magnesio*** (28 mg/100 g) y el ***hierro*** (2,1 mg/100 g). Medio kilo de puerros aportan

**Los puerros, las fresas, las frambuesas y las manzanas, resultan muy apropiados para facilitar la eliminación del ácido úrico de la sangre y evitar así las crisis de gota.**

los 10 mg de hierro que necesita un adulto diariamente, y la tercera parte de las necesidades diarias de calcio. Su contenido en vitaminas es más bien escaso.

## Preparación y empleo

❶ **Crudo:** Cuando está muy tierno, se puede tomar en ensaladas, como la cebolla.

❷ **Hervido** o al vapor: Aliñado con aceite y limón o con mayonesa, constituye un delicado manjar.

❸ **Cocinado:** Formando parte de diversas preparaciones culinarias. Combina muy bien con las patatas y los huevos.

El puerro contiene también un ***aceite esencial*** similar al de la cebolla, aunque en menor concentración. Sus indicaciones son las siguientes:

• **Artritis úrica:** Nuestro organismo produce diariamente ácido úrico como residuo del metabolismo de las proteínas, que se elimina con la orina. Cuando se produce en exceso, el ácido úrico tiende a depositarse en las articulaciones causando inflamación y dolor (artritis). El puerro es un *buen* **alcalinizante** y **diurético,** por lo que aumenta la eliminación urinaria de ácido úrico. Conviene a los artríticos, gotosos y enfermos del riñón.

• **Bronquitis y sinusitis,** por la acción mucolítica (fluidifica la mucosidad) y antiséptica de su esencia.

• **Estreñimiento,** por la acción laxante de su fibra. Puede producir flatulencia intestinal.

305

# Nabo

## Sus hojas son muy ricas en calcio

### NABO
### composición
por cada 100 g de parte comestible cruda

| | |
|---|---|
| Energía | 27,0 kcal = 114 kj |
| Proteínas | 0,900 g |
| H. de c. | 4,43 g |
| Fibra | 1,80 g |
| Vitamina A | — |
| Vitamina B₁ | 0,040 mg |
| Vitamina B₂ | 0,030 mg |
| Niacina | 0,550 mg EN |
| Vitamina B₆ | 0,090 mg |
| Folatos | 14,5 µg |
| Vitamina B₁₂ | — |
| Vitamina C | 21,0 mg |
| Vitamina E | 0,030 mg EαT |
| Calcio | 30,0 mg |
| Fósforo | 27,0 mg |
| Magnesio | 11,0 mg |
| Hierro | 0,300 mg |
| Potasio | 191 mg |
| Cinc | 0,270 mg |
| Grasa total | 0,100 g |
| Grasa saturada | 0,011 g |
| Colesterol | — |
| Sodio | 67,0 mg |

1%   2%   4%      10%   20%  40%  100%

**% de la CDR** (cantidad diaria recomendada)
cubierta por 100 g de este alimento

**Sinonimia hispánica:** *colza, mostaza, nabo blanco, nabo silvestre, colinabo, berza silvestre, navina, naviza, rebancá, yuyo.*

**Descripción:** *Raíces y hojas de la planta del nabo ('Brassica rapa' L.) de la familia de las Crucíferas. Por ser una raíz de tipo tuberoso (engrosada) y no un tubérculo, del nabo no surgen brotes como ocurre con la patata. Los hay de forma esférica, cilíndrica y cónica. Por fuera son de color blanco o rojizo, aunque su interior es siempre blanco o amarillento.*

L OS PUEBLOS del centro de Europa deben mucho a los humildes nabos. Aunque en nuestros días estén poco considerados desde el punto de vista culinario y nutritivo, estas raíces han servido de alimento desde tiempos inmemoriales, tanto para las personas como para el ganado.

**PROPIEDADES E INDICACIONES:** El nabo contiene una proporción de agua bastante mayor que la patata (un 92% frente a un 79%). Esto hace que su contenido de nutrientes energéticos sea reducido: hidratos de carbono: 4,43%, proteínas: 0,9%, grasas: 0,1%.

Contiene cantidades discretas de **vitaminas** del **complejo B** (B₁, B₂, B₆ y niacina y folatos), y una buena proporción de **vitamina C;** ya que 100 g de nabo aportan 21 mg de esta vitamina, más de la tercera parte de las necesidades diarias para un hombre adulto. El nabo carece de provitamina A (beta-caroteno) y de vitaminas E y B₁₂.

En cuanto a **minerales,** el más abundante es el potasio (191 mg/100 g), seguido del sodio (67 mg/100 g). Contiene también pequeñas cantidades de calcio, fósforo y hierro, así como de oligoelementos. Es bastante rico en **fibra** vegetal (1,8%).

En conjunto el nabo aporta una cantidad reducida de energía (27 kcal/ 100 g), con prácticamente nada de grasa y bastante fibra. Debido a los compuestos no nutritivos que posee, similares a los de las coles (ver pág. 182) pero aún no bien estudiados, actúa como **alcalinizante, depurativo** de la sangre y **diurético.**

Estas son sus indicaciones dietoterápicas:

• **Gota** (artritis úrica): El consumo de nabos facilita la eliminación del **ácido úrico** con la orina, sustancia que se produce normalmente en nuestro organismo a partir de las proteínas. Cuando se genera en exceso, el ácido úrico produce un estado de intoxicación en todo el organismo (gota) y se deposita especialmente en las articulaciones, causando inflamación y dolor de tipo reumático.

El consumo de nabos "limpia" la sangre de ácido úrico, así como de otros residuos metabólicos. De esta forma, produce una mejora en los gotosos y enfermos de **reumatismo** articular de causa úrica.

• **Obesidad:** El nabo produce una considerable sensación de saciedad, con un aporte reducido de calorías (27 kcal/100 g). Su consumo se recomienda en los regímenes de adelgazamiento como alimento nutritivo, fácilmente digerible y carente de grasa.

## Las hojas del nabo (grelos)

**La verdura más rica en calcio, y mucho más nutritiva que el propio nabo.**

Durante mucho tiempo, por lo general, se han estado desechando las hojas del nabo, o simplemente dándoselas a los animales. Hoy sabemos que las hojas –llamadas **grelos** en algunos lugares– son mucho más nutritivas que el propio nabo, y cada vez son más quienes disfrutan de su agradable sabor y de su riqueza vitamínica y mineral.

Se pueden tomar tanto crudas en ensalada (cuando son tiernas), o bien cocinadas como las espinacas.

Las hojas del nabo aportan casi el doble de proteínas y de fibra que la raíz, aunque menos hidratos de carbono. Sin embargo, lo que más destaca de su valor nutritivo es su *gran concentración* de **vitaminas** y *minerales,* varias veces superior a la de la raíz. En su composición destacan el calcio, la provitamina A (beta-caroteno), la vitamina C, el folato y el hierro.

## Preparación y empleo

❶ **Raíz:** Se consume cocinada acompañando a arroces y platos de legumbres. El arroz hervido con alubias y nabos es uno de los platos típicos del litoral valenciano en el este de España.

❷ **Hojas tiernas:** Se pueden comer crudas en ensalada, o cocinadas como las espinacas.

# Castaña

## Tonifica los músculos

## CASTAÑAS
### composición
por cada 100 g de parte comestible cruda

| | |
|---|---|
| Energía | 213 kcal = 890 kj |
| Proteínas | 2,42 g |
| H. de c. | 37,4 g |
| Fibra | 8,10 g |
| Vitamina A | 3,00 µg ER |
| Vitamina B₁ | 0,238 mg |
| Vitamina B₂ | 0,168 mg |
| Niacina | 1,63 mg EN |
| Vitamina B₆ | 0,376 mg |
| Folatos | 62,0 µg |
| Vitamina B₁₂ | — |
| Vitamina C | 43,0 mg |
| Vitamina E | — |
| Calcio | 27,0 mg |
| Fósforo | 93,0 mg |
| Magnesio | 32,0 mg |
| Hierro | 1,01 mg |
| Potasio | 518 mg |
| Cinc | 0,520 mg |
| Grasa total | 2,26 g |
| Grasa saturada | 0,425 g |
| Colesterol | — |
| Sodio | 3,00 mg |

1%  2%  4%  10%  20%  40%  100%

**% de la CDR** (cantidad diaria recomendada)
cubierta por 100 g de este alimento

**Sinonimia hispánica:** *regoldo (castaño/castañero silvestre).*

**Descripción:** *Semilla del fruto del castaño ('Castanea sativa' Mill.), árbol robusto de la familia de las Fagáceas.*

EL MÉDICO y nutricionista alemán W. Heupke, considerado como uno de los fundadores de la moderna escuela de nutrición alemana, decía que las castañas son «los pequeños panes que proporciona la naturaleza».[11]

**PROPIEDADES E INDICACIONES:** La castaña es uno de los alimentos *más ricos en **hidratos de carbono*** que nos ofrece la naturaleza (37,4%), *comparable únicamente* a las **legumbres** y **cereales.** Los hidratos de carbono de la castaña están formados por **almidón** en su mayor parte (85%), seguido por la **sacarosa** (15%). Apenas contiene glucosa y fructosa.

Contiene también proteínas (2,42%) y grasas (2,26%), siendo la mayor parte de ellas, mono o poliinsaturadas.

Aunque no contiene vitamina E y apenas vitamina A, es bastante rica en vitamina C y sobre todo, en vitaminas del complejo B: B$_1$, B$_2$, B$_6$ y niacina. Su concentración en **vitaminas B** es *similar* a la del **trigo integral** (incluido el germen).

En cuanto a minerales, la castaña destaca por su *riqueza en* **potasio** (518 mg/100 g) y su *bajo contenido en* **sodio** (3 mg/100 g), lo cual la hace *muy recomendable* en caso de **hipertensión** o de **afecciones cardiovasculares.** Contiene también bastante hierro (1mg/100 g), así como magnesio, calcio, fósforo y los oligoelementos cinc, cobre y manganeso.

La castaña actúa en el organismo como tonificante muscular, **alcalinizante,** astringente y galactógena.

Su uso está indicado en los siguientes casos:

• **Estados de fatiga física** y cansancio debido a un intenso ejercicio muscular (deportistas, trabajadores manuales) o a desnutrición. Pro-

La castaña no debe ser considerada como un postre o una golosina, sino como un alimento muy nutritivo y tonificante.

duce una acción tonificante sobre los músculos, comunicando sensación de energía y bienestar.

• **Épocas de crecimiento:** Es una buena fuente de energía calórica, vitaminas y minerales, muy recomendable para el desarrollo osteomuscular de los adolescentes.

• **Arteriosclerosis** y afecciones cardiocirculatorias: La castaña aporta energía con *muy pocas* **grasas** y *muy poco* **sodio.** Su *elevado contenido* en **potasio** contribuye a evitar la hipertensión arterial.

• **Diarreas:** La castaña, especialmente en forma de puré **❹**, constituye un buen alimento en caso de diarrea o descomposición intestinal, por su suave *efecto astringente y regulador del tránsito intestinal.*

• **Insuficiencia renal:** La castaña es un alimento recomendable para los que padecen de insuficiencia renal, pues por su efecto **alcalinizante** compensa en parte el exceso de ácido en la sangre.

• **Mujeres que lactan:** la castaña es un galactógeno (aumenta la secreción de leche), además de aportar muchos nutrientes a la mujer que lacta.

## Preparación y empleo

**❶ Crudas:** Solo se recomienda consumir crudas las castañas cuando están *muy tiernas.* Aun así, hay que masticarlas muy bien, de modo que las enzimas salivares empiecen a digerirlas.

**❷ Cocinadas:** Una vez peladas, se hierven en agua durante 20-30 minutos. Se puede añadir al agua algunas hierbas aromáticas, como el comino, hinojo o tomillo.

**❸ Al horno** o a la brasa. Se pueden asar con la piel, pero haciéndoles un corte a todas. Resultan muy sabrosas y apetecibles.

**❹ Puré de castañas:** Después de hervidas se machacan en un mortero hasta obtener una pasta uniforme. Se añade miel o azúcar moreno. También se puede mezclar con leche.

**❺ 'Marron glacé':** Es un dulce exquisito, típico de Francia, que se elabora con castañas de la máxima calidad y clara de huevo.

# Coco

## Rico en minerales

### COCO
### composición
por cada 100 g de parte comestible cruda

| | |
|---|---|
| **Energía** | 354 kcal = 1480 kj |
| **Proteínas** | 3,33 g |
| **H. de c.** | 6,23 g |
| **Fibra** | 9,00 g |
| **Vitamina A** | — |
| **Vitamina B₁** | 0,066 mg |
| **Vitamina B₂** | 0,020 mg |
| **Niacina** | 1,19 mg EN |
| **Vitamina B₆** | 0,054 mg |
| **Folatos** | 26,4 µg |
| **Vitamina B₁₂** | — |
| **Vitamina C** | 3,30 mg |
| **Vitamina E** | 0,730 mg EαT |
| **Calcio** | 14,0 mg |
| **Fósforo** | 113 mg |
| **Magnesio** | 32,0 mg |
| **Hierro** | 2,43 mg |
| **Potasio** | 356 mg |
| **Cinc** | 1,10 mg |
| *Grasa total* | 33,5 g |
| *Grasa saturada* | 29,7 g |
| *Colesterol* | — |
| *Sodio* | 20,0 mg |

1%   2%   4%   10%  20% 40%  100% 200% 500%

**% de la CDR** (cantidad diaria recomendada)
cubierta por 100 g de este alimento

*Sinonimia hispánica: coco de Indias,
coco de agua, coco de castillo, palma de coco,
palma indiana.*

*Descripción: Semilla del fruto del cocotero
('Cocos nucifera' L.), árbol de la familia de las
Palmáceas que alcanza hasta 20 m de altura.
El fruto no es una nuez desde el punto de vista
botánico, sino una drupa, que pesa hasta 2,5 kilos.*

*El coco está formado por una cáscara correosa
externa (exocarpo) de color amarillo o anaranjado;
una capa fibrosa intermedia (mesocarpo)
equivalente a la parte carnosa de los frutos
comunes; y un hueso central (endocarpo), en cuyo
interior se encuentra la semilla, formada por una
pulpa blanca, que es la parte comestible.*

EL COCOTERO es un árbol con voca-
ción de supervivencia: resiste como ninguno la acción devastadora de los ciclo-
nes tropicales, doblegando su elástico tronco
sin llegar a desarraigarse del terreno. Cuando
pasa la tormenta, las palmeras cocoteras permanecen esbeltas en las playas tropicales, como si nada hubiera ocurrido.

Además, su fruto, el coco, es capaz de na-
vegar cientos, o incluso miles de kilómetros flo-

tando sobre el mar, sin que pierda su fuerza germinadora. ¡Qué energía vital tan indomable la de esos aparentemente frágiles cocoteros!

En el idioma sánscrito de la India, el cocotero recibe el nombre de *kalpa vriksha*, que quiere decir, 'árbol que da todo lo necesario para la vida'. Y no resulta exagerado, pues es sabido que los habitantes de las islas de la Polinesia han sobrevivido, en ocasiones durante varias generaciones, a base de cocos. El coco proporciona bebida y alimento sólido; con la fibra que lo recubre se tejen cuerdas y se fabrican cepillos de dientes; con el tronco y las hojas del cocotero se hacen sandalias, tejidos e incluso cabañas.

La fuerza vital y la resistencia del coco, así como la flexibilidad de la palmera, parecen estar anunciando las propiedades medicinales de la semilla de este original fruto.

**PROPIEDADES E INDICACIONES:** La composición de la pulpa del coco va varía a medida que este madura. Cuando el coco está *verde* (de 6 a 7 meses), la pulpa tiene una consistencia gelatinosa, contiene mucha agua y su *proporción* de **nutrientes** es *menor.*

Cuando el coco *madura,* la pulpa se hace más consistente, con menos agua y los **nutrientes** se hallan *más concentrados.* En este estado, la pulpa del coco contiene una buena proporción de **hidratos de carbono**

## Composición de la grasa del coco

Monoinsat. **1,43 g**  Poliinsat. **0,366 g**

Saturados **29,7 g**

**COCO**
distribución porcentual de sus
**ácidos grasos**

*La mayor parte de los **ácidos grasos** del coco son de tipo **saturado**, lo que hizo pensar a muchos especialistas en nutrición que favorecían la producción de colesterol, tal como lo hacen los ácidos grasos saturados de la grasa de origen animal.*
*Sin embargo, la mayor parte de los ácidos grasos del coco presentan una particularidad especial, que los diferencia de los de origen animal: su molécula contiene de 6 a 14 átomos de carbono. Actualmente se sabe que estos **ácidos grasos de cadena corta y media** presentes en el coco, **no aumentan** el nivel de **colesterol**, a pesar de ser de tipo saturado.*
*En las grasas animales predominan los ácidos grasos saturados de cadena larga, como el esteárico (18 átomos de carbono), que sí que aumentan el nivel de colesterol.*

(6,23%) y **proteínas** (3,33%) y sales minerales, entre las que destaca el **magnesio,** el **calcio** y el **fósforo.**

## Preparación y empleo

❶ **Pulpa madura:** Se puede consumir cruda, entera o rallada; o bien asada, formando parte de diversas preparaciones culinarias.

❷ **Pulpa gelatinosa:** Se obtiene de los cocos aún verdes. Se come con una cuchara, una vez abierto el coco. Contiene los mismos nutrientes que el coco maduro, pero en menor concentración.

❸ **Agua de coco:** Es el líquido que se encuentra en su interior, tanto más abundante cuanto más verde está el coco.

Ideal para calmar la sed en los países tropicales.

❹ **Leche de coco:** Refrescante y nutritiva. Ver su elaboración en la pág. 312. Se puede elaborar agregando agua o leche de vaca.

❺ **Copra:** Es la pulpa del coco desecada al sol.

❻ **Aceite o grasa de coco:** Se obtiene industrialmente aplicando una fuerte presión sobre la copra.

## Leche de coco

**Se obtiene exprimiendo la pulpa madura del coco, una vez bien triturada.**

1. **Rallar finamente la pulpa** de un coco o bien pasarla por la trituradora.

2. **Agregar medio litro de agua hirviendo,** y dejar reposar durante media hora. En vez de agua, también puede añadirse leche de vaca.

3. **Preparar un lienzo de algodón** y llenarlo con la pasta de coco.

4. **Retorcer el lienzo con la pasta,** hasta exprimir todo el jugo.

5. Para aprovechar mejor el coco, se puede **volver** a echar **agua caliente** sobre la pulpa restante, repitiendo de nuevo los pasos 3 y 4.

6. La leche de coco se toma **como refresco,** o bien se puede **añadir** a batidos de frutas u otros platos.

Sin embargo, el nutriente *más abundante* en la pulpa del coco es la ***grasa,*** que supone más de *un tercio* de su peso llegada la madurez.

Las propiedades dietoterápicas del coco dependen de su contenido mineral, especialmente en ***magnesio.*** La pulpa madura contiene 32 mg /100 g, y el agua de coco 25 mg/100 g. Aunque no son grandes cantidades, si que *superan* a la de todos los **alimentos** de origen **animal,** incluidos la carne, el pescado, la leche y los huevos.

La mayor parte del *MAGNESIO* del organismo se encuentra en los huesos (60%) y en los músculos (26%). Contribuye a la dureza de los huesos y al buen estado de los cartílagos que forman las articulaciones. En los músculos, la *falta* de magnesio produce **contractura** muscular y **excitabilidad** nerviosa.

El coco, además de cierta cantidad de magnesio contiene otros minerales de gran importancia para el aparato locomotor, como el *calcio* y el *fósforo.*

Un alimento como el coco, que aporta estos *minerales* en una *proporción correcta,* contribuye al buen estado de los **huesos,** de las **articulaciones,** de los **músculos** y del aparato locomotor en su conjunto.

En los siguientes casos, el consumo de coco (pulpa o agua [❶,❷,❸]) ejerce un *efecto* beneficioso sobre el aparato locomotor:

• **Descalcificación** (pérdida del calcio) ósea.

• **Artrosis** (degeneración del cartílago de las articulaciones).

• **Osteoporosis** (desmineralización y pérdida de masa de los huesos).

• **Dolores osteomusculares** debidos a tensión excesiva o a falta de relajación muscular, especialmente el dolor de espalda.

Por su acción **remineralizante,** el consumo de coco también se recomienda:

• En la época de la **dentición infantil,** para favorecer la buena formación del esmalte dentario.

• En caso de **debilidad** del **cabello** y de las **uñas.**

Es interesante señalar que el **AGUA** y la **LECHE** de coco [❸,❹] son *casi tan ricas* en *minerales* como la propia pulpa de coco, con la *ventaja de no contener* ***grasas.*** Un litro de agua de coco contiene unos 300 mg de magnesio, que es la CDR (cantidad diaria recomendada) de este mineral para un adulto.

# Cocos de otras palmeras

*En las zonas tropicales se dan varios tipos de palmeras que también producen frutos similares al coco:*

**Coco de mar** o coco de las islas Seychelles (*Lodoicea maldivica*): Es un enorme coco que llega a pesar hasta 25 kg. Su composición es similar a la del coco normal. Se cultiva en Madagascar y en otras islas del océano Índico.

**Corozo** o corojo (*Bactris major* Jacq.): Es el fruto de una palmera de hasta 30 m de altura, que crece espontáneamente y también se cultiva en Panamá, Colombia y Venezuela. Los frutos son amarillos, y crecen en enormes racimos de hasta 4.000 corozos. La pulpa es de sabor agridulce, y se emplea para extraer un *jugo* muy agradable con el que se elaboran refrescos, gelatinas y mermeladas.

***Ing.:*** *beach palm.*

**Coco de beber** o coco real (*Cocos nucifera* var. *aurantiaca*): Es una variedad del coco común de color amarillo o anaranjado, que tiene menos pulpa pero *mucha más agua* (hasta medio litro). El agua de este coco es además más aromática y refrescante que la del coco normal.

***Ing.:*** *coconut palm.*

**Palmira** o boraso (*Borassus flabellifer* L.): Es el fruto de una palmera que se cultiva en el sur de la India, en Sri Lanka (Ceilán) y en Malasia. Crece en racimos, como el coco, aunque su tamaño es bastante más pequeño (10-12 cm). Con su pulpa triturada y pasada por un lienzo, se obtiene una deliciosa **bebida.**

***Ing.:*** *palmyra palm.*

**Salaca** (*Salacca edulis* Reinw.): Es el fruto de la palmera salaca, que se cultiva en Indonesia y Tailandia. La *pulpa,* que está dividida en tres gajos, es blanquecina, de consistencia firme y sabor agridulce. Tiene acción **astringente.**

***Ing.:*** *salac.*

# Alimentos para la piel

**L**A ALIMENTACIÓN influye de forma notable sobre el estado de la **piel** y de sus estructuras anexas como las **uñas** y el **pelo.** Esto es debido especialmente a tres características fisiológicas de la piel:

1. **Sensible** a las **carencias nutritivas:** Las **células** que forman la piel se están **renovando** *continuamente*, por lo que se precisa un aporte constante de nutrientes para la producción de nuevas células.

   Esto hace que la piel sea muy sensible a las carencias nutritivas, *especialmente* a las de **proteínas, ácidos grasos esenciales, vitaminas A** y **C, hierro** y **cinc.**

2. **Órgano de eliminación:** A la piel se le llama *"el tercer riñón"* pues participa activamente en los procesos depurativos del organismo. Por la piel pueden eliminarse normalmente una cierta cantidad de toxinas que circulan por la sangre. Sin embargo, la capacidad eliminadora de la piel puede verse superada cuando aumenta la concentración de toxinas debido a:

– funcionamiento *insuficiente* del **hígado** o de los **riñones,**

– **estreñimiento,**

– **alimentación** *a base de* productos **cárnicos,** especialmente embutidos, mariscos y vísceras.

En estos casos, la piel sufre una **intoxicación** de origen ***interno,*** y reacciona con diversas manifestaciones patológicas como eccemas, dermatosis y erupciones diversas.

3. **Asiento de manifestaciones alérgicas:** Muchas reacciones alérgicas causadas por los alimentos, se manifiestan en la piel.

Una alimentación saludable favorece el buen estado y la belleza de la piel en mayor medida que las aplicaciones externas y los tratamientos cosméticos.

# ACNÉ

## Definción

Es la *hipertrofia e infección de las glándulas sebáceas de la piel.* Estas producen el **sebo,** una *grasa necesaria para proteger la piel.* Cuando el conducto excretor de las glándulas productoras de sebo se obstruye debido a diversas causas, este se acumula en su interior y la glándula aumenta de tamaño. Si el sebo no es vertido al exterior, la glándula se infecta e inflama, dando lugar a la típica pústula del acné.

## Causas

El acné se produce más frecuentemente en la adolescencia. Estos son los factores que intervienen en su génesis:

• La **herencia.**

• Las **hormonas,** especialmente los **andrógenos** u hormonas masculinizantes.

• El **estrés** emocional.

• La **alimentación** *pobre en* frutas, frutos secos, cereales, legumbres y hortalizas, y *rica en* productos elaborados, grasa animal y aditivos. La típica comida a base de hamburguesa, patatas fritas y helado o dulce es un ejemplo de alimentación favorecedora del acné.

 **Aumentar**

FRUTA
HORTALIZAS
CEREALES INTEGRALES
SOJA
VITAMINA E

 **Reducir o eliminar**

AZÚCARES
BOLLERÍA REFINADA
GRASA SATURADA
LECHE
CHOCOLATE
SAL

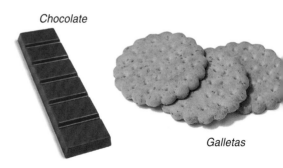

*Chocolate*

*Galletas*

**Una alimentación rica en azúcares y en los productos elaborados con ellos (dulces, caramelos, etc.) favorece el desarrollo del acné.**

## PIEL SECA

### Definición y causas

Debido a la edad, al exceso de insolación y a sustancias químicas agresivas, las **células** de la **piel** *tienden* a **deshidratarse** (perder agua). Esto hace que la piel se vuelva áspera, agrietada y falta de belleza.

### Alimentación

Ciertos alimentos como los que aquí se indican **protegen** las células de la piel y **evitan** su **deshidratación** y **envejecimiento** *prematuro.*

 **Aumentar**

JUDÍA (FRIJOL)

ZANAHORIA

CACAHUETE (MANÍ)

MANGO

PEPINO

GIRASOL, SEMILLAS

*Pipas de girasol*

## CABELLO, FRAGILIDAD

### Causas y tratamiento

El buen estado del cabello requiere que exista una buena nutrición. Las deficiencias de vitaminas y minerales suelen afectar precozmente a la belleza y firmeza del cabello.

La **caída** del cabello se debe generalmente a factores de tipo **hormonal;** sin embargo, una alimentación saludable que aporte todas las vitaminas, minerales y oligoelementos necesarios puede contribuir a mantener firmes y en buen estado los cabellos restantes.

 **Aumentar**

JUDÍA (FRIJOL)

MELAZA

COCO

PEPINO

VITAMINA A

VITAMINAS B

*Judía*

## CELULITIS

### Definición

Con el término celulitis se designan dos trastornos bien diferentes:

• **Infección del tejido celular subcutáneo,** es decir, la capa de tejido que existe debajo de la dermis. Se le llama también **flemón.** Esta infección *suele ser* **grave,** y se produce generalmente a consecuencia de heridas o traumatismos de la piel. Las infecciones dentarias son causa de celulitis de la cara y del cuello.

• **Inflamación o alteración del tejido celular subcutáneo,** sin infección, que se produce especialmente en las mujeres obesas. La piel deja de ser lisa y presenta una superficie irregular, que se describe como "piel de naranja".

Este segundo tipo de celulitis, a la que aquí nos referimos, **no** es **grave** en sí misma, y el principal problema que plantea es el **estético.** Sin embargo, reviste importancia porque revela un estado deficiente de salud.

### Causas

La obesidad, los desequilibrios hormonales, el exceso de insolación (que reseca la piel y la hace menos elástica) y la retención de líquidos y de toxinas, favorecen el desarrollo de la celulitis.

### Alimentación

Una alimentación saludable actúa **desde dentro** y suele dar mejor resultado que los tratamientos estéticos aplicados externamente sobre al piel.

 **Aumentar**     **Reducir o eliminar**

| Aumentar | Reducir o eliminar |
| --- | --- |
| ALIMENTOS DIURÉTICOS (ver pág. 230) | GRASA SATURADA |
| FRUTA | SAL |
| CEREALES INTEGRALES | BEBIDAS ALCOHÓLICAS |
| LEGUMBRES | AZÚCARES |
| FIBRA | |
| VITAMINA A | |

*Pan integral*

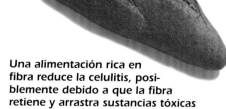

Una alimentación rica en fibra reduce la celulitis, posiblemente debido a que la fibra retiene y arrastra sustancias tóxicas en el intestino.

# ALERGIAS

## Definición

La alergia es una *reacción de* **rechazo** *del organismo hacia una sustancia química llamada* **alergeno** *o antígeno.* Esta reacción es *desproporcionadamente intensa*, en relación a la escasa cantidad de alergeno o a su aparente inocuidad.

## Causas

Cualquier sustancia química, tanto si es ingerida formando parte de los alimentos, inhalada o introducida en el organismo por otro medio, puede causar una reacción alérgica.

## Los alimentos como causa de alergia

Los alimentos que se citan en la columna de la derecha suelen ser causa *frecuente* de alergia. Además, su consumo puede favorecer la alergia a otros alimentos o sustancias químicas. Así, por ejemplo, la leche en personas sensibles puede propiciar una reacción alérgica a otros alimentos o sustancias, y potenciar otras manifestaciones de tipo alérgico.[1]

## Dieta antialérgica

En cualquier caso de alergia, a menos que la causa esté totalmente clara, se recomienda seguir una **dieta de eliminación** o antialérgica. En ella se prescinde de los alimentos que más a menudo causan reacciones alérgicas, como los que se indican a la derecha. Después, paulatinamente y de forma controlada se van añadiendo nuevos alimentos hasta descubrir el que causa los síntomas.

La abstinencia de los alimentos que se citan puede mejorar cualquier tipo de alergia alimentaria.

## Síntomas

Suelen darse con mayor frecuencia en la piel, en el aparato respiratorio o en el digestivo, independientemente de cuál sea la puerta de entrada de la sustancia causante de la alergia. Muchos casos de eccemas, rinitis, asma, migrañas y colitis son de causa alérgica, y están *desencadenados* o *favorecidos* por alguno o varios de los alimentos que se citan a continuación.

 **Reducir o eliminar**

LECHE
PESCADO
MARISCO
HUEVO
CARNE
QUESOS MADURADOS
ADITIVOS
BEBIDAS ALCOHÓLICAS
ESPECIAS
CHOCOLATE
MIEL
GLUTEN
FRUTOS SECOS
HORTALIZAS
FRUTA

*Mejillón*

El marisco es el producto que causa alergias con mayor frecuencia.

---

# PSORIASIS

## Definición

Es una enfermedad de la piel de origen *hereditario*, caracterizada por el *enrojecimiento y descamación en diversas partes del cuerpo* (codos, rodillas, cuero cabelludo, tórax, etc.).

## Consejos de salud

Los **baños de sol** resultan *favorables*, mientras que el **estrés** y las **infecciones** *pueden agravarla*.

 **Aumentar**

VERDURAS
PESCADO, ACEITE
MELAZA
VITAMINA A

 **Reducir o eliminar**

GRASA SATURADA
LECHE
CARNE
BEBIDAS ALCOHÓLICAS

La leche de vaca es una de las causas más frecuentes de alergia en la infancia y adolescencia. Se produce por un rechazo a las proteínas lácteas, y se manifiesta con síntomas cutáneos (eccema, atopia, urticaria), digestivos (flatulencia, diarrea) y respiratorios (asma).[2, 3]

## DERMATITIS Y ECCEMA

### Definición

Son términos prácticamente sinónimos. Ambos se refieren a un estado de la piel caracterizado por la *irritación e inflamación, acompañado de enrojecimiento, picor, formación de pequeñas ampollas y descamación.*

### Causas

Estos son los **factores** que *más influyen* en la aparición de dermatitis:

- **Alergias alimentarias,** especialmente a alguno o varios de los alimentos que se citan en *"Alergias"* (ver página anterior). Su consumo provoca o agrava la dermatitis.

- **Contacto** con sustancias alergizantes.

- **Deficiencias** de alguno de estos nutrientes: niacina, vitamina B6, vitamina A, ácidos grasos esenciales o poliinsaturados, minerales y oligoelementos.

### Alimentación

La **dermatitis atópica,** atopia o eccema atópico es un tipo de dermatitis que se presenta en los **lactantes** y **niños** *con antecedentes* familiares de alergia. Suele ir acompañada de **asma** u otras manifestaciones alérgicas. El **tratamiento dietético** *es el más eficaz,* y consiste fundamentalmente en la **supresión** de la **leche de vaca** y de **otros alimentos** alergizantes.

En los **adultos,** los mejores resultados se obtienen con una **dieta antialérgica** a base de vegetales crudos, en la que se excluyan los alimentos citados en el apartado anterior *"Alergias".*

La **urticaria** es un tipo de *dermatitis en la que predomina el picor y el enrojecimiento de la piel.* Está causada por una liberación de **histamina,** sustancia que se produce en determinadas reacciones alérgicas.

 **Aumentar**

NIACINA
LECHE DE SOJA
HORTALIZAS
ALCACHOFA
GIRASOL, SEMILLAS
ACEITE DE ONAGRA
MELAZA
SUERO ACIDIFICADO
VITAMINA B6
VITAMINA A

 **Reducir o eliminar**

LOS MISMOS QUE EN CASO DE ALERGIAS
LECHE
SAL

*Alcachofas*

La alcachofa estimula la función desintoxicadora y depuradora del hígado y del riñón. De esta forma, contribuye a la curación de muchos casos de dermatitis causados o agravados por la acumulación de toxinas en al sangre.

### DIETA CRUDA PARA LA PIEL

Muchas alteraciones de la piel, especialmente si son de origen alérgico, desaparecen al seguir durante unos días una dieta a base de frutas y ensaladas crudas. Las frutas y las hortalizas deben consumirse en su estado natural, sin ser sometidas a ningún proceso culinario o industrial. Las ensaladas se pueden aliñar con aceite y limón.

Paulatinamente se van incorporando a la dieta nuevos alimentos, como pan, cereales, legumbres, lácteos, etcétera, hasta identificar el producto causante de la alergia o de las alteraciones cutáneas. En muchos casos son los **aditivos** o **las especias** los causantes de las reacciones alérgicas. Además de evitar el producto que desencadena las alteraciones cutáneas, quienes tengan una piel sensible mejorarán al adoptar una dieta rica en productos vegetales crudos y sin procesar.

# Cacahuete (maní)

## Nutre y fortalece la piel

**Sinonimia hispánica:** *cacahuate, cacahué, cacahuet, cacahuey, alcagüés, alfónsigo de tierra, avellana americana, avellana de Valencia, inchic, mandouí, mania.*

**Descripción:** *Semillas de los frutos subterráneos de la planta del cacahuete o maní ('Arachis hypogea' L.), herbácea anual de 30 a 40 cm de altura, de la familia de las Leguminosas.*

N O ES NADA habitual en el variado reino vegetal, que los **frutos** de una planta se desarrollen **bajo tierra.** Pues esto es precisamente lo que ocurre con el maní o cacahuete: cuando el ovario de sus flores es fecundado, y comienza la formación del fruto, este se introduce dentro de la tierra, donde completa su maduración.

Por ello, algunos han pensado que el cacahuete es una raíz o un tubérculo; sin embargo, se trata de un **fruto subterráneo.** Como ocurre con todas las plantas de la familia de las Leguminosas, el fruto es una legumbre, es decir, una vaina (cáscara) en cuyo interior crecen las semillas, que constituyen la parte comestible.

## CACAHUETES
### composición
por cada 100 g de parte comestible cruda

| | |
|---|---|
| Energía | 567 kcal = 2374 kj |
| Proteínas | 25,8 g |
| H. de c. | 7,64 g |
| Fibra | 8,50 g |
| Vitamina A | — |
| Vitamina B$_1$ | 0,640 mg |
| Vitamina B$_2$ | 0,135 mg |
| Niacina | 16,2 mg EN |
| Vitamina B$_6$ | 0,348 mg |
| Folatos | 240 µg |
| Vitamina B$_{12}$ | — |
| Vitamina C | — |
| Vitamina E | 9,13 mg E$\alpha$T |
| Calcio | 92,0 mg |
| Fósforo | 376 mg |
| Magnesio | 168 mg |
| Hierro | 4,58 mg |
| Potasio | 705 mg |
| Cinc | 3,27 mg |
| Grasa total | 49,2 g |
| Grasa saturada | 6,83 g |
| Colesterol | — |
| Sodio | 18,0 mg |

1%   2%   4%   10%  20%  40%  100% 200% 500%
## % de la CDR (cantidad diaria recomendada)
cubierta por 100 g de este alimento

Los cacahuetes constituían uno de los alimentos fundamentales de los pueblos autóctonos de Centroamérica antes de la llegada de los europeos. Aunque según algunos historiadores el maní procede de Brasil, y según otros de Asia oriental, lo cierto es que los nativos de las islas del Caribe ya lo cultivaban desde los tiempos más remotos.

En la actualidad el cacahuete o maní son uno de los frutos secos oleaginosos más populares por su agradable sabor y sus propiedades nutritivas.

**PROPIEDADES E INDICACIONES:** Los cacahuetes o maní constituyen un alimento muy nutritivo, cuya *concentración* en **nutrientes** *supera* a la de cualquier alimento de origen animal, incluida la **carne.** En el reino vegetal, solo la nuez (ver pág. 74) y la almendra (ver pág. 58) pueden compararse al cacahuete en riqueza nutritiva.

El cacahuete o maní *supera ampliamente* a la **carne** y los **huevos** en cuanto a cantidad de hidratos de carbono, grasas, proteínas, vitaminas B1, C, E y niacina; los supera también en

cuanto a minerales como calcio, magnesio y potasio; y todo ello *sin* aportar **colesterol,** *ni* exceso de **ácidos grasos saturados.**

Puede asegurarse, pues, que los cacahuetes, o maní, son uno de de los alimentos más concentrados en nutrientes de cuantos podamos tomar. Es cierto que algunos, como la miel o el aceite superan a los cacahuetes en algún nutriente en particular (hidratos de carbono y grasas respectivamente). Sin embargo, tan solo los frutos secos oleaginosos, y especialmente los cacahuetes, contienen *todos* los **nutrientes fundamentales** y en una *proporción* tan *elevada*.

Esto pone de manifiesto lo inapropiado que resulta, desde el punto de vista nutritivo, el considerar los cacahuetes como un mero complemento de ciertas comidas o como un aperitivo para picar. Quien no tenga en cuenta las más de 567 kcal/100 g que aportan por cada 100 g, y los consuma *además* de la comida, sufrirá las consecuencias en forma de obesidad. Y quien los ingiera en grandes cantidades, o deprisa, sin una buena masticación e insalivación, sufrirá pesadez de estómago o mala digestión.

Las personas que consumen cacahuetes sin tener en cuenta que se trata de un alimento muy concentrado y nutritivo, suelen quejarse de que son indigestos. Ahora bien, tomados con mesura, no complementando a otros alimentos, sino sustituyéndolos, resultarán bien tolerados y fácilmente asimilables.

Vamos a estudiar con detalle los principios nutritivos que aporta el maní:

✓ *Proteínas:* Las proteínas del cacahuete, que en algunas variedades llegan hasta un 26% de su peso (la carne no supera el 20%), son relativamente *pobres* en los aminoácidos **metionina**, **lisina** y **treonina.** Por ello, con el fin de proporcionar al organismo *todos* los **aminoácidos** necesarios para producir proteínas completas, conviene comer los cacahuetes *junto* con otros alimentos tales como:

– **cereales integrales** (*muy ricos en* **metionina**),
– **legumbres** (*ricas en* **lisina** *y en* **treonina**), o con
– **levadura de cerveza** (*rica en* **metionina** *y* **treonina**).

---

## Preparación y empleo

❶ **Asados al horno:** Suele ser suficiente hornear los cacahuetes de 5 a 10 minutos, si están pelados; y de 15-20, si conservan la cáscara. Lo ideal es no añadirles sal.

❷ **Fritos en aceite:** Resultan muy sabrosos, aunque un poco indigestos.

❸ **Crudos:** Se digieren mal, y algunas variedades pueden presentar un sabor algo desagradable.

❹ **Mantequilla de cacahuete:** Se elabora con cacahuetes ligeramente tostados y triturados. Es un producto también muy concentrado y nutritivo, que sustituye a la mantequilla de leche con muchas ventajas.

❺ **Harina de cacahuete:** Es muy rica en proteínas, y en algunos países se mezcla con la del trigo para producir pan y bollos de alto poder nutritivo.

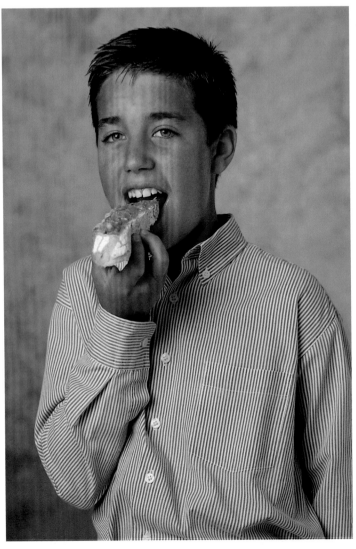

**La mantequilla de cacahuete, elaborada a base de semillas trituradas, es muy popular en Norteamérica. Sustituye con ventaja a la mantequilla de leche, pues aporta mayor número de nutrientes (especialmente vitamina B₃ o niacina) y reduce el nivel de colesterol.**

✓ *Grasas:* constituyen casi la mitad del peso del cacahuete, y se pueden extraer en forma de aceite. Están formadas por una *equilibrada combinación* de **ácidos grasos** poliinsaturados, monoinsaturados y saturados, siendo estos últimos los menos abundantes. Contiene una *abundante proporción* de ácido **linoleico y linolénico, ácidos grasos esenciales** de tipo **insaturado** que el organismo es incapaz de producir por sí mismo, y que deben ser aportados por la alimentación. Los **ÁCIDOS GRASOS** desempeñan un papel muy importante en la formación y renovación de la piel, así como del tejido cerebral; intervienen también en las defensas inmunológicas y en el metabolismo del corazón, ya que constituyen la fuente primaria de *energía* para el **músculo cardíaco.** Así como el cerebro necesita sobre todo glucosa para mantener su actividad, el corazón "quema" ácidos grasos para obtener la energía necesaria para sus latidos.

✓ *Hidratos de carbono:* Los cacahuetes contienen bastantes hidratos de carbono (hasta un 10%), especialmente **almidón** y **mal-**

*tosa*. Esta es una de las razones para masticarlos y ensalivarlos bien, de forma que la ptialina de la saliva comience y facilite la digestión de estos hidratos de carbono. Cuando llegan al colon sin haber sido bien digeridos, es decir, sin haberse transformado completamente en glucosa, se producen fermentaciones y gases intestinales.

✓ **Vitaminas:** Contienen cierta cantidad de vitaminas del complejo B (B$_1$, B$_2$ y B$_6$), siendo muy escaso su aporte de vitaminas A y C.

Destaca su contenido en **vitamina E** (unos 9,13 mg/100 g), inferior al de las semillas de girasol (ver pág. 110), las nueces (ver pág. 74) o las almendras (ver pág. 58), pero muy superior al de la mantequilla (1,58 mg/100 g) o los huevos (1,05 mg/100 g), que son los alimentos de origen animal más ricos en esta vitamina.

Sin embargo, donde el cacahuete alcanza un auténtico *record* entre todos los alimentos, es en su contenido en **niacina,** llamada también vitamina B$_3$. La **niacina** actúa en el organismo como una coenzima que facilita numerosas reacciones químicas necesarias para que los hidratos de carbono y las grasas produzcan energía en las células. La carencia de niacina se manifiesta con piel seca, agrietada y rojiza, así como con debilidad muscular y dispepsia (mala digestión). En los casos de deficiencia grave, se produce una enfermedad conocida como **pelagra,** caracterizada por las llamadas **tres 'd'**: **d**ermatitis (piel enrojecida y agrietada), **d**iarrea y **d**emencia.

✓ **Minerales:** Los cacahuetes son *especialmente ricos* en **potasio** (670 mg/100 g), y *bajos* en **sodio,** siempre y cuando no se les añada sal; contienen cantidades significativas de fósforo, calcio, magnesio y hierro. Son una *fuente excelente* de **oligoelementos** tales como el cinc, el cobre y el manganeso, *superando* su contenido al del **pescado** y la **carne**.

✓ **Fibra vegetal:** Los cacahuetes son relativamente *pobres* en hidratos de carbono de tipo celulósico (fibra vegetal), por lo que *pueden provocar* **estreñimiento** si se consumen en *abundancia* en una sola toma, y sin ir acompañados de frutas o de cereales integrales.

Esta composición tan rica en nutrientes, explica las siguientes aplicaciones del cacahuete o maní:

• **Afecciones de la piel:** El *consumo habitual* favorece el buen estado de la piel y de las mucosas, debido a su *elevado contenido* en **niacina** y en **ácidos grasos insaturados.** Ambas sustancias son imprescindibles para que las células de la piel, que están continuamente renovándose, se mantengan en buen estado.

• **Afecciones cardíacas:** Dada la *gran riqueza* en **ácidos grasos esenciales** del cacahuete, resulta un alimento recomendable para los que padecen del corazón. Estos ácidos grasos sirven de fuente energética *fundamental* para las células del **corazón,** y además *contribuyen* a **descender** el nivel de **colesterol** mejorando la circulación de la sangre en las arterias coronarias.

Los cacahuetes son *bajos* en **sodio** y *muy ricos* en **potasio,** lo cual protege contra la **hipertensión** arterial y evita la **retención de líquidos** en los tejidos. Por supuesto, para que estos efectos beneficiosos tengan lugar, los cacahuetes deben tomarse **sin sal.**

El cacahuete o maní es el fruto seco oleaginoso más rico en proteínas, y uno de los alimentos más concentrados que nos ofrece la naturaleza. Por ello, no debe considerarse como un mero aperitivo para 'picar' entre comidas.

# Pepino

## Limpia y embellece la piel

**Sinonimia hispánica:** *cogombro, cohombro, machicho, pepinillo, alficoz, badea.*

**Descripción:** *Fruto en baya de la planta del pepino ('Cucumis sativus' L.), herbácea y trepadora perteneciente a la familia de las Cucurbitáceas que alcanza alrededor de un metro de altura. El pepino se consume todavía inmaduro, pues cuando madura pierde la tersura y se hace esponjoso y de color amarillento. Suele medir entre 15 y 25 cm de longitud y unos 5 de diámetro.*

### PEPINO
### composición
por cada 100 g de parte comestible cruda

| | |
|---|---|
| **Energía** | **13,0 kcal = 53,0 kj** |
| **Proteínas** | **0,690 g** |
| **H. de c.** | **1,96 g** |
| **Fibra** | **0,800 g** |
| **Vitamina A** | **21,0 µg ER** |
| **Vitamina B₁** | **0,024 mg** |
| **Vitamina B₂** | **0,022 mg** |
| **Niacina** | **0,304 mg EN** |
| **Vitamina B₆** | **0,042 mg** |
| **Folatos** | **13,0 µg** |
| **Vitamina B₁₂** | **—** |
| **Vitamina C** | **5,30 mg** |
| **Vitamina E** | **0,079 mg EαT** |
| **Calcio** | **14,0 mg** |
| **Fósforo** | **20,0 mg** |
| **Magnesio** | **11,0 mg** |
| **Hierro** | **0,260 mg** |
| **Potasio** | **144 mg** |
| **Cinc** | **0,200 mg** |
| **Grasa total** | **0,130 g** |
| **Grasa saturada** | **0,034 g** |
| **Colesterol** | **—** |
| **Sodio** | **2,00 mg** |

1%   2%   4%     10%   20%  40%  100%

**% de la CDR** (cantidad diaria recomendada) cubierta por 100 g de este alimento

COMER un pepino es como beberse un vaso de agua. Teniendo en cuenta que el 96% de su peso es agua, un pepino de 250 g contiene 240 g de agua. Pero ¡atención! eso no significa que carezca de valor nutritivo. Los 10 g de materia sólida que se hallan en un pepino de 250 g tienen *gran valor* **biológico** y **poder curativo.**

**PROPIEDADES E INDICACIONES:** El pepino es uno de los alimentos *más ricos en **agua,*** por lo que únicamente aporta 13 kcal/100 g. Su proporción de proteínas (0,69%) y de hidratos de carbono (1,96%), así como de grasas, (0,13%) es muy baja. Contiene también pequeñas cantidades de provitamina A y de vitaminas B, C y E.

El *elevado valor* dietoterápico del pepino estriba en sus **minerales,** de reacción **muy alcalina.** Contiene potasio, calcio, fósforo, magnesio y hierro, así como diversos oligoelementos entre los que destaca el **azufre.**

El pepino posee las siguientes propiedades medicinales:

- **Alcalinizante:** Neutraliza el exceso de sustancias de desecho de reacción ácida que se producen como consecuencia de una alimentación rica en productos de origen animal.
- **Depurativo:** Facilita la eliminación de las sustancias de desecho que circulan por la sangre, tanto por vía urinaria como a través de la piel.
- **Diurético:** Aumenta al producción de orina en los riñones.
- **Laxante:** Debido a su elevada proporción de agua (96%) y a su contenido en fibra soluble (0,8%), facilita la progresión de las heces en el intestino.

Estas son las principales aplicaciones del pepino:

• **Afecciones de la piel:** El pepino hidrata la piel; aporta *azufre* necesario para el buen es-

El buen estado y la belleza de la piel dependen más de la limpieza de la sangre que de las aplicaciones locales de determinados productos cosméticos. La verdadera belleza procede del interior.

tado de sus células, de las **uñas** y del **cabello;** a la vez que "**limpia**" **la sangre** de sustancias tóxicas. Por todo ello se recomienda incluirlo en la dieta de todos aquellos que padezcan eccemas, dermatosis y psoriasis. Aplicado localmente sobre la piel también favorece su **belleza.**

Los mejores resultados se obtienen al combinar la acción interna del pepino, con su acción externa sobre la piel. Para ello se puede aplicar:

- Frotado directamente sobre la piel.
- Cortado en finas rodajas y colocado sobre la zona de piel afectada.

• **Estreñimiento** debido a atonía intestinal.

• **Exceso de ácido úrico** y alimentación rica en alimentos de origen animal, ya que facilita la eliminación del ácido úrico y de otras sustancias de desecho.

• **Obesidad,** debido a que aporta muy pocas calorías a la vez que produce un cierto grado de saciedad.

• **Diabetes,** por su escasez en hidratos de carbono, a la vez que proporciona cierta cantidad de vitaminas y de minerales.

## Preparación y empleo

❶ **Crudo:** Es la forma ideal de consumir el pepino. Puesto que se recolecta estando aún inmaduro, debe masticarse a conciencia para evitar que resulte indigesto. Puede tomarse en ensalada con aceite y limón, o triturado junto con tomate y otras hortalizas, como en el gazpacho andaluz. Conviene *pelarlo* para evitar los residuos de pesticidas, en caso de que no proceda de cultivo biológico.

❷ **Cocinado:** Se puede presentar gratinado al horno, en sopas o sometido a cocción juntamente con otras hortalizas y con diversas verduras.

❸ **En vinagre:** Para ello se utiliza el pepinillo, una variedad de pepino más pequeño. Los pepinillos se conservan con sal y vinagre, lo cual los hace poco saludables.

# Mango

## Nutre la piel y protege las arterias

### MANGO
### composición
por cada 100 g de parte comestible cruda

| | |
|---|---|
| **Energía** | **65,0 kcal = 273 kj** |
| **Proteínas** | 0,510 g |
| **H. de c.** | 15,2 g |
| **Fibra** | 1,80 g |
| **Vitamina A** | **389 µg ER** |
| **Vitamina B₁** | 0,058 mg |
| **Vitamina B₂** | 0,057 mg |
| **Niacina** | 0,717 mg EN |
| **Vitamina B₆** | 0,134 mg |
| **Folatos** | 14,0 µg |
| Vitamina B₁₂ | — |
| **Vitamina C** | **27,7 mg** |
| **Vitamina E** | 1,12 mg EαT |
| **Calcio** | 10,0 mg |
| **Fósforo** | 11,0 mg |
| **Magnesio** | 9,00 mg |
| **Hierro** | 0,130 mg |
| **Potasio** | 156 mg |
| **Cinc** | 0,040 mg |
| *Grasa total* | 0,270 g |
| *Grasa saturada* | 0,066 g |
| *Colesterol* | — |
| *Sodio* | 2,00 mg |

1%   2%   4%   10%   20%  40%  100%

### % de la CDR (cantidad diaria recomendada)
cubierta por 100 g de este alimento

*Sinonimia hispánica: ambó, manglar, mangotina.*

*Descripción: Fruto del mango ('Mangifera indica'
L.), árbol de la familia de las Anacardiáceas
de hoja perenne y de hasta 25 m de altura.
El fruto es de forma ovalada con una piel fina
de color amarillo, anaranjado o verdoso,
con un hueso duro y aplanado en su interior.*

EL ÁRBOL del mango es una buena muestra de la exuberancia de la naturaleza tropical. Se calcula que un ejemplar de tamaño mediano de unos 20 m de altura, produce cuatro millones de flores cada año. De estas, "solo" unas 25.000 se desarrollarán hasta formar un fruto. Con esa enorme producción de frutos, el árbol del mango es considerado, con razón, por los nativos de muchas regiones tropicales, una auténtica despensa vegetal.

Si se tiene en cuenta que un árbol de mango vive durante más de cien años, cabe pensar que a lo largo de su vida habrá producido ¡más de dos millones de frutos! Y téngase en cuenta que en este caso la cantidad no se consigue a expensas de la calidad. Cada uno de los frutos del mango es una obra maestra de la naturaleza por su aroma, su fino sabor y sus numerosas propiedades dietoterápicas.

**PROPIEDADES E INDICACIONES:** La pulpa del mango contiene un 81,7% de agua, algo menos que la del melocotón (87,7%) o la ciruela (85,2%). De sus 15,2 g de hidratos de carbono por cada 100 g de porción comestible, la mayor parte son **azúcares** (glucosa, fructosa y sacarosa). En los mangos inmaduros existe cierta cantidad de almidón, que va convirtiéndose en azúcar a medida que madura el fruto. La proporción de proteínas (0,51%) y de grasas (0,27%) es muy baja.

Los nutrientes que más destacan en la composición del mango son:

✓ **Provitamina A:** 100 g de mango contienen 389 µg ER (equivalentes retinol), lo cual supone 1.295 UI de vitamina A. Teniendo en cuenta que las necesidades diarias de esta vitamina se cifran en 1.000 µg de ER, un mango de 300 g de peso proporciona por sí solo la CDR (cantidad diaria recomendada) de esta importante vitamina.

El mango es la fruta fresca con *mayor acción* **vitamínica A,**[4] seguido por el melón cantalupo (322 µg ER/100 g), aunque ambos están lejos de la zanahoria (2.813 µg ER/100 g).

## Preparación y empleo

❶ **Fresco:** Es la *mejor forma* de consumirlo. Los mangos de poca calidad son muy fibrosos y con un sabor muy fuerte a trementina. Los mejores son los que tienen poca fibra y una pulpa suave y aromática que recuerda a la del melocotón (durazno). Los mangos se recolectan cuando todavía no están maduros, y se conservan bien durante una y hasta dos semanas en el frigorífico.

❷ **En conserva:** Con el mango se elaboran jaleas, confituras y conservas en almíbar.

Se han identificado 16 tipos de carotenoides en el mango responsables de su acción vitamínica A. El *más abundante* de todos estos carotenoides es precisamente el **beta-caroteno.**

Los **CAROTENOIDES** son pigmentos vegetales, generalmente de color amarillo o anaranjado, que se transforman en vitamina A en el organismo. La **vitamina A** es esencial para el mantenimiento de los tejidos epiteliales, como la piel y las mucosas que recubren los conductos orgánicos. Los carotenoides son *potentes* **antioxidantes** que neutralizan los **radicales libres** oxidativos, moléculas *responsables* del **envejecimiento** de las células.

✓ **Vitamina C:** Con sus 27,7 mg/100 g, el mango es una buena fuente de vitamina C. Un mango de tamaño medio (300 g) cubre el 138% de las necesidades diarias de esta vitamina que tiene un adulto promedio sano.

✓ **Vitamina E:** Un mango de 300 g aporta el 33% de las necesidades diarias de esta vitamina para un hombre adulto. Es una de las frutas frescas *más ricas* en esta vitamina.

El mango contiene además cantidades significativas de **vitaminas B$_1$, B$_2$, B$_6$ y niacina.** En cuanto a **minerales,** predomina el **potasio,** pero también contiene algo de magnesio y de hierro.

El mango contiene numerosos componentes no nutritivos, como **fibra soluble** (pectina), **ácidos orgánicos** (cítrico y málico) y **taninos.**

Para hacerse una idea de la complejidad de la composición del mango, basta saber que se han identificado 41 **sustancias aromáticas,**[5] responsables todas ellas en conjunto de su peculiar fragancia.

Estas son las principales aplicaciones dietoterápicas del mango:

• **Afecciones de la piel:** El consumo de mango contribuye al buen estado de la piel. Está comprobado que la carencia de vitamina A produce sequedad y descamación en la piel. El mango contribuye a su hidratación y tersura.

El consumo abundante de mango se recomienda en caso de eccemas, dermatosis (degeneración de la piel), piel seca, y como preventivo del envejecimiento precoz de la piel.

La variedad de mango llamada Manila, que aquí se muestra, es una de las más exquisitas. Su intenso color amarillo es un indicativo de la gran riqueza en beta-caroteno (provitamina A) de esta variedad de mango.

• **Afecciones de la retina:** La vitamina A, cuya acción se potencia por la presencia simultánea de la C y la E, es necesaria para disfrutar de una buena visión. El consumo de mango se recomienda siempre que exista pérdida de visión por alteraciones de la retina, como ceguera nocturna, atrofia del nervio óptico o trombosis de la arteria central de la retina.

• **Arteriosclerosis:** El mango es *rico* en las *tres vitaminas* más antioxidantes: *A, C* y *E.* Todas ellas por separado, pero mucho más *en conjunto,* impiden la oxidación de las lipoproteínas que circulan por la sangre unidas al colesterol. La oxidación de estas sustancias desencadena el depósito de colesterol en las paredes arteriales, con su consiguiente deterioro.

El mango es un gran amigo de las arterias. No debería faltar en la dieta de quienes tienen problemas de falta de riego sanguíneo en las extremidades o en las arterias coronarias (angina de pecho o infarto).

• **Hipertensión arterial:** El mango es diurético (facilita la producción de orina) y además contiene *bastante **potasio** y muy poco **sodio.*** Por todo ello, su consumo resulta muy recomendable en caso de hipertensión, ya que *ayuda a controlarla.*

• **Diabetes:** Los diabéticos pueden beneficiarse del consumo de mangos. Debido a su acción favorable sobre las arterias, ya que ayuda a prevenir las complicaciones circulatorias de la diabetes.

El mango es muy bien tolerado por estos pacientes. Se ha comprobado en diabéticos no insulinodependientes[6] que después de comer mango, su nivel sanguíneo de glucosa es inferior al que cabría esperar.

El mango es la fruta más rica en provitamina A. Por ello, y por su riqueza en otras vitaminas antioxidantes como la C y la E, contribuye a mantener la piel bella y a evitar el envejecimiento precoz.

# Judía
# (frijol o poroto)

## Nutritiva
## hasta para la piel

### JUDÍAS BLANCAS
### composición
por cada 100 g de par332te comestible cruda

| | | |
|---|---|---|
| Energía | 333 kcal = 1395 kj | |
| Proteínas | 23,4 g | |
| H. de c. | 45,1 g | |
| Fibra | 15,2 g | |
| Vitamina A | — | |
| Vitamina B₁ | 0,437 mg | |
| Vitamina B₂ | 0,146 mg | |
| Niacina | 5,10 mg EN | |
| Vitamina B₆ | 0,318 mg | |
| Folatos | 388 µg | |
| Vitamina B₁₂ | — | |
| Vitamina C | | |
| Vitamina E | 0,530 mg EαT | |
| Calcio | 240 mg | |
| Fósforo | 301 mg | |
| Magnesio | 190 mg | |
| Hierro | 10,4 mg | |
| Potasio | 1795 mg | |
| Cinc | 3,67 mg | |
| Grasa total | 0,850 g | |
| Grasa saturada | 0,219 g | |
| Colesterol | — | |
| Sodio | 16,0 mg | |

1%  2%  4%   10%  20% 40%  100% 200% 500%

### % de la CDR (cantidad diaria recomendada)
cubierta por 100 g de este alimento

**Sinonimia hispánica:** *alubia, alubia seca, judía seca, habichuela, fréjol, frejol, fríjol, frijol, caparrón, chaucha, poroto, tapiramo, tapirucuso, ayocote, calamaco, caráota, cholo, degul, ejote, majora.*

**Descripción:** *Semilla de la planta de la judía o alubia ('Phaseolus vulgaris' [L.] Savi), de la familia de las Leguminosas. El fruto de la planta es una legumbre formada por dos vainas de color verde unidas, en cuyo interior se alojan varias semillas dicotiledóneas (alubias, frijoles o porotos). Las vainas se comen como verdura cuando están todavía sin madurar, y se llaman entonces judía verde.*

S I LAS JUDÍAS (frijoles o porotos) proceden de América, o ya existían en Europa antes de que Colón volviera de sus viajes, es algo que ha suscitado vivas discusiones entre naturalistas e historiadores.

Parece probado que las judías eran conocidas y consumidas en el viejo continente desde la antigüedad. Los árabes establecidos en España a partir del siglo VIII, convirtieron lo que hoy es Andalucía en una de las regiones más desarrolladas del mundo conocido en la Edad Media, en la que florecieron las artes, las ciencias, y también la agricultura.

Así, un famoso médico hispanoárabe, que habitó en Sevilla entre los siglos XII y XIII, conocido como "El doctor excelente Abu Zacaria Ihaia", describe en su *Libro de la agricultura* hasta 12 variedades distintas de judías o frijoles.[7] «Aprovechan al estómago y son de gusto delicado», decía de este alimento el famoso médico andalusí.

Por otra parte, el mismo Colón cuenta en su diario de viaje que los frijoles, más grandes que las judías españolas, constituían la base de la alimentación de los nativos, junto con el maíz y el chile (pimiento picante).

Esas judías americanas o frijoles, fueron introducidas en España, donde tuvieron mucho éxito por ser de una calidad excelente. A diferencia de lo que ocurrió con otros productos alimentarios americanos como la papa (patata) o el tomate, que tardaron varios siglos en ser aceptados en Europa, las judías americanas o frijoles conquistaron rápidamente el paladar de los europeos. La mayor parte de las judías o alubias que se cultivan actualmente en todo el mundo, proceden de las variedades americanas.

**PROPIEDADES E INDICACIONES:** Nadie que haya tomado un plato de alubias (judías secas), podrá decir que se ha quedado con hambre. Pero además de la sensación de saciedad que producen, las judías son un alimento realmente nutritivo.

### Preparación y empleo

**❶ Judías cocinadas** en diversas preparaciones culinarias. No son aptas para tomarlas crudas. Se cuecen mejor en aguas blandas, es decir, con poco contenido calcáreo. Conviene tenerlas a remojo en agua fría unas horas antes de cocinarlas.

**❷ Hervidas y en puré,** con el fin de eliminar su piel, que es la parte más flatulenta e indigesta de la alubia.

Las proteínas son el nutriente más destacable de las judías, por lo que han recibido el apelativo de "*carne de los pobres*".

Vamos a estudiar en detalle las características de las **PROTEÍNAS** de las judías:

– **Contenido proteínico:** El porcentaje de proteínas de las judías oscila, según las variedades, entre un 21% y 24%, lo que las **iguala,** o *incluso* las hace **superiores,** a los alimentos de origen *animal,* como el atún fresco, la carne de ternera o la carne de pollo, que oscilan entre el 18%-21% de su peso.

– **Valor biológico:** El valor biológico de una proteína es un índice que mide la idoneidad de su composición en aminoácidos. Cuanto más se aproxime la proporción de aminoácidos de una proteína a la proporción ideal para el ser humano, tanto mayor será su valor biológico. Establecida la base de 100 para la proteína ideal, la de las judías tiene un calidad del 85%. Esta es una cifra relativamente baja, si se compara con la de los huevos (94%), aunque similar a la de la leche (84%) e incluso superior a la de la carne (75%).

Este valor biológico relativamente bajo de las proteínas de la alubia es debida sobre todo a su *escasez* en **metionina,** un aminoácido esencial que actúa como factor limitante. Sin embargo, gracias al fenómeno de la **suplementación,** cuando las proteínas de la alubia se combinan con las de otros alimentos vegetales ricos en metionina, como los **cereales,** las semillas de **sésamo** o de **girasol,** o la **levadura,** el organismo obtiene todos los aminoácidos necesarios en la proporción idónea. Es decir, que **combinando** dos proteínas parcialmente incompletas, se obtiene una proteína completa.

– **Digestibilidad** de la proteína de las judías es del 83%, bastante inferior a la del huevo, que es del 99%, a la de la leche (98%) y a la de la carne (97%). Esto quiere decir que nuestro organismo aprovecha un poco menos las proteínas de las judías que las de los alimentos de origen animal. Se ha demostrado[8] que las judías negras u oscuras contienen las proteínas más digeribles, seguidas por las rojas y las blancas.

## Aminoácidos esenciales en diversos alimentos

| Aminoácido | Judías (alubias) | | Huevos | | Carne de vacuno | |
|---|---|---|---|---|---|---|
| | mg/100 g | % | mg/100 g | % | mg/100 g | % |
| ISOLEUCINA | 927 | 12 | 778 | 14 | 915 | 12 |
| LEUCINA | 1.685 | 22 | 1.091 | 20 | 1.542 | 20 |
| LISINA | 1.593 | 21 | 863 | 16 | 1.690 | 22 |
| METIONINA | 234 | 3 | 416 | 8 | 514 | 7 |
| FENILALANINA | 1.154 | 15 | 709 | 13 | 836 | 11 |
| TREONINA | 878 | 11 | 634 | 11 | 873 | 12 |
| TRIPTÓFANO | 223 | 3 | 184 | 3 | 213 | 3 |
| VALINA | 1.016 | 13 | 847 | 15 | 952 | 13 |
| Total | 7.710 | 100 | 5.522 | 100 | 7.535 | 100 |

Son de destacar también en la composición de las judías, además de las proteínas, los siguientes nutrientes:

✓ *Fibra* vegetal: Como todas las legumbres, las judías son *muy ricas* en fibra vegetal: 100 g de alubias (judías secas) proporcionan 15,2 g de fibra, más de la mitad de la CDR (cantidad diaria recomendada) para un adulto (25 g). La fibra de las judías *contribuye* a **evitar** el **estreñimiento** y a **reducir** el nivel de **colesterol** en la sangre.

✓ *Folatos:* Una ración de judías (un plato) cocidas, aporta aproximadamente la CDR de folatos para un adulto (200 µg). Las necesidades de folatos *aumentan* en el **embarazo** hasta 400 µg. Las personas que presentan un riesgo elevado de enfermedades coronarias deben, asimismo, aumentar su ingesta de folatos. En ambos casos, las judías constituyen una excelente fuente de ellos.

✓ *Hierro:* 100 g de alubias (judías secas) proporcionan más de 10 mg de hierro, que es la CDR (cantidad diaria recomendada) para un hombre adulto. Esto hace de las alubias una de las mejores fuentes de hierro. Por tratarse de **hierro no hem,** *precisa de* **vitamina C** para absorberse mejor. De ahí lo conveniente que resulta comer las judías con unas gotas de limón.

✓ *Niacina* y *ácido pantoténico,* dos factores vitamínicos muy importantes para el buen estado de la piel.

Las judías son pobres en provitamina A, en vitamina C y en grasas; carecen de vitamina B12, como la mayor parte de los alimentos de origen vegetal.

### Proteínas completas con la alubia

*Como puede verse en la tabla adjunta, las proteínas de la alubia contienen **todos** los **aminoácidos esenciales,** al igual que los huevos y la carne.*

*Sin embargo, la alubia, como todas las legumbres, es **pobre** en el aminoácido **metionina.***

*Para suplir esta pequeña deficiencia y obtener una proteína completa, **basta** con **combinar** las judías con algún alimento cuyas proteínas sean ricas en metionina, como por ejemplo:*

- **cereales** *(trigo, arroz, maíz, avena, etc.);*
- **semillas de sésamo** o de **girasol;**
- **levadura de cerveza.**

Es una costumbre tradicional en los países mediterráneos, que el plato principal de la comida del mediodía sea a base de legumbres: judías, lentejas o garbanzos. Esta es una de las razones de la baja tasa de infartos en los países del sur de Europa.

Las judías secas constituyen, pues, un alimento nutritivo y energético, y completo en cuanto a proteínas si se combinan con cereales u otras fuentes de proteínas. Pero además de estas indiscutibles propiedades nutritivas, las judías son capaces de ejercer acciones curativas o dietoterápicas sobre las siguientes afecciones:

• **Enfermedades de la piel:** Las judías ejercen una acción protectora sobre la piel y las mucosas, debido a que constituyen una buena fuente de dos factores vitamínicos muy importantes para el buen estado de los tegumentos, como son la niacina y el ácido pantoténico:

✓ *La NIACINA,* también llamada *factor PP* o *vitamina B3,* interviene activamente facilitando muchas reacciones químicas en las células. Su carencia grave produce la enfermedad llamada **pelagra,** caracterizada por las **tres 'd': d**ermatitis, **d**iarrea y **d**emencia. Aunque esta enfermedad carencial no es frecuente en nuestros días, pueden existir deficiencias leves que se manifiestan por diversas alteraciones cutáneas, como piel agrietada o escamosa.

La alubia es una buena fuente de niacina porque aporta:

– *Niacina ya preformada* (0,479 mg/ 100 g), que es la que se indica en el gráfico de composición.

– *Triptófano,* un aminoácido esencial que nuestro organismo transforma en *niacina.* Las judías secas son uno de los alimentos *más ricos* en triptófano (277 mg /100 g), cantidad superior a la de la carne (199 mg/100 g) o los huevos (152 mg /100 g). Esos 277 mg de triptófano se transforman en 4,62 mg adicionales de niacina, que sumados a los 0,479 mg ya preformados, suponen un total de 5,1 mg /100 g de niacina (el 26,8% de la CDR).

✓ El *ÁCIDO PANTOTÉNICO* también interviene en el metabolismo celular. Su carencia produce asimismo alteraciones de la piel y debilidad en el cabello. La alubia contiene 0,732 mg/100 g, más del doble que la carne.

Por todo ello, se recomienda el consumo de judías en caso de eccemas, picor de la piel, piel seca, alergias cutáneas y dermatosis en general.

Se ha comprobado que las judías también ejercen una acción favorable sobre los folículos pilosos (raíz del pelo), por lo que se recomienda su consumo en caso de **caída del cabello, fragilidad capilar, seborrea** o **caspa.**

• **Colesterol:** El consumo habitual de judías, (alubias o frijoles), es un buen método para conservar bajo el nivel de colesterol. En un experimento realizado en Estados Unidos,[9] se demostró que consumiendo 120 g diarios de frijoles guisados durante tres semanas, se produce un descenso del 10% en los valores de colesterol y de triglicéridos.

Cuanto más oscura es la piel que recubre a las judías o frijoles, más intenso suele ser su sabor; y mayor es la digestibilidad de sus proteínas. Las judías, alubias o frijoles, son una buena fuente de niacina y de ácido pantoténico. Estos dos factores vitamínicos son necesarios para el buen estado de la piel y contribuyen a la belleza del cutis.

Posiblemente *este descenso del colesterol sea debido al gran contenido en* **fibra** *de la alubia* (15,2%), que arrastra en el interior del intestino el colesterol y sus sustancias precursoras (las sales biliares), haciendo que se eliminen con las heces.

• **Estreñimiento y afecciones del colon:** El *elevado porcentaje de* **fibra celulósica** que contienen las judías (el 20% de su peso) las hace muy útiles en la lucha contra el estreñimiento y en la *prevención* de los **divertículos** y del **cáncer** de colon y recto.

• **Hipertensión arterial:** Son un alimento ideal para los hipertensos, debido a su *escasez en* **sodio** *y su abundancia en* **potasio**.

• **Anemias y convalecencias:** Esta legumbre contiene más de 10,4 mg/100 g de hierro, una cantidad superior a la de la carne y a la de las espinacas (ambas contienen alrededor de 3 mg/100 g). Esto, unido a sus propiedades nutritivas, hace que las judías sean altamente recomendables en la dieta de los anémicos y desnutridos.

Las alubia, llamada también judía seca, frijol o poroto, es en realidad la semilla que se encuentra en el interior del fruto de la planta. Botánicamente se trata de un fruto en legumbre, propio de la familia de las Leguminosas.

# Variedades de judías (frijoles o porotos)

## Blanca redonda

Es pequeña y de forma ovalada. Se usa en guisos y potajes. Por su suave textura, resulta ideal para hacerla en puré.

*Tiempo de cocción:* de **una y media a dos** horas.

## Pinta

Su forma es ovalada, y el tamaño, mediano. Se usa mucho en la cocina italiana.

*Tiempo de cocción: de **una y media a dos** horas.*

## Roja o frijol mexicano

Se le llama también judía de *Kidney.* Tiene la forma y el color de riñón. Su textura es muy suave, y el sabor intenso. Combina muy bien con chiles (pimientos), ensaladas y arroces.

*Tiempo de cocción: **hora y media.***

## Canela

Es de sabor intenso, aunque no tanto como la roja o frijol mexicano.

*Tiempo de cocción:* **una** hora.

## Negrita

Forma ovalada y color oscuro. De sabor dulce que recuerda algo al de los champiñones. Se usa en potajes y mezclada con el arroz.

*Tiempo de cocción: **una hora y media.***

## Carilla

Se caracteriza por su pequeña mancha negra, por lo que se la conoce también como **alubia de ojo negro.** Su piel es una de las más finas entre todas las judías.

*Tiempo de cocción: de **media a una** hora.*

## Lima

Es de forma aplanada, con textura cremosa y sabor muy suave.

*Tiempo de cocción:* de **una a una y media** horas.

17

# Alimentos para las infecciones

A LO LARGO de toda la vida, el organismo debe mantener una lucha permanente contra microorganismos patógenos y sustancias extrañas que lo acosan, llamadas **antígenos**. El conjunto de tejidos y células encargados de defender el organismo de los antígenos que lo amenazan recibe el nombre de **sistema inmunitario.**

Existen alimentos especialmente recomendables en caso de infección, debido a que:

• *Favorecen* la función del **sistema inmunitario:** El buen funcionamiento del complejo sistema de defensa contra los agentes infecciosos y las sustancias extrañas requiere especialmente de ciertos nutrientes:

– *proteínas,*

– *vitaminas antioxidantes* (A, C y E),

– *oligoelementos* como el hierro, selenio, cinc y cobre.

Los alimentos que aportan estos nutrientes no deberían faltar en la dieta de quienes sufren alguna infección, tal como se expone en *"Inmunodepresión"* (ver pág. 339).

SALUD POR LOS ALIMENTOS

• **Contienen sustancias antibióticas:** Estos alimentos ayudan al sistema inmunitario a luchar contra los agentes infecciosos, tal como se muestra en "*Infecciones*" (ver pág.339).

• **Favorecen la depuración** del organismo: Son alimentos que incrementan la eliminación de sustancias tóxicas de desecho a través de los riñones, del hígado o de la piel. En "*Fiebre*" se indican los alimentos depurativos más recomendables en caso de infección.

Los frutos cítricos, como la naranja, la mandarina y el limón, resultan especialmente recomendables en caso de infección, pues aportan vitaminas antioxidantes como la C y el beta-caroteno o provitamina A, que favorecen el buen funcionamiento del sistema inmunitario. La vitamina C, junto con los flavonoides que contienen los cítricos, aumentan las defensas contra los virus.

# FIEBRE

## Alimentación

La fiebre es generalmente un *signo de que el organismo está* **combatiendo** *alguna* **infección.** Aunque los alimentos que recomendamos no bajan la fiebre ni combaten directamente la infección causal, desempeñan un importante papel en la curación. La **alimentación** en caso de fiebre debe ser:

• **Fácil de digerir** y **nutritiva.**

• **Abundante en líquidos** para reponer el agua que se pierde debido al aumento de temperatura y evitar la tendencia a la deshidratación.

• **Rica en vitaminas** que favorezcan las defensas antiinfecciosas, como la provitamina A (beta-caroteno) y la vitamina C.

• **Rica en sales minerales** de acción **alcalinizante,** las cuales neutralizan el exceso de radicales libres y sustancias de desecho de carácter ácido que se forman debido a la infección.

Las **frutas** y las **hortalizas** satisfacen muy bien estos requerimientos nutritivos, y deben constituir la **base** de la alimentación, *especialmente* en la **fase aguda.**

 **Aumentar**

AGUA
JUGOS DE FRUTA
FRUTOS CÍTRICOS
AGUA DE CEBADA
CALDO DEPURATIVO
BORRAJA
MELÓN
FRAMBUESA

*Jugo de frutas*

Los jugos de fruta proporcionan agua, vitaminas, sales minerales y elementos fitoquímicos antioxidantes necesarios en caso de fiebre. Además, favorecen la eliminación de las sustancias de desecho que circulan por la sangre, cuya producción aumenta en caso de fiebre.

# INMUNODEPRESIÓN

## Definición

Es la disminución de la función del sistema inmunitario. Vulgarmente se le llama a esta condición, baja de defensas.

## Funciones del sistema inmunitario

Fundamentalmente son dos, que resultan esenciales para la supervivencia de cualquier ser vivo:

- **Reconocimiento** de toda clase de microorganismos y sustancias extrañas potencialmente peligrosas.
- **Destrucción** de esos microorganismos y sustancias o células extrañas.

## Causas de la inmunodepresión:

Pueden ser muy variadas, y en algunos casos, desconocidas. Estas son las más comunes:

- **Desnutrición o malnutrición.** La deficiencia en cualquier nutriente esencial, especialmente las vitaminas y oligoelementos citados posteriormente, puede reducir la actividad inmunitaria del organismo.
- **Estrés** de tipo físico o psíquico.
- **Quimioterapia** (medicación anticancerosa).
- **Enfermedades infecciosas.**
- **Sida:** inmunodeficiencia adquirida a causa de la infección por un virus que ataca el sistema defensivo del organismo.

## Alimentación

El consumo de los alimentos que se recomiendan más abajo, contribuye de una forma especial a que este complejo sistema de vigilancia y defensa funcione correctamente.

 **Aumentar**

 **Reducir o eliminar**

| Aumentar | Reducir o eliminar |
|---|---|
| ANTIOXIDANTES | BEBIDAS ALCOHÓLICAS |
| PROTEÍNAS | AZÚCAR BLANCO |
| OLIGOELEMENTOS | MARISCO |
| FRUTOS CÍTRICOS | GRASA TOTAL |
| ACEITES | CAFÉ |
| PROPÓLEOS | |
| JALEA REAL | |
| AJO | |
| YOGUR | |
| ACEROLA | |
| KIWI | |
| TOMATE | |
| ALFALFA | |

# INFECCIONES

## Alimentación

Los alimentos que figuran a continuación poseen **acción antibiótica**, y pueden contribuir a la curación de muchas infecciones.

Los **antibióticos *naturales*** que se encuentran en algunos alimentos y plantas, actúan de forma ***menos* intensa** que los antibióticos de origen farmacéutico. Sin embargo, tienen la **ventaja** de **no** producir **resistencias** y de **no alterar** la **flora bacteriana** normal del organismo.

En caso de infección deben tenerse en cuenta también los alimentos recomendados y desaconsejados para la ***inmunodepresión*** y para la ***fiebre*** (ver pág. 338).

 **Aumentar**

**Reducir o eliminar**

| Aumentar | Reducir o eliminar |
|---|---|
| LOS MISMOS QUE PARA LA INMUNODEPRESIÓN | LOS MISMOS QUE EN CASO DE INMUNODEPRESIÓN |
| AJO | |
| CEBOLLA | |
| LIMÓN | |
| COL | |
| RÁBANO | |
| ARÁNDANO AGRIO | |

*Cigala*

El marisco suele contener toxinas, bacterias y virus que suponen una amenaza para el sistema inmunológico defensivo del organismo.

El alcohol es un depresor de muchas funciones orgánicas, entre ellas la inmunitaria. Su consumo habitual reduce la capacidad defensiva del organismo.

## RESFRIADO Y GRIPE

### Causas
Tanto el resfriado como la gripe se deben a **infecciones por virus** relacionados entre sí. El resfriado puede ser el inicio o la primera manifestación de la gripe.

### Síntomas
En el **resfriado** predominan los síntomas catarrales (aumento de mucosidad e inflamación) de las vías respiratorias altas (nariz y garganta). En la **gripe** hay mayor afectación del estado general, con dolor de cabeza y osteomuscular.

### Alimentación
La alimentación debe ser similar en ambos casos, tanto para prevenirlos como para favorecer su curación. **Ningún** alimento *cura* el resfriado o la gripe, al igual que **ningún** antibiótico u otro medicamento. Son las *propias* defensas del organismo las que deben vencer la infección viral. Por ello es preciso una alimentación adecuada, que *fortalezca* el **sistema inmunitario.**

### Complicaciones
Cuando existe **afectación bronquial** con mucosidad amarillenta o espesa y tos, se deben tener en cuenta también las recomendaciones dadas en **"Bronquitis"** (ver pág. 140).

 **Aumentar**

**Reducir o eliminar**

**LOS MISMOS QUE PARA LA INMUNODEPRESIÓN**
**FRUTA**
**HORTALIZAS**
**AJO**
**PROPÓLEOS**
**VITAMINA C**
**SELENIO**
**CINC**

**SAL**
**AZÚCARES**
**LECHE**

*Golosinas*

**Los azúcares reducen la respuesta del organismo ante las infecciones. El consumo abundante de caramelos, dulces, chocolates, pasteles y otros productos refinados elaborados con azúcar blanco, favorece los resfriados y las gripes.**

## SIDA

### Definición
En el sida (**síndrome de inmunodeficiencia adquirida**) se produce una disminución de defensas contra las infecciones y también contra el cáncer.

### Causas
Está causado por el virus de la inmunodeficiencia humana (**VIH**), que ataca y destruye los linfocitos (células defensivas).

Una alimentación artificial, pobre en frutas, hortalizas, cereales y frutos secos tiende a ser deficitaria en vitaminas antioxidantes (A, C y E), y favorece el desarrollo de la enfermedad.[1]

### Alimentación
Los enfermos de sida tienden a la desnutrición, lo cual a su vez, agrava la inmunodeficiencia (baja de defensas). El adelgazamiento es un signo de mal pronóstico. Varios factores **favorecen** la **desnutrición:**

- Las **infecciones** *frecuentes* que se producen como consecuencia de la baja de defensas.

- La *falta de asimilación de las grasas,* que son eliminadas con las heces. Estas presentan un aspecto espumoso y grasiento (esteatorrea). Este trastorno digestivo, que se produce aproximadamente en la cuarta parte de los enfermos, hace que tampoco se asimilen las vitaminas liposolubles (A, D y E).[2]

- La **medicación antisida:** Habitualmente produce efectos secundarios digestivos como náuseas y vómitos, que agravan la desnutrición.

Por ello es muy importante prestar atención a la alimentación, que puede contribuir a aumentar las defensas y a frenar la progresión del sida.

 **Aumentar**

 **Reducir o eliminar**

**LOS MISMOS QUE PARA LA INMUNODEPRESIÓN**
**FRUTA**
**CEREALES INTEGRALES**
**FRUTOS SECOS**
**LEGUMBRES**
**HORTALIZAS**
**YOGUR**
**ANTIOXIDANTES**
**VITAMINA A**
**VITAMINAS B**
**VITAMINA C**
**SELENIO**

**LOS MISMOS QUE PARA LA INMUNODEPRESIÓN**

*Berenjena*

# CANDIDIASIS

## Definición

Es una micosis o *infección causada por la 'Candida albicans'*, un tipo de hongo microscópico o levadura que habita normalmente en la boca, en el intestino y en la piel.

## Causas

Cuando se produce una **depresión inmunitaria** (baja de defensas) debido a diabetes, tratamiento antibiótico intenso, enfermedades cancerosas u otras causas, las **cándidas** *proliferan* y producen la infección llamada candidiasis o **moniliasis.**

## Síntomas

Afecta a la vagina, al ano, a la boca o a zonas de piel afectadas por la humedad o rozamiento (por ejemplo, las ingles, las axilas o la parte inferior de las mamas).

## Alimentación

La alimentación puede contribuir a reforzar el sistema inmunitario y a equilibrar la flora bacteriana intestinal, lo que favorece su curación.

 **Aumentar**

LOS MISMOS QUE PARA LA INMUNODEPRESIÓN
YOGUR
AJO
FOLATOS
HIERRO

 **Reducir o eliminar**

AZÚCARES
BEBIDAS ALCOHÓLICAS
CHOCOLATE
LEVADURA DE CERVEZA
QUESOS MADURADOS
PAN

*El ajo impide el desarrollo de muchos microorganismos, entre ellos los hongos causantes de la candidiasis. El efecto se debe a su esencia sulfurada, que se difunde fácilmente por todos los tejidos del organismo. Además, equilibra la flora intestinal y estimula las defensas naturales.*

*Ajos*

# FARINGITIS

## Definición

Es la **infección e inflamación** de la mucosa de la faringe o garganta. En *muchos casos* va **unida** a una infección de las amígdalas o **anginas,** órganos linfáticos situados en la garganta. Cuando predomina la infección de las amígdalas se habla de **amigdalitis.**

## Alimentación

En caso de faringitis conviene consumir alimentos que combinen su acción local suavizante y antiinfecciosa, junto a su acción general.

 **Aumentar**

VITAMINA A
FRUTOS CÍTRICOS
PROPÓLEOS
MIEL
OKRA
BORRAJA

*La borraja suaviza la mucosa de la garganta y ayuda a combatir la infección. Conviene tomarla hervida junto con el caldo de la cocción, o bien en forma de jugo fresco.*

*Borraja*

# CISTITIS

## Definición

Es una **inflamación de la vejiga de la orina,** casi siempre de causa infecciosa. Se da con más frecuencia en la mujer, debido a sus características anatómicas.

## Alimentación

Estas pautas dietéticas pueden favorecer la curación de la cistitis, y evitar las recidivas. También es conveniente seguirlas en cualquier otro tipo e infección urinaria.

 **Aumentar**

LOS MISMOS QUE PARA ORINA ESCASA
AGUA
ARÁNDANO
CALABAZA, SEMILLAS
FRUTOS CÍTRICOS
CEBOLLA

 **Reducir o eliminar**

ESPECIAS
PIMIENTO PICANTE
CAFÉ
REFRESCOS A BASE DE COLA
AZÚCARES

# Kiwi

## Estimula las defensas y evita la anemia

### KIWI
### composición
por cada 100 g de parte comestible cruda

| | |
|---|---|
| Energía | 61,0 kcal = 254 kj |
| Proteínas | 0,990 g |
| H. de c. | 11,5 g |
| Fibra | 3,40 g |
| Vitamina A | 18,0 µg ER |
| Vitamina B₁ | 0,020 mg |
| Vitamina B₂ | 0,050 mg |
| Niacina | 0,500 mg EN |
| Vitamina B₆ | 0,090 mg |
| Folatos | 38,0 µg |
| Vitamina B₁₂ | — |
| Vitamina C | 98,0 mg |
| Vitamina E | 1,12 mg EαT |
| Calcio | 26,0 mg |
| Fósforo | 40,0 mg |
| Magnesio | 30,0 mg |
| Hierro | 0,410 mg |
| Potasio | 332 mg |
| Cinc | 0,170 mg |
| Grasa total | 0,440 g |
| Grasa saturada | 0,029 g |
| Colesterol | — |
| Sodio | 5,00 mg |

1%   2%   4%   10%  20% 40%  100% 200% 500%
## % de la CDR (cantidad diaria recomendada)
cubierta por 100 g de este alimento

**Sinonimia hispánica:** *grosella china, actinidia.*

**Descripción:** *Fruto de la actinidia ('Actinidia chinensis' Planch.), árbol de la familia de las Actinidiáceas. Su tamaño y forma son parecidos a los de un huevo, aunque más cilíndrico. Su piel de color marrón oscuro encierra una pulpa verde y jugosa, de sabor ácido muy agradable.*

E L KIWI es un fruto exótico venido de las laderas del Himalaya y, actualmente, de Nueva Zelanda, que reserva gratas sorpresas. La primera de ellas es que, tras el poco atractivo aspecto de su vellosa piel marrón, se esconde una espectacular pulpa verde.

Pero la sorpresa más importante que nos reserva el kiwi es su riqueza en vitamina C, muy superior a la de los cítricos.

**PROPIEDADES E INDICACIONES:** El kiwi contiene una cantidad moderada de hidratos de carbono en forma de azúcares (11,5%), el 1%

de proteínas y menos del 0,5% de grasa. En su composición destacan los siguientes nutrientes:

✓ *Vitamina C:* Su contenido *casi duplica* al de la **naranja** y al del **limón** (ver págs. 346, 128). Solamente la guayaba (183 mg/100 g) y la acerola, con más de un gramo por cada 100 g (1.000 mg/100 g) de la porción comestible, superan al kiwi en vitamina C. Un solo kiwi cubre la CDR (cantidad diaria recomendada) de esta vitamina.

✓ *Otras vitaminas:* El kiwi es también *muy rico* en **vitamina E,** y contiene cantidades apreciables de vitaminas $B_6$, $B_2$, niacina, $B_1$ y A.

✓ *Folatos:* Destaca con sus 38 µg/100 g, cantidad próxima a la del huevo (47 µg/100g), y superior a la de la la carne (6-13 µg/100g) o a la de la leche (5 µg/100g). El kiwi *es una de las frutas frescas más ricas* en folatos, junto con la feijoa (ver pág. 252).

✓ *Minerales:* Es una de las frutas frescas *más ricas* en minerales, especialmente potasio, magnesio y hierro. Contiene bastante **cobre,** oligoelemento que, al igual que la **vitamina C,** *contribuye* a una mejor *absorción* intestinal del **hierro.**

✓ *Fibra:* Contiene 3,4 g/100 g, la mayor parte de tipo **soluble** (pectinas y mucílagos). El kiwi *supera* a la mayoría de las **frutas** frescas como la manzana (2,7 g/100 g) y la ciruela (1,5 g/100 g) en contenido de fibra.

Para hacernos una idea de la riqueza nutritiva del kiwi, baste decir que contiene 17 veces más vitamina C, 6 veces más magnesio, 5 veces más proteínas y más del doble de hierro que la **manzana** (ver pág. 216).

## Preparación y empleo

❶ **Al natural:** Es la forma habitual de consumirlo. El kiwi es un fruto muy resistente, que soporta largos desplazamientos. Normalmente se recolecta cuando todavía está verde, y madura bien fuera del árbol.

Estas son sus indicaciones:

• **Estimulante de las defensas** antiinfecciosas, por su contenido en **vitamina C,** potenciado por la presencia de otras muchas vitaminas y minerales que la hacen *mucho más efectiva* que los **preparados farmacéuticos.**

El consumo de kiwi de forma regular (uno al día como mínimo) conviene a todos aquellos que estén sufriendo cualquier tipo de enfermedad infecciosa, tanto en la fase aguda como en la de convalecencia.

• **Anemia:** Por su contenido en **hierro, vitamina C** y **cobre** (que facilitan la absorción y asimilación de este mineral), así como en **folatos,** el kiwi es muy recomendable siempre que exista anemia, y especialmente cuando sea debida a esta falta de hierro (anemia ferropénica).

• **Embarazo:** Por estimular las defensas y favorecer la producción de sangre, el kiwi es una fruta *muy recomendable* durante el embarazo. Pero hay además otra razón muy importante para ello: al ser rico en **folatos,** el kiwi *contribuye* a **prevenir** las **malformaciones fetales** del conducto neural, como por ejemplo la espina bífida.

• **Exceso de colesterol y arteriosclerosis:** La *fibra* vegetal de tipo **soluble,** como la del kiwi, reduce la absorción del colesterol y de sus precursores en el intestino, con lo que disminuye su nivel en la sangre.

Pero además el kiwi es *muy rico* en **vitaminas antioxidantes** como la **C** y la **E,** que evitan que ese colesterol se deposite en las paredes de las arterias formando placas de ateroma. Su *alto* contenido en **potasio** y *escasez* en **sodio** *contribuye* a **evitar** la **hipertensión.**

• **Estreñimiento:** Por su riqueza en **fibra soluble,** el kiwi es un laxante suave que facilita el paso de las heces por el conducto intestinal.

• **Atletismo y deporte:** En un experimento[3] llevado a cabo en la Universidad de Pekín (China), se ha demostrado que los atletas que consumen kiwi *aumentan* su **resistencia** a la **fatiga** en un 24% con respecto a los que no lo toman. Los investigadores chinos atribuyen este resultado a la riqueza en vitamina C y en minerales del kiwi.

# Mandarina

## Resulta difícil tomar una sola

### MANDARINAS
### composición
por cada 100 g de parte comestible cruda

| | |
|---|---|
| Energía | 44,0 kcal = 184 kj |
| Proteínas | 0,630 g |
| H. de c. | 8,89 g |
| Fibra | 2,30 g |
| Vitamina A | 92,0 µg ER |
| Vitamina B$_1$ | 0,105 mg |
| Vitamina B$_2$ | 0,022 mg |
| Niacina | 0,260 mg EN |
| Vitamina B$_6$ | 0,067 mg |
| Folatos | 20,4 µg |
| Vitamina B$_{12}$ | — |
| Vitamina C | 30,8 mg |
| Vitamina E | 0,240 mg E$\alpha$T |
| Calcio | 14,0 mg |
| Fósforo | 10,0 mg |
| Magnesio | 12,0 mg |
| Hierro | 0,100 mg |
| Potasio | 157 mg |
| Cinc | 0,240 mg |
| Grasa total | 0,190 g |
| Grasa saturada | 0,022 g |
| Colesterol | — |
| Sodio | 1,00 mg |

1%   2%   4%   10%   20%  40%  100%

**% de la CDR** (cantidad diaria recomendada)
cubierta por 100 g de este alimento

**Sinonimia hispánica:** *naranja mandarina, tangerina.*

**Descripción:** *Fruto del mandarino ('Citrus reticulata' Blanco), árbol de la familia de las Rutáceas muy similar al naranjo, aunque algo más pequeño y delicado. Las dos variedades más conocidas de mandarinas son las satsumas, de color anaranjado claro o verdoso, y las clementinas, más pequeñas y dulces, de color anaranjado vivo.*

E S TAN SENCILLO pelar y comer una mandarina, que se ha convertido en una de las frutas favoritas de los niños. Su grato dulzor, su escaso grado de acidez, junto con la suavidad de su pulpa, hacen de este cítrico una de las frutas más populares del mundo.

La mandarina se cultiva en el sur de Europa, norte de África y Norteamérica, desde el siglo XIX, cuando fue traída de China. Se trata de la última especie de cítricos que ha llegado a Occidente procedente de China (las naranjas dulces fueron introducidas en Europa en el siglo XVI).

**PROPIEDADES E INDICACIONES:** La composición de la mandarina es *muy similar* a la de la **naranja** (ver pág. 346), aunque la vitamina C, los minerales, los ácidos orgánicos, así como la mayor parte de sus **nutrientes,** se encuentran en una *proporción inferior.*

También las propiedades de la mandarina son *las mismas* que las de la **naranja,** aunque en menor intensidad. Por lo tanto es antiinfecciosa, fluidificante de la sangre, hipotensora, laxante, antialérgica, remineralizante, depurativa y preventiva del cáncer. Por su facilidad de uso y buena tolerancia digestiva, las mandarinas resultan *especialmente* apropiadas para los **niños** y **ancianos.**

Dos son sus aplicaciones más destacadas:

• **Enfermedades febriles** de los niños, por su acción antiinfecciosa, tonificante y remineralizante. Muy recomendable en caso de **resfriados, gripe** e **infecciones de garganta.**

• **Hipertensión:** Las curas de mandarinas **[❷]** dan muy buenos resultados en caso de hipertensión arterial y de arteriosclerosis.

## Preparación y empleo

❶ **Frescas:** Es una verdadera delicia pelar una mandarina, mientras se disfruta de su esencia. Para obtener efectos terapéuticos, se recomienda tomar entre 6 y 8 diarias.

❷ **Cura de mandarinas:** Al igual que la cura de naranjas, se realiza durante uno o dos días por semana, durante un mes. Consiste en tomar de 1,5 a 2 kilos de mandarinas como único alimento. Con esa cantidad de fruta, no suele hacer falta beber líquidos, pues esta cura se suele hacer en otoño o invierno.

 **Los cítricos previenen el cáncer**

***Todas las frutas*** *poseen propiedades anticancerígenas, y su **consumo habitual** contribuye a prevenir el cáncer. Sin embargo, las frutas pertenecientes al grupo de los **cítricos destacan** por contener una equilibrada combinación de sustancias anticancerígenas: **vitamina C, flavonoides, limonoides** y **pectina.***

*Todas estas sustancias **se potencian mutuamente** para lograr un marcado efecto protector frente al cáncer. Esto significa que cada una de ellas tomada de forma aislada y purificada, no es tan eficaz como cuando se la ingiere formando parte de una naranja o de un limón, por ejemplo.*

*La acción anticancerígena de estos componentes de los cítricos ha sido demostrada al administrarlos a animales de experimentación. De esta forma se reafirma la validez de los numerosos estudios estadísticos que relacionan el consumo de cítricos con un menor riesgo de cáncer.*

*Es muy probable que en los seres humanos ejerza un efecto similar, no solo en el cáncer de próstata, sino también en otros tipos de cáncer.*

# Naranja

## Mucho más que vitamina C

**Especie afín:** *Citrus aurantium* L. (naranja amarga).

**Sinonimia hispánica:** *naranja de la China, naranja portuguesa, naranja común, china [dulce].*

**Descripción:** *Fruto en baya del naranjo ('Citrus sinensis' Osbeck), árbol de hoja perenne de la familia de las Rutáceas. La naranja, al igual que todos los cítricos, es un fruto compuesto de varios individuos que se unen para formar una fruta aparentemente simple.*

### NARANJA
### composición
por cada 100 g de parte comestible cruda

| | |
|---|---|
| Energía | 47,0 kcal = 197 kj |
| Proteínas | 0,940 g |
| H. de c. | 9,35 g |
| Fibra | 2,40 g |
| Vitamina A | 21,0 µg ER |
| Vitamina B₁ | 0,087 mg |
| Vitamina B₂ | 0,040 mg |
| Niacina | 0,432 mg EN |
| Vitamina B₆ | 0,060 mg |
| Folatos | 30,3 µg |
| Vitamina B₁₂ | — |
| Vitamina C | 53,2 mg |
| Vitamina E | 0,240 mg EαT |
| Calcio | 40,0 mg |
| Fósforo | 14,0 mg |
| Magnesio | 10,0 mg |
| Hierro | 0,100 mg |
| Potasio | 181 mg |
| Cinc | 0,070 mg |
| Grasa total | 0,120 g |
| Grasa saturada | 0,015 g |
| Colesterol | — |
| Sodio | — |

1%    2%    4%       10%    20%   40%   100%

**% de la CDR** (cantidad diaria recomendada)
cubierta por 100 g de este alimento

«RESULTA completamente absurdo que en esta región se receten preparados de vitamina C», declaró el profesor Stepp en su lección magistral en la Facultad de Medicina de Valencia (España).

Corrían los años cuarenta del siglo XX, cuando la industria farmacéutica se enorgullecía de sus logros, al haber sido capaz de sintetizar la mayoría de las vitaminas. El profesor **Stepp,** distinguido investigador alemán, reconocido mundialmente por sus estudios acerca de las vitaminas, asistía a un congreso científico en la mencionada ciudad mediterránea. Fue llevado por sus colegas del lugar a visitar los hermosos naranjales de la huerta valenciana, y tuvo el privilegio de comer, recién cortadas del árbol, las naranjas más selectas de cuantas se cultivan en el mundo. Fue entonces, cuando aquel hombre de ciencia germánico, promotor de la producción de vitaminas sintéticas, se olvidó de su ciencia y exclamó:

–¡Cuánto más saludable es saborear una buena naranja valenciana, que tomar el mejor medicamento a base de vitamina C que nuestra industria sea capaz de producir!

El profesor Stepp estaba en lo cierto: La **naranja** *natural* es *superior* a cualquier preparado farmacéutico como *fuente de **vitamina C.*** Hoy sabemos que en la naranja se encuentran, además de vitamina C, alrededor de 170 *elementos fitoquímicos* que *potencian y complementan* la acción de esta vitamina sobre el organismo. Todo ello, unido a la sensación de bienestar y hasta de placer que proporciona comer una naranja –el placer es también un factor salutífero–, hace que sus efectos saludables sean muy superiores a los que cabría esperar de sus 50 mg/100 g de vitamina C. A pesar de lo que puedan decir algunos promotores de la química

## Preparación y empleo

❶ **Fresca:** La naranja conviene consumirla con una parte del mesocarpo (corteza blanca interior), y no desechando la pulpa fibrosa siempre que no sea demasiado dura.

❷ **Zumo (jugo):** Lo ideal es tomarlo recién exprimido, pues la vitamina C pierde su actividad con el paso del tiempo y por la acción de la luz. El zumo (jugo) **conservado** pierde una parte de la vitamina C natural, aunque algunos fabricantes lo enriquecen con vitamina C sintética.

❸ **Cura de naranjas:** Se debe seguir durante uno o dos días por semana, durante tres o cuatro semanas. Consiste en comer solamente naranjas durante el día, y tomar como única bebida su zumo fresco. Pueden tomarse entre 10 y 12 naranjas diarias y de dos a cuatro vasos de zumo. Si las naranjas son muy ácidas, se puede añadir al zumo una o dos cucharaditas de miel por vaso.

farmacéutica, los 50 mg/100 g de vitamina C de la naranja aportan mucho más al organismo que los 50 mg, o incluso 500, de vitamina C de cualquier comprimido o medicamento.

**PROPIEDADES E INDICACIONES:** Destacan en su composición las siguientes sustancias:

✓ *Azúcares* en una cantidad modesta (unos 9,35 g/100 g), fácilmente aprovechables por el organismo y tolerables por los diabéticos en cantidades controladas. Son la *sacarosa,* la *dextrosa* y la *levulosa.*

✓ *Minerales,* entre los que *destacan* el **potasio** y el **calcio.** Contiene también cantidades menores, aunque significativas, de **hierro** y de **magnesio.**

✓ *Vitaminas:* además de la vitamina C (de 45-60 mg/100 g), contiene *carotenoides* responsables de su color típico (provitamina A), *vitamina B1* y *vitamina B2.*

✓ *Ácido fólico,* en cantidad de 30-40 mg /100 g. El *ÁCIDO FÓLICO* es un nutriente *esencial* para que el **sistema nervioso** del **feto** se desarrolle correctamente. Actúa además como **antioxidante** y su presencia es necesaria en la sangre para que las células defensoras (**glóbulos blancos** o leucocitos) desarrollen su función.

✓ *Fibra* vegetal en forma de *pectina,* de acción **anticolesterol.** La fibra es el único componente de la naranja que no está presente en su zumo.

✓ *Ácidos orgánicos, especialmente* el *cítrico, que potencia* la acción de la *vitamina C* y *facilita* la *eliminación* de residuos tóxicos del organismo, como el **ácido úrico.**

✓ *Carotenoides,* sustancias similares al beta-caroteno, que también se transforman en vitamina A en el organismo. Actúan como *poderosos* **antioxidantes.** De entre los 20 carotenoides que se encuentran en la naranja, destacan la beta-criptoxantina, la luteína y la zeaxantina.[4, 5]

✓ *ELEMENTOS FITOQUÍMICOS,* es decir, sustancias que se encuentran en muy pequeña cantidad en los alimentos y que ejercen funciones muy importantes sobre el organismo. Se calcula que existen unas 170 elementos fitoquímicos diferentes en la naranja,[5] y es posible que todavía se descubran más.

Desde el punto de vista químico, existen dos grupos principales de elementos fitoquímicos en la naranja:

– **Flavonoides:** Son sustancias de tipo glucosídico, dotadas de una potente acción antioxidante, antiinflamatoria y antitumoral. Además, ejercen un efecto favorable sobre la circulación sanguínea.[6] Los más conocidos (existen otros muchos) reciben los nombres de rutina, tangeretina, nobiletina, naringina, hesperidina y quercitina.

– **Limonoides:** Son las sustancias responsables del aroma de la naranja, que forman parte de su esencia. Químicamente se trata de terpenos, el más abundante de los cuales recibe el nombre de **d-limoneno.** Esta sustancia presente en la naranja, impide la formación de tumores en los animales de experimentación después de haberles administrado un cancerígeno.[7]

Gracias a su extraordinaria composición química, la naranja estimula las defensas contra las infecciones, y es protectora de las arterias, antialérgica, alcalinizante, remineralizante y anticancerígena.

Estas son sus aplicaciones dietoterápicas:

• **Enfermedades infecciosas:** La naranja no debería faltar en la mesa de toda persona que esté pasando una enfermedad infecciosa, o que desee prevenirla. Los estudios realizados muestran que son necesarias al menos cuatro naranjas diarias (unos 250 mg de vitamina C) para que se obtengan resultados. Hay que señalar que la vitamina C o el consumo de naranjas, **no** son capaces de *prevenir* el **resfriado** o la **gripe;** sin embargo, se ha comprobado que *acortan* la duración de la enfermedad, y que logran que sus síntomas sean *menos intensos*.

La naranja ejerce las siguientes **acciones antiinfecciosas,** gracias a la combinación de la **vitamina C** con las demás sustancias químicas que la acompañan en su estado natural:

– *Aumenta* la **capacidad** de los **glóbulos blancos** de la sangre para destruir los gérmenes.

– *Aumenta* el **número** y la **longevidad** de los **glóbulos blancos.** Esta acción se atribuye al efecto conjunto del **ácido fólico** y de la **vitamina C.**

– *Dificulta,* aunque no impide completamente, el **desarrollo** de los **virus** en las células humanas. Son los **flavonoides** de la naranja, junto con la **vitamina C,** los responsables de esta acción.

– *Aumenta* la **producción** de **interferón,** una proteína producida en el organismo en su lucha contra los virus.

De forma que el **consumo *diario*** de naranjas está indicado no solo en caso de resfriado o de gripe, sino en cualquier otra en-

## Las naranjas verdes pueden estar maduras

*Para que las naranjas adquieran su **típico color anaranjado,** se precisa que mientras están **en el árbol** sufran **varias noches consecutivas de frío,** lo cual no suele ser raro en los **países templados.***

*En cambio, en los **países tropicales** es **frecuente** encontrar naranjas **maduras** pero de* *color verde, debido a que no han sufrido la acción del frío.*

*El **punto de maduración** de la naranja no se reconoce **por su color exterior,** sino por la **proporción** entre el **azúcar** y el **ácido** de su jugo. En los frutos maduros esta proporción es aproximadamente de **6:1,** es decir, seis veces más cantidad de azúcar que de ácido.*

El zumo o jugo de naranja se ha popularizado como bebida para el desayuno y refresco natural. Su composición es similar a la de la naranja, aunque contiene menos calcio y menos fibra. Ambos nutrientes se encuentran sobre todo en la pulpa.

Los zumos envasados elaborados a base de zumo de naranja reconstituido son una buena alternativa al zumo natural. Las pérdidas de vitamina C durante el envasado se calculan en un 10%. Las restantes vitaminas, el ácido fólico y los minerales se mantienen bastante bien en el zumo envasado. Por ello, ante la falta de zumo natural es mejor el envasado que nada.

Cuatro naranjas diarias es la dosis recomendada para quienes deseen aumentar sus defensas antiinfecciosas.

fermedad infecciosa, incluidas las infantiles, e incluso el **sida.**

• **Trombosis, arteriosclerosis y afecciones cardiovasculares:** Los *flavonoides* contenidos en la naranja, *potenciados* por la *vitamina C,* tienen el efecto de *inhibir* la tendencia de las **plaquetas** de la sangre a formar **coágulos.** De esta forma, las naranjas contribuyen a hacer la sangre más fluida y a mejorar la circulación *especialmente* en los dos órganos que necesitan un aporte más constante de sangre: el **cerebro** y el **corazón.**

Además, la naranja contiene cuatro **antioxidantes** de *gran eficacia* biológica que *se potencian* mutuamente: la *vitamina C,* la *quercitina* (un elemento fitoquímico de tipo flavonoide), la *provitamina A* y el *ácido fólico.* El resultado es un *potente* efecto **antioxidan-**te sobre las células de nuestro organismo. Hoy se sabe que la arteriosclerosis, y el mismo envejecimiento, tienen su origen bioquímico en fenómenos de tipo oxidativo. Dosis altas de vitamina C (1 g diario durante 6 semanas) logran un descenso de la presión arterial.[8]

La **PULPA** de la naranja, *incluida* la **corteza interior** blanca o mesocarpo, es *rica en pectina,* un tipo de *fibra* soluble que hace descender el nivel de colesterol.

El **consumo *habitual*** de naranjas, incluyendo la pulpa e incluso el mesocarpo (corteza blanca), se asocia con un *nivel reducido de* **colesterol** en la sangre, una **presión arterial** *menor* y un *riesgo inferior de* **arteriosclerosis,** de **trombosis arterial** y de **afecciones coronarias.**

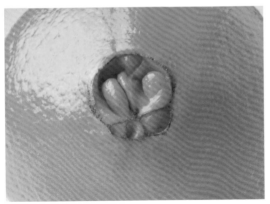

**La naranja navel constituye una de las variedades de cultivo más apreciadas. Se llama así porque la forma de su cáliz recuerda al de un ombligo** ('navel' significa 'ombligo' en inglés).

• **Estreñimiento:** la naranja contribuye a vencer el estreñimiento y la atonía intestinal por dos mecanismos de acción:

– provoca el vaciamiento de la vesícula biliar (**efecto colagogo**), con el consiguiente efecto laxante de la bilis en el intestino;

– *Estimula* el **peristaltismo** (los movimientos) del intestino por efecto de su suave fibra vegetal.

Además de combatir el estreñimiento, la naranja *alivia* las **hemorroides** que suelen acompañar al estreñimiento. Para obtener los mejores resultados en ambos casos, se recomienda seguir una cura de naranjas **[❸]**.

• **Alergias:** Las personas que presentan un nivel alto de vitamina C en la sangre, presentan *menor riesgo* de padecer alergias. Esto se debe, probablemente, a que la vitamina C antagoniza parcialmente los efectos de la histamina, sustancia que desencadena las crisis alérgicas. El consumo de cuatro o cinco naranjas diarias (o su zumo correspondiente), contribuye a *prevenir* la aparición de reacciones alérgicas tales como **rinitis** o **asma bronquial.**

• **Desmineralización:** Con sus 30-40 mg /100 g de *calcio*, la naranja es el cítrico más rico en este precioso mineral (la leche contiene 119 mg). Además, el *ácido cítrico* contribuye a que ese *calcio* sea *mejor absorbido* en el intestino. La naranja contiene también *magnesio* y *fósforo.*

La *vitamina C* es un factor *esencial* en el crecimiento y sostén de los **huesos, dientes** y **cartílagos.** La naranja se recomienda en caso de **osteoporosis,** raquitismo y siempre que se requiera un aporte mayor de sales minerales.

• **Exceso de ácido úrico (gota):** La cura de naranjas **[❸]** (como la de limones, ver pág. 129) resulta *muy eficaz* para facilitar la disolución y eliminación de los depósitos de ácido úrico de las articulaciones, causantes de la **artritis** úrica. Los **cálculos** renales y las **arenillas** también pueden disolverse, al menos parcialmente, con una cura de naranjas.

Todo ello es debido a la acción alcalinizante de la naranja y de todos los cítricos en general. Aunque pueda parecer paradójico, debido a su sabor ácido, la naranja es un *gran alcalinizante* de la sangre (ver pág. 272).

• **Afecciones oculares:** Por su *riqueza en carotenoides,*[4] así como en otros **antioxidantes,** la naranja resulta de utilidad en la *prevención* de la **degeneración macular** de la **retina,** la causa más importante de ceguera después de los 65 años en los países occidentales.

• **Prevención del cáncer:** La *vitamina C* posee acción anticancerígena. Igualmente ocurre con los *elementos fitoquímicos* contenidos en la naranja y en otros cítricos. Está comprobado en numerosos estudios, que el *uso continuado* de naranjas u otros cítricos (al menos uno diario) *previene* la aparición de varios tipos de cáncer. Los pacientes que ya han sido diagnosticados de esta enfermedad podrán también beneficiarse del *uso abundante* de las naranjas.

# Cítricos para comer y beber

## Lima [1]
*Citrus aurantiifolia* (Christm.-Panz.) Sw. = *Limonia aurantiifolia* Christm.-Panz.

**Sinonimia hispánica:** *limón bergamoto, limón del trópico, manzana de Adán.*

La lima es de color, tamaño y forma muy similar al limón, pero de sabor menos ácido y mucho más dulce que él. Se cultiva sobre todo en Centroamérica, Florida y California.

Su contenido en **vitaminas C** y **B** es *algo inferior.* Por su grato aroma, se usa en la fabricación de refrescos y limonadas.

## Limón (ver pág. 128) [2]
*Citrus limon* (L.) Burm.

Posiblemente el cítrico con *mayor número* de **aplicaciones medicinales** *comprobadas* científicamente.

## Mandarina (ver pág. 344) [3]
*Citrus reticulata* Blanco

El cítrico de sabor más dulce y suave.

## Naranja amarga [4]
*Citrus aurantium* L. = *Citrus vulgaris* Risso.

**Sinonimia hispánica:** *naranja agria, naranja de Sevilla, naranja zaparí, acimboga.*

No resulta apta para el consumo en crudo debido a su fuerte sabor; únicamente se consume en confitura o jalea.

El naranjo amargo es el *más usado* en **fitoterapia,** pues sus **hojas** y sus **flores** y su **corteza,** presentan una *muy alta* concentración de *esencias* y otros *principios activos.*

## Naranja dulce [5]
*Citrus sinensis* Osbeck.

El cítrico más cultivado y apreciado. Es el que se describe con detalle en estas páginas y que se suele denominar **naranja** sin más.

## Naranja enana ('kumquat') [6]
*Fortunella margarita* (Lour.) Sw.

**Especie afín:** *Fortunella japonica* [Thunb.] Sw. (kumquat redondo)

**Sinonimia hispánica:** *naranjita china, kumquat.*

Se cultiva especialmente en Indonesia, Australia y en Florida. Su tamaño oscila entre los 2 y 3 cm de diámetro.

Se consume con su piel o cáscara, que es de suave textura y sabor ligeramente ácido. Es muy aromática y agradable de comer.

## Pomelo (ver pág. 102) [7]
*Citrus maxima* (Burm.) Merr. = *Citrus decumanus* L.

Combate la **arteriosclerosis.** Se utiliza en las dietas de **adelgazamiento** por su poder **desintoxicante.**

## Calamondín
*Citrus mitis* Blanco

**Sinonimia hispánica:** *lima filipina, calamondia, naranjita de San José, naranjita del obispo.*

Se cultiva en los países tropicales. Es de color anaranjado, y mide unos 2,5 cm de diámetro. Es muy jugoso y de ligero sabor amargo. Se emplea en la fabricación de refrescos y mermeladas.

## Cidra
*Citrus medica* L.

**Sinonimia hispánica:** *cidral, limón poncilo, toronja, cedro limón, limón cidra, lima.*

Sus frutos son muy voluminosos, alcanzando pesos de hasta dos kilos. La corteza es típicamente amarilla y muy gruesa y rugosa.

Aunque posee *menos* **vitamina C** que otros cítricos, su contenido en *calcio* es *el más elevado.*

# Litchi

## Desinflama y previene las infecciones

### LITCHI
### composición
por cada 100 g de parte comestible cruda

| | |
|---|---|
| **Energía** | **66,0 kcal = 276 kj** |
| **Proteínas** | **0,830 g** |
| **H. de c.** | **15,2 g** |
| **Fibra** | **1,30 g** |
| Vitamina A | — |
| Vitamina B₁ | 0,011 mg |
| Vitamina B₂ | 0,065 mg |
| Niacina | 0,720 mg EN |
| Vitamina B₆ | 0,100 mg |
| Folatos | 14,0 µg |
| Vitamina B₁₂ | — |
| Vitamina C | 71,5 mg |
| Vitamina E | 0,700 mg EαT |
| Calcio | 5,00 mg |
| Fósforo | 31,0 mg |
| Magnesio | 10,0 mg |
| Hierro | 0,310 mg |
| Potasio | 171 mg |
| Cinc | 0,070 mg |
| Grasa total | 0,440 g |
| Grasa saturada | 0,099 g |
| Colesterol | — |
| Sodio | 1,00 mg |

1%   2%   4%   10%   20%   40%   100% 200% 500%
**% de la CDR (cantidad diaria recomendada)**
cubierta por 100 g de este alimento

***Sinonimia hispánica:*** *mamoncillo chino, lichi, leché.*

***Descripción:*** *Fruto del litchi ('Litchi chinensis' Sonn.), árbol de hoja perenne de la familia de las Sapindáceas que alcanza hasta 12 m de altura. El fruto, que cuelga en racimos del árbol, es de forma oval, y mide de 3 a 4 cm de diámetro. Encierra en su interior un hueso único de color marrón.*

E L LITCHI es uno de los símbolos de la gran nación china, donde se cultiva desde hace más de cuatro mil años. Su corteza roja, rosada o verde, encierra una pulpa nacarada de sabor dulce y algo ácido, que huele finamente a rosas.

**PROPIEDADES E INDICACIONES:** Contiene una buena proporción de **hidratos de carbono** en forma de azúcares (15,2%), aunque muy pocas proteínas (0,83%) y grasas (0,44%). Contiene menos agua que la mayor parte de

La vitamina C que se encuentra en el kiwi, en los cítricos y en otras frutas y hortalizas ejerce las siguientes funciones:

- **Antioxidante:** Neutraliza a los radicales libres, sustancias que causan envejecimiento celular, deterioro del ADN y cáncer.
- **Antitóxica:** Neutraliza la acción de diversas sustancias tóxicas, como por ejemplo las nitrosaminas que se encuentran en las carnes curadas.
- **Aumenta las defensas contra las infecciones.**
- **Contribuye a la formación del colágeno,** tejido fibroso necesario para la cicatrización de las heridas.
- **Mejora la consistencia de los huesos y de los dientes.**
- **Fortalece las paredes de los capilares y arterias..**
- **Favorece la absorción del hierro no 'hem'** (el que contienen todos los alimentos vegetales, los lácteos y los huevos).

## Preparación y empleo

❶ **Fresco:** Su pulpa blanca, cuya consistencia recuerda a la de la uva, combina bien con otras frutas, e incluso con el arroz.

❷ **Desecado:** De esta forma se conserva muy bien, y su concentración de nutrientes se multiplica por tres. Sin embargo, pierde entre 20% y 50% de vitamina C.

❸ **Congelado:** Resiste bien la congelación durante periodos de hasta un año, con lo cual se facilita su transporte a tierras lejanas. Pierde un 10%-15% de vitamina C.

❹ **Envasado:** Se suele conservar en almíbar.

las frutas frescas (81,8%), lo cual lo hace relativamente concentrado y energético (66 kcal/100 g).

En el litchi están presentes todas las vitaminas, excepto la provitamina A y la vitamina B12, pero destaca por su contenido en **vitamina C** (71,5 mg/ 100 g), superior al de la naranja o el limón. Con 100 g de litchis se consigue más vitamina C de la que necesita diariamente un hombre adulto (60 mg).

Investigadores de Calcuta (India), han comprobado que las **HOJAS** del litchi poseen efecto **antiinflamatorio, analgésico** y **antipirético**[9] (bajan la fiebre). Los frutos contienen los mismos principios activos que las hojas, aunque en menor proporción.

Por esa acción analgésica y antipirética, además de por su alto contenido en vitamina C que aumenta las defensas contra las infecciones, los litchis son un alimento *muy recomendable* en caso de **enfermedades infecciosas,** como **complemento** del tratamiento específico. Además, su consumo *habitual* tiene una acción **preventiva** e **inmunoestimulante** (estimula las defensas).

# Acerola

## La fruta más rica en vitamina C

### ACEROLA
### composición
por cada 100 g de parte comestible cruda

| | |
|---|---|
| **Energía** | **32,0 kcal = 132 kj** |
| **Proteínas** | **0,400 g** |
| **H. de c.** | **6,59 g** |
| **Fibra** | **1,10 g** |
| **Vitamina A** | **77,0 µg ER** |
| **Vitamina B₁** | **0,020 mg** |
| **Vitamina B₂** | **0,060 mg** |
| **Niacina** | **0,400 mg EN** |
| **Vitamina B₆** | **0,009 mg** |
| **Folatos** | **14,0 µg** |
| **Vitamina B₁₂** | **—** |
| **Vitamina C** | **1678 mg** |
| **Vitamina E** | **0,130 mg EαT** |
| **Calcio** | **12,0 mg** |
| **Fósforo** | **11,0 mg** |
| **Magnesio** | **18,0 mg** |
| **Hierro** | **0,200 mg** |
| **Potasio** | **146 mg** |
| **Cinc** | **0,100 mg** |
| *Grasa total* | *0,300 g* |
| *Grasa saturada* | *0,068 g* |
| *Colesterol* | *—* |
| *Sodio* | *7,00 mg* |

1%　2%　4%　10%　20%　40%　100% 200% 500%
**% de la CDR (cantidad diaria recomendada)**
cubierta por 100 g de este alimento

**Especie afín:** *Malpighia punicifolia* L.

**Sinonimia hispánica:** *cereza tropical, uste, nanche, semeruco.*

**Descripción:** *Fruto del acerolo ('Malpighia glabra' L.), árbol de la familia de las Malpigiáceas.*

CUANDO los españoles llegaron a las islas del Caribe, en el siglo XVI, encontraron un árbol que daba unos frutos similares a los del acerolo que se cultivaba en Europa, y lo llamaron acerolo. No se imaginaban entonces aquellos exploradores, que la acerola caribeña es muchísimo más rica que la europea en vitamina C.

**PROPIEDADES E INDICACIONES:** La acerola era una fruta poco apreciada hasta que en 1946, unos investigadores de la Universidad de Puerto Rico analizaron su contenido en ***vitamina C*** y declararon haber encontrado la ***fuente más importante*** de esta vitamina

## Cuando el organismo necesita más vitamina C

*Un adulto necesita diariamente como mínimo **60 mg** de vitamina C. Téngase en cuenta que esta vitamina **no se almacena** en nuestras células, por lo que **debe ingerirse a diario.** Las **frutas** y las **hortalizas** frescas son la **única fuente segura** de vitamina C.*

*La **carencia grave** de esta vitamina produce la enfermedad del **escorbuto,** pero afortunadamente en nuestros días apenas se da, al menos en los países desarrollados. Sin embargo, son **frecuentes** las **carencias leves** de vitamina C, las cuales producen **escasa resistencia** frente a las **infecciones, apatía,** y **dolores articulares.** Entre los habitantes de los países desarrollados, es posible padecer carencia de vitamina C sin ser consciente de ello.*

*En muchos casos su carencia es relativa, ya que se debe a un **aumento de las necesidades**. Esto ocurre en los siguientes casos:*

- ***infecciones** de cualquier tipo,*
- ***embarazo** y la **lactancia,***
- ***operaciones** quirúrgicas,*
- ***tabaquismo,***
- ***grandes esfuerzos** físicos.*

*Con el fin de satisfacer las necesidades de vitamina C en estos casos, que son del doble al triple de las normales, se recomienda consumir diariamente al menos: dos naranjas, o cuatro mandarinas, o dos kiwis, o 200 g de litchis o unas cuantas acerolas.*

en la naturaleza (hasta 2.520 mg/100 g, según las variedades; es decir, unas 50 veces más que el limón).[10]

La acerola contiene además de la vitamina C, toda una serie de sustancias naturales que la acompañan, y que potencian su acción: ***ácidos orgánicos*** como el málico, y ***flavonoides*** como la rutina y la hesperidina.

Según Schneider,[11] las *dosis* elevadas de ***VITAMINA C*** aumentan la producción de ***interferón,*** una proteína que inhibe la multiplicación de los virus, estimula el sistema inmunológico y detiene el crecimiento de las células tumorales.

Por todo ello, la acerola resulta altamente recomendable en todo tipo de **infecciones,** especialmente en las de origen vírico (gripes, resfriados, etc.), y como *complemento* en la prevención y tratamiento del **cáncer** (ver pág. 360).

## Preparación y empleo

❶ **Cruda:** Esta fruta tiene que estar muy madura para poderla consumir, y aun así es un poco agria.

❷ **Zumo (jugo):** Se suele tomar en combinación con otros zumos de frutas más dulces.

❸ **Preparados industriales:** Con la pulpa de la acerola se elaboran jaleas y gelatinas. Desecada se administra en polvo. Todos estos preparados son muy ricos en vitamina C.

## Acerola mediterránea

Es el fruto de un arbusto o árbol de la familia botánica de las Rosáceas (*Crataegus azarolus* L.).

Es parecida a la cereza, y al igual que la acerola americana aquí descrita, también muy rica en ***vitamina C*** (275 mg/100 g).

# Los alimentos y el cáncer

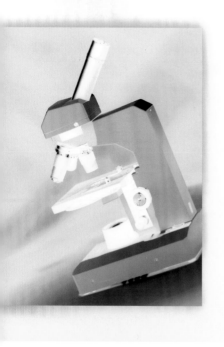

EL CÁNCER es posiblemente la enfermedad **más temida y temible** de cuantas afectan al ser humano. Ingentes esfuerzos se llevan a cabo en todo el mundo para tratar de descubrir los factores que lo causan.

El **más importante** de esos factores, la **alimentación incorrecta,** ya fue señalado por Ellen G. White y otros líderes del movimiento de reforma salutífera que se desarrolló en la segunda mitad del siglo XIX partiendo de Estados Unidos.[1]

Lamentablemente, la medicina oficial prestó muy poca atención a las propuestas de los partidarios de la medicina natural. De ahí que, hasta hace pocos años, se considerara un charlatán a quien se atreviese a recomendar ciertos alimentos para la prevención del cáncer, o para contribuir a su tratamiento.

Ahora bien, en las últimas décadas están aumentando rápidamente las evidencias científicas de que el consumo de ciertos alimentos tiene mucho que ver con el cáncer.[2]

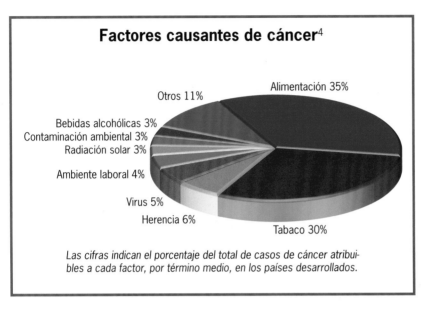

**Factores causantes de cáncer**[4]

Alimentación 35%

Otros 11%

Bebidas alcohólicas 3%
Contaminación ambiental 3%
Radiación solar 3%

Ambiente laboral 4%

Virus 5%

Herencia 6%

Tabaco 30%

*Las cifras indican el porcentaje del total de casos de cáncer atribuibles a cada factor, por término medio, en los países desarrollados.*

**Los alimentos, tal como se consumen habitualmente en los países desarrollados, constituyen la fuente más importante de sustancias cancerígenas que afectan a los seres humanos.**[3]

## Los alimentos como causa de cáncer

Tal como puede verse en el gráfico superior, la alimentación es actualmente el **principal factor** *causante* de cáncer. Constituye una auténtica contradicción el hecho de que los alimentos, que debieran proporcionarnos salud y vida, se hayan convertido en la principal causa de cáncer y de muerte.[3]

Algo debe estar fallando en los hábitos alimentarios de la mayor parte de la población de los países desarrollados: Se están ingiriendo *demasiados* alimentos de **origen animal,** que en general son *favorecedores* del cáncer, en relación a los de origen vegetal, que protegen de él.

### Para reducir el riesgo de cáncer, evitar:

- Las **carnes curadas** (embutidos, jamón, *bacon,* etc.), las asadas a la **parrilla,** y las **muy hechas** o **fritas.**

- *Exceso* de **calorías** procedentes de **proteínas** o de **grasas,** *especialmente* las de origen **animal** en forma de carne, pescado, huevos o leche.

- **Ahumados, encurtidos, salazones** y alimentos *muy* **condimentados.**

- Comidas y bebidas *muy* **calientes.**

- **Alcohol, café y tabaco:** cuando se combinan entre sí, *se potencia* su acción cancerígena.

## Los alimentos como preventivos del cáncer

Los alimentos idóneos para la especie humana, tal como se muestra en esta obra, protegen del cáncer, en lugar de favorecerlo. Esto es lo que hacen precisamente las frutas, los frutos secos, los cereales, las legumbres y las verduras y hortalizas.

### Para prevenir el cáncer, aumentar la ingesta de:

- *Provitamina A* y *vitaminas C* y *E.*

- *Fibra.*

- *Elementos fitoquímicos.*

Todos estos componentes de los alimentos son anticancerígenos, tal como ha sido demostrado experimental y epidemiológicamente, y se encuentran *casi* de forma **exclusiva** en los **vegetales.**

## Cáncer, cancerígeno y anticancerígeno

- **Cáncer:** *Proliferación incontrolada de células que da lugar a una tumoración maligna: invade los tejidos vecinos, puede dar lugar a* **metástasis** *(otros tumores del mismo tipo que se producen lejos del original) y su evolución natural es hacia la muerte del organismo.*

- **Cancerígeno:** *Alimento, sustancia o agente que favorece el desarrollo del cáncer. Los cancerígenos o* **carcinógenos** *más comunes son el humo del* **tabaco,** *ciertos* **aditivos** *como los* **nitritos,** *las* **sustancias** *que se forman al* **asar la carne,** *los* **contaminantes químicos** *como los* **pesticidas,** *algunos* **virus** *y* **mohos,** *y las* **radiaciones.**

- **Mutágeno:** *Sustancia que produce mutaciones, es decir, cambios en el código genético de las células. Muchas de estas mutaciones hacen que las células se transformen en cancerosas, por lo que los mutágenos, o mutagénicos, son también cancerígenos. Se forman mutágenos al* **freír** *y* **asar** *alimentos, especialmente de tipo cárnico.*

- **Anticancerígeno** *o* **protector contra el cáncer:** *Alimento o sustancia que* **neutraliza** *la acción de los cancerígenos y* **evita el desarrollo** *del cáncer. Prácticamente* **todos** *ellos son de origen* **vegetal.**

## Los alimentos en el tratamiento del cáncer

En la lucha contra el cáncer, la alimentación tiene un valor *sobre todo* **preventivo.** A pesar de ello, cuando ya se ha declarado el cáncer, la dieta también continúa desempeñando un importante papel.

Todos los alimentos anticancerígenos que se exponen en las dos páginas siguientes, especialmente las curas de frutas, las ensaladas y los jugos frescos, constituyen un recurso más en el tratamiento del cáncer, que no debería ser ignorado. Existen pruebas experimentales de su eficacia para frenar el desarrollo de las células cancerosas, por lo que su uso como arma terapéutica está bien fundamentado.

La relación entre los alimentos y el cáncer es muy estrecha: algunos lo causan, mientras que otros lo previenen. Para quien quiera reducir el riesgo de cáncer, este es el consejo alimentario más conciso que se le puede dar: adoptar el régimen vegetariano.

## La fruta

La frutas son, junto con las hortalizas, el alimento anticancérigeno *más* efectivo. Cientos de rigurosas investigaciones científicas realizadas en todo el mundo, han puesto de manifiesto que el **consumo** *abundante* de frutas evita la mayor parte de los tipos de cáncer que afectan a los seres humanos.

*Pomelos*

*Ciruelas*

- **Cítricos,** como el **limón** (ver pág. 128), la **naranja** (ver pág. 346) y el **pomelo** (ver pág. 102). Su capacidad anticancerígena se debe a la acción *combinada* de la **vitamina C,** los **flavonoides,** los **limonoides** y la *pectina* (ver pág. 345).

- **Ciruela** (ver pág. 220) y **manzana** (ver pág. 216). Protegen contra el cáncer de colon.

- **Ananás** (piña tropical) (ver pág. 180): Previene el cáncer de estómago.

- **Uva:** El *resveratrol* que contiene, especialmente en la piel, es anticancerígeno.

- **Zarzamora** y otras bayas como la **fresa,** el **arándano** y la **grosella**: Son ricas en *antocianinas,* de *poderosa* acción **antioxidante,** que *neutralizan* la acción cancerígena de los **radicales libres.**

*Fresa*

- **Acerola** (ver pág. 354), **guayaba** (ver pág. 118) y **kiwi** (ver pág. 342), por su gran riqueza en *vitamina C.*

## Cereales integrales

La *fibra* que proporcionan los cereales integrales acelera el tránsito intestinal. Además, retiene y arrastra las sustancias cancerígenas que pudiera haber en el conducto digestivo, y las elimina con las heces.

*Pan de centeno*

## Aceite de oliva

Su consumo reduce el riesgo de padecer cáncer de mama cuando *sustituye* a otras **grasas** alimentarias, tal como se ha demostrado en investigaciones realizadas en España y en Estados Unidos.

Además, los cereales integrales contienen *fitatos;* los cuales, aunque reducen algo la absorción del hierro y del cinc, también actúan como anticancerígenos.

# previenen el cáncer

## Hortalizas y verduras

**Todas** las hortalizas protegen contra el cáncer, en mayor o menor grado. Su riqueza en **provitamina A,** en **vitamina C** y en **elementos fitoquímicos** de acción **antioxidante** explica su efecto anticancerígeno. Las que aquí se citan son las más efectivas:

- **Remolacha roja**

  Contiene **elementos fitoquímicos** de acción anticancerígena (ver pág. 126).

- **Zanahoria**

  Su gran concentración en **beta-caroteno** (provitamina A), en otros **carotenoides** y en **fibra** (ver pág. 32), explican su probada acción anticancerígena.

- **Solanáceas**

  Las hortalizas de esta familia protegen contra el cáncer, especialmente el **tomate** (ver pág. 264), el **pimiento** (ver pág. 188) y la **berenjena** (ver pág. 242). A ello contribuye su riqueza en **beta-caroteno** (provitamina A), en **carotenoides** y en **vitamina C,** todos ellos *potentes* **antioxidantes.**

- **Liliáceas**

  Todas las hortalizas de esta familia, especialmente la **cebolla** (ver pág. 142) y el **ajo,** contienen **flavonoides** y **esencias azufradas,** que protegen del cáncer.

- **Crucíferas**

  Las plantas de esta familia botánica contienen diversos **elementos fitoquímicos** de tipo **sulfuroso,** cuya acción anticancerosa ha sido bien demostrada en animales de experimentación (ver pág. 183). Este efecto persiste aun después de haber sido cocinadas.

  La **col** (ver pág. 182), la **coliflor** (ver pág. 154), el **brécol** (ver pág. 72) y el **rábano** (ver pág. 174) son las Crucíferas más conocidas como preventivas contra el cáncer.

*Tomate*

*Brécol*

## Yogur

Al contrario de lo que ocurre con la leche, cuyo consumo se relaciona con diversos tipos de cáncer, el yogur protege contra esta enfermedad, especialmente contra el **cáncer de mama.**

Su contenido en **bacterias** *vivas* (el de tipo '**bio**') y en **ácido láctico** explican en parte su efecto protector.

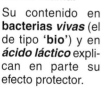

*Yogur natural*

## Legumbres

Las legumbres en general protegen contra el cáncer por su contenido en **fibra** y en **elementos fitoquímicos** anticancerígenos como el **ácido fítico** y los **fitatos**.

### La soja y sus derivados

Tanto la **soja** (ver pág. 254) como sus derivados, especialmente el '**tofu**' y la **leche** (bebida) **de soja,** proporcionan diversos **elementos fitoquímicos** de acción anticancerígena. Los más eficaces son las isoflavonas **genisteína** y **daidzeína.** Protegen sobre todo contra el **cáncer de mama** y **de próstata.**

*Garbanzos*

## Carne

Numerosas investigaciones científicas, tanto de tipo estadístico como experimental, han puesto de manifiesto que el consumo de carne es un *importante* **factor de riesgo** para la mayor parte de los tipos de cáncer (de cerebro, de pulmón, de estómago, de riñón, de vejiga urinaria, de útero, de ovario y de próstata, entre otros).

Resultan *particularmente* **favorecedoras** del cáncer:

- las llamadas **carnes rojas** (de vacuno, de cordero y de cerdo),
- la carne **muy hecha** o asada en la **barbacoa,**
- la carne **frita,**
- la carne **salada** y/o **curada,** como el jamón, el *'bacon'* y los embutidos.

*Bacon*

## Leche

El **consumo** *habitual* de leche, *especialmente* si es completa (no desnatada), se asocia, según diversas investigaciones, con la aparición de algunos tipos de cáncer: de mama, pulmón, colon, ovario, próstata y vejiga urinaria.

*Leche entera*

*Langostino*

## Marisco

*Suele estar* **contaminado** por los **productos químicos** vertidos al mar, los cuales son cancerígenos.

## Bebidas alcohólicas

**Todas** ellas son *favorecedoras* del cáncer, incluso aquellas a las que se atribuyen propiedades medicinales, como el vino o la cerveza. Y no solo inducen el cáncer cuando se ingieren en dosis elevadas, sino también cuando se hace un consumo moderado de ellas.

Una sola copa de vino al día aumenta en un 250% el riesgo de padecer cáncer de mama en las mujeres.[5]

## Huevos

Existe confirmación estadística de que un consumo importante de huevos (en general, *más* de **tres** por *semana*) se relaciona con los cánceres de mama, estómago, pulmón, páncreas, colon, endometrio y ovario.

*Whisky*

*Huevos morenos*

# favorecen el cáncer

## Pescado

Las pruebas estadísticas y experimentales de que el consumo de pescado pueda favorecer el cáncer son menos numerosas e importantes que las de la carne. Sin embargo, se ha encontrado relación entre el consumo habitual de pescado (especialmente salado o curado) y los cánceres de laringe, nasofaringe, endometrio y páncreas.

## Especias

Una alimentación rica en especias picantes puede ser un factor del riesgo para ciertos tipos de cáncer, como el de boca y el de esófago.

*Nuez moscada*

## Productos refinados

Cuando el pan blanco, la bollería y los productos de repostería refinados *desplazan* a los **cereales integrales** de la dieta, se favorecen diversos tipos de cáncer. Al menos estas tres características de su composición, explican su asociación con el cáncer:

* *Falta* de **fibra.**
* *Gran contenido* en **azúcar.**
* **Ácidos grasos 'trans':** Son un tipo especial de ácidos grasos que se encuentran habitualmente en la bollería industrial refinada y en los productos de repostería. Los fritos y las margarinas también los contienen. Además de elevar el nivel de colesterol y de favorecer la arteriosclerosis y el infarto, los ácidos grasos *trans* se relacionan con el cáncer de mama y con el de endometrio.

## Café

Su consumo se relaciona con el cáncer de vejiga urinaria y con la mastopatía fibroquística o enfermedad fibroquística de la mama, que puede ser precancerosa.

Este efecto del café no se debe a la cafeína sino a algunos componentes de la esencia del café. Por eso el consumo de café **descafeinado** *también* aumenta el riesgo de padecer cáncer de vejiga urinaria.[6]

## Azúcar

El **consumo *abundante*** de azúcar blanco (sacarosa) se relaciona, en diversos estudios epidemiológicos, con los siguientes tipos de cáncer:

* cáncer de colon,
* cáncer de estómago, y
* cáncer de cuello uterino.

*Azúcar blanco*

*Pan blanco*

# Alimentación para prevenir

Los cuadros de estas páginas (364-367) se han elaborado a partir de las investigaciones publicadas durante los últimos años en las revistas científico-médicas más prestigiosas del mundo. Reflejan el estado de los conocimientos actuales sobre la relación entre alimentación y cáncer.

## PREVENCIÓN DEL CÁNCER DE LARINGE

 **Aumentar**

- Fruta
- Verduras
- Aceites vegetales
- Vitaminas antioxidantes (A, C y E)

 **Reducir o eliminar**

- Bebidas alcohólicas
- Carne salada (curada)
- Mate en infusión

*Fruta*

## PREVENCIÓN DEL CÁNCER NASOFARINGE

 **Aumentar**

- Verduras
- Caroteno (provitamina A)

 **Reducir o eliminar**

- Pescado salado (especialmente en la infancia)
- Té e infusiones muy calientes
- Ahumados
- Salazones

*Espinacas*

## PREVENCIÓN DEL CÁNCER DEL CEREBRO

 **Aumentar**

- Vitaminas, especialmente la C y E

 **Reducir o eliminar**

- Salchichas y *hot-dogs* (perritos calientes). Su consumo por mujeres embarazadas aumenta el riesgo de cáncer en sus hijos
- Hamburguesas
- Carne curada o asada
- Carne de cerdo procesada, como el jamón cocido (jamón de York) y el *bacon*
- Fritos

*Kiwis*

## PREVENCIÓN DEL CÁNCER DE BOCA

 **Aumentar**

- Fruta especialmente los cítricos
- Verduras, especialmente las ricas en carotenos

 **Reducir o eliminar**

- Bebidas alcohólicas, especialmente vino y licores
- Carne, especialmente asada en la barbacoa
- Chile (pimiento picante)
- Mate en infusión

*Cítricos*

# cada tipo de cáncer (1)

## PREVENCIÓN DEL CÁNCER DE ESÓFAGO

 Aumentar

- Frutas, especialmente las cítricas
- Verduras
- Beta-caroteno (provitamina A) y otros carotenoides
- Fibra

 Reducir o eliminar

- Bebidas alcohólicas
- Bebidas muy calientes, especialmente el mate
- Carnes rojas, especialmente asadas en la barbacoa
- Encurtidos

*Arroz integral*

## PREVENCIÓN DEL CÁNCER DE PULMÓN

 Aumentar

- Frutas y hortalizas

 Reducir o eliminar

- Carne curada (embutidos, *bacon*)
- Cerveza
- Leche completa y productos lácteos
- Huevos
- Bollería refinada

*Hortalizas*

## PREVENCIÓN DEL CÁNCER DE ESTÓMAGO

 Aumentar

- Frutas, especialmente las cítricas y el ananás (piña tropical)
- Hortalizas, incluso las de elevado contenido en nitratos
- Ajo y cebolla
- Pan integral
- Aceite vegetal
- Pasta y arroz

 Reducir o eliminar

- Carne roja, especialmente muy hecha
- Carnes curadas y embutidos, especialmente los de elaboración casera
- Cerveza
- Salazones
- Huevos
- Bollería, pasteles
- Azúcar
- Grasa saturada

## PREVENCIÓN DEL CÁNCER DE HÍGADO

 Aumentar

- Hortalizas
- Beta-caroteno (provitamina A)

 Reducir o eliminar

- Carne de cerdo
- Vino y otras bebidas alcohólicas
- Alimentos enmohecidos o con restos de aflatoxinas

*Mangos*

*Ajos*

# Alimentación para prevenir

## PREVENCIÓN DEL CÁNCER MAMA

 **Aumentar**

 **Reducir o eliminar**

- Soja, *tofu*, leche (bebida) de soja
- Fruta
- Hortalizas especialmente zanahorias y espinacas
- Aceite de oliva
- Ajo
- Yogur
- Fibra
- Vitamina C
- Beta-caroteno (provitamina A)
- Vitamina E

- Carnes rojas (la de pollo sin piel y el pescado no son perjudiciales)
- Carne de cerdo procesada (embutidos, jamón, etc.)
- Huevos
- Leche (según un estudio, es protectora)
- Queso graso
- Grasa
- Ácidos grasos *trans* (margarina, bollería)
- Bebidas alcohólicas, incluso en dosis bajas
- Chocolate y pasteles

*Soja*

## PREVENCIÓN DEL CÁNCER DE COLON

 **Aumentar**

 **Reducir o eliminar**

- Fibra
- Fruta
- Hortalizas, especialmente las zanahorias y espinacas
- Pan y pasta integral
- Lácteos fermentados (yogur) y calcio

- Carnes rojas (vacuno, cerdo, cordero)
- Carne muy hecha
- Carne procesada o curada
- Hígado y otras vísceras
- Huevo, especialmente las mujeres
- Grasa y alimentos muy ricos en calorías especialmente de origen animal
- Queso graso (curado)
- Azúcar, como el que se añade al café
- Bebidas alcohólicas, vino

*Pasta integral*

## PREVENCIÓN DEL CÁNCER DE RIÑÓN

 **Aumentar**

 **Reducir o eliminar**

- Fruta, especialmente cítricos y manzanas
- Ensaladas
- Vitamina C
- Vitamina E

- Carnes rojas, productos cárnicos
- Carne de pollo
- Grasa
- Proteínas

*Manzanas*

## PREVENCIÓN DEL CÁNCER DE PÁNCREAS

 **Aumentar**

 **Reducir o eliminar**

- Fruta
- Hortalizas, especialmente coles y tomates
- Cereales
- Legumbres
- Fibra
- Yogur

- Carne
- Pescado
- Huevos
- Proteínas
- Colesterol
- Grasa saturada animal
- Calorías
- Bebidas alcohólicas

# cada tipo de cáncer (y 2)

## PREVENCIÓN DEL CÁNCER DE PRÓSTATA

 **Aumentar**

- Fruta
- Tomates
- Frutas desecadas (dátiles, uva pasas)
- Legumbres
- Soja, *tofu*, leche (bebida) de soja
- Pectina de cítricos
- Ajo
- Fructosa
- Vitamina E
- Carotenoides (licopeno)

 **Reducir o eliminar**

- Carnes rojas
- Leche
- Grasa animal
- Calcio procedente de alimentos muy ricos en calcio o de suplementos

*'Tofu'*

## PREVENCIÓN DEL CÁNCER DE OVARIO

 **Aumentar**

- Hortalizas, especialmente las zanahorias
- Pan o pasta integral
- Pescado

 **Reducir o eliminar**

- Carne
- Leche completa
- Grasa saturada
- Huevos
- Mantequilla

*Pan integral*

## PREVENCIÓN DEL CÁNCER DE ENDOMETRIO

 **Aumentar**

- Frutas
- Hortalizas
- Cereales, pan y pasta integrales
- Legumbres
- Ajo y cebolla
- Beta-caroteno (provitamina A)

 **Reducir o eliminar**

- Carnes rojas y procesadas (curadas)
- Pescado curado o salado
- Huevos
- Grasa animal
- Margarina
- Colesterol

*Cebollas*

## PREVENCIÓN DEL CÁNCER DE VEJIGA URINARIA

 **Aumentar**

- Fruta
- Hortalizas y verduras, especialmente espinacas y zanahorias
- Beta-caroteno (provitamina A)
- Vitamina C
- Vitamina E

 **Reducir o eliminar**

- Carne de cerdo y de vacuno
- Café
- Leche
- Encurtidos
- Grasa, especialmente animal
- Fritos
- Exceso de calorías
- Sodio (sal)
- Vino, cerveza y demás bebidas alcohólicas

*Zanahorias*

# Bibliografía

## Cap. 1: Los alimentos para el ser humano

1. Génesis 1: 29.
2. Génesis 3: 18.
3. Nobmann, E.D.; Byers, T.; Lanier, A.P. et al. The diet of Alaska Native adults: 1987-1988 [see comments]. Am. J. Clin. Nutr., **55**: 1024-1032 (1992).
4. Heber, D. The stinking rose: organosulfur compounds and cancer. Am. J. Clin. Nutr., **66**: 425-426 (1997).
5. Bergman, J. Diet, Health and Evolution. Creation Research Society Quarterly, **34**: 209-217 (1998).
6. Martins, Y.; Pelchat, M.L.; Pliner, P. "Try it; it´s good and it's good for you" effects of taste and nutrition information on willingness to try novel foods. Appetite, **28**: 89-102 (1997).

## Cap. 2: Alimentos para los ojos

1. Strasburger et al. Tratado de botánica. Barcelona, Ediciones Omega, 8ª ed., 1994, pág. 166 [edición original: Strasburger, Lehrbuch der Botanik, Suttgart, Gustav Fischer Verlag, 33ª ed., 1991].
2. Seddon, J.M.; Ajani, U.A.; Sperduto, R.D. et al. Dietary carotenoids, vitamins A, C and E, and advanced age-related macular degeneration. JAMA, **272**: 1413-1420 (1994).
3. Tavani, A.; Negri, E.; La Vecchia, C. Food and nutrient intake and risk of cataract. Ann. Epidemiol., **6**: 41-46 (1996).
4. Seddon, J.M.; Ajani, U.A.; Sperduto, R.D. et al. Dietary carotenoids, vitamins A, C and E, and advanced age-related macular degeneration. JAMA, **272**: 1413-1420 (1994).
5. Reddy, N.S.; Malewar, V.G. Bio-availability of iron from spinach cultivated in soil fortified with graded levels of iron. Plant Foods Human Nutrition, **42**: 313-318 (1992).
6. Satoh, T.; Goto, M.; Igarashi, K. Effects of protein isolates from radish and spinach leaves on serum lipids levels in rats. Journal of Nutrition Science and Vitaminology of Tokyo, **39**: 627-633 (1993).

## Cap. 3: Alimentos para el sistema nervioso

1. Breakey, J. The role of diet and behaviour in childhood. J. Paediatr. Child Health, **33**: 190-194 (1997).
2. Lechky, O. If children are developing poorly, ask what they had for breakfast. CMAJ, **143**: 210-213 (1990).
3. Needleman, H.L.; Riess, J.A.; Tobin, M.J. et al. Bone lead levels and delinquent behavior. JAMA, **275**: 363-369 (1996).
4. Pollock, I.; Warner, J.O. Effect of artificial food colours on childhood behaviour. Arch. Dis. Child., **65**: 74-77 (1990).
5. Tuormaa, T. E. The adverse effects of food additives on health: a review of the literature with special emphasis on childhood hyperactivity. Journal of Orthomolecular Medicine, **9**: 225-243 (1994).
6. Leira, R.; Rodriguez, R. Diet and migraine. Rev. Neurol., May 24 **(129)**: 534-538 (1996).
7. Pamplona Roger, J. D. Enciclopedia de las plantas medicinales. Madrid, Editorial Safeliz, 5ª imp., 1998, pág. 151.
8. Esko, K. et al: A comparison of diets with and without oats in adults with celiac disease. The New England Journal of Medicine, **333**: 1033-1037 (1995).
9. Hallfrish, J.; Scholfield, D.J.; Behall, K.M. et al.: Diets containing oat extracts improve glucose and insulin responses of moderately hypercholesterolemic men and women. Am. J. Clin. Nutr., **61**: 379-84 (1995).
10. Marlett, J.; Hosig, K.B.; Vollendorf, N.W. et al.: Mechanism of serum reduction by oat bran. Hepatology, **20**: 1450-1457 (1994).
11. Dubois, C.; Armand, M.; Senft, M. et al.: Chronic oat bran intake alters postprandial lipemia and lipoproteins in healthy adults. Am. J. Clin. Nutr., **61**: 325-333 (1995).
12. Braaten, J.: Oat beta-glucan reduces blood cholesterol concentration in hypercholesterolemic subjects. Eur. J. Clin. Nutr., **48**: 465-474 (1994).
13. Beer, M.; Wood, P.J.; Scott, F.W. et al. Effects of oat gum on blood cholesterol levels in healthy young men. Eur. J. Clin. Nutr., **49**: 517-522 (1995)
14. Pamplona Roger, J. D. Enciclopedia de las plantas medicinales. Madrid, Editorial Safeliz, 5ª imp., 1998, pág. 160.
15. Wolff R.L.; Bayard C.C. Fatty acid composition of some pine seed oils. Journal of the American Oil Chemists Society, **72**: 1043-1046 (1995).
16. Conocimientos actuales sobre nutrición. Organización Panamericana de la Salud, Instituto Internacional de Ciencias de la Vida, Washington D.C., 6ª ed. [edición original: Present Knowdledge in Nutrition. International Life Sciences Institute, ILSI-North America, 1990, 6ª ed.], pág. 252.
17. OMS, Serie de informes técnicos nº 797 (Dieta, nutrición y prevención de enfermedades crónicas: informe de un grupo de estudio de la OMS). Ginebra, Organización Mundial de la Salud, 1990, pág. 90.

## Cap. 4: Alimentos para el corazón

1. Ness, A.R.; Powles, J.W. Fruit and vegetables, and cardiovascular disease: a review. Int. J. Epidemiol., **26**: 1-13 (1997).
2. Ducimetiere, P.; Guize, L.; Marciniak, A. Arteriographically documented coronary artery disease and alcohol consumption in French men. The CORALI Study. Eur. Heart. J., **14**: 727-733 (1993).
3. Constant, J. Alcohol, ischemic heart disease, and the French paradox. Clin. Cardiol., **20**: 420-424 (1997).
4. Yuan, J.M.; Ross, R.K.; Gao, Y.T. et al. Follow up study of moderate alcohol intake and mortality among middle aged men in Shanghai, China. British Medical Journal, **314**: 18-23 (1997).
5. Camargo, C.A; Hennekens, C,H.; Gaziano, J.M. et al. Prospective study of moderate alcohol consumption and mortality in United States male physicians. Arch. Intern. Med., **157**: 79-85 (1997).
6. Frankel, E.N.; Kanner, J.; German, J.B. et al. Inhibition of oxidation of human low-density lipoprotein by phenolic substances in red wine. Lancet, **341**: 454-457 (1993).
7. Singh, R.B.; Niaz, M.A.; Agarwal, P. et al. Effect of antioxidant-rich foods on plasma ascorbic acid, cardiac enzyme, and lipid peroxide levels in patients hospitalized with acute myocardial infarction. J. Am. Diet. Assoc., **95**: 775-780 (1995).
8. Ornish, D.; Brown, S.E.; Scherwitz, L.W. et al. Can lifestyle changes reverse coronary heart disease? The Lifestyle Heart Trial [see comments]. Lancet, 336: 129-133 (1990).
9. Stoewsad, G. Bioactive organosulfur phytochemicals in Brassica oleracea vegetables (a review). Food Chem. Toxicol., **33**: 537-543 (1995).
10. Preobrazhenskaya, M.; Bukhman, V.M.; Korolev, A.M. et al. Ascorbigen and other indole-derived compounds from brassica vegetables and their analogs as anticarcinogenic and inmunomodulating agents. Pharmacol., Ther., **60**: 301-313 (1993).

11. MEHTA, R.; LIU, J.; CONSTANTINOU, A. ET AL. Cancer chemopreventive activity of brassinin, a phytoalexin from cabbage. *Carcinogenesis,* **16**: 399-404 (1995).

12. CHEN, M.; CHEN, L.T.; BOYCE, H.W. Cruciferous vegetables and glutathione: their effects on colon mucosal glutathione level and colon tumor development in rats induced by DMH. *Nutr. Cancer,* **23**: 77-83 (1995).

13. FRASER, G.; SABATE, J.; BEESON, L. ET AL. A possible protective effect of nut consumption on risk of coronary heart disease. *Archives of Internal Medecine,* **152**: 1416-1424 (1992).

14. NAGY, S.; SHAW, P.E. *Tropical and subtropical fruits.* Westport (Connecticut), 1980, The AVI Publishing Company, Inc., pág. 548.

15. QUINN, L.A.; TANG, H.H. *Journal of the Amarican Oil Chemists Society,* **73**: 1585-1588 (1996).

16. AKO, H. ET AL. Healthful new oil from macadamia nuts. *Nutrition,* **11**: 286-288 (1995).

17. SEGAL I. ET AL. Fermentation of the carbohydrate of banana in the human large intestine. *American Journal of Gastroenterology,* **88**: 420-423 (1993).

18. HORIGOME T.; SAKAGUCHI E.; KISHIMOTO C. Hypocholesterolaemic effect of banana pulp in the rat fed on a cholesterol-containing diet. *British Journal of Nutrition,* **68**: 231-244 (1992).

19. KRISHNA G.C. Role of potassium in the pathogenesis of hypertension. *American Journal of Clinical Science,* **307**: S21-S25 (1994).

20. GILLMAN M.W. ET AL. Protective effect of fruits and vegetables on development of stroke in men. *JAMA,* **273**: 1113-1117 (1995).

21. JANSSON, B. Dietary, total body, and intracellular potassium-to-sodium ratios and their influence on cancer. *Cancer Detect. Prev.* **14**: 563-565 (1990).

## CAP. 5: ALIMENTOS PARA LAS ARTERIAS

1. WILLETT, W.C.; ASCHERIO, A. Trans fatty acids: are the effects only marginal? *Am. J. Public Health,* **84**: 722-724 (1994).

2. KRIS-ETHERTON, P.M.; SHAOMEI, Y. Individual fatty acid effects on plasma lipids and lipoproteins: human studies. *Am. J. Clin. Nutr.,* **65** (suppl): 1628S-1644S (1997).

3. ASCN/AIN Task Force on Trans Fatty Acids. Position paper on trans fatty acids. *Am. J. Clin. Nutr.,* **63**: 663-670 (1996).

4. GILANI, A.H.; ASIF, M.; NAGRA, S.A. Energy utilization of supplemented cereal diets in human volunteers. *Arch. Latinoam. Nutr.,* **36**: 373-378 (1986).

5. MUIR, J.G.; O'DEA, K. Measurement of resistant starch: factors affecting the amount of starch escaping digestion in vitro. *American Journal of Clinical Nutrition,* **56**: 123-127 (1992).

6. MAHAN, L.K.; ARLIN, M.T. *Krause, nutrición y dietoterapia.* México, Interamericana McGraw-Hill, 1995, 3ª ed., pág. 394 [edición original: *Krause's Food, Nutrition and Diet Therapy.* Philadelphia, W.B. Saunders Company, 8ª ed., 1992].

7. *Conocimientos actuales sobre nutrición.* Organización Panamericana de la Salud, Instituto Internacional ed Ciencias de la Vida, Washington D.C., 6ª ed. [edición original: *Present Knowdledge in Nutrition.* International Life Sciences Institute, ILSI-North America, 1990, 6ª ed.], pág. 275.

8. GAITAN, E. ET AL. Antithyroid effects in vivo and in vitro of babassu and mandioca: a staple food in goiter areas of Brazil. *Eur. J. Endocrinol.,* **131**: 138-144 (1994).

9. AWOYINKA, A.F.; ABEGUNDE, V.O.; ADEWUSI, S.R. Nutrient content of young cassava leaves and assessment of their acceptance as a green vegetable in Nigeria. *Plant Foods Hum. Nutr.,* **47**: 21-28 (1995).

10. ARAGHINIKNAM, M. ET AL. Antioxidant activity of dioscrea and dehydroepiandrosterone (DHEA) in older humans. *Life Sciences,* **59**: PL147-157 (1996).

11. HONG-WANG; GUOHUA-CAO; PRIOR, R.L. Total antioxidant capacity of fruits. *Journal of Agricultural and Food Chemistry,* **44**: 701-705 (1996).

12. MEYDANI, M. Vitamin E. *The Lancet,* **345**: 170-175 (1995).

13. BELLICE, M.C. ET AL. Vitamin E and coronary heart disease: the European paradox. *Eu. J. of Clinical Nutrition,* **48**: 822-831 (1994).

14. PEREZ-JIMENEZ, F. ET AL. Lipoprotein concentrations in normolipidemic males consuming oleic acid-rich diets from two different sources: olive oil and oleic acid-rich sunflower oil. *Am. J. Clinical Nutrition,* **62**: 769-775 (1995).

15. RAINEY, C.; AFFLECK, M.; BRETSCHGER, K. ET AL. The California avocado. *Nutr. Today,* **29**: 23-27 (1994).

16. NAGY, S.; SHAW, P.E. *Tropical and subtropical fruits.* Westport (Connecticut), 1980, The AVI Publishing Company, Inc., p. 143

17. GRANT, W.C. Influence of avocados on serum cholesterol. *Proc. Soc. Exp. Biol. Med.,* **104**: 45-47 (1960).

18. ALVIZOURI MUÑOZ, M. ET AL. Effects of avocado as a source of monounsaturated fatty acids on plasma lipid levels. *Arch. Med. Res.,* **23**: 163-167 (1992).

19. SIMON, E. ET AL. The blockade of insulin secretion by mannoheptulose. *J. Israel Med. Sci.,* **2**: 785-799 (1966).

20. LERMAN GARBER, I. ET AL. Effect of a high-monounsaturated fat diet enriched with avocado in NIDDM [Non Insulin Dependent Diabetes Mellitus]. *Diabetes Care,* **17**: 311-315.

21. MARTÍN-CANREJAS, M.A. ET AL. Dietary fiber content of pear and kiwi pomaces. *Journal of Agricultural and Food Chemistry,* **43**: 662-666 (1995).

22. KRISHNA G.C. Role of potassium in the pathogenesis of hypertension. *American Journal of Clinical Science,* **307**: S21-S25 (1994).

23. SINGH R.B.; RASTOGI, S.S.; SINGH, R. ET AL. Effects if guava intake on serum total and high-density lipoprotein cholesterol levels and on systemic blood pressure. *Am. J. Cardiol.,* **70**: 1287-1291 (1992).

24. KORPELA, J.T.; KORPELA, R.; ADLERCREUTZ, H. Fecal bile acid metabolic pattern after administration of different types of bread. *Gastroenterology,* **103**: 1246-1253 (1992).

## CAP. 6: ALIMENTOS PARA LA SANGRE

1. TUNTAWIROON, M.; SRITONGKUL, N.; BRUNE, M. ET AL. Dose-dependant inhibitory effect of phenolic compounds in foods on nonheme-iron absorption in men. *Am. J. Clin. Nutr.,* **53**: 554-557 (1991).

2. SIEGENBERG, D. ET AL. Ascorbic acid prevents the dose-dependent inhibitory effects of polyphenols and phytates on nonheme-iron absorption. *Am. J. Clin. Nutr.,* **53**: 537-541 (1991).

3. MAHAN, L.K.; ARLIN, M.T. *Krause, nutrición y dietoterapia.* México, Interamericana McGraw-Hill, 1995, pág. 101 [edición original: *Krause's Food, Nutrition and Diet Therapy.* Philadelphia, W.B. Saunders Company, 8ª ed., 1992].

4. SIEGENBERG D. ET AL. Ascorbic acid prevents the dose-dependent inhibitory effects of polyphenols and phytates on nonheme-iron absorption. *Am. J. Clin. Nutr.* **53**: 537-541 (1991)

5. SCHNEIDER, ERNST. *La salud por la nutrición.* Madrid, Editorial Safeliz, 1986, pág. 520.

6. WATTENBERG, L.W.; COCCIA J.B. Inhibition of 4-(methylnitrosamino)-1-(3-pyridyl)-1-butanone caecinogenesis in mice by D-limonene and citrus fruit oils. *Carcinogenesis,* **12**: 115-117 (1991).

7. PANLASIGUI, L.N.; PANLILIO, L.M.; MADRID, J.C. Glycaemic response in normal subjects to five different legumes commonly used in the Philippines. *Int. J. Food Sci. Nutr.,* **46:** 155-160 (1995).

8. MURRAY, I.E. ET AL. Volatile constituents of passion fruit, Passiflora edulis. *Aust. J. Chem.* **25:** 1920-1933 (1972).

9. PAMPLONA ROGER, J. D. *Enciclopedia de las plantas medicinales.* Madrid, Editorial Safeliz, 5ª imp.,1998, pág. 167.

10. Génesis 43:11.

11. *Conocimientos actuales sobre nutrición.* Organización Panamericana de la Salud, Instituto Internacional ed Ciencias de la Vida, Washington D.C., pág.144 [edición original: *Present Knowdledge in Nutrition.* International Life Sciences Institute, ILSI-North America, 6ª ed.,1990].

## CAP. 7: ALIMENTOS PARA EL APARATO RESPIRATORIO

1. COOK, D.G.; CAREY, I.M.; WHINCUP, P.H. ET AL. Effect of fresh fruit consumption on lung function and wheeze in children. *Thorax,* **52:** 628-633 (1997).

2. Números 11: 5.

3. LECLERC, H. *Précis de phytothèrapie.* Paris, Masson, 1983, pág.69.

4. HOLLMAN, P. ET AL. Absorption of dietary quercitin glycosides and quercitin in healthy ileostomy volunteers. *American Journal of Clinical Nutrition,* **62:** 1276-1282 (1995).

5. SCHNEIDER, ERNST. *La salud por la nutrición.* Madrid, Editorial Safeliz, 1986, pág. 498.

6. DANKERT, J.; TROMP, T.F.; DE VRIES, H. ET AL. Antimicrobial activity of crude juices of Allium ascalonicum, Allium cepa and Allium sativum. *Zentralbl. Bakteriol* [Orig. A], **245:** 229-239 (1979).

7. ELNIMA, E.; AHMED, S.A.; MEKKAWI, A.G. ET AL. The antimicrobial activity of garlic and onion extracts. *Pharmazie,* **38:** 747-748 (1983).

8. DORSCH, W.; SCHARFF, J.; BAYER, T. ET AL. Antiasthmatic effects of onions. Prevention of platelet-activating factor induced bronchial hyperreactivity to hismine in guinea pigs by diphenylthiosulfinate. *Int. Arch. Allergy Appl. Immunol.,* **88:** 228-230 (1989).

9. WAGNER, H. Search for new plant constituents with potential antiphlogistic and antiallergic activity. *Planta Med.,* **55:** 235-241 (1989).

10. VERTES, C.; DEBRECZENI, L.A. Effect of intracerebrally injected aminophylline, vinpocetinum, vasoactive intestinal peptide and onion extract on breathing pattern of rats. *Z. Erkr. Atmungsorgane,* **173:** 134-137 (1989).

11. KLEIJNEN, J.; KNIPSCHILD, P.; RIET, G. Garlic, onions and cardiovascular risk factors. *British Journal of Clinical Pharmacology,* **28:** 535-544 (1989).

12. MULDOON, M.; KRITCHEVSKY, S.B. Flavonoids and heart disease. *British Medical Journal,* **312:** 458-459 (1996).

13. KNEKT, P. ET AL. Flavonoid intake and coronary mortality in Finland: a cohort study. *British Medical Journal,* **312:** 478-481 (1996).

14. SEBASTIAN, K.L. ET AL. The hypolipidemic effect of onion (Allium cepa) in sucrose fed rabbits. *Indian Journal of Physiology and Pharmacology,* **23:** 27-30 (1979).

15. YOU, W.C.; BLOT, W.J.; CHANG, Y.S. ET AL. Allium vegetables and reduced risk of stomach cancer. *Journal of the National Cancer Institute,* **81:** 162-164 (1989).

16. DORANT, E.; VAN DEN BRANDT, P.A.; GOLDBOHM, R.A. ET AL. Consumption of onions and a reduced risk of stomach carcinoma. *Gastroenterology,* **110:** 12-20 (1996).

17. DAVIS, D.L. Natural anticarcinogens, carcinogens, and changing patterns in cancer: some speculation. Environ. *Res.,* **50:** 322-340 (1989).

18. DORANT, E.; VAN DEN BRANDT, P.A.; GOLDBOHM, R.A. Allium vegetable consumption, garlic supplement intake, and female breast carcinoma incidence. *Breast Cancer Research and Treatment,* **33:** 163-170 (1995).

19. DORANT, E.; VAN DEN BRANDT, P.A.; GOLDBOHM, R.A. A prospective cohort study on Allium vegetable consumption, garlic supplement use, and the risk of lung carcinoma in The Netherlands. *Cancer Research,* **54:** 6148-6153 (1994).

20. MOUSA, O. Bioactivity of certain Egyptian Ficus species. *Journal Ethnopharmacology,* **41:** 71-76 (1994).

## CAP. 8: ALIMENTOS PARA EL APARATO DIGESTIVO

1. STOEWSAD, G. Bioactive organosulfur phytochemicals in Brassica oleracea vegetables (a review). *Food Chem. Toxicol.,* **33** (6): 537-543 (1995).

2. PREOBRAZHENSKAYA, M. ET AL. Ascorbigen and other indole-derived compounds from brassica vegetables and their analogs as anticarcinogenic and inmunomodulating agents. *Pharmacol., Ther.,* **60** (2): 301-313 (1993).

3. MARKS, H. Effect of S-methyl cysteine sulphoxide ands its metabolite methyl methane thiosulphinate, both occurring naturally in Brassica vegetables, on mouse genotoxicity. *Food Chem. Toxicol,* **31** (7): 491-495 (1993).

4. OSATO, J.A.; SANTIAGO, L.A.; REMO, G.M. ET AL. Antimicrobial and antioxidant activities of unripe papaya. *Life Sciences,* **53:** 1383-1389 (1993).

5. SATRIJA, F.; NANSEN, P.; BJORN, H. ET AL. Effect of papaya latex against Ascaris suum in naturally infected pigs. *Journal of Helminthology,* **68:** 343-346 (1994).

6. LIVESEY, G.; WILKINSON, J.A.; ROE, M. ET AL. Influence of the physical form of barley grain on the digestion of its starch in the human small intestine and implications for health. *Am. J. Clin. Nutr.,* **61:** 75-81 (1995).

7. NAISMITH, D.J.; MAHDI, G.S.; SHAKIR, N.N. Therapeutic value of barley in the management of diabetes. *Ann. Nutr. Metab.,* **35:** 61-64 (1991).

8. MCINTOSH, G.H. Colon cancer: dietary modifications required for a balanced protective diet. *Prev. Med.,* **22:** 767-774 (1993).

## CAP. 9: ALIMENTOS PARA EL HÍGADO

1. ENGLISCH W, BECKERS C, UNKAUF M, RUEPP M. ET AL. Efficacy of Artichoke dry extract in patients with hyperlipoproteinemia. *Arzneimittelforschung* 2000 Mar; 50(3):260-5

2. TEUBNER, C.; LEVIN, H.G.; LANGE, E. *El gran libro de las verduras de todo el mundo.* Madrid, Editorial Everest, 1994, pág. 64 [ed. original: *Das Grosse Buch der Gemüse,* Teubner Edition, 1991].

3. ROJANAPO, W.; TEPSUWAN, A. Antimutagenic and mutagenic potential of Chinese radish. *Environ. Health Perspect.,* **101** (suppl. 3): 247-252 (1993).

## CAP. 10: ALIMENTOS PARA EL ESTÓMAGO

1. MAROTTA, R.B.; FLOCH, M.H. Diet and nutrition in ulcer disease. *Med. Clin. North. Am.,* **75:** 967-979 (1991).

2. HELSER, M.A.; HOTCHKISS, J.H.; ROE, D.A. Influence of fruit and vegetable juices on the endogenous formation of N-nitrosoproline and N-nitrosothiazolidine-4-carboxylic acid in humans on controled diets. *Carcinogenesis,* **13:** 2277-2280 (1992).

3. MEHTA, R. ET AL. Cancer chemopreventive activity of brassinin, a phytoalexin from cabagge. *Carcinogenesis,* **16** (2): 399-404 (1995).

4. CHEN, M. Cruciferous vegetables and glutathione: their effects on colon mucosal glutathione level and colon tumor

development in rats induced by DMH. *Nutr. Cancer,* **23** (1): 77-83 (1995).

5. GUO, Z. ET AL. Effects of phenethyl isothiocyanate, a carcinogenesis inhibitor, on xenobiotic-metabolizing enzymes and nitrosamine metabolism in rats, *Carcinogenesis,* **13** (12): 2205-2210 (1992)

6. MARKS, H. ET AL. Effects of S-methyl cysteine sulphoxide and its metabolite mrthyl methane thiosulphinate, both occurring naturally in *Brassica* vegetables, on mouse genotoxicity. *Food Chem. Toxicol.,* **31** (7): 491-495 (1993).

7. KIM, D. ET AL. Biphasic modifying effect of indole-3-carbinol on diethylnitrosamine-induced preneoplasic glutathione S-transferase placental form-positive liver cell foci in Sprague-Dawley rats. *Japon Journal Cancer Research,* **85** (6): 578-583 (1994).

8. PAMPLONA ROGER, J. D. *Enciclopedia de las plantas medicinales.* Madrid, Editorial Safeliz, 5ª imp.,1998, pág. 434.

9. SCHNEIDER, ERNST. *La salud por la nutrición.* Madrid, Editorial Safeliz, 1986, pág. 424.

10. ESPINOSA-AGUIRRE, J.J. ET AL. Mutagenic activity of urban air samples and its modulation by chili extracts. *Mutation Research,* **303:** 55-61 (1993).

11. ENSMINGER, A.H. ET AL. *The Concise Encyclopedia of Foods and Nutrition.* Boca Raton (Florida), CRC Press, 1995, pág. 869.

12. WILDMANN, J. ET AL. Occurence of pharmacologically active benzodiazepines in trace amounts in wheat and potato. *Biochem. Pharmacol.,* **37:** 3549-3559 (1988).

13. WILDMANN, J. Increase of natural benzodiazepines in wheat and potato during germination. *Biochem. Biophys. Res. Commun,* **157:** 1436-1443 (1988).

## CAP. 11: ALIMENTOS PARA EL INTESTINO

1. BROSSARD J.; MACKINNEY G. The carotenoid of Diospyros kaki. *J. Agric. Food Chem.* **11:** 501-503 (1963).

2. MULDOON, M.F.; KRITCHEVSKY, SB: Flavonoids and heart disease. *British Medical Journal,* **312:** 458-459 (1996).

3. KNEKT, P. ET AL. Flavonoid intake and coronary mortality in Finland: a cohort study. *British Medical Journal,* **312:** 478-481 (1996).

4. SABLE, R.; SICART, R.; BERRY, E. Steroid pattern of bile and feces in response to fruit-enriched diet in hypercholesterolemic hamsters. *Annals of Nutrition and Metabolism,* **34:** 303-310 (1990).

5. OHKAMI, H. ET AL. Effects of apple pectin on fecal bacterial enzymes in azoxymethane-induced rat colon carcinogenesis. *Japan Journal of Cancer Research,* **86:** 523-529 (1995).

6. MAHAN, L.K.; ARLIN, M.T. *Krause, nutrición y dietoterapia.* México, Interamericana McGraw-Hill, 1995, 3ª ed. [edición original: *Krause's Food, Nutrition and Diet Therapy.* Philadelphia, W.B. Saunders Company, 1992, 8ª ed.), pág. 463.

7. TINKER L.F. ET AL. Prune fiber or pectin compared with cellulose lowers plasma and liver lipids in rats with diet-induced hyperlipidemia. *Journal of Nutrition,* **124:** 31-40 (1994).

8. SHANE, J.M.; WALKER, P.M. Corn bran supplementation of a low-fat controlled diet lowers serum lipids in men with hypercholesterolemia. *Journal of the American Dietetic Association,* **95:** 40-45 (1995).

## CAP. 12: ALIMENTOS PARA EL APARATO URINARIO

1. HESSE, A.; SIENER, R.; HEYNCK, H. ET AL. The influence of dietary factors on the risk of urinary stone formation. *Scanning Microsc.,* **7:** 1119-1127 (1993).

2. SIENER, R.; HESSE, A. Einfluss verschiedener Kostformen auf die Harnzusammensetzung und das Kalziumoxalat-Steinbildungsrisiko [The effect of different food forms on the urine composition and the risk of calcium oxalate stone formation]. *Z. Ernahrungswiss.,* **32:** 46-55 (1993).

3. MASSEY, L.K.; ROMAN-SMITH, H.; SUTTON, R.A. Effect of dietary oxalate and calcium on urinary oxalate and risk of formation of calcium oxalate kidney stones. *J. Am. Diet. Assoc.,* **93:** 901-906 (1993).

4. TSI D. ET AL: Effects of aqueous celery *(Apium graveolens)* extract on lipid parameters of rats fed a high fat diet. *Planta. Med.,* **61** (1): 18-21, (1995).

5. GRAL N. ET AL: Étude des taux plasmatiques de psoralènes après ingestion de céléri. *Annal. Dermatol. Venereol.,* **120** (9): 599-603, (1993).

6. GUILLEN, R. ET AL. Dietary fibre in white asparagus before and after processing. *Z. Lebensm. Unters. Forsch.,* **200:** 225-228 (1995).

7. AMARO LOPEZ, M.A. ET AL. Influence of vegetative cycle of asparagus on copper, iron, zinc and manganese content. *Plants Foods in Human Nutrition,* **47:** 349-355 (1995).

8. VALNET, J. *Tratamiento de las enfermedades por las verduras, frutas y cereales.* Madrid, Editorial Reus, 1973 [edición original: *Traitement des maladies par les légumes, les fruits et les céréals.* Paris, Librairie Maloine S.A. éditeur], pág. 151.

9. FLEET, J.C.: New support for a folk remedy: cranberry juice reduces bacteriuria and pyuria in elderly women. *Nutr. Rev.* **52** (5): 168-170, (1994).

10. AVORN J. ET AL.: Reduction of bacteriuria and pyuria after ingestion of cranberry juice. *JAMA,* **271** (10): 751-754, (1994).

11. ENSMINGER, A.H. ET AL. *The concise encyclopedia of foods and nutrition.* Boca Ratón (Florida), CRC Press, 1995, pág. 342.

## CAP. 13: ALIMENTOS PARA EL APARATO REPRODUCTOR

1. BARR, S.I.; JANELLE, K.C.; PRIOR, J.C. Vegetarian vs nonvegetarian diets, dietary restraint, and subclinical ovulatory disturbances: prospective 6-mo study. *Am. J. Clin. Nutr.,* **60:** 887-894 (1994).

2. ANTHONY, M.S. ET AL. Soybean isoflavones improve cardiovascular risk factors without affecting the reproductive system of peripubertal rhesus monkeys. *J. Nutr.,* **126:** 43-50 (1996).

3. MISHRA, S.K.; SHARMA, A.K.; SALILA, M. ET AL. Efficacy of low fat diet in the treatment of benign breast disease. *Natl. Med. J. India,* **7:** 60-62 (1994).

4. ENSMINGER, A.H. ET AL. *The concise encyclopedia of foods and nutrition.* Boca Ratón (Florida), CRC Press, 1995, pág. 971.

5. BAGLIERI, A. ET AL. Gastro-jejunal digestion of soya-bean-milk protein in humans. *British Journal of Nutrition* **72:** 519-532 (1994).

6. BARNES, S. Rationale for the use of genistein-containing soy matrices in chemoprevention trials for breast and prostate cancer. *J. Cell. Biochem. Suppl.,* **22:** 181-187 (995).

7. LIENER, I.E. Possible adverse effects of soybean anticarcinogens. *J. Nutr.,* **125** (3 Suppl): 744S-750S (1995).

8 CLAWSON, G.A. Protease inhibitors and carcinogenesis: a review. *Cancer Invest.,* **14:** 597-608 (1996).

9. KENNEDY, A.R. The evidence for soybean products as cancer preventive agents. *J. Nutr.,* **125** (3 Suppl): 733S-743S (1995).

10. CASSIDY, A. Biological effects of a diet of soy protein rich in isoflavones on the menstrual cycle of premenopausal women. *Am. J. Clin. Nutr.,* **60:** 333-340 (1994).

11. HONORÉ, E.K. ET AL. Soy isoflavones enhance coronary

vascular reactivity in atherosclerotic female macaques. *Fertility and Sterility*, **67:** 148-154 (1997).

12. Wu, A.H. Tofu and risk of breast cancer in Asian-Americans. *Cancer Epidemiol. Biomarkers Prev.*, **5:** 901-906 (1996).
13. Persky, V.; Van-Horn, L. Epidemiology of soy and cancer: perspectives and directions. *J. Nutr.*,**125** (3 Suppl): 709S-712S (1995).
14. Dwyer, J.T. et al. Tofu and soy drinks contain phytoestrogens. *J. Am. Diet. Assoc.*, **94:** 739-743 (1994).
15. Stoll, B.A. Eating to beat breast cancer: potential role for soy supplements. *Ann. Oncol.*, **8:** 223-225 (1997).
16. Messina, M.J. et al. Soy intake and cancer risk: a review of the in vitro and in vivo data. *Nutr. Cancer*, **21:** 113-131 (1994).
17. Adlercreutz, H. et al. Plasma concentration of phytoestrogens in Japanese men. *Lancet*, **342:** 1209-1210 (1993).
18. Barret-Conner, E. Estrogen and coronary heart disease. *JAMA*, **265:** 1861 (1991).
19. Anthony, M.S. et al. Soybean isoflavones improve cardiovascular risk factors without affecting the reproductive system of peripubertal rhesus monkeys. *J. Nutr.*, **126:** 43-50 (1996).
20. Wilcox, J.N.; Blumenthal, B.F. Thrombotic mechanisms in atherosclerosis: potential impact of soy proteins. *J. Nutr.*, 125 (3 Suppl): 631S-638S (1995).
21. Abelow, B.J.; Holford, T.R.; Insogna, K.L. Cross-cultural association between dietary animal protein and hip fracture: a hypothesis. *Calcif. Tissue Int.*, **50:** 14-18 (1992).
22. Breslau, N.A.; Brinkley, L.; Hill, K.D. et al. Relationship of animal protein-rich diet to kidney stone formation and calcium metabolism. *J. Clin. Endocrinol. Metabol.* **66:** 140-146 (1988).
23. Arjmandi, B.H. et al. Dietary soybean protein prevents bone loss in an ovariectomized rat model of osteoporosis. *J. Nutr.*, **126:** 161-167 (1996).
24. Kontessis, P. et al. Renal, metabolic and hormonal responses to ingestion of animal and vegetable proteins. *Kidney Int.*, **38:** 136-144 (1990).
25. Gentile, M.G. et al. Treatment of proteinuric patients with a vegetarian soy diet and fish oil. *Clin. Nephrol.*, **40:** 315-320 (1993).
26. Messina, M.J.; Barnes, S. The role of soy products in reducing risk of cancer. *J. Natl. Cancer Inst.*, **83:** 541-546 (1991).
27. Anderson, J.W. et al. Meta-analysis of the effects of soy protein intake on serum lipids. *N. Eng. J. Med.*, **333:** 276-282 (1995).
28. Liener, I.E. Implications of antinutritional components in soybean foods. *Crit. Rev. Food Sci. Nutr.*, **34:** 31-67 (1994).
29. Mataix, J. et al. *Tabla de composición de alimentos españoles.* Universidad de Granada, 1995, 2ª ed., pág. 316.
30. Stahl, W.; Sies, H. Uptake of lycopene and its geometrical isomers is greater from heat-processed than from unprocessed tomato juice in humans. *Journal of Nutrition*, **122:** 2161-2166 (1992).
31. Stahl, W.; Sies, H. Lycopene: a biologically important carotenoid for humans? *Arch. Biochem. Biophys*, **336:** 1-9 (1996).
32. Franceschi, S. et al. Tomatoes and risk of digestive-tract cancers. International *Journal of Cancer*, **59:** 181-184 (1994).

## Cap. 14: Alimentos para el metabolismo

1. Anderson J.W. et al. Serum lipid response of hypercholesterolemic men to single and divided doses of canned beans. *Am. J. Clin. Nutr.* **51:** 1013-1019 (1990).
2. Salmeron, J.; Manson, J.E.; Stampfer, M.J. et al. Dietary fiber, glycemic load, and risk of non-insulin-dependent diabetes mellitus in women. *JAMA*, **277:** 472-477 (1997).
3. Snowdon, D.A.; Phillips, R.L. Does a vegetarian diet reduce the occurrence of diabetes? *Am. J. Public. Health.*, **75:** 507-512 (1985).
4. Feskens, E.J.; Virtanen, S.M.; Räsänen, L. et al. Dietary factors determining diabetes and impaired glucose tolerance. A 20-year follow-up of the Finnish and Dutch cohorts of the Seven Countries Study. *Diabetes Care*, **18:** 1104-1112 (1995).
5. Swanston-Flatt, S.K.; Day, C.; Flatt, P.R. et al. Glycaemic effects of traditional European plant treatments for diabetes. Studies in normal and streptozotocin diabetic mice. *Diabetes Res.*, **10:** 69-73 (1989).
6. Toth, B.; Erickson, J. Cancer induction in mice by feeding of the uncooked cultivated mushroom of commerce Agaricus bisporus. *Cancer Res.*, **46:** 4007-4011 (1986).
7. Shephard, S.E.; Gunz, D.; Schlatter, C. Genotoxicity of agaritine in the lacl transgenic mouse mutation assay: evaluation of the health risk of mushroom consumption. *Food Chem. Toxicol.*, **33:** 257-264 (1995).
8. Matsumoto, K. et al. Carcinogenicity examination of Agaricus bisporus, edible mushroom, in rats. *Cancer Lett.*, **58:** 87-90 (1991).
9. Papaparaskeva, C.; Ioannides, C.; Walker, R. Agaritine does not mediate the mutagenicity of the edible mushroom Agaricus bisporus. *Mutagenesis*, **6:** 213-217 (1991).
10. Blanco, A; Muñoz, L. Contenido y disponibilidad biológica de los carotenoides de pejibaye (Bactris gasipaes) como fuente de vitamina A. *Archivos Latinoamericanos de Nutrición*, **42** (2): 146-154 (1992).
11. De Tommasi, N. et al. Hypoglycemic effects of sesquiterpene glycosides and polyhydroxylated triterpenoids of Eriobotrya japonica. *Planta Med.*, **57:** 414-416 (1991).
12. Roman-Ramos, R. et al. Experimental study of the hypoglycemic effect of some antidiabetic plants. *Arch. Invest. Med. (Mexico)*, **22:** 87-93 (1991).
13. De Tommasi, N. et al. Constituents of Eriobotrya japonica. A study of their antiviral properties. *Journal of Natural Products*, **55:** 1067-1073 (1992).
14. Lucas, 6: 1.
15. Jacobs Jr, D.R.; Slavin, J.; Marquart, L. Whole grain intake and cancer: a review of the literature. *Nutr. Cancer*, **24:** 221-229 (1995).
16. Ensminger, A.H. et al. *The concise encyclopedia of foods and nutrition.* Boca Ratón (Florida), CRC Press, 1995, pág. 793.
17. Badiali, D. Effect of wheat bran in treatment of chronic nonorganic constipation. A double-blind controlled trial. *Dig. Dis. Sci.*, **40:** 349-356 (1995).
18. Rose, D.P.; Lubin, M.; Connolly, J.M. Effects of diet supplementation with wheat bran on serum estrogen levels in the follicular and luteal phases of the menstrual cycle. *Nutrition*, **13:** 535-539 (1997).
19. Francis, C.Y.; Whorwell, P.J. Bran and irritable bowel syndrome: time for reappraisal. *Lancet*, **344:** 39-40 (1994).
20. Torre, M.; Rodriguez, A.R.; Saura-Calixto, F. Effects of dietary fiber and phytic acid on mineral availability. *Crit. Rev. Food Sci. Nutr.*, **30:** 1-22 (1991).

## Cap. 15: Alimentos para el aparato locomotor

1. Welten, D.C.; Kemper, H.C.; Post, G.B. et al. Longitudinal development and tracking of calcium and dairy intake from teenager to adult. *Eur. J. Clin. Nutr.*, **51:** 612-618 (1997).
2. Arjmandi, B.H.; Alekel, L.; Hollis, B.W. et al. Dietary soybean protein prevents bone loss in an ovariectomized rat model of osteoporosis. *J. Nutr.*, **126:** 161-167 (1996).

3. ABELOW, B.J.; HOLFORD, T.R.; INSOGNA, K.L. Cross-cultural association between dietary animal protein and hip fracture: a hypothesis. *Calcif. Tissue Int.,* **50:** 14-18 (1992).

4. FESKANICH, D.; WILLETT, W.C.; STAMPFER, M.J. ET AL. Protein consumption and bone fractures inwomen. *Am. J. Epidemiol.,* **143:** 472-479 (1996).

5. KJELDSEN-KRAGH, J.; RASHID, T.; DYBWAD, A. ET AL. Decrease in anti-Proteus mirabilis but not anti-Escherichia coli antibody levels in rheumatoid arthritis patients treated with fasting and a one year vegetarian diet. *Ann. Rheum. Dis., Mar.,* **54:** 221-224 (1995).

6. PELTONEN, R.; NENONEN, M.; HELVE, T. ET AL. Faecal microbial flora and disease activity in rheumatoid arthritis during a vegan diet. *Br. J. Rheumatol.,* **36:** 64-68 (1997).

7. PELTONEN, R.; KJELDSEN-KRAGH, J.; HAUGEN, M. ET AL. Changes of faecal flora in rheumatoid arthritis during fasting and one-year vegetarian diet. *Br. J. Rheumatol.,* **33:** 638-643 (1994).

8. KJELDSEN-KRAGH, J.; MELLBYE, O.J.; HAUGEN, M. ET AL. Changes in laboratory variables in rheumatoid arthritis patients during a trial of fasting and one-year vegetarian diet. *Scand. J. Rheumatol.,* **24:** 85-93 (1995).

9. KJELDSEN-KRAGH, J.; HAUGEN, M.; BORCHGREVINK, C.F. ET AL. Vegetarian diet for patients with rheumatoid arthritis–status: two years after introduction of the diet. *Clin. Rheumatol.,* **13:** 475-482 (1994).

10. ADAM, O. Ernahrung als adjuvante Therapie bei chronischer Polyarthritis [Nutrition as adjuvant therapy in chronic polyarthritis]. *Z. Rheumatol.,* **52:** 275-280 (1993).

11. HEUPKE, W.; WEITZEL, W. *Deutsches Obst und Gemüse in der Ernährung und Heilkunde* [Las frutas y hortalizas alemanas en la alimentación y en la terapéutica], Hippokrates Verlag, Stuttgart, 1950.

## CAP. 16: ALIMENTOS PARA LA PIEL

1. HILL, D.J.; BANNISTER, D.G.; HOSKING, C.S. ET AL. Cow milk allergy within the spectrum of atopic disorders. *Clin. Exp. Allergy,* **24:** 1137-1143 (1994).

2. NORGAARD, A.; BINDSLEV-JENSEN, C. Egg and milk allergy in adults. Diagnosis and characterization. *Allergy,* **47:** 503-509 (1992).

3. OEHLING, A.; FERNANDEZ, M.; CORDOBA, H. Skin manifestations and immunological parameters in childhood food. *J. Investig. Allergol. Clin. Immunol.,* **7:** 155-159 (1997).

4. CARLIER, C. ET AL. Efficacy of massive oral doses of retinyl palmitate and mango (Mangifera indica L.) consumption to correct an existing vitamin A deficiency in Senegalese children. *British Journal of Nutrition,* **68:** 529-540 (1992).

5. HUNTER, G.L.K.; BUCEK, W.A.; RADFORD, T. Volatile components of canned Alphonso mango. *Journal of Food Science,* **39:** 900-903 (1974).

6. ROONGPISUTHIPONG, C. ET AL. Postprandial glucose and insulin responses to various tropical fruits of equivalent carbohydrate content in non-insulin-dependent diabetis mellitus. *Diabetes Research and Clinical Practice,* **14:** 123-131 (1991).

7. MINISTERIO DE AGRICULTURA, PESCA Y ALIMENTACIÓN DE ESPAÑA. *Las legumbres* (colección Alimentos de España). Madrid, El País, 1992, pág. 13.

8. BLANCO, A. Bioavailability of aminoacids in beans.*Arch. Latinoam. Nutr.,* **41** (1): 38-52, (1991).

9. ANDERSON J.W. ET AL. Serum lipid response of hypercholesterolemic men to single and divided doses of canned beans. *Am. J. Clin. Nutr.* **51** (6): 1013-1019 (1990).

## CAP. 17: ALIMENTOS PARA LAS INFECCIONES

1. LIANG, B.; CHUNG, S.; ARAGHINIKNAM, M. ET AL. Vitamins and immunomodulation in AIDS. *Nutrition,* **12:** 1-7 (1996).

2. KOCH, J.; GARCIA-SHELTON, Y.L.; NEAL, E.A. ET AL. Steatorrhea: a common manifestation in patients with HIV/AIDS. *Nutrition,* **12:** 507-510 (1996).

3. CHEN, J.D. ET AL. The effects of actinidia sinensis Planc. (kiwi) drink supplementation on athletes training in hot environments. *Journal of Sports Medecine Physiology Fitness,* **30:** 181-184 (1990).

4. CHUG-AHUJA, J.K. ET AL. The development and application of a carotenoid database for fruits, vegetables, and selected multicomponent foods. *J. Am. Diet. Assoc.,* **93:** 318-323 (1993).

5. CRAIG, W. Nutri-Fax vol. 5, núm. 1. Departamento de Nutrición de la Universidad Andrews, Michigan, USA.

6. MIDDLETON, E; KANDASWAMI, C. Potential health-promoting properties of Citrus flavonoids. *Food Technology,* **48:** 115-119 (1994).

7. WATTENBERG, L.; COCCIA, J. Inhibition of 4-(methylnitrosamino)-1-(3-pyridyl)-1-butanone carcinogenesis in mice by D-limonene and citrus fruit oils. *Carcinogenesis,* **12:** 115-117 (1991).

8 TROUT, D.L. Vitamin C and cardiovascular risk factors. *Am J Clin Nutr.,* **53:** 322-325S, (1991).

9. BESRA, S.E. ET AL. Antiinflammatory effect of petroleum ether extract of leaves of Litchi chinensis Gaertn. *Journal of Ethnopharmacololy,* **54:** 1-6 (1996).

10. NAGY, S.; SHAW, P.E. *Tropical and subtropical fruits.* Westport (Connecticut), The AVI Publishing Company, Inc., 1980, pág. 341.

11. SCHNEIDER, ERNST. *La salud por la nutrición.* Madrid, Editorial Safeliz, 1986, pág. 171.

## CAP. 18: LOS ALIMENTOS Y EL CÁNCER

1. WHITE, E. *Consejos sobre el régimen alimenticio.* Mountain View (California), Pacific Press Publishing Association, 1968, págs. 458 y 463.

2. OMS, Serie de Informes Técnicos, nº 797 (*Dieta, nutrición y prevención de enfermedades crónicas:* Informe de un grupo de expertos de la OMS). Ginebra, Organización mundial de la Salud, 1990.

3. STRICKLAND, P.T.; GROOPMAN, J.D. Biomarkers for assessing environmental exposure to carcinogens in the diet. *Am. J. Clin. Nutr.,* **61:** 710S-720S (1995).

4. ENSMINGER, A.H. ET AL. *The Concise Encyclopedia of Foods and Nutrition.* Boca Ratón (Florida), CRC Press, 1995, pág. 157 (gráfico adaptado).

5. WILLETT, W.C.; STAMPFER, M.J.; COLDITZ, G.A. ET AL. Moderate alcohol consumption and the risk of breast cancer. *N. Engl. J. Med.,* **316:** 1174-1180 (1987).

6. D'AVANZO, B.; LA VECCHIA, C.; FRANCESCHI, S. ET AL. Coffee consumption and bladder cancer risk. *Eur. J. Cancer,* **28A:** 1480-1484 (1992).

La ENCICLOPEDIA DE LAS PLANTAS MEDICINALES *(EPM) referenciada en esta obra, la publica Editorial Safeliz en dos tomos, formando parte de la Biblioteca Educación y Salud. Su autor es el mismo que el de esta obra.*

# ABREVIATURAS, SÍMBOLOS Y SIGLAS MÁS USADOS

**°C:** En esta obra , para la medición de la temperatura, se usa la escala llamada de Celsius, centesimal o centígrada. En algunos países y publicaciones en lengua inglesa se sigue usando la escala de Fahrenheit en la cual 0°C corresponde a 32°F y 100°C a 212°F.

**cap.:** Abreviatura de 'capítulo'.

**cc:** En la actualidad los 'centímetros cúbicos' no se usan como medida de volumen de líquidos. Un 'centímetro cúbico' equivale exactamente a un mililitro (ml).

**CDR:** Siglas de 'cantidad diaria recomendada' de un nutriente (ver pág. 13). En algunos países hispánicos se usa IDR (ingesta diaria recomendada).

**cl:** Símbolo de 'centilitro', centésima parte del litro: 1 cl = 0,01l / 1 l = 100 cl.

**cm:** Símbolo de 'centímetro', centésima parte del metro: 1 cm = 0,01 m / 1 m = 100 cm.

**dl:** Símbolo de 'decilitro', décima parte del litro: 1 dl = 0,1 l / 1 l = 10 dl.

**EE. UU.:** Abreviatura de 'Estados Unidos de Norteamérica'.

**EPM:** Siglas de la *Enciclopedia de las plantas medicinales* (2 tomos), perteneciente a la BIBLIOTECA EDUCACIÓN Y SALUD.

**g:** Símbolo de 'gramo', unidad de peso en el sistema métrico decimal, equivalente a la milésima parte del kilogramo: 1 g = 0,001 kg / 1 kg = 1000 g.

**H. de c.:** Abreviatura de 'hidratos de carbono'.

**HDL:** Siglas en inglés *de High Density Lipoproteins* (lipoproteínas de alta densidad). El llamado 'colesterol HDL' es el que circula por la sangre unido a estas lipoproteínas, y resulta beneficioso para la salud.

**IDA:** Siglas de 'ingesta diaria admisible', que se usa para las sustancias potencialmente peligrosas (ver pág. 13).

**kcal:** Símbolo de 'kilocaloría', unidad de energía a la que comunmente se llama 'caloría'. 1 kcal = 4,18 kj.

**kg:** Símbolo de 'kilogramo', en apócope: 'kilo'. 1 kg = 1.000 g.

**kj:** Símbolo de 'kilojulio', unidad de energía a la que comunmente se llama 'julio' (en inglés, *Joule*). 1 kj = 0,24 kcal.

**l:** Símbolo de 'litro', unidad de medida de los líquidos en el sistema métrico decimal: 1 l = 1 dm³ = 1.000 ml (1 l de agua pesa 1 kg).

**L.:** Abreviatura de 'Linneo', botánico sueco que en el siglo XVIII clasificó y dio nombre a muchas especies de plantas (ver *EPM*, pág. 32).

**LDL:** Siglas inglesas *de Low Density Lipoproteins* (lipoproteínas de baja densidad). El llamado 'colesterol LDL' es el que circula por la sangre unido a estas lipoproteínas, y resulta nocivo.

**m:** Símbolo de 'metro', unidad patrón del sistema métrico decimal, aceptado hoy universalmente: 1 m = 10 dm = 100 cm = 1.000 mm

**Mb:** Símbolo de 'megabit', unidad de información que equivale a un millón de 'bytes' o caracteres.

**Min.:** Abreviatura de 'minerales'.

**mg:** Símbolo del 'miligramo', milésima parte del gramo: 1 mg = 0,001 g / 1 g = 1.000 mg.

**ml:** Símbolo de 'mililitro', que es la milésima parte del litro: 1 ml = 0,001 l / 1 l = 1.000 ml (1 ml = 1 cc = 1 cm³).

**mmol/l:** Símbolo de 'milimol por litro', una de las formas de medir la concentración de una sustancia, que se suele emplear en los análisis de sangre.

**pág.:** Abreviatura de 'página'.

**pH:** Símbolo de 'potencial de hidrogeniones'. El pH mide el grado de acidez o de alcalinidad de una solución. Un pH menor que 7 indica acidez; un pH mayor que 7, alcalinidad; y un pH exactamente igual a 7, neutralidad.

**ppm:** Símbolo de 'parte por millón', una de las formas de medir la concentración de una sustancia. 1 ppm = 1 mg/kg = 0,1 mg/100 g.

**Prot.:** Abreviatura de 'proteínas'.

**Sin.:** Abreviatura de 'sinonimia'.

**ssp.:** Abreviatura de 'subespecie'.

**T.:** Abreviatura de 'tomo'.

**U.I.:** Abreviatura de 'unidades internacionales', que era la unidad de medida que se utilizaba cuando no se podía medir con exactitud el peso de algunas vitaminas. Era una medida de los "efectos biológicos" de una sustancia sobre los seres vivos. Hoy, que ya se cuenta con sistema de medida más precisos, se usan los microgramos (µg). En el caso de la vitamina A: 1 µg = 3,33 U.I.

**var.:** Abreviatura de 'variedad' en relación a las especies botánicas.

**µ:** Símbolo de 'micra' o 'micrón', millonésima parte del metro: 1 µ = 0,000001 m / 1 m = 1.000.000 µ (1 mm = 1.000 µ).

**µg:** Símbolo de 'microgramo' o millonésima parte del gramo: 1 µg = 0.000001 g / 1 g = 1.000.000 µg (1 mg = 1.000 µg).

# Sinonimias y equivalencias hispánicas

**aceitunas\*** = olivas\*

**achicoria** = escarola\*

**achicoria blanca** = endibia\*

**aguacate\*** = palta, avocado (inglés: *avocado)*

**ají dulce** = pimiento\*

**ajonjolí** = sésamo\*

**ajo puerro** = puerro\*

**albaricoque\*** = chabacano, damasco

**alcachofas\*** = alcauciles

**almendra del Amazonas** = nuez del Brasil\*

**almendrón** = nuez del Brasil\*

**alubias** = judías\*

**ananás** = piña tropical\*

**anón** = chirimoya\*

**anona** = chirimoya\*

**arvejas** = guisantes\*

**auyama** = calabaza\*

**avocado** = aguacate\*

**ayote** = calabaza\*

**banana** = plátano\*

**berza** = col\*

**brécol\*** = brócul, bróculi

**brócul** = coliflor\*

**cacahuetes\*** = cacahuates, maní

**calabaza\*** = zapallo, chayote, cayote, cayota, tayota, auyama

**cambur** = plátano\*

**caqui\*** = palosanto

**catuche** = chirimoya\*

**cayote / cayota** = calabaza\*

**cebollín** = puerro\*

**cohombro** = pepino\*

**col\*** = repollo, berza

**coliflor\*** = brécol de cabeza, brócul (en algunos lugares)

**coquito del Brasil** = nuez del Brasil\*

**chabacano** = albaricoque\*

**champiñones\*** = hongos blancos, hongo francés (se cultivan)

**chayote** = calabaza\*

**chícharos** = guisantes\*, garbanzos\* (en algunos lugares)

**chile dulce** = pimiento\*

**chirimoya\*** = anón, anona, anona chirimoya, catuche

**choclo** = maíz\* tierno

**damasco** = albaricoque\*

**durazno** = melocotón\*

**elote** = maíz\* tierno

**endibia\*** = achicoria blanca

**escarola\*** = endivia / endibia, achicoria (en algunos lugares)

**fresas\*** = frutillas

**fréjoles** = judías\*

**frijol soya** = soja\*

**frijoles / fríjoles =** judías\*

**frutabomba** = papaya\*

**frutillas** = fresas\*

**garbanzos\*** = chícharos

**guineo** = plátano\*

**guisantes\*** = arvejas, chícharos, pitipuá (francés: *petit pois)*

**habichuelas** = judías\*

**hongos** = setas\*

**hongos blancos** = champiñones\*

**hongo francés:** champiñones\*

**jubia** = nuez del Brasil\*

**judías\*:** frijoles, fríjoles, fréjoles, alubias, habichuelas, porotos

**lechosa** = papaya\*

**maíz\*** = choclo, elote

**maní** = cacahuetes\*

**melocotón\*** = durazno

**nuez del Brasil\*** = coquito del Brasil, almendra del Amazonas, nuez de Pará, jubia, almendrón, nuez del Marañón

**olivas\*** = aceitunas\*

**palosanto** = caqui\*

**palta** = aguacate\*

**papa** = patata\*

**papaya\*** = lechosa, frutabomba

**patata\*** = papa

**pepino\*** = cohombro

**pimiento\*** = ají dulce, chile dulce

**piña tropical\*** = piña americana, ananás

**pitipuá** = guisantes\*

**plátano\*** = banana, guineo, cambur

**poroto soya** = soja\*

**porotos** = judías\*

**puerro\*** = ajo puerro, cebollín

**repollo** = col\*

**ricota** = requesón\*

**setas\*** = hongos

**soja\*** = soya, frijol soya, poroto soya

**tayota:** calabaza\*

**zapallo** = calabaza\*

*Los términos seguidos de un asterisco ( \* ) son los usuales en el texto de esta obra.*

# Procedencia de las ilustraciones

Lozano, Pablo

Chicharro, Ángel

Corel Stock Photo Library

Gazelle Technologies

Klenk, Gunther

Life Art

Photo Disc

Werner, Ludwig

Editorial Safeliz

# Índice General Alfabético

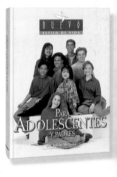